17,99

Kerncommando

Van dezelfde auteur:

De missie van de *Devilfish*
Aanval van de *Seawolf*
De jacht van de *Phoenix*
De Barracuda-strategie
Doelwit: *Piranha*
Torpedovuur

Michael Dimercurio

Kerncommando

Karakter Uitgevers B.V.

Oorspronkelijke titel: Terminal Run

Vertaling: Jan Smit

Omslag: Björn Goud

ISBN 90 6112 232 5
NUR 332

Voor de liefde van mijn leven, Patricia Dimercurio,
die voor mij is wat het land is voor een schip –
voorwerp van verlangen en hunkering,
mijn einde en begin,
mijn hoop en bestemming,
mijn toekomst en verleden.

'Heren, één ding dat ik op zee heb geleerd, is dat de handboeken worden geschreven door mensen die nog nooit met een torpedo zijn beschoten, terwijl de voortstuwing het laat afweten, de commandant om meer vermogen brult en elke seconde vertraging de dood kan betekenen. Een officier van onze marine moet daarom meer weten dan wat er in de handboeken staat en moet kunnen improviseren als hij gewond is, de boot dreigt te zinken en de vijand toch onder vuur moet worden genomen. Dat is waar het werkelijk om gaat, nietwaar, mannen? Doorgaan terwijl je zware klappen krijgt. Dat is de enige manier om ooit een oorlog te winnen. Het is ook de enige manier om je door het leven te slaan. Doe dat voor mij, kerels: leren hoe je klappen moet opvangen.'

– Admiraal Kinnaird R. McKee, hoofd van het Navy Nuclear Propulsion Program en voormalig directeur van de Amerikaanse Marineacademie, in een toespraak tot officieren van de Atlantische onderzeevloot in Norfolk, Virginia

'De Amerikaanse onderzeebootmacht zal de belangrijkste ter wereld blijven. We zullen innovatieve technologieën op agressieve wijze verwerken om onze hegemonie op de wereldzeeën te handhaven. We zullen de uitgebreide mogelijkheden van onderzeeboten zo goed mogelijk bevorderen en tactieken ontwikkelen ter ondersteuning van nationale doelstellingen, op basis van een goede militaire voorbereiding, controle op zee, ondersteuning van grondtroepen en strategische afschrikking. We zullen de rol blijven vervullen van een onzichtbaar, volledig toegerust expeditieplatform voor de krijgsmacht in haar geheel.'

– Beleidsnota van de Amerikaanse onderzeedienst

1

Het was een maand geleden sinds hij naar Washington was gevlogen om een 'degradatie' te eisen.

De baas had geprotesteerd, uiteraard. Alle andere kandidaten voor zijn functie waren dood, een jaar eerder omgekomen bij de rampzalige terreuraanslag die de marine van meer dan duizend van haar meest ervaren mensen had beroofd. Maar als hij zijn oude baan niet terugkreeg, zou hij geen andere keus hebben dan ontslag te nemen, en dan zat de marine met twee onvervulde vacatures. Dus was hij naar huis gekomen met zijn eisen ingewilligd. Alles was weer bij het oude en de wereld zag er zonnig uit. De staf was gereorganiseerd, het operationele personeel raakte steeds beter ingewerkt en het materieel was in uitstekende conditie.

Op deze zonnige zaterdag in mei had hij voor de lunch al achttien holes afgewerkt en zes kilometer gelopen. Na een korte douche op de club had hij zich omgekleed in een linnen broek en een golfshirt, voordat hij in zijn Porsche-cabrio stapte voor het ritje van twintig kilometer naar kantoor. Nu de staf een vrije zondag had en de telefoons zwegen zou hij in drie uur tijd meer werk kunnen verzetten dan anders in een week. Hij opende de kap en draaide het parkeerterrein af naar de kustweg, waar hij een dot gas gaf en soepel door de bochten gleed. De wind speelde door zijn haar en nam zijn laatste zorgen mee.

Met zijn ogen strak op de weg gericht dacht hij na over de situatie die hem wachtte. Het afgelopen jaar was het redelijk vreedzaam toegegaan in de wereld, maar inmiddels gingen er geruchten over een oplaaiend conflict tussen de Volksrepubliek China en de Hindoerepubliek India, bittere vijanden sinds de annexaties door India tijdens de eerste en tweede Chinese burgeroorlog. Over de mogelijke internationale vijandelijkheden die het gevolg konden zijn moest iemand anders zich maar het hoofd breken. Het

zou jaren of misschien wel decennia kunnen duren voordat het tot een serieuze oorlog kwam.
Nauwelijks speelde die gedachte door zijn hoofd, toen hij in zijn spiegeltje keek en snel weer terugkwam in het heden. De politiewagen zat hem zo dicht op de hielen dat hij de koplampen niet meer kon zien, alleen de Smokey Bear-pet en het zwaailicht op het dak. Vloekend draaide hij de Porsche naar de kant, in het besef dat hij de snelheidslimiet aan gort had gereden. Al twee jaar reed hij vol gas op deze snelweg, zonder dat hij ooit politie had gezien. Tot zijn schrik zag hij nog een tweede politiewagen, die voor hem stopte, zodat de kleine sportauto efficiënt was ingesloten. Hij vloekte nog eens toen hij naar zijn portefeuille en autopapieren zocht. Het handschoenenvakje klapte open en de papieren vielen op de grond toen een politieman met laarzen en een Ray-Ban-zonnebril naar de Porsche slenterde.
'Twee handen op het stuur, meneer. Nu meteen,' beval de agent met een zware, vastberaden stem. Zijn hand rustte op zijn pistoolholster, waarvan de flap geopend was.
Met twee handen op het stuur keek hij de agent aan en opende zijn mond om iets te zeggen, maar hij kreeg de kans niet.
'Uw papieren, meneer?'
Hij gaf zijn rijbewijs en zijn militaire legitimatie. De agent wierp er een blik op en vergeleek de foto's met zijn gezicht.
'Meneer Egon Ericcson?'
'Vic,' verbeterde hij. 'Zeg maar Vic.'
De smeris opende het portier. 'Wilt u even uitstappen, meneer Ericcson? En langzaam. Ik wil geen woord van u horen.'
Wat was er in godsnaam aan de hand, vroeg hij zich af toen hij uit de auto kwam. Vic 'de Viking' Ericcson, voormalig footballheld aan de universiteit, was een reus van een vent met brede schouders, blond stekeltjeshaar en zeeblauwe ogen boven de gebroken neus en de vierkante kin van een amateurbokser. Zijn verweerde gezicht vertoonde de diepe sporen van jaren in de buitenlucht.
Een andere agent kwam uit de tweede wagen, stapte in de Porsche en trok het portier achter zich dicht.
'Hé, verdomme! Dat is mijn auto.'
'Geen commentaar, alstublieft, meneer,' zei de eerste agent. 'Uw voertuig is in beslag genomen. Draai u langzaam om en loop naar de patrouillewagen, als u wilt.'
'Hoor eens, agent, ik weet ook wel...'

'Geen commentaar, meneer.'
De agent zette hem achter in de politiewagen, sloot het portier en ging zelf achter het stuur zitten. Hij reed achteruit, wierp een blik op het verkeer en draaide toen snel de weg op, in de richting van de stad. Achter hem werd de Porsche geëscorteerd door de tweede patrouillewagen, maar die auto's verdwenen al snel in de verte toen de politieman gas gaf.
'Waar gaan we naartoe? Naar het bureau?'
De agent zei niets. Ten slotte kwamen ze bij het vliegveld, draaiden de toegangsweg op en stopten bij een groot hek dat automatisch opzijschoof. Ericcson dacht nog even dat ze misschien een politiepost op het terrein van de luchthaven hadden, maar de wagen stoof een paar minuten over het asfalt totdat hij met piepende remmen tot stilstand kwam bij een grote commerciële Boeing Airbus 808 met draaiende motoren, ver bij de terminal vandaan.
Ericcson wilde een logische vraag stellen, maar voordat hij iets kon zeggen ging het achterportier open en werd hij door twee nieuwe agenten zonder plichtplegingen uit de auto gesleurd en via een ouderwetse rijdende vliegtuigtrap naar de deur van het straalvliegtuig gebracht, hoog boven de grond. Het was koel in de jet en toen zijn ogen de overgang vanuit de felle middagzon hadden gemaakt zag hij dat het toestel leeg was, afgezien van twee mannen in onopvallende pakken, die hem een stoel wezen in het midden van de eerste klas.
Ericcson wierp een blik op de pakken en vroeg zich af of ze toeschietelijker zouden zijn dan de agenten die hem hier hadden gebracht en die een klembord overhandigden met een formulier waarop ze een handtekening vroegen. Toen de agenten wilden vertrekken keek hij op en vroeg om een verklaring. 'Hoor eens, mensen, ik reed inderdaad te hard, dat geef ik toe, maar...'
Een van de agenten draaide zich abrupt om en gaf hem iets. Verbaasd pakte Ericcson zijn rijbewijs en zijn marinepasje weer aan. Wat er ook aan de hand was, het had blijkbaar niets met een snelheidsovertreding te maken.
'Wie zijn jullie?' vroeg hij aan de pakken. 'En wat stelt dit voor? Orders uit Washington?'
'Meneer,' zei het eerste pak beleefd, 'wilt u uw riem omdoen? We gaan vertrekken.'
'Verdomme, heb ík dat?' mopperde hij, maar hij besloot verder zijn mond te houden. Hij wierp een blik op zichzelf, in zijn vrijetijdskleren, en hoopte wat onnozel dat hij gekleed was op wat er straks ging komen.
De jet bereikte het einde van de startbaan, maakte snelheid en klom naar

het oosten, over de kust van de Pacific. Zijn reisgenoten zeiden geen woord, dus probeerde Ericcson wat te slapen in de grote comfortabele eersteklasstoel. Een paar uur later werd hij wakker. De zon moest al onder zijn, want buiten de raampjes was het donker.
'Kan ik u ergens mee van dienst zijn, meneer?' Het eerste pak stond naast zijn stoel.
'Koffie, graag,' zei hij zo nors mogelijk. 'En een verklaring. En een telefoon.'
'Koffie is het enige waar we u aan kunnen helpen, meneer.' Er verscheen een blad met dampende koffie. Het pittige aroma deed hem het water in de mond lopen en herinnerde hem aan zijn jongere dagen op zee.
'Vertel me dan één ding. Ik neem aan dat we naar Washington vliegen?'
'Dat kan ik bevestigen noch ontkennen, meneer.'
'Steekt John Patton hierachter? Zijn het zijn orders?'
'Ik herhaal nog eens, meneer, dat...'
Hij legde de man met een gebaar het zwijgen op en wachtte gelaten af tot ze zouden landen, waar dan ook. Toen het vliegtuig begon te dalen vroeg hij toestemming om bij een raampje te gaan zitten. Tot zijn verbazing was dat goed. De jet dook omlaag in het donkere niets. Die afwezigheid van lichten was wel vreemd, alsof ze in een verlaten maïsveld gingen landen. Misschien was dit de oostkust helemaal niet, dacht hij. Ten slotte beschreef de jet een bocht en trok zijn neus recht. Het zware toestel raakte zachtjes de grond en remde aan het einde van de donkere startbaan, waar het keerde en terugreed naar de plek waar ze waren geland. De agenten kwamen hem halen toen de deur opengging. Hij stapte de warme, vochtige nachtlucht in en bleef boven aan de trap staan om een blik te werpen op een onverlicht terrein met oude hutten en bouwvallige loodsen. Er was geen ontvangstcomité, maar dat had hij ook niet verwacht.
Hij daalde de trap af naar de startbaan. Onmiddellijk trokken de agenten de trap weg en kwam de grote Boeing weer in beweging. Het toestel ontstak zijn boordlichten pas toen het was opgestegen en in de verte verdween. De nacht was onheilspellend stil nu het vliegtuig was vertrokken.
'Waar ben ik, in godsnaam?' vroeg hij, zonder een antwoord te verwachten.
Ze namen hem mee naar de roestige stalen deur van een verwaarloosd gebouw, opgetrokken uit sintelblokken. De ruimte binnen werd verlicht door een zwak peertje met een kap. Het leek een soort garage of opslagloods die al tijden niet meer werd gebruikt. Een van de grote dubbele deuren hing half uit zijn scharnieren. Ze daalden een trap af naar een kelder

met stofnesten, die uitkwam in een stenen gang. Daar stapten ze de deur binnen van een bezemkast met schoonmaakspullen, een smerige wastafel en nog een roestige deur. Een van de mannen deed de kastdeur achter hen dicht en opende de andere deur, waarachter zich een glimmende stalen lift bleek te bevinden. De agent sloot de stalen deur, legde zijn pasje tegen een scanner en zijn duim tegen een andere. De binnendeur schoof dicht en de lift begon geruisloos te dalen. Toen de deur openging namen ze Ericcson mee door een volgende stenen gang en langs een paar stalen deuren. Aan het eind was een dubbele deur die toegang gaf tot een kale vergaderzaal met een eiken tafel van vijfentwintig jaar geleden en tien houten stoelen, die uit een rechtszaal afkomstig leken. De agenten wezen hem een stoel. Ericcson schonk zich een kop zwarte koffie in uit een kan op tafel. Toen hij zijn kopje half leeg had, ging de deur open en stond hij op om de twee nieuwkomers te begroeten. De een kende hij niet, de ander wel.
Het was John Patton, zijn baas.

Toen Kelly McKee de deur opendeed van zijn huis in de uitgestrekte buitenwijken van Virginia Beach trof hij op de stoep zijn chef-staf, in jeans en T-shirt en met een fles merlot in haar hand. Het was zaterdag, tegen middernacht, en ze was twee uur te laat. Zonder iets te zeggen drukte ze hem een briefje in zijn hand. McKee las het:

Zeg geen woord! Vraag of ik binnenkom en zet de muziek aan in je huiskamer.

Hij keek nog eens op het briefje, aarzelend of hij boos moest worden of erom moest lachen. Maar ten slotte wuifde hij haar naar binnen, nam de fles wijn mee naar de huiskamer en zette een cd met easy listening op. Zijn chef-staf fronste haar voorhoofd en verving de disk door haar eigen muziek: klassieke headbanging rock-'n-roll. Ze draaide het volume omhoog tot hij wilde protesteren en gaf hem nog een briefje:

Niet tegenspreken. Zak door je knieën en doe alsof je een hartaanval krijgt. Dit komt van de hoogste instanties. Later wordt het wel uitgelegd.

Hij staarde haar ongelovig aan. Maar haar gezicht stond doodernstig en hij kende haar lang genoeg en had voldoende crises met haar doorstaan om haar te vertrouwen. Een acteur was hij niet, maar hij gaf haar zwijgend het briefje terug, wierp een blik op de wijnfles en greep toen plotseling naar zijn borst. Met een van pijn vertrokken gezicht zakte hij in elkaar. De fles

sloeg tegen de grond, gevolgd door McKee. Zijn chef-staf keek rustig toe, pakte haar mobieltje en toetste een nummer. Haar stem klonk paniekerig, maar haar gezicht stond nog altijd kalm toen ze riep:
'Dit is Karen Petri op Hightower Road 227. De bewoner, Kelly McKee, heeft een hartaanval! Hij is in elkaar gezakt en heeft erg veel pijn... Ja! Zo snel mogelijk, alstublieft... Ja.'
'Was dat het alarmnummer?' vroeg hij.
'Stil, admiraal,' zei ze, terwijl ze bij hem neerknielde.
Hij hield zijn mond, hoe belachelijk hij zich ook voelde.
McKee was niet lang, iets kleiner dan Petri. Hij had een wat grove, maar knappe kop, populair bij de pers, jeugdiger dan je verwachtte van zo'n hoge militair. Hij zou zelfs nog jonger hebben geleken als hij niet van die borstelige wenkbrauwen had gehad.
Na wat een eeuwigheid leek – in werkelijkheid misschien tien minuten – hoorden ze een ziekenwagen stoppen voor het huis. Petri deed open en liet drie broeders binnen. Ze schenen er niet mee te zitten dat McKees hart volkomen normaal klonk. Hij werd op een brancard gelegd, kreeg een zuurstofmasker voor, zijn hemd werd losgeknoopt en ze legden de manchet van een bloeddrukmeter om zijn arm. Daarna reden ze hem haastig de deur uit naar de gereedstaande ambulance. Petri vroeg of ze mee mocht. De hoofdverpleger knikte en Petri stapte in. De deur ging dicht en de ambulance vertrok met grote snelheid naar het noorden.
'Kan iemand me misschien vertellen wat dit voorstelt?' vroeg McKee door zijn zuurstofmasker heen.
'Uitdrukkelijke orders van Patton, admiraal,' zei Petri. 'En een van die orders is dat u geen woord mag zeggen tot u bent aangekomen waar de baas op u wacht.'
'Je hebt altijd geloerd op een kans om me de mond te snoeren.' McKee grijnsde naar haar, maar Petri legde streng een vinger tegen haar lippen.
Eenmaal op de snelweg trok de hoofdverpleger zijn uniform uit totdat hij alleen nog in ondergoed was. McKee trok een wenkbrauw op.
'Kleedt u zich maar uit, meneer,' beval de halfnaakte ziekenbroeder. McKee haalde zijn schouders op. Het verzoek was niet vreemder dan de rest van deze avond. De verpleger was van McKees lengte en leeftijd, met ongeveer hetzelfde gewicht, dezelfde tint en dezelfde kleur haar. McKee ruilde van kleren en de ziekenbroeder nam zijn plaats in op de brancard.
'Zet maar een kapje op, uit die kast.'
McKee voelde zich een beetje belachelijk in zijn uitmonstering als ziekenbroeder, maar deed toch wat hem gezegd werd. De ziekenwagen arriveer-

de bij de ingang van de eerstehulp. Toen de deur openging reed hij samen met de andere verplegers de 'patiënt' naar binnen, terwijl een van de mannen medische instructies riep naar de artsen die klaarstonden. McKee keek op. Hij had de indruk dat ze in het marinehospitaal van Portsmouth waren. Meteen dook er een nieuw gezicht op, een man van middelbare leeftijd in een pak en met een kluisje onder zijn arm.
'Komt u maar mee, meneer,' beval hij. McKee liep achter hem aan. Petri bleef bij de man op de brancard, die haastig werd geprepareerd voor de operatiekamer. McKee stapte in een lift, die zoemend opsteeg. Toen de deur openging, bleken ze zich op het dak van het ziekenhuis te bevinden. De agent in het pak wees hem naar een looppad dat uitkwam bij een gereedstaande traumahelikopter met draaiende motor. 'Zet dit maar op, meneer.' Hij opende het kluisje en haalde er een vliegeniershelm met een intercom-headset uit. McKee trok de helm over zijn muts heen en klom achter in de helikopter. Zodra de deur was gesloten liep het toerental op en vertrok het toestel naar het noordwesten.
McKee wilde de piloten vragen of ze iets wisten, maar besloot nog even te wachten. Hij keek op zijn horloge. Het was halfeen en hij vloog over de oostkust van Virginia in een traumahelikopter zonder enig idee wat er aan de hand was. Maar het moest dringend zijn, dus bezat hij zijn ziel in lijdzaamheid. Na een halfuur daalde de helikopter langzaam naar een helipad zonder lichten. De piloot zette het toestel aan de grond en schakelde de rotorbladen in de vrijstand. De copiloot vroeg McKee te blijven zitten. Tien minuten later landde er nog een helikopter in de duisternis. Een man met een helm op stapte uit en kwam in looppas naar McKees helikopter. Hij opende de deur en klom achterin.
In het vage schijnsel van de cockpitlichten herkende McKee het gezicht van de man achter het vizier van zijn helm.
'Goedenavond, admiraal,' zei McKee tegen John Patton. 'Had u me nog iets te vertellen over dit reisje?'
'Nee,' zei Patton onbewogen. 'Piloot, vertrek maar.'
De helikopter steeg op en vloog nog een halfuur voordat hij weer daalde voor een tweede landing in het donker.

John Patton had net zo'n vreemde avond gehad als Ericcson en McKee.
De twee briefings van die middag hadden hem kramp in zijn maag bezorgd. De situatie was veel ernstiger dan hij had kunnen vermoeden. Eerst had hij gesproken met Mason Daniels, de directeur van de National Security Agency, die alleen maar slecht nieuws had. Daarna had hij een bij-

eenkomst gehad met de president, de minister van Defensie, de nationale veiligheidsadviseur, de directeur van de CIA en de voorzitter van de chefs van staven, in het crisiscentrum van het Witte Huis, waar het nieuws nog slechter was. Hij moest onmiddellijk aan het werk met twee van zijn belangrijkste ondergeschikten, maar die werden allebei door de tegenpartij in de gaten gehouden. Al hun bewegingen werden gevolgd, om de parate status van de Amerikaanse strijdkrachten te peilen. Het was een heel verschil of deze mannen op zaterdag rustig gingen golfen of voor crisisberaad op het Pentagon bijeenkwamen.
Mason Daniels hielp Patton bij het organiseren van een rendez-vous bij een presidentiële evacuatiebunker aan de oostkust van Maryland, diep onder de grond, tussen verlaten akkers – eigendom van het Amerikaanse ministerie van Landbouw. De bunker had een gecamoufleerde landingsbaan van vierduizend meter, met een halve meter aarde en gewassen eroverheen, in afzonderlijke bakken die met een hydraulisch systeem konden worden weggeschoven op een signaal van een naderend vliegtuig, kort voor de landing. Het probleem was alleen hoe Patton zijn mensen naar de bunker moest krijgen zonder dat de tegenpartij in de gaten kreeg dat ze op weg waren naar een dringende bespreking met hun baas. Daniels had hem zijn plan uitgelegd en Patton was met tegenzin akkoord gegaan. En dan was er het probleem van zijn eigen vertrek naar de bunker, omdat hij zelf nog scherper door de inlichtingendienst van de andere kant werd gevolgd dan McKee of Ericcson.
Ook dat had Daniels gearrangeerd. Patton had Marcy, zijn vrouw met wie hij al vijfentwintig jaar getrouwd was, gevraagd om een avondje vrij op zaterdag, voor een bijeenkomst met wat oude jaargenoten van de Academie. Hij had met een kus afscheid van haar genomen en was in een taxi gestapt naar een pub in Georgetown. Een van Daniels' mannen regelde de drank voor een groepje vrienden die ook door Daniels waren gestuurd. In de loop van de avond leek Patton wat te veel bier te hebben gedronken – hoewel het in werkelijkheid allemaal alcoholvrij was geweest. Toen de klok middernacht sloeg, trok Patton opeens wit weg. Hij excuseerde zich en liep haastig naar de herentoiletten, waar een man in een cowboypak hem in een donker hoekje stond op te wachten. De cowboy gaf hem zijn grote stetson en bracht hem via de achterdeur naar een zwarte sedan die met draaiende motor op het parkeerterrein stond. Patton voelde zich nogal belachelijk toen hij achter instapte en zich onderuit liet zakken, ondanks de getinte ruiten. Met hoge snelheid reed de wagen naar een klein civiel vliegveld waar een jet-helikopter wachtte. Voordat Patton uitstapte verruilde hij de

cowboyhoed voor een helm met een intercom-headset. De helikopter steeg op en vertrok naar een volgend vliegveld, waar Patton overstapte in een andere heli. Over de Chesapeake Bay vlogen ze ten slotte naar de plek waar het toestel met Kelly McKee was geland.

Patton liet zich naast McKee vallen, maar wuifde de onvermijdelijke vragen weg tot ze bij de bunker waren aangekomen. In de ondergrondse vergaderzaal begroette hij Ericcson, die bijna zijn hand fijnkneep.

'Vic,' zei Patton, 'dit is vice-admiraal Kelly McKee, commandant van het Unified Submarine Command, en mijn plaatsvervangend hoofd Marineoperaties Onderzeedienst. Dat verplegersuniform dat hij draagt hoorde bij de list om hem ongezien hiernaartoe te krijgen. Kelly, dit is vice-admiraal Egon "de Viking" Ericcson, commandant van de Amerikaanse marine in de Pacific...'

Ericcson schudde zijn hoofd en gromde: 'Ex-commandant, admiraal Patton. Ik heb mijn oude functie van commandant van de Pacificvloot weer terug. En zeg maar Vic,' voegde hij eraan toe terwijl hij McKee een hand gaf. 'Dat is minder officieel dan "de Viking".'

Patton grijnsde wat vermoeid. 'Admiraal Ericcson is op eigen verzoek "gedegradeerd" tot commandant van NavForcePac Fleet, maar hij is nog steeds waarnemend SUPERCINCPAC, totdat ik zijn vervanger heb benoemd.'

'Admiraal, feitelijk heb ik mijn oude baan niet terug voordat u me van de verantwoordelijkheid ontslaat en een nieuwe man hebt aangesteld.'

Admiraal John Patton, hoofd Marineoperaties en de hoogste admiraal van de Amerikaanse marine, negeerde die opmerking. Zijn gezicht stond ernstig en de kraaienpootjes rond zijn ogen verstrakten.

'Ik weet dat jullie honderd vragen hebben over hoe en waarom jullie hiernaartoe zijn gebracht. Maar dat komt straks wel. Eerst de briefing. Akkoord?' De twee admiraals knikten. Patton wees naar de vergadertafel. 'Heren, ga zitten.'

Patton wierp een blik op zijn ondergeschikten. Het was een vreemd stel, dacht hij onwillekeurig. Rechts van hem zat Ericcson, met zijn indrukwekkende postuur, links de veel kleinere Kelly McKee. De jeugdig ogende commandant van de onderzeebootmacht was al een kop kleiner dan Patton en zonk in het niet bij Ericcson.

Een groter contrast dan tussen deze twee admiraals was nauwelijks denkbaar. Ericcson had op supersonische toestellen van de marineluchtvaartdienst gevlogen en een Purple Heart en de Silver Star verdiend in een gevecht boven de Japanse Zee dat hem bijna noodlottig was geworden. Vervolgens had hij het bevel gehad over jagersquadrons, tankers, twee vliegkampschepen en ten slotte een vliegkampeskader. McKee had zijn hele carrière onder water doorgebracht, in het operationele isolement van een kernonderzeeboot. Hij had zich een sluwe, meedogenloze en agressieve commandant getoond in een wanhopige onderzeeslag die hem het Navy Cross en het gezag over de hele onderzeedienst had opgeleverd. Voorzover Patton wist hadden de twee admiraals elkaar nog nooit ontmoet.

'Ik hoop dat jullie geen hightech briefing verwachten met floating 3D-displays en landkaarten met animaties,' begon Patton grimmig. 'Ik gebruik nog een papieren kaart en een ouderwets potlood. Ik zal het kort houden, zodat jullie zo snel mogelijk aan de slag kunnen. We hebben niet veel tijd.'

Hij haalde een kaart van Azië tevoorschijn, spreidde die op de vergadertafel uit en boog zich eroverheen. De twee anderen kwamen naast hem staan.

'Heren, over twee weken zit u midden in een oorlog.' Patton tikte met zijn vinger op de kaart. 'En hier gaat het allemaal om.'

2

Adelborst eerste klasse Anthony Michael Pacino gooide het portier van de klassieke Corvette dicht en tuurde wat onzeker naar de streng beveiligde kade van de Amerikaanse onderzeebootbasis Groton. Hij had een smaak in zijn mond als van accuzuur, zoals altijd als hij nerveus was. Hij had zo ver mogelijk uit de buurt van de onderzeevloot willen blijven als menselijk mogelijk was, maar door een onverwachte serie vlootoefeningen waren de jagersquadrons en SEAL-teams niet beschikbaar geweest voor de stages van de Academie. Al zijn jaargenoten waren op oppervlakteschepen geplaatst, behalve een man of vijf die zich bij de onderzeedienst moesten melden. Hij zou nooit in de voetsporen van zijn vader kunnen treden, dacht hij. De oude heer was een idool van de onderzeebootmacht en Pacino junior kon alleen maar tegenvallen. Hij hoefde er zelfs niet op te rekenen dat hij een erfelijke voorsprong had, want daarvoor leek hij te veel op zijn moeder. Hij had bij de marineluchtvaartdienst gewild, maar zat nu in de absurde positie dat hij het als leerjongen bij de 'stille vloot' van zijn vader mocht proberen. Nou ja, hij moest het maar uitzingen tot het moment waarop hij eindelijk in een jet kon stappen.

Hij bekeek zichzelf in de ruit van de auto en trok zijn hemd recht na de lange rit vanuit Annapolis. De adelborst in het glas van de autoruit was lang en slank, met het gespierde lijf van een atleet. Hij droeg een gesteven tropenuniform met een wit hemd, broek, riem, schoenen en pet. Zijn gebruinde huid stak er scherp bij af. Op elke schouder droeg hij een dunne streep van goudstiksel, met een uitgeklapt gouden ankertje. Boven het borstzakje van de jongeman prijkte het lintje van de strijdkrachten met daarboven de zilveren wings van de luchtlandingstroepen – adelaarsvleugels die een gesloten ovaal vormden rond de kegel van een valscherm. Zijn zwarte naamplaatje was de enige andere 'kleur' op zijn uniform. Hij streek met zijn hand door zijn lichtbruine haar, dat golvend naar zijn wenkbrauwen viel en bijna tot zijn oren reikte, langer dan de voorschriften toestonden. Hij stopte het weg onder zijn pet. Een beetje nijdig staarde hij naar zijn spiegelbeeld, ontevreden met de gelaatstrekken die hij van zijn moeder had geërfd: veel te zacht en vrouwelijk, met amandelvormige, kobaltblauwe ogen onder lange wimpers, een fijngevormde neus, geprononceerde jukbeenderen en volle lippen.

Toen hij ervan overtuigd was dat zijn militaire verschijning geen nijdige telefoontjes naar de Academie zou opleveren gooide Pacino zijn plunjezak over zijn schouder en liep naar het wachtlokaal bij het prikkeldraadhek van de kade, waar de pieren de rivier de Thames in staken. Een onderofficier escorteerde hem over de zwaarbewaakte steigers naar een reusachtige maar vreemd uitziende onderzeeboot. Op het spandoek boven de loopplank stond de naam: USS PIRANHA SSN-23. Pacino had de boot al eens eerder gezien, in werkelijkheid en op het nieuws, maar het gevaarte dat aan de pier lag afgemeerd leek totaal niet op de boot uit zijn herinnering.

Om te beginnen onderscheidde de Seawolf-klasse zich door haar gigantische diameter, bijna veertien meter, tegenover de bijna elf meter van alle andere onderzeeërs. Door die brede romp en een lengte van nauwelijks honderd meter leek de Seawolf-klasse erg plomp, korter dan de oude 688's. Maar deze boot was veel langer, slank als een potlood, en stak een heel eind voorbij de pier. Minstens honderdtwintig meter, schatte Pacino.

Al even merkwaardig was de commandotoren, want die klopte niet. De subs uit de Seawolf-klasse waren allemaal gebouwd met een verticale, opzij afgeplatte vin die scherp omhoogstak vanaf het dek. Deze toren daarentegen had een gestroomlijnde druppelvorm. Hij verhief zich steil vanaf de ronde kogelneus van de boot, liep heel ver naar achteren door en daalde dan glooiend af naar het middelpunt van de romp. De vin die achteraan bij het roer uit het troebele water van de Thames stak was niet het gebruikelijke kale, verticale model, maar had aan de bovenkant een horizontale druppelvormige module. Eén moment vroeg Pacino zich af of er misschien een fout was gemaakt en ze hem naar een grote Russische aanvalsonderzeeër hadden gebracht. Nee, het moest een Amerikaan zijn. Amerikaanse adjudanten in kaki en een corveeploeg in overall waren bij het voorste voorraadluik druk bezig met het laden van pallets levensmiddelen en reserveonderdelen.

Terwijl hij naar de boot stond te staren werd hij door de wachtpost aan dek scherp in het oog gehouden. Pacino liep naar de man toe en salueerde.

'Adelborst Pacino meldt zich voor tijdelijke dienst.'

'Wacht hier maar even,' beval de in onberispelijk uniform gestoken wachtpost, en hij zei iets in zijn radio.
Uit een luik midscheeps sprong een officier in kaki werkuniform het dek op en kwam naar de loopplank toe. Pacino staarde haar aan, verbaasd dat hij een vrouw voor zich had. Ze was klein en tenger, met glanzend zwart haar in een paardenstaart. Op haar open kraag droeg ze een dubbele zilveren streep. Op haar baseballpet was in gouden letters de naam van de boot geborduurd, USS PIRANHA SSN-23, met het symbooltje van een gouden dolfijn boven de klep. Onder die klep keken haar donkere, amandelvormige ogen Pacino doordringend aan. Ze had gewelfde wenkbrauwen, een wipneus met sproeten, krachtige jukbeenderen en de kin van een fotomodel. Haar enige schoonheidsfout leken haar flaporen, die onder haar petje opzij staken, vrij gelaten door de paardenstaart. Boven haar linker borstzak zat een gouden dolfijnspeld, het embleem van een onderzeebootofficier, vergelijkbaar met de wings van een piloot. Van dichtbij gezien bleken het twee geschubde vissen te zijn, tegenover de commandotoren van een dieselboot.
De vrouw bewoog zich met schokkerige bewegingen, alsof ze te veel energie had – of een hele pot koffie naar binnen had gewerkt. Pacino sprong in de houding en salueerde. Hij keek in de half dichtgeknepen ogen van haar harde, onvriendelijke gezicht. Haar kaak stak agressief naar voren.
'Jij moet Pacino zijn,' zei ze staccato en met schorre stem. 'Welkom op de Black Pig. Ik ben luitenant-ter-zee Alameda, hoofd technische dienst van de *Piranha*. Commandant Catardi heeft me gevraagd je op te vangen en een rondleiding te geven. Daarna breng ik je naar zijn hut.' Ze draaide zich om naar de boot. 'Kom mee.'
Pacino stapte van de loopplank het dek op. Het zwarte oppervlak was glad en rubberachtig, als de huid van een haai. De anti-echocoating bedekte de hele romp, als bescherming tegen sonar. De luitenant verdween door het luik midscheeps. Pacino herinnerde zich nog iets van de onderzeebootetiquette uit zijn jeugd, boog zich over de rand en riep: 'Ladder vrij!' Toen gooide hij zijn plunjezak omlaag, greep de glimmende stalen luikrand, die glad en koel aanvoelde, en zette zijn voeten op de sporten. Zodra zijn handen de rails van de ladder hadden gevonden, drukte hij zijn voeten tegen de buitenkant en liet zich met één soepele beweging omlaag glijden, tot zijn schoenen met een klap op de dekplaten landden.
Het was een nostalgische ervaring voor Pacino. De geur bracht hem terug naar zijn jeugd: de scherpe elektrische lucht van de boot deed hem denken aan de onderzeeërs van zijn vader. Hij snoof de mengeling op van dieselolie, uitlaatgassen van de noodgenerator, ozon van de elektrische appara-

tuur, braadvet, smeerolie en aminen van de klimaatregeling. De smalle passage eindigde bij een luik vlak achter de ladder. Het gangetje was afgewerkt met donkergrijs laminaat en de deuren en randen waren van roestvrij staal, net als het interieur van een transcontinentale treincoupé. De gang liep door naar de mess en de kombuis, met deuren aan weerszijden. Aan de wanden hingen foto's van de triomfantelijke terugkeer van de boot na zijn overwinning in de Oost-Chinese Zee.

Alameda stak hem een plastic dingetje toe ter grootte van een sigarettenaansteker. 'Dit is een TLD, een ThermoLuminescente Dosimeter. Die meet de stralingsdosis. Hang hem aan je riem.'

Alameda's radio kraakte. 'Technische dienst aan wachtofficier.'

'Wachtofficier,' sprak ze in haar portofoon. 'Zeg het maar.'

'Manoeuvrewacht ingesteld in het achterschip, mevrouw. Prekritische checklist afgewerkt. Geschatte kritische positie berekend en gecontroleerd. Verzoek toestemming om de reactor op te starten.'

'Wacht even,' zei ze en ze stak de radio in haar zak. 'Kom,' beval ze Pacino. Ze liepen de gang door langs de deur van de mess naar de trap naar het tussendek. Pacino daalde achter haar aan de steile trap af, die uitkwam in het voorste deel van de commandocentrale. Het was niet te vergelijken met de commandocentrale van de *Seawolf* uit zijn jeugd. Het periscoopplatform en de periscopen waren verdwenen en vervangen door een tweemansconsole. Het besturingspaneel en de ballastcontrole waren verdwenen en hadden plaatsgemaakt voor een module met twee stoelen, een middenconsole en halvecirkelvormige displays. Het plafond was niet langer een woud van buizen, kabels en leidingen, maar een ronde, continue display, schuin gemonteerd tussen de schotten en het plafond, en de rij bakboordconsoles die ooit de gevechtscentrale had gevormd was vervangen door vijf modules. De enige herkenbare elementen waren de twee navigatietafels achter in de ruimte. Er stond nog allerlei andere apparatuur, maar hij kon al die nieuwe vindingen niet zo snel in zich opnemen toen hij haastig achter de technisch officier aan liep.

Alameda nam Pacino mee naar de gang achterin en klopte op de deur van de kapiteinshut. Er stapte een man naar buiten, die de deur weer achter zich dichtdeed: een norse, onverzettelijke kapitein luitenant-ter-zee in een kaki werkuniform, ongeveer van Pacino's lengte, eind dertig of begin veertig, met kraaienpootjes rond zijn ogen, zwart haar en bakkebaarden die al begonnen te grijzen. Hij had een olijfkleurige huid en de zwartste ogen die Pacino ooit had gezien, met diepe, donkere wallen en gitzwarte wenkbrauwen, in een rond gezicht met een vierkante kaak en scherpe jukbeenderen.

De man keek Pacino aan en zijn grimmige blik veranderde in een lach waardoor de hele gang leek op te lichten – een spontane, enthousiaste reactie. De verandering in de gelaatsuitdrukking van de commandant was zo extreem dat Pacino zich afvroeg of hij het zich had verbeeld. De hand van de overste leek uit het niets omhoog te komen toen hij die van Pacino greep alsof hij een lang verloren vriend begroette.
'Patch Pacino! Wat geweldig om je weer te zien.' Zijn harde accent uit Boston schalde door de gang met het timbre van een soepele tenor. 'Je zult je me niet meer herinneren, maar ik ben Rob Catardi.' Hij deed een stap terug om Pacino eens goed te bekijken, en verklaarde met waarderende verwondering: 'Mijn god, kijk nou eens! De laatste keer dat ik je zag zat je als dreumes van vijf achter de vuurleidingsconsole van de *Devilfish* en vroeg je je vader wat een vaste-interval data-unit was.' Pacino pijnigde zijn geheugen, maar tevergeefs. Catardi sloeg hem op zijn schouder. 'Ik was nog een onervaren jonge officier op de *Devilfish*, onder je vader. Ik heb nog nooit een onderzeebootcommandant meegemaakt met zoveel lef! Hij was een soort god voor ons. Hij heeft me alles geleerd wat ik over het commando van een aanvalsonderzeeër weet. Ik was alweer overgeplaatst toen de oude dame naar de kelder ging.'
Catardi liet Pacino's schouder los en er gleed een verdrietige uitdrukking over zijn gezicht. 'Het is vreselijk wat er vorige zomer is gebeurd, Patch. Hoe is het met je vader?'
Pacino maakte een grimas. Het was een van zijn pijnlijkste herinneringen. Pacino's vader was hoofd Marineoperaties geweest, de hoogste admiraal binnen de Amerikaanse marine. Een jaar na zijn aantreden kwam hij met het idee om zijn hogere officieren en het middenkader te verzamelen aan boord van het cruiseschip *Princess Dragon* van de maatschappij van admiraal Bruce Phillips, voor twee weken 'verlof' om de tactiek en het materieel te kunnen bespreken in een ontspannen sfeer op zee. De *Princess Dragon* was uit Norfolk vertrokken met een zwaar escorte: een Aegis II-klasse kruiser, twee jagers uit de Bush-klasse en de SSNX-onderzeeboot. Tachtig mijl uit de kust van Norfolk veranderden de vakantieplannen in een drama. De eerste plasmatorpedo sneed de *Princess Dragon* doormidden en joeg haar naar de kelder. De rest had de task force vernietigd. Admiraal Pacino was naar de diepte gesleurd door de verwoeste romp van het cruiseschip. Pas uren later werd hij gevonden, toen al meer dan duizend hoge officieren van de Amerikaanse marine waren omgekomen bij de onverwachte terreuraanslag. Bijna alle vrienden van de admiraal lagen dood op de bodem van de Atlantische Oceaan of waren verpulverd door het verzengende vuur van de plasmaexplosies.

De admiraal had ontslag genomen uit de marine zodra hij weer kon lopen, en sindsdien had hij niet veel anders gedaan dan wat aan zijn zeilboot prutsen. Zijn vader had een ernstige depressie, wist Anthony Michael, maar dat kon hij niet tegen commandant Catardi zeggen.
'Hij was er een tijdje slecht aan toe, commandant, maar het gaat nu weer beter.' Er kwam een vraag bij Pacino op. 'Hoe weet u eigenlijk dat ik Patch word genoemd?'
Catardi keek hem aan alsof hij iets in de jongeman herkende. 'Dat was ook de bijnaam van je vader,' zei hij vriendelijk. Pacino slikte even.
'Neem me niet kwalijk, commandant,' viel Alameda hen in de rede, 'maar de machinekamer vraagt toestemming om de reactor op te starten en de voortstuwing over te brengen op de hoofdmotoren.'
'Start de reactor en activeer de hoofdmotoren.'
'Reactor opstarten en hoofdmotoren inschakelen. Aye, commandant. Als u het niet erg vindt, wil ik meneer Pacino nu zijn hut wijzen.'
Catardi hief een hand op om zijn energieke technisch officier gerust te stellen. 'Patch, jij vaart ons de haven uit. Vraag de navigator maar om een briefing over de stroming en het tij. En prent de kaart in je geheugen. Heb je ervaring met besturing?'
Pacino knipperde met zijn ogen en voelde een steek in zijn maag. Opeens brak het zweet hem uit. 'Nou, op de Academie hebben we simulators met een onderzeebootprogramma, commandant, en radiobestuurde viermetermodellen in de tank. En ik heb gevaren met de patrouilledieselboten van de werf.' Het klonk niet erg overtuigend, vond hij zelf.
'Dat komt wel goed. Ik weet dat het geen geringe opgave is om een speciale boot uit de Seawolf-klasse te besturen, maar ik laat je niet in de steek. Ik verwacht een keurige afvaart in de stijl van Pacino: achteruit en volle kracht vooruit.'
Pacino junior trok een wenkbrauw op. 'Weet u het zeker, commandant?' Die methode was volgens zijn vader behoorlijk riskant, hoewel hij het zelf altijd zo deed. Pacino senior hield niet van sleepboten en loodsen, en hij wilde de bemanning al bij het vertrek demonstreren dat de boot klaar was voor de strijd. Van hogerhand was hij altijd op de vingers getikt voor die manoeuvre.
Catardi knikte. 'Laat mijn mensen maar eens zien hoe een Pacino het zeegat kiest. Zou het lukken, denk je?'
'Jawel, commandant.' Pacino slikte nog eens.
Catardi glimlachte. 'Het wordt een drukke missie, Patch, maar probeer zo veel mogelijk te leren. Als het even rustig is, kom dan vooral met vragen,'

besloot de commandant. 'Welkom bij de onderzeedienst. We hebben op je gewacht.' Catardi stapte weer zijn hut binnen en sloot de deur. Bij die laatste woorden staarde Pacino hem met open mond na.

De kapiteinshut was een hokje van vijf bij vijf meter, met een bed, een bureau en een kleine vergadertafel met een hoge leren commandostoel. Overste Catardi bleef achter de deur staan, diep in gedachten verzonken. Zijn blik gleed over de rommel, de papieren en de computerschermen in zijn hut naar de vergrote foto's aan het schot. Het gezicht van zijn dochter Nicole keek hem glimlachend aan, met haar vlechtjes hoog op haar hoofd gebonden en een pretpark op de achtergrond.
De foto was de vorige zomer genomen, toen hij en Sharon voor het eerst serieus over een mogelijke scheiding hadden gesproken. In de loop van de winter was Sharon bij hem weggegaan en had plannen gemaakt om Nicole mee te nemen, terug naar Detroit. Catardi had haar willen beletten zijn dochter naar een andere staat te brengen, maar de rechtszaak was voor een dinsdagmiddag op de rol gezet. De avond daarvoor had de *Piranha* onverwachts orders gekregen om naar de Atlantische Oceaan te vertrekken, en op het moment dat de rechter over Catardi's lot als vader besliste had hijzelf de hoofdballasttanks geopend om de *Piranha* naar de testdiepte ten oosten van het continentale plat te brengen. Die middag had hij het geding – en zijn dochter – verloren. Dat was het verhaal van zijn mislukte huwelijk. Op belangrijke momenten voor zijn gezin had de marine altijd méér van hem geëist.
Catardi liet zich in zijn diepe leren stoel zakken en keek naar de man die naast hem aan de tafel zat. Hij was kleiner dan Catardi, ongeveer even oud, en hij droeg een gewoon pak met een das met rode motieven. Zijn borstelige wenkbrauwen waren gefronst boven zijn bruine ogen.
'Sorry voor de onderbreking, admiraal,' zei Catardi. Hij pakte twee mokken met het embleem van de *Piranha*, schonk de onderzeebootadmiraal en zichzelf koffie in uit een kan, en leunde naar achteren om te horen wat zijn baas te zeggen had.
'Commandant, een paar maanden geleden hebt u deelgenomen aan een onderzeeboot-versus-onderzeebootoefening tegen de USS *Snarc*, SSNR-1, de eerste boot uit de SNARC-klasse,' begon McKee.
De *Snarc* was een robotonderzeeër – de naam was een afkorting van Submarine Naval Automated Robotic Combat. Het was maar een kleine boot van zestig meter lang en ruim acht meter breed, met een waterverplaatsing van niet meer dan drieduizend ton. Toch had hij ruimte voor maar liefst

tachtig zware wapens, bijna twee keer zoveel als de bemande onderzeeboten aan boord konden hebben. Inmiddels was de *Snarc* twee maanden operationeel, na de oefeningen met de USS *Piranha* als tegenstander.

'Het was een verdomd lastige missie, admiraal. Wij hebben drie keer gewonnen, maar de boot heeft óns twee keer in een hinderlaag gelokt. Hij is spookachtig stil en je kunt geen peil trekken op zijn geluidssignatuur. De programmeur van het systeem moet een ongelooflijke etterbak zijn. Het is een sluwe, agressieve boot, die allerlei smerige trucs uithaalt. Hij heeft twee keer zijn operationele orders in de wind geslagen om ons te grazen te kunnen nemen. Die robot speelt vals, admiraal!'

'Nou, je mag het nog een keer proberen.'

Catardi bedacht wat hij van de computerbestuurde boot wist. De achterste helft werd ingenomen door de reactor, de drukvaten, de stoomgenerator, een turbine voor de interne systemen, een turbine voor de voortstuwing, en de hoofdmotor – alles ondergebracht in een piepklein compartiment. Er waren geen loopbruggen, geen nooddiesel, geen reactorstuurhut en geen afgeschermde tunnels door het reactorruim. Voor het 47-frame tussen de machinekamer en de gevechtscentrale voorin bevond zich een dubbel dek dat volledig voor de elektronica was bestemd. Het einde van de drukromp vooraan was het begin van het vrijstromende torpedoruim. Verderop bevatte de voorste ballasttank twaalf verticale lanceerbuizen en een kleine sonar-hydrofoonkoepel. Een commandotoren of vin ontbrak. Ook stak er geen roer boven de romp uit, maar acht kleine besturingsvlakken die deden denken aan de staartvinnen van een raket, met een netwerk eromheen. De vorm van de romp leek meer op een stompe torpedo dan op een onderzeeboot. De voortstuwing leverde dertigduizend aspaardenkracht, terwijl de reactor thermisch tachtig megawatt opbracht. Het thermische rendement was zelfs nog hoger dan bij de S20G van de *Piranha*. De weefsels die voor het besturingssysteem werden gebruikt waren opgekweekt uit menselijk hersenweefsel, de eerste toepassing van menselijke cellen in een elektronisch gevechtssysteem.

'Goed,' zei Catardi. 'Ik wil wel een revanche tegen dat computerspook. Maar deze keer spelen wíj vals. Ik zal die klootzak te pakken krijgen.'

'Rob,' zei McKee, en hij kneep zijn ogen tot spleetjes, 'dit is geen oefening.'

Catardi leunde verbijsterd naar achteren in zijn stoel.

'Ik heb een briefing gekregen van Patton zelf. Hij had het weer van de NSA, de National Security Agency. Jij hebt al eerder voor ze gewerkt, Rob, dus ik hoef je niet te vertellen dat ze niet alleen vijandelijke radiosignalen, telefoongesprekken en e-mails afluisteren, maar ook belast zijn met informa-

tieoorlogvoering, om in buitenlandse militaire commandosystemen te kunnen inbreken. Bij het hacken van een van die netwerken ontdekten ze dat de Amerikaanse marinecomputers en commandosystemen zijn geïnfiltreerd. Nee, niet geïnfiltreerd, maar overgenomen. Onze commandonetwerken en ultrageheime verbindingen zijn niet langer in onze handen.' McKee zweeg een moment. 'Elk radiobericht dat jij verstuurt wordt onderschept, ontcijferd, vertaald en doorgegeven aan de leiding van onze tegenstanders. Dat geldt ook voor alle e-mails en telefoontjes – vast, mobiel of via het net – en voor de gegevens via het NTDS, het tactisch datasysteem van de marine. Commandanten kunnen dus niet langer veilig met elkaar overleggen. Onze tegenstanders zijn zelfs in staat om elektronische bevelen te geven en onze gevechtssystemen uit te schakelen als wij willen vuren. Sterker nog, ze zouden ons eigen geschut op onszelf kunnen richten.'
'Jezus! Dan zijn we totaal verlamd. Zonder ons NTDS en onze verbindingen kunnen we niets beginnen. Wie heeft die netwerken overgenomen? De Rood-Chinezen of de Indiërs?'
'Het ligt wat ingewikkelder,' antwoordde McKee. 'De elektronische agressors zijn een onafhankelijke groep militaire consulenten – huurlingen, in feite. Het is hetzelfde bedrijf dat vorig jaar zomer die terreuraanslag op de *Princess Dragon* heeft uitgevoerd. Mogelijk werken ze in opdracht van India, maar het is ook niet uitgesloten dat ze informatie aan beide partijen verkopen. Meer hoeven wij op dit moment niet te weten. Wij moeten eerst een manier vinden om met elkaar te communiceren zonder te worden afgeluisterd.' McKee opende zijn koffertje en haalde er twee palmtops uit, die hij aan Catardi gaf.
'Deze NSA-computers, in combinatie met een verzegelde codering, vormen nog de enige mogelijkheid om veilig met elkaar te overleggen, afgezien van persoonlijke gesprekken.'
Het Sealed Authentication System, afgekort SAS, was een pakket van verzegelde folie-enveloppen met codebriefjes. De enveloppen werden aan alle commandanten op zee verstrekt. Met de codes op de briefjes kon de authenticiteit van binnenkomende orders worden geverifieerd. Het was het enige onderdeel van de moderne oorlogvoering dat nog koppig op niet-elektronische middelen was gebaseerd. Jaren eerder had Patton ervoor gepleit om het systeem eindelijk af te schaffen en volledig digitaal te gaan. Goddank had zijn voorstel het niet gehaald, dacht Catardi nu.
'Je krijgt twee agenten van de National Security Agency aan boord om de elektronica van het commandonetwerk te bedienen. Met behulp van disinformatie zullen ze proberen de vijand op het verkeerde been te zetten.

Dat systeem valt volledig onder de NSA. Je feitelijke verbindingen verlopen via e-mail en internet, gecodeerd en ontcijferd door de palmtops van de NSA en geverifieerd door de verzegelde enveloppen van het SAS-systeem. Nu ons commandostelsel is geïnfiltreerd hebben we grote problemen met de *Snarc*. We moeten ervan uitgaan dat ook de *Snarc* is gecompromitteerd. De boot mag niet in vijandelijke handen vallen. Als hij in de Atlantische Oceaan zou worden overgenomen, kan hij onze onderzeeërs aan de oostkust aanvallen op het moment dat ze naar de Indische Oceaan vertrekken.'
'De Indische Oceaan, admiraal?'
'Ik loop op de dingen vooruit. Voorlopig moet de *Piranha* zich beperken tot een search-and-destroy-missie. Jij kent de geluidssignatuur en het operationele gedrag van de *Snarc*, dus jij kunt hem opsporen en uitschakelen. En snel. Daarna vaar je met de *Piranha* naar de Indische Oceaan. Tegen die tijd hoor je wel wat de bedoeling is.'
'Aye aye, admiraal.'
Tien minuten later stond de admiraal in burger weer op en drukte Catardi de hand. De commandant bracht hem naar boven en keek hem na toen hij energiek de pier af liep. Het duizelde Catardi. De *Piranha* moest dus vertrekken voor een gevechtsmissie, maar hij mocht zijn bemanning daar niets over vertellen voordat ze onder water gingen in de Atlantische Oceaan. Hij vroeg zich af of de *Snarc* daar op de loer zou liggen. Dan zou de robotsub hem kunnen vernietigen voordat hij iets in de gaten had. 'Dat had je gedacht,' mompelde hij.
Zijn blik gleed over de *Piranha* en bleef rusten op Pacino, in de kuip van de brug. Het joch bestudeerde de kaartcomputer en het tij, verkende de vaargeul met zijn verrekijker, hield de sleepboten in de gaten en sprak zo nu en dan in de microfoon van de intercom of zijn eigen portofoon. Griezelig, bijna... Hoewel hij niet echt op zijn vader leek, bewoog en gedroeg hij zich precies zoals de oude Pacino, met dezelfde handgebaren en gezichtsuitdrukkingen.
Catardi draaide zich om en liep de loopplank op naar de boot. De omroepinstallatie klikte en een stem kondigde aan: '*Piranha* aan boord!' – de gebruikelijke mededeling als Catardi weer aan dek stapte. Hij beklom de ladder naar de kuip en vandaar naar de flying bridge boven op de commandotoren.
'Meneer Pacino,' zei Catardi. 'Gereed om uit te varen.'

Adelborst Patch Pacino hoorde het bevel met kramp in zijn maag. Hij slikte een paar keer, keek overste Catardi zo stoer mogelijk aan en herhaalde

de order. 'Gereed om uit te varen. Aye, commandant.'
Hij bracht de microfoon van de megafoon naar zijn mond en riep: 'Vooraan losgooien!' De dieselmotor van de kraan op de pier begon te loeien toen de loopplank werd teruggeschoven naar de betonnen kade. Via de VHF-radio gaf hij zijn volgende order aan de sleepboten. Zijn stem klonk wat aarzelend over de andere radio's op de brug: 'Sleepboten één en twee, afstand houden tot tweehonderd meter.' De motoren van de sleepboten bulderden toen ze achteruitschakelden en zich een eind terugtrokken op de rivier. Pacino sprak weer in de microfoon. 'Navigator, we hebben de slepers niet nodig.'
De navigatieofficier, luitenant-ter-zee eerste klasse Wes Crossfield, was daar niet blij mee. Hij had een uur uitgetrokken om met Pacino de sleepbootcommando's, de stroming en het tij van de Thames door te nemen. Pacino vond hem heel wat sympathieker dan Alameda. De dertigjarige divisiechef was een Afro-Amerikaan van een meter negentig, een ex-basketballer van het marineteam, die een carrière bij de NBA had opgegeven voor de onderzeedienst. Hij straalde een rustig gezag uit en de mannen leken respect voor hem te hebben, maar achter zijn professionele ernst school ook een ongrijpbaar verdriet. 'Navigator aan brug. Aye,' klonk zijn hese stem over de 7MC. 'Navigator adviseert de sleepboten in te schakelen.'
'Brug aan navigator. Begrepen.'
'Schakel de pompen door, meneer Pacino, zoals we hebben besproken,' mengde Alameda zich in de procedure. Pacino knikte en pakte weer zijn microfoon.
'Brug aan machinekamer. Reactorcirculatiepompen naar vol vermogen.'
'Machinekamer aan brug. Hoofdkoelingspompen naar vol vermogen, aye.'
Uit de luidspreker klonk de stem van de wachtofficier technische dienst: 'Machinekamer bevestigt hoofdkoelingspompen op vol vermogen.'
'Brug aan machinekamer, aye.' Pacino draaide zich om en keek naar de sleepboten, die verdwenen naar de brede vaargeul, op ruime afstand van de onderzeeër. Hij schatte de stroming in, voelde de wind op zijn gezicht en boog zich weer naar de megafoon. 'Aan dek! Voorste tros innemen.'
Hij draaide zich om, liep naar het achterste deel van de kuip en riep omlaag naar de matrozen: 'Aan dek! Lijnen drie, vier, vijf en zes innemen!'
De matrozen voerden in rap tempo hun orders uit. Het kadepersoneel van COMSUBDEVRON 12 gooide de trossen los en wierp ze naar de dekploeg, die ze efficiënt opwikkelde en in de kasten borg. Toen de luiken waren gesloten leek het of de boot nooit aan de pier had vastgelegen. Pacino's hart bonsde nu in zijn keel. Hij probeerde zich te vermannen toen hij over de

rand van de kuip naar het roer tuurde, dat de rivier in stak. Zodra de trossen aan de achterkant waren losgegooid dreef de boot op de stroming bij de pier vandaan en ontstond er een geul van bruin water tussen de romp en de kade. De *Piranha* was nog maar via één lijn met de vaste wal verbonden.
'Nummer twee!' riep Pacino in de megafoon. Hij zag hoe de mannen de tros grepen, en hield hen toen tegen. 'Nummer twee, vast...' De matrozen gooiden hun gewicht tegen de lijn, terwijl de achtersteven nog verder bij de pier vandaan dreef op de stroming. Dat was goed en slecht nieuws. Gelukkig kon hij nu recht achteruit varen zonder het risico om de kunststofkap van de sonarkoepel te rammen, maar omdat zijn achtersteven stroomafwaarts dreef draaide de boeg naar het noorden, de verkeerde kant op.
'Brug aan roerganger. Hard links,' blafte hij in de microfoon van de 7MC.
'Roerganger aan brug,' schetterde de luidspreker. 'Hard links, aye. Mijn roer is bakboord.'
Pacino tuurde naar achteren, leunend over de rand van de kuip, en controleerde of het roer naar de juiste positie draaide – naar rechts, vanuit zijn standpunt. De hoek tussen de boot en de kade bedroeg nu zo'n twintig graden. Pacino haalde diep adem. De volgende tien seconden leken een uur te duren. Zijn hand met de microfoon trilde een beetje.
'Brug aan roerganger. Volle kracht achteruit!' brulde hij in zijn microfoon. Toen boog hij zich naar de megafoon. 'Lijn twee houden!' beval hij de dekploeg op het voorschip.
'Roerganger aan brug. Volle kracht achteruit, aye. Vermogen naar maximaal toerental.'
Het water begon te kolken rond het roer en er spoot een fontein van zeker drie meter de hoogte in. Pacino telde tot vijf en wachtte tot de druk voldoende was toegenomen, zodat het roer greep kreeg op het water, tegen de stroming in. Snel moest hij nu de volgende order geven, voordat de enorme kracht van de schroef te groot werd voor de enig overgebleven lijn en de matroos in tweeën zou worden gesneden. Het dek trilde onder zijn voeten toen de motor met honderdduizend paardenkracht achteruitschakelde. Pacino wachtte, met bonzend hart, totdat hij het niet langer uithield.
'Nummer twee innemen!' riep hij naar het dek. De mannen op de kade grepen haastig het dikke touw en gooiden het over naar de accelererende onderzeeboot. Zodra de tros was losgegooid was de *Piranha* officieel onderweg. De pier verdween met een schok toen de boot naar achteren sprong. Pacino draaide zich om naar zijn uitkijk, een onderofficier met wie

hij kennis had gemaakt toen ze op de brug stonden te wachten.
'Wissel de kleuren!'
Haastig hees de uitkijk een grote Amerikaanse vlag aan een tijdelijke mast achter de commandant. Pacino greep een hendel in de kuip, verbonden met een persluchtleiding. De scheepshoorn begon te loeien als teken dat ze waren vertrokken, met een nog zwaarder geluid dan van de grootste oceaanstomer. Pacino liet het signaal de volle acht seconden duren, terwijl de boot stroomafwaarts draaide. Het geluid van de hoorn galmde over de basis. De uitkijk hees de vlag van het Unified Submarine Command, naast de Stars & Stripes. De doodskop met de gekruiste beenderen wapperde in de bries. Met één hand op de hendel van de scheepshoorn draaide Pacino zijn hoofd naar achteren.
Over zijn schouder zag hij de pier bij hen vandaan glijden, eerst rustig, toen sneller. Hij ontdekte een admiraal die met uitpuilende ogen en zijn hand voor zijn mond toekeek hoe de boot achterwaarts de rivier in schoot. Pacino staarde naar het kolkende water bij het roer en deed een schietgebedje dat de achtersteven op tijd tegen de stroming in zou draaien. Onderzeeërs waren logge varkens in de haven, en als de schroef 'over de bodem liep' zou de boot precies de andere kant op gaan, naar het noorden in plaats van naar het zuiden, zodat de hele wereld zou kunnen zien dat hij de onderzeeër niet meer in de hand had. De pier draaide nu snel bij hen vandaan. Het einde kwam in zicht, gleed langs de commandotoren en toen langs de sonarkoepel. De *Piranha* was nu volledig los van de kade en voer met bulderend geweld achterwaarts naar de vaargeul toe, met een witschuimend kielzog bij de boeg. Schiet op! dacht Pacino. Draai je achtersteven stroomopwaarts, verdomme! Twee spannende, eindeloze seconden leek het of de achtersteven van de boot de verkeerde kant op zou draaien, maar eindelijk reageerde de *Piranha*. De pier gleed nog verder weg, het roer kreeg greep op het water, het achterdek draaide stroomopwaarts en de boeg richtte zich naar het zuiden. Pacino hoorde het gejuich van de dekploeg beneden.
'Brug aan roerganger. Volle kracht vooruit! Roer midscheeps.'
'Roerganger aan brug. Volle kracht vooruit, roer midscheeps, aye,' klonk het antwoord uit de luidspreker op de brug. 'Toerental naar volle kracht, mijn roer is midscheeps. Vol vermogen.'
Er bestond een kans dat de boot door zijn snelheid en de bocht die hij beschreef de laatste order niet zou uitvoeren. Dan zou de *Piranha* naar achteren blijven varen en met zijn schroef tegen de pier stroomopwaarts knallen, met rampzalige gevolgen. Het dek maakte een sprongetje en trilde hef-

tig toen de schroef van volle kracht achteruit naar volle kracht vooruit werd geschakeld, bij honderd procent reactorvermogen. Achter het roer was een woest schuimend kielzog te zien. Pacino controleerde of het roer weer in één lijn stond met de middellijn van de boot en draaide zich naar voren om het resultaat te zien. Een paar seconden lag de boot doodstil in de rivier. Pacino had het zweet in zijn handen staan. Zijn hart bonsde in zijn keel en hij stond te hijgen alsof hij een kilometer had hardgelopen. Maar eindelijk sprong de boot naar voren en zag hij de boeggolf omhoogkomen.
'Brug aan roerganger, langzaam vooruit. Recht zo die gaat.'
'Roerganger aan brug, langzaam vooruit, aye. Recht zo die gaat, koers een-acht-twee, meneer!'
'Dank u, roerganger,' riep Pacino. 'Brug aan navigator, de boot is vrij van de pier. Adviseer koers naar het midden van de vaargeul.' Pacino's hart bonsde nog steeds, maar nu in een bijna seksuele vervoering.
Crossfields stem klonk ongelovig toen hij antwoordde: 'Navigator aan brug, aye. Eén moment.'
Achter Pacino draaiden de periscopen driftig rond toen de navigator en zijn mensen de visuele lijnen uitzetten. De radarmast hoog boven zijn hoofd beschreef een cirkel per seconde. De wind blies Pacino in het gezicht, ondanks het beschermende plexiglasscherm op de rand van de kuip. De vlaggen klapperden. De Stars & Stripes en de doodskop met gekruiste beenderen waakten over de donkere, dreigende vorm van de gestroomlijnde onderzeeër.
'Navigator aan brug, de boot vaart twintig meter ten westen van het midden van de vaargeul. Wij adviseren koers een-acht-een.'
'Brug aan navigator, aye,' riep Pacino. 'Brug aan roerganger, uw koers is een-acht-een.'
'Goed gedaan, meneer Pacino,' riep commandant Catardi vanaf de flying bridge omlaag. 'Voorzichtig op weg naar buiten.'
'Aye aye, commandant,' antwoordde Pacino, terwijl hij met trillende handen de verrekijker naar zijn ogen bracht. Heel even voelde hij een merkwaardige verwantschap met zijn vader, die deze manoeuvre altijd had toegepast als hij naar zee ging.

3

Michael Pacino liep de helling af naar de boot.
Zoals altijd bleef hij even staan kijken naar de lijnen van de zeilboot. De sloepgetuigde vijftien meter lange *Colleen* leek te groot voor maar één man, maar te klein voor de open zee. Het was een Zweeds ontwerp en daar ook gebouwd, een oude Hallberg-Rassy met een 100pk-diesel, een dubbele generator, teakhouten dekken, een mahoniehouten betimmering en een moderne computerconsole bij het roer achter de kajuit, met een dubbele besturing in de kuip. De boot was uitgerust met de nieuwste elektronica en hydraulische tuigagemechanieken. Pacino voer het liefst op de hand, maar als het moest kon hij dagen beneden blijven, terwijl de computer het roer en de zeilen bediende. De artificial intelligence kon zelfs een orkaan ontwijken, omdat het systeem was aangesloten op internationale weersverwachtingen via het web. Het was een prachtig, goed doordacht ontwerp, maar Pacino gebruikte het alleen om op terug te vallen als hij aan het roer in slaap dreigde te sukkelen. Misschien zou de vermoeidheid op zee hem eindelijk van zijn nachtmerries verlossen.
Pacino was nu vijftig, maar zijn postuur en de vorm van zijn gezicht waren nauwelijks veranderd sinds hij als officier van zevenendertig het commando had gekregen over de *Devilfish*. Hij was lang en mager, met holle wangen onder opvallende jukbeenderen, volle lippen, een rechte neus en een krachtige kin. De sporen van zijn leeftijd waren niet te zien in de vorm van zijn gezicht maar in de kleur ervan. De bevriezingsverschijnselen tijdens de actie bij de pool hadden een donkere, verweerde huid nagelaten, als van een oude visser, met diepe kraaienpootjes bij zijn ooghoeken. Het was duidelijk het gezicht van iemand die zijn leven lang op zee had gezeten. Een maand na zijn redding uit het ijs was zijn haar spierwit geworden. Volgens de verhalen had zijn aanvaring met de dood de gitzwarte kleur verjaagd,

maar in werkelijkheid lag de oorzaak waarschijnlijk bij de straling, de onderkoeling en de medische behandeling daarna. Zijn zwarte wenkbrauwen waren aan de gevolgen ontsnapt en contrasteerden merkwaardig met zijn haar. Maar zijn meest opvallende kenmerk waren toch wel zijn heldere ogen, zo blauwgroen dat het leek of hij van die ouderwetse contactlenzen droeg, die heel onnatuurlijk de kleur van je iris veranderden. Pacino trok altijd bekijks, waar hij ook kwam. Hij had altijd gedacht dat het aan zijn admiraalsuniform lag, maar toen hij ontslag had genomen merkte hij dat de mensen nog steeds naar hem staarden.
Toen Pacino de marine verliet had hij dagenlang op het terras van zijn huis in Maryland gezeten, starend over de baai, of bezig met zijn zeilboot, totdat zijn vrouw Colleen hem had gevraagd om voor haar te komen werken. Colleen O'Shaughnessy Pacino was directeur van Cyclops Systems, een bedrijf dat voor Defensie werkte en het Cyclops Mark I-gevechtssysteem had ontwikkeld, een vinding waarmee de SSNX-onderzeeër de overwinning had behaald in de Oost-Chinese Zee – en de aanleiding van hun eerste ontmoeting. Maar hij vond het niet erg logisch om als voormalige hoogste baas van de marine bij een commercieel bedrijf te gaan werken. Het paste eenvoudig niet bij hem, dus had hij haar aanbod afgewezen.
Zijn gedachten gingen weer naar de zeilboot en zijn voorbereidingen voor zijn lange tocht. Twee uur lang was hij bezig om voorraden in te laden. Hij hield net even pauze toen Colleen de steiger op kwam. Haar slanke figuur stak fraai af tegen de middagzon. De bries vanuit de baai deed haar haren om haar schouders en in haar ogen wapperen. Heel even had Pacino spijt dat hij haar moest achterlaten.
'Blijf toch hier,' zei ze droevig en met een triest gezicht.
'Nee, ik moet gaan,' zei hij schor. 'Waarom ga je niet mee?'
'Dat kan ik niet. Ik zit in de contractbesprekingen voor het Tigersharksysteem. Maar als ik klaar ben, zou ik naar de Caymans kunnen komen. En jij kunt je wereldreis toch wel even onderbreken?'
Pacino glimlachte. Een straal zonlicht drong voor het eerst in maanden door zijn sombere stemming heen. 'Het Cayman Reef Hotel,' zei hij. 'Ik zie je in de bar.'
Haar gezicht werd weer ernstig. 'Hoor eens, Michael, zul je heel voorzichtig zijn? Bel me zodra je wat nodig hebt. En gebruik in godsnaam het noodsignaal als je in zwaar weer terechtkomt. Binnen een uur kunnen we een helikopter bij je hebben. Laat de boot maar achter. Je krijgt een betere van me.'
Pacino maakte een grimas. Hij zou de *Colleen* nooit achterlaten, al was het

alleen maar omdat hij het vage gevoel had dat hij daarmee ook – al was het maar tijdelijk – de vrouw zou verlaten naar wie ze was vernoemd. 'Dat zal ik doen,' loog hij.
Ze nam geen afscheid, maar kuste hem, streek nog eens met haar vingers door zijn haar en bleef staan kijken vanaf de pier.
Hij keek nog één keer om en knikte als afscheid naar het grote houten huis op de landtong, die door het Pentagon ooit het 'Schiereiland Pacino' was gedoopt. Toen gooide hij de lijnen los, voor en achter, en rolde ze op. Met één hand op het roer gaf hij gas en hij voer op de motor bij de pier vandaan, stroomafwaarts. Hij wierp Colleen een kushand toe en zwaaide naar haar tot hij haar niet langer kon zien. De boot hield een rustig tempo van vijf knopen aan, terwijl de landtong langzaam in de wazige verte verdween, samen met het terrein van de naburige Marineacademie.
Er stond een korte golfslag van nog geen halve meter in Chesapeake Bay. Pacino hees het grootzeil. Het klapperde heftig toen de wind er vat op kreeg, en draaide krakend naar bakboord. Pacino hees de fok erbij, zette hem vast en liep terug naar de kuip om de giek te verankeren. De *Colleen* voer bijna dwars op de wind, op een stuurboordkoers naar het zuidwesten. Hij greep het roer en schakelde de diesel uit. Opeens was het veel stiller. Het enige geluid kwam van de wind die door het want floot en het klotsen van de golven toen de *Colleen* snelheid maakte.

Tachtig zeemijl buiten Port Norfolk, op de diepe en donkere Atlantische Oceaan, berekende de computerkaart van de *Colleen* de afstand tot aan het graf van de *Princess Dragon*. Het was nog maar vijf mijl. Michael Pacino haalde diep adem en probeerde zijn herinneringen aan de ramp met het cruiseschip onder ogen te zien. Hij kon er niet meer aan ontkomen, dacht hij met een zwaar gemoed.
Meer dan duizend van de beste Amerikaanse marineofficieren, onder wie veertig admiraals, honderd kapiteins-ter-zee en het puikje van het jongere officierskorps, hadden hier hun laatste rustplaats gevonden. Pacino schudde zijn hoofd. De marinetop had op het dek van de *Princess Dragon* gestaan, in hawaïhemden en met een biertje in de hand, rijp voor de slachtbank. De overlevende officieren hadden uiteindelijk de schuldige gevonden en geëlimineerd: een aanvalsonderzeeboot van de Oekraïense Zwarte-Zeevloot. Maar de Oekraïeners zelf bleken onschuldig. De actie van de onderzeeër was het werk van een groep militaire consulenten, ooit betrouwbare mensen, die met hun multibiljoenenbedrijf opeens van de aardbodem verdwenen leken. De mensen achter de aanslag waren nooit

gevonden en nooit berecht. En zonder enig idee wie de vijand was geweest of waar het gevecht om ging hadden ze de oorlog niet kunnen winnen.
De afstand tot de *Princess Dragon* was nu een halve mijl en ten slotte nog maar enkele meters. Pacino liet de fok en het grootzeil zakken en de boot bleef liggen, zachtjes dobberend op de golven. Hij zocht in een kastje van de kuip en haalde er een tas uit met een vlag die Colleen voor hem had bemachtigd uit het wrak van de SSNX-onderzeeboot. Het was de eerste piratenvlag van zijn *Devilfish*, het laatste wat hij uit de zinkende boot had kunnen redden voordat hij ontsnapte naar de ijskap – de vlag die later de inspiratie was geweest voor het logo van het Unified Submarine Command. 'Diep, stil, snel, dodelijk – de Amerikaanse onderzeevloot', luidde het motto. De doodskop keek hem grijnzend aan. De beste officieren van zijn onderzeedienst waren met hem naar zee gegaan onder die vlag en niemand van hen had verdiend te sterven, niet op zo'n manier. Het was één ding om te sneuvelen op het dek van een aanvalsonderzeeboot terwijl je je laatste torpedo's afvuurde, maar iets heel anders om de dood te vinden terwijl je bier dronk en hors d'oeuvres at.
Pacino moest de piratenvlag ergens mee verzwaren om hem duizend meter te laten zinken naar het wrak van de *Princess Dragon*. Maar hij had niets zwaars aan boord wat hij kon missen. Eindelijk bleef zijn blik rusten op het krat Anchor Steam, het officieuze bier van de onderzeedienst sinds het Bruce Phillips' favoriete merk was geworden, tientallen jaren geleden. Hij bevestigde het krat aan de piratenvlag, liep ermee naar de rand, hield het nog even vast en liet het toen in de diepte zakken. Heel even waren de doodskop en de beenderen nog zichtbaar onder de golven, toen waren ze verdwenen. Pacino sprong in de houding en salueerde.
Zijn hele lichaam deed pijn toen hij weer in de kajuit ging zitten. Hij besloot tot de ochtend te wachten en de nacht hier door te brengen, boven het graf van zijn vrienden. Het eerste uur dacht hij aan hen allemaal, een voor een – hun gezichten, hun grappen, hun verhalen. Na een tijdje werd hij slaperig en opeens voelde de nacht koud aan. Hij strekte zich uit op de bank van de kuip, met een dikke deken over zich heen.
Toen hij wakker werd, hees hij de zeilen en ging op weg naar het zuiden. De *Princess Dragon* en het verleden liet hij achter. De *Colleen* volgde rustig haar koers en de schipper voelde zich merkwaardig licht. Hij wachtte op het gebruikelijke schuldgevoel en zelfverwijt, maar deze keer lieten die gevoelens heel lang op zich wachten.

De *Colleen* voer naar het zuiden, scherp aan de wind, hellend naar stuur-

boord. Niets kon tippen aan die sensatie van snelheid. Er stond een stevige golfslag, maar niet te wild, met een straffe wind van vijftien tot twintig knopen. Kleine wolkjes joegen hoog langs de hemel en de horizon leek met een liniaal getrokken. Michael Pacino ontspande zich in de kuip en hield de vijftien meter lange boot onder controle met het ronde stuur naast het kompashuis. Hij kon ook benedendeks gaan zitten, maar toen de wind draaide en de *Colleen* steeds meer aan de wind kwam, was hij naar boven gekomen. Het was een oude gewoonte om erbij te blijven als het spannend werd. Hij wilde de schoten en de zeilen met eigen ogen zien, het schuim over de boeg voelen spatten als die zich in de volgende golf beet, en de wind door de stagen horen fluiten. Niets kon hem zo in vervoering brengen sinds de dagen dat hij met onderzeeërs aan de oppervlakte had gevaren, lang geleden. Hij had dat gevoel voorgoed verloren gewaand, maar hier vond hij het terug. En de vreugde in zijn hart gold niet langer het harde staal van de boot, maar de zee zelf. Die ontdekking was een geweldige opluchting voor hem.
Hoewel hij een groot deel van de tocht had gedacht aan de mannen die waren vergaan met de *Princess Dragon*, leek zijn afstand tot hen de laatste twee dagen wat groter geworden. Misschien waren ze eindelijk vertrokken naar de bestemming van de menselijke ziel en hadden ze nu rust gevonden – of waarschijnlijk hadden ze gewoon opgehouden te bestaan, behalve in de duistere gangen van zijn gekwelde geest. En met Pacino's merkwaardige nieuwe kalmte kwam er ook beter weer. De bewolking brak, de wind wakkerde aan en de temperatuur steeg. Een paar minuten genoot hij van de wind, de zee en de boot, zonder ergens anders aan te denken. Die minuten werden al gauw een uur, toen twee uur, totdat hij opeens merkte dat het al twaalf uur was geweest zonder dat hij met zijn sextant een zonnetje had geschoten om vast te stellen of zijn navigatieapparatuur nog werkte. Hij haalde zijn schouders op en vroeg zich af of hij de volgende dag misschien een wekker moest zetten om het juiste moment niet te missen, toen hij opeens een luid gebulder aan bakboord hoorde.
Hij tuurde naar de zee en dacht dat hij droomde toen er een witte golf uit het niets verscheen en er uit het water een zwarte schim opdook die de zee met kracht uiteenspleet. Nee, dacht hij, dat was toch niet mogelijk! Het zwarte silhouet verhief zich steeds verder uit de golven en hield gelijke tred met de *Colleen*. Schuimend wit water stroomde aan weerskanten van de zwarte obelisk die uit de diepte van de blauwe oceaan naar boven kwam. Pacino staarde er zo strak naar dat hij zijn roer vergat en de boot te scherp aan de wind kwam. Het grootzeil begon te klapperen en hij verloor snel-

heid. Haastig herstelde Pacino zijn koers; hij kreeg de wind weer in de zeilen en stelde de automatische piloot in. Toen liep hij naar de bakboordreling en tuurde naar het zwarte silhouet dat steeds hoger uit de golven stak. Daaronder stroomde het water inmiddels over een zwart, glooiend dek, nog geen bootlengte bij hem vandaan.
De vin die hij het eerst had gezien was de commandotoren van een onderzeeboot, strak en verticaal, die onder een lichte hoek naar het dek van de cilinder eronder liep. De toren was identiek aan die van zijn oude *Seawolf*, maar de romp had een te kleine diameter voor een Seawolf-klasse. Gefascineerd staarde Pacino naar de onderzeeër, die nog altijd hetzelfde tempo aanhield als de twaalf knopen van de *Colleen*. Een periscoop kwam uit de toren omhoog. Die hadden ze nog niet gebruikt, dacht hij verstrooid, omdat bij een snelheid van meer dan zeven of acht knopen de mast van de boot zou scheuren, ondanks de gestroomlijnde, donkergrijs gemoffelde spoilerkap. Een tweede periscoop volgde, en daarna de BRA-38-radiomast achter op de toren. Een boeggolf vormde zich aan weerskanten van de gladde kogelneus van de boot. Het moest een Virginia-klasse zijn, dacht Pacino. Even later klommen er een paar mannen uit de toren naar buiten, waarschijnlijk de wachtofficier en een uitkijk. Terwijl Pacino nog met open mond naar de onderzeeboot staarde, bracht een van de officieren een microfoon naar zijn mond en hoorde Pacino wat gekraak uit zijn eigen boordconsole – de VHF bridge-to-bridge radio, die nog aan de oplader lag onder een deksel, afgestemd op de internationale oproepfrequentie.
Pacino pakte de radio, die opnieuw wat geruis produceerde, en toen blafte: 'Zeilboot *Colleen*, dit is een onderzeeboot van de Amerikaanse marine. Over.'
Ze konden hun naam niet noemen op een open frequentie, begreep Pacino.
'Amerikaanse onderzeeboot, dit is de schipper van de *Colleen*. Over.' Zijn stem klonk hees omdat hij al bijna een week niet meer gesproken had.
'Goedemiddag, meneer. We vragen u toestemming om een sloep te sturen.'
Hij kon moeilijk weigeren, dacht Pacino, die nu toch nieuwsgierig begon te worden.
'Akkoord, marine. Stuur maar een sloep. Ik stel voor dat u de koers naar het zuidoosten verlegt, zodat ik naar de wind kan draaien.'
'Begrepen, we verleggen de koers.'
De onderzeeboot boog af om de afstand te vergroten. Pacino nam het roer en draaide naar de bries. De zeilen verloren de wind en klapperden luid.

Hij liet de fok zakken, liep snel naar voren en trok het zeil naar het dek. Daarna volgde het grootzeil, dat hij aan de giek bond. De *Colleen* verloor snelheid en bleef op de golven dobberen. De giek zwaaide vervaarlijk heen en weer over de kuip, totdat Pacino hem vastzette. Tegen de tijd dat hij de *Colleen* stabiel had was er al een zodiac aan de stuurboordzijde van de onderzeeër verschenen. De bemanning kon hem laten zakken omdat de sub inmiddels ook stillag en geen boeggolf meer veroorzaakte. De 5pk-buitenboordmotor werd gestart en de boot ging op weg met maar één opvarende, een lange, slanke vrouw in een wetsuit. Binnen een paar minuten had de zodiac de oversteek naar de zeilboot gemaakt, dansend over de golftoppen en dreunend door de dalen. Toen de vrouw binnen gehoorsafstand was, riep ze: 'Permissie om langszij te komen?'
'Akkoord,' riep hij terug en ving de lijn op die ze hem toewierp. Hij sloeg hem om een kikker op het dek en stak een hand naar haar uit. Ze klom aan boord, stapte over de reling en schudde het schuim uit haar lange bruine haar terwijl ze naar hem glimlachte. Pacino lachte terug en bedacht opeens dat hij al een week op zee zat zonder Colleen. Bovendien was hij al niet meer met een vrouw naar bed geweest sinds de ondergang van de *Princess Dragon*. Waarom juist deze vrouw die gedachte bij hem opriep was niet zo vreemd. Hij moest zijn best doen om niet te staren.
'Welkom aan boord van de *Colleen*,' zei Pacino, in de hoop dat het niet belachelijk klonk. 'Ik ben Michael Pacino.' Hij stak zijn hand uit. De hare was zacht en warm. Pacino merkte dat hij enigszins kleurde.
'Ik ben luitenant-ter-zee Dayne Valker van de Amerikaanse marine,' zei ze.
'U behoort tot de bemanning? En welke onderzeeboot is dat?'
'Nee, admiraal,' antwoordde ze.
Aha, dacht hij, ze wist dus wie hij was.
'De onderzeeboot is de USS *Hammerhead* uit de Virginia-klasse. Ik ben er tijdelijk gedetacheerd, als SEAL.'
De *Hammerhead*, dacht Pacino, de boot die de *Princess Dragon* had gewroken. Alleen waren ze er niet in geslaagd de daders te doden van deze smerige aanslag die hem zoveel vrienden had gekost en zijn leven had verwoest.
'Neem me niet kwalijk, mevrouw. Mag ik u iets te drinken aanbieden? Thee of koffie?' Hij betwijfelde of ze iets sterkers wilde, want ze kwam nogal officieel over en was misschien zelfs een beetje bang voor hem.
'Nee, dank u, admiraal. Dit is geen beleefdheidsbezoekje, zoals u waarschijnlijk al vermoedde.' Ze keek even naar de *Hammerhead*, die nu een paar honderd meter ten oosten van de *Colleen* lag.
'Wat mag de reden dan zijn, mevrouw? En is het zo dringend dat we niet

even in de kuip kunnen gaan zitten?' Hij wuifde haar naar een bank. Ze ging zitten, duidelijk gespannen.
'Admiraal Patton heeft u nodig, admiraal. Hij heeft u dit gestuurd.'
Ze haalde iets uit een waterdichte zak op haar dijbeen. Het was een glimmende envelop, die ze hem gaf. Pacino keek er even naar, maakte hem toen open en vond een opgevouwen velletje duur briefpapier met het zegel van de Amerikaanse marine in het briefhoofd. Pacino herkende het schuine handschrift van John 'bloed, zweet en tranen' Patton. Pacino en hij kenden elkaar al tien jaar en hadden samen twee oorlogen meegemaakt. Als er íémand was die Pacino zou kunnen terugroepen van deze reis, was het John Patton. Pacino las het briefje, terwijl hij zo nu en dan naar de *Hammerhead* keek, en één keer naar de luitenant.

Beste Patch,

De directeur van Cyclops Systems vertelde me dat je vorig jaar een belangrijke baan hebt afgewezen. We kunnen ons niet langer jouw afwezigheid veroorloven bij twee programma's die dreigen vast te lopen. Zonder die programma's zal onze onderzeevloot blijven steken op haar huidige technologische niveau, wat onaanvaardbaar is. Dus vraag ik je naar het Pentagon te komen als programmaleider voor de ontwikkeling van de vloot van morgen, of mij in mijn gezicht te zeggen waarom je dat niet wilt. De levens van honderden Amerikanen hangen af van jouw beslissing, Patch, en je hebt nog nooit nee gezegd als de marine of het land je nodig had. Ik verwacht je vanavond op mijn kantoor te zien, oude vriend.

Met vriendelijke groet,
John Patton

Pacino keek op en staarde naar de horizon. Hoe kon hij, na alles wat er was gebeurd, deze nederlaag gewoon vergeten en aan een nieuw, onbekend project beginnen, zoals Patton hem nu vroeg? Wat zouden zijn dode vrienden denken als hij na de aanslag op de *Princess Dragon* zijn schouders ophaalde en voor Patton zou gaan werken alsof er niets gebeurd was?
Dat zouden we toejuichen, klonk er opeens een vreemde stem in zijn hoofd. Pacino schrok ervan, alsof het geen gedachte van hemzelf was. Dat was hem in zijn hele leven misschien drie keer overkomen en al die keren had die vreemde stem gelijk gehad. Er gleed een huivering over zijn rug toen de stem dezelfde woorden herhaalde.

De volgende gedachte leek al net zo vreemd: het verlangen om naar de wal terug te keren en deze melancholieke reis vaarwel te zeggen. Hij was vertrokken met een hart zo zwaar als een scheepsanker. Een wereldreis had de enige manier geleken om eroverheen te komen, maar nu hij eer had bewezen aan zijn vrienden bij het graf van de *Princess Dragon* voelde hij niet langer de behoefte om door te varen. Pattons aanbod was wat hij eigenlijk altijd had gewild.
Pacino bracht zijn hand naar zijn lange haar, streek het uit zijn gezicht en keek op naar de commandotoren van de *Hammerhead*. Naast de Amerikaanse vlag achter de officieren op de brug wapperde de piratenvlag van het Unified Submarine Command in de bries. Het was de vlag die hij zelf had ontworpen toen de onderzeeboot van zijn vader naar de diepte was gegaan. En nu hij de doodskop en de beenderen zag, voelde hij zijn hart sneller slaan. De pijn in zijn maag werd wat minder en het antwoord leek duidelijk. Hij zou het doen. Hij stond op met de brief in zijn hand.
'Ik ga naar de *Hammerhead*, mevrouw. Maar ik wil de *Colleen* niet achterlaten.'
'Ik blijf hier als u de rubberboot neemt, admiraal. De *Hammerhead* heeft een zeilbootbemanning klaarstaan om de *Colleen* terug te varen naar Annapolis. Als u aan boord bent van de *Hammerhead* zal een helikopter u naar een luchtmachtbasis brengen waar een supersonische jager klaarstaat. U kunt nog voor het donker in Washington zijn.'
Pacino knikte. Het duizelde hem toen hij afscheid nam van de zeilboot en in de zodiac stapte. Hij startte de motor, haalde de lijn in, draaide de boeg naar de onderzeeboot toe en stuiterde over de golven naar de sub. Onderweg keek hij nog eens over zijn schouder naar het sublieme silhouet van zijn zeilboot, voordat de mannen van de *Hammerhead* hem en de rubberboot aan boord tilden. Haastig werd hij naar het luik gebracht, met nauwelijks nog tijd voor een laatste blik op de *Colleen*. Via het wapentransportluik daalde hij in de onderzeeboot af. Het heldere zonlicht maakte plaats voor het vage, fluorescerende schijnsel van de plafondlampen. Het geluid van de wind en de golven verstomde en het volgende moment hoorde hij de hoge sopraan van de voortstuwing en de bariton van de klimaatregeling. Hij snoof de elektrische lucht van de boot op, een mengsel van braadvet, ozon, dieselolie, schoonmaakmiddelen en aminen – een parfum dat nostalgische herinneringen bij hem opriep. Hij stapte van de onderste sport van de ladder af en zag tot zijn schrik twee rijen officieren en adjudant-onderofficieren klaarstaan. 'Hand aan de pet!' riep iemand, en de officieren en onderofficieren salueerden. Opeens was Pacino zich pijnlijk

bewust van zijn stoppelbaard, zijn lange witte haar, zijn oude trui en zijn armoedige windjack.
Tien uur later stapte hij het secretariaat binnen van het kantoor van het hoofd Marineoperaties in de E-Ring van het Pentagon.

4

De tocht naar het continentale plat zou tien uur duren. Zodra de *Piranha* de zeshonderd vadem was gepasseerd zou de boot duiken en een route volgen naar Point November, het punt waar de geheime missie eindigde en de ultrageheime missie begon.

Bij het keerpunt van de rivier de Thames naar de Long Island Sound beval commandant Catardi de snelheid op te voeren. Het dek onder de brug was al gereedgemaakt voor duiken, met alle kluizen en luiken gesloten en vergrendeld, en de bolders in de romp gedraaid. De romp was weer glad en gestroomlijnd. Met het relatief open water voor hen uit maakte de boot snelheid tot dertig knopen, volle kracht vooruit. De topsnelheid van negenenveertig knopen kon alleen onder water worden bereikt, omdat de sigaarvorm van de romp niet efficiënt genoeg door de oppervlaktegolven sneed. De kogelvormige neus ploegde door de zee, het water stroomde soepel aan weerskanten van de commandotoren, kwam weer dreigend omhoog over het middendek en waaierde ten slotte uit in een schuimend wit kielzog, eenderde bootlengte breed, dat zich uitstrekte tot aan de horizon achter hen. De stroming van het water werkte hypnotiserend. Pacino staarde naar de boeggolf vanuit de kuip van de brug, bijna een kraaiennest. Nog indrukwekkender dan de aanblik van de boeggolf was het geluid ervan, een gebulder als van een straalmotor. De stormachtige vaarwind die het gevolg was van hun eigen hoge snelheid wedijverde met het lawaai van de boeggolf. De wind alleen al maakte zoveel herrie, dat je iemand in zijn oor zou moeten schreeuwen om je verstaanbaar te maken. Dat aanhoudende geloei van de wind en de zee kon vermoeiend gaan werken, maar adelborst Pacino klonk het als muziek in de oren: een lied dat hij in zijn dromen had gehoord, maar dat toch ongrijpbaar was gebleven. Het dek onder zijn voeten, een rooster over de toegangskoker van de brug die uit-

kwam op het bovendek van het voorste compartiment, trilde hevig door het gevecht van de boot met de boeggolf. De vibraties van de dertienduizend ton metende boot bewezen nog eens de ongelooflijke kracht van de voortstuwing.
Na een uur op volle kracht sprong er een dolfijn uit het water bij de boeg, om weer in zee te verdwijnen en verderop opnieuw omhoog te komen als een visioen van snelheid. Algauw kreeg de dolfijn gezelschap van een tweede, maar na een paar minuten raakten ze verveeld en verdwenen weer.
Pacino was jongste wachtofficier gebleven toen de manoeuvrewacht was vervangen door de oppervlaktewacht voor de lange tocht naar het duikpunt. Commandant Catardi zat boven op de commandotoren, met zijn voeten bungelend in de kuip van de brug, terwijl hij volgde hoe Pacino met de boot omging. Een uurtje later gaf Catardi opdracht de rails van de flying bridge te demonteren en verdween hij door het luik en de toegangskoker naar het dek, ruim tien meter onder Pacino's schoenen. De volgende vier uur deelde Pacino de wacht met een geïrriteerde luitenant Alameda, en de uitkijk achter hen, die zijn eigen kleine hokje had op de toren.
Achter Pacino draaiden de periscopen, de een bediend door Crossfield, de navigator, die visuele lijnen uitzette naar bekende punten in de omgeving. De andere periscoop werd gebruikt door een van de lagere officieren, de contactcoördinator, die zich op de scheepvaart in de vaargeulen moest concentreren om Pacino te helpen bij het vermijden van aanvaringen. Achter de periscopen draaide de radarantenne langzaam maar gestaag, in constante cirkels, zowel naar de kustlijn als naar voren. De blips op het scherm gaven koopvaardijschepen aan, ver op zee. Beneden in de commandocentrale werd de kap van de display gedeeld door de navigator en de contactcoördinator. Nog verder naar achteren stak de telefoonmast van de AN/BRA-44 Bigmouth-antenne een meter uit de commandotoren omhoog. Pacino keek naar de zee, de weelderige groene kustlijn, het groenblauwe water van de Long Island Sound, de schuimende boeggolf en het witte kielzog dat langs de romp naar het roer stroomde. Hij bracht de verrekijker weer naar zijn ogen en speurde naar andere schepen, maar afgezien van wat zeilboten waren ze alleen. Nog een uur later besefte Pacino dat hij nog nooit in zijn leven zo gelukkig was geweest. De trillingen van het dek onder zijn voeten en het loeien van de wind en de zee in zijn oren waren de meest romantische ervaringen uit zijn jonge leven.
Hij keek eens naar Alameda's harde gezicht, half verscholen achter de klep van haar baseballpet en haar verrekijker. Hij had geprobeerd door Alameda's norse houding heen te dringen, maar zonder succes. Hij herinnerde

zich de woorden uit een van de e-mails die zijn vader hem had gestuurd – dat sommige mensen de pest aan hem zouden hebben om redenen die ze zelf misschien niet eens begrepen. Trek je er niets van aan, had zijn vader hem geschreven. Hij had meer succes gehad bij Wes Crossfield, de serieuze navigator, die de kaarten en de afhandeling van de afvaart met Pacino had besproken voor het vertrek. Vreemd dat de hele boot was verdeeld tussen die twee officieren: Alameda, die de baas was over het achterschip met de machinekamers, en Crossfield, die verantwoordelijk was voor de tactische helft, de voorste compartimenten met de torpedo's, de elektronica en de sensors. De divisiehoofden vielen rechtstreeks onder Catardi en zijn eerste officier, die volgens de traditie van de Amerikaanse marine bekendstond als de XO.
De XO van de *Piranha* was luitenant-ter-zee eerste klasse Astrid Schultz, een lange, slanke blonde vrouw met doordringende bruine ogen en een nuchtere houding. Ze had Pacino in de longroom glimlachend een hand gegeven voordat hij naar de brug ging. De jongere officieren leken doodsbenauwd voor haar, maar ze had ook iets moederlijks onder die harde buitenkant.
De onderofficieren bestookten elkaar met beledigingen en grappen. De ontspannen kameraadschap aan boord gaf Pacino het gevoel dat hij in een studentenhuis terecht was gekomen waar iedere officier, adjudant en matroos de sterke en zwakke punten van de anderen kende en de bemanning samenwerkte als één organisme. Pacino had zijn vader daarover horen praten, maar hij had nooit kunnen geloven dat tachtig mensen met zulke verschillende achtergronden zo goed met elkaar overweg zouden kunnen, weken of soms maanden opgesloten in die ijzeren pijp. Pacino vroeg zich af wat voor wijsheden van zijn vader hij nog meer aan zijn laars had gelapt.
De zon zakte steeds verder aan de westelijke hemel toen het tegen zessen liep. Alameda's vervanger als wachtofficier verscheen op de brug, een luitenant-ter-zee derde klasse die O'Neal heette en blijkbaar geen voornaam had, want iedereen noemde hem 'Toasty'. Hij was een lange, blonde voormalige academiestudent met een lichte huidkleur, verlegen en vriendelijk, maar wel de vorige zomer onderscheiden met de Bronze Star voor betoonde moed. Zodra O'Neal haar had afgelost verdween de vijandige technisch officier door de toegangskoker naar beneden. O'Neal zei tegen Pacino dat hij ook wel kon vertrekken omdat er voor de avondwacht geen jongste wachtofficier nodig was.
'Als u er geen bezwaar tegen heeft, meneer, blijf ik liever hier tot we onder water gaan.'
'Dat wordt wel middernacht, meneer Pacino. U mag blijven, maar dan mist u het avondeten.'

'Dat geeft niet, meneer. Ik heet trouwens Patch.'
'Ik ben Toasty. Welkom aan boord.' O'Neal bracht zijn verrekijker naar zijn ogen en speurde een tijdje zwijgend de horizon af. Ten slotte vroeg hij: 'Zo, dus je hebt ook voor onderzeeërs gekozen, net als je ouweheer?'
'Ik moet eerst maar eens zien hoe het gaat. Waarschijnlijk deug ik nergens voor in een onderzeeboot.'
O'Neal lachte. 'Jezus, je voert een spectaculaire maar perfecte afvaart uit, zonder sleepboten, waarbij die matrozen op de kade het bijna in hun broek doen, je legt de boot keurig midden in de vaargeul onder de neus van de commodore, en je vraagt je af of je hier wel geschikt voor bent? Er is geen officier aan boord die dat voor elkaar gekregen had. Verdomme, ik vraag me zelfs af of het de commandant zou lukken.'
Pacino kleurde. 'Met een boot omgaan is één ding,' zei hij, turend door de verrekijker naar de schemerige horizon, 'maar er is meer voor nodig om een goede onderzeebootofficier te worden.'
'Volgens de technisch officier ben je een natuurtalent.'
'Alameda? O ja? Ze behandelt me als oud vuil.'
'Dat doet ze met alle buitenstaanders. Zodra je je dolfijntjes hebt verdiend zit je goed bij haar, maar officieren en manschappen zonder kwalificaties hebben het recht niet haar lucht in te ademen – zij is verantwoordelijk voor de klimaatregeling – of haar water op te drinken.'
'Nou, ik had een heel andere indruk.' Pacino bracht de verrekijker weer naar zijn ogen en de twee mannen zwegen een tijd. Het enige geluid was het gebulder van de boeggolf, op een zee die zich uitstrekte van horizon tot horizon.
De *Piranha* voer verder, op weg naar het continentale plat, terwijl achter hen de zon onderging.

De wacht eindigde nog te snel toen de commandocentrale meldde dat de boot dertig minuten van het duikpunt was.
'Ga rechtop staan,' zei O'Neal tegen Pacino, 'werp een laatste blik om je heen en adem nog één keer de frisse lucht in.' Pacino gehoorzaamde en keek naar O'Neal. 'Dit wordt je laatste blik op de oppervlakte met het blote oog en je laatste teug zuivere lucht voor weken, dus geniet ervan.' Pacino deed het en begreep dat hij deelnam aan een ritueel dat al generaties bestond. 'Nu kruip je in de toegangskoker, met de zaklantaarn.' O'Neal stak zijn hand omhoog naar bakboord en draaide een metalen plaat aan een hengsel rond, tot hij hem recht boven zijn hoofd had. Het deksel blokkeerde gedeeltelijk het licht van de sterren en sloot met een klik. Daar-

na volgde een plaat aan stuurboord, een derde aan de achterkant en een vierde van voren. Het laatste luik sneed alle licht van buiten af en onttrok de kuip aan het zicht. Hun uitkijkpost was verdwenen in het gladde oppervlak van de commandotoren.

Pacino liet zich langs de ladder naar de roodverlichte koker zakken en wachtte tot O'Neal naar beneden kwam en het bovenste luik sloot. Hij draaide de grendel met de klok mee en de metalen klauwen klikten dicht. Pacino daalde af tot hij uit de schemerige koker in de roodverlichte gang van het bovendek uitkwam. O'Neal volgde hem en haalde een schakelaar over om het licht in de toegangskoker te doven. Daarna sloot hij het onderste luik en vergrendelde dat op dezelfde manier. Pacino werkte de checklist voor onder water af. Het laatste punt was het afvoerventiel, dat door O'Neal werd gesloten.

Samen liepen ze in het vage rode schijnsel naar de commandocentrale op het tussendek, waar het – anders dan op het bovendek – aardedonker was. Het enige licht kwam van het instrumentenpaneel van het besturingsstation, voor in de centrale. In het donker kon Pacino nauwelijks het silhouet onderscheiden van een man met een grote helm die achter een console stond. Luitenant Breckenridge.

'Meneer,' meldde Pacino, 'brug en toren gereed voor onder water, gecontroleerd door meneer O'Neal en mij.'

Ze gingen weer verder met de wacht. Pacino werd naar de stoel bij de commandoconsole gebracht en kreeg opdracht de helm van de type-23-periscoop op te zetten.

'Goed,' zei een stem achter hem met een Bostons accent, 'dan hoor ik nu graag het rapport van de jongste wachtofficier.'

'Wat is de diepte?' vroeg Pacino in het microfoontje van de type-23-helm. De display kwam tot leven met een adembenemend driedimensionaal beeld, alsof Pacino met zijn hoofd weer boven de commandotoren uitstak.

'Zes-vijf-vier vadem!' kwam O'Neals antwoord.

'Commandant,' zei Pacino, terwijl hij even slikte en hoopte dat hij zich alles zou herinneren wat O'Neal hem had geleerd, 'we liggen op koers een-een-nul, bij vol vermogen en een snelheid van drie-nul knopen. De boot is gereedgemaakt voor onder water door adjudant Cavalla, gecontroleerd door meneer Breckenridge. De toren is gereedgemaakt door meneer O'Neal en gecontroleerd door mij. We zijn nog twee minuten van het duikpunt, met de inerte navigatie gekoppeld aan de GPS-NAVSAT, bevestigd door de navigator met een handmatige peiling. De duikofficier zit achter zijn console. Er zijn geen oppervlaktecontacten, visueel of op de sonar. De

diepte is 654 vadem. Verzoek toestemming voor onder water, commandant.' Pacino haalde adem en hoopte dat hij niets vergeten was.
'Heel goed, wachtofficier,' zei Catardi. 'Duiken naar een-vijf-nul voet.'
'Duiken naar een-vijf-nul voet. Aye, commandant.' Pacino wachtte even, zwaar ademend en met bonzend hart.
'Dertig seconden tot aan het duikpunt!'
'Dank u, korporaal.'
'Markeer het duikpunt!'
'Duikofficier,' riep Pacino met een rustige stem, ondanks zijn zenuwen, 'duiken naar een-vijf-nul voet!'
De duikofficier zat achter het besturingsstation, een post die deed denken aan de cockpit van een grote jet, met twee zitplaatsen, een centrale console, en nog andere panelen rondom de stoelen. De duikofficier was een adjudant, een forsgebouwde vrouw die Marshall heette en het gezag had over de torpedomensen. 'Duiken naar een-vijf-nul voet, meneer, aye,' gromde ze een bevestiging. Toen pakte ze de microfoon van de centrale intercom en het volgende moment galmde haar stem door de hele boot: 'Duiken! Duiken!' Tegelijkertijd ging haar hand naar de hendel van het duikalarm aan het plafond.
Pacino schrok van het geloei, een doordringend *Oeoeo-aaaah!* vlak boven zijn hoofd.
'Duiken! Duiken!' herhaalde de adjudant nog eens. 'Roerganger, tweederde vooruit,' riep ze toen. Zij had de controle over de snelheid tijdens het duiken, had Pacino van O'Neal gehoord.
'Tweederde vooruit, chef, aye,' bevestigde de roerganger.
'Dank u,' antwoordde de duikofficier. 'Voorste hoofdballasttanks geopend.'
'Draai de periscoop naar nul-nul-nul relatief,' fluisterde Toasty O'Neal tegen Pacino. Hij gehoorzaamde en zag een merkwaardig beeld: vier fonteinen van water die verticaal uit de stompe kegelneus omhoogspoten. 'Roep nu: "Voorste tanks lozen."'
'Voorste tanks lozen,' riep Pacino.
'Voorste tanks lozen, meneer, aye,' antwoordde de adjudant. 'Achterste hoofdballasttanks geopend.'
Pacino draaide de periscoop naar achteren en zag daar hetzelfde verschijnsel: vier geisers van water die uit het achterschip omhoogspoten. Het ging met onvoorstelbaar veel geweld. Er moesten vele duizenden liters water met de lucht omhoog worden geperst, dacht hij.
'Achterste tanks lozen.'

'Achterste tanks lozen, meneer, aye. Boegvleugels.' Een paar seconden stilte. 'Boegvleugels uitgeklapt en vergrendeld. Roerganger, neem de boegvleugels over.'
'Boegvleugels getest en functioneel,' antwoordde de roerganger.
'Roerganger, tien graden hellingshoek op de boegvleugels.'
'Tien graden helling, chef, aye. Mijn boegvleugels hebben tien graden hellingshoek.'
Pacino keek hoe de boeg steeds verder in het water zakte. De fonteinen waren verdwenen, hoewel er nog wat nevel uit de golven opsteeg, totdat de zee zich sloot boven de neus van de onderzeeboot. Hij draaide de periscoop weer naar achteren en tuurde naar de golven die steeds hoger tegen de cilinder van de boot klotsten. Het dek kwam nog heel even boven water uit en verdween toen.
'Dek onder water,' meldde Pacino.
Nog één keer kwam het achterschip tussen een paar golven omhoog en dook toen onder. Het witte kielzog dekte de onderzeeër toe. 'Boot onder water.'
'Boot onder water, meneer, aye. Ik heb de achterste duikroeren. Vleugels en duikroeren voor en achter getest en functioneel. Tien graden hellingshoek. Ballast één tot halverwege, water wordt ingenomen. Tank op vijf-nul procent, rompventiel gesloten, reserveventiel gesloten.'
'Dank u, duikofficier,' antwoordde Pacino.
Hij voelde dat zijn stoel al enigszins naar voren helde. Weer tuurde hij door de periscoop en hij zag de bovenkant van de commandotoren snel naar de zee dalen. Een golf sloeg eroverheen en het water spoelde weg. De hoek werd nog steiler.
'Diepte zes-vijf voet,' meldde de adjudant.
Weer sloegen er golven over de commandotoren en de kuip ging onder. Het enige wat achterbleef was een schuimend kielzog. Pacino keek naar achteren en zag het zog tot rust komen. De achterste rand van de toren vormde nog een rugje in het water, totdat ook dat verzwolgen was.
'Commandotoren onder,' meldde Pacino. De golven kwamen naar zijn lens toe, nog drie meter ervandaan. Hij zocht de omgeving af met een geringe vergroting. Tegen de tijd dat hij het rondje had voltooid hadden de golven bijna de lens bereikt.
'Acht-nul voet.'
Het dek onder zijn voeten helde nog scherper.
'Acht-drie voet. Vijf graden hellingshoek.'
De golven kwamen nog dichterbij en door de snelheid van de boot leek het

water op hem af te stormen. Algauw klotste de eerste golf tot boven de lens uit en leek het water hem te overspoelen. Instinctief hield hij zijn adem in. De lens ging onder.
'Periscoop gaat onder,' zei hij, terwijl hij weer uitademde. Heel even zag hij een explosie van fosforescerend schuim en dook de periscoop weer omhoog in een golfdal. Het beeld werd helder en hij zag de sterren en de hemel voordat de volgende golf hem in het gezicht leek te slaan. Het groen oplichtende schuim spoelde over de lens. Nog een laatste golfdal, een glimp van de oppervlakte en de sterren, totdat een geweldige golf de boot definitief onder water dompelde en Pacino verblindde met vuurvliegjes van schuim en een storm van luchtbellen. De schittering verdween en Pacino keek nu naar de onderkant van de golven, verlicht door de sterren, en het vervagende fosforescerende kielzog van de periscoop. Drie golven klotsten over zijn hoofd, een zee van duizend luchtbelletjes, en toen werd alles donker.
'Periscoop onder water. Type-23 neer.' Pacino zette zijn helm af en knipperde met zijn ogen in het schemerdonker van de centrale. Zijn haar plakte zweterig tegen zijn oren. O'Neal gaf hem een rode bril om zijn ogen aan het nachtlicht te laten wennen en zette er zelf ook een op.
'Rood licht,' riep O'Neal naar de duikofficier. De rode lampen gingen aan en bleven aan. De donkere centrale leek nu opeens een roodverlicht spookhuis. De boot kwam horizontaal op een diepte van honderdvijftig voet, waar het Cyclops-systeem de trim regelde en het drijfvermogen naar neutraal bracht.
Pacino draaide zich om naar de commandant, die achter hem stond, met zijn armen over elkaar geslagen. Hij droeg nu een overall met zijn dolfijntjes en commandospeld op zijn linker borstzak en een geborduurd naamplaatje met CATARDI. Op zijn linkerarm zat een embleem met de piratenvlag van het Unified Submarine Command en daaronder het logo van de boot. Op zijn rechterarm prijkte de Amerikaanse vlag. Hij droeg zwarte gympen en een zwart lapje over zijn linkeroog, waardoor hij op een zeerover leek. Pacino wist uit zijn jeugd dat dit geen affectatie was, maar dat hij één oog aan het donker gewend hield voor het geval ze opeens naar periscoopdiepte moesten.
Pacino stond op. 'Commandant,' zei hij, 'de boot ligt op een diepte van een-vijf-nul voet bij een trim van eenderde. Verzoek om diep te gaan en terug te keren tot de voorgelegde koers.'
'Breng haar naar de diepte, wachtofficier,' beval Catardi. 'Testdiepte, steile hoek.'

En de *Piranha* dook naar de kille diepte van de Atlantische Oceaan.

Admiraal Kelly McKee staarde in zijn lege koffiebeker en schudde even aan de kan, die leeg was. Hij stak de derde sigaar op van deze vlucht terwijl hij nadacht over de ingewikkelde achtergrond van de naderende oorlog.
De sleutel tot het conflict was de Britten buiten de strijd te houden en de Roden zo vroeg mogelijk aan te vallen, dacht McKee. Hij sloot zijn ogen en dacht terug aan de briefing van admiraal Patton in de bunker. Hij probeerde zich elk woord en elke gezichtsuitdrukking van de marinechef te herinneren, vanaf het moment dat de oudere man de kaart van Azië op tafel had uitgespreid.
'Twee jaar geleden, toen de Rood-Chinezen nog tegen de Witten vochten aan de Chinese oostkust, stuurde dictator Nipun van de Hindoerepubliek India zijn stoottroepen naar het noorden, waar ze een groot deel van de Rood-Chinese hoogvlakte binnenvielen en bezetten.' Patton trok een cirkel om een gebied boven de Indiase noordgrens, Xinjiang Uyger Zizhiqu, dat de rode kleur had van de Volksrepubliek China.
'Algauw ontdekten de Indiërs een uitgestrekt olieveld dat ze Shamalan noemden. De olie daar is bijzonder zuiver, met bijna geen zwavel. India haalde zijn Britse vrienden erbij en binnen een jaar voltooiden de Engelsen een project waar al een decennium aan was gewerkt: twee continentale pijpleidingen, twee raffinaderijen en twee grote olieterminals. De geraffineerde olie van de Shamalan-velden is kwalitatief de beste ter wereld en de Indiërs hangen er een leuke prijs aan. Toen de Saudische vaarroutes werden geblokkeerd door gesaboteerde supertankers, kon India pas goed met zijn olieproductie beginnen en uitgroeien tot een economische wereldmacht.
Maar de Indiërs weigeren die olie te verkopen aan Rood-China. Dus willen de Roden hun gebied terug en zinnen op wraak.' Patton liet zich op zijn stoel zakken en zijn vlootadmiraals volgden zijn voorbeeld. 'Een grote oorlog in Azië is onvermijdelijk geworden. Tot zover het openbare gedeelte van deze briefing. Wat nu volgt is streng geheim en draagt de codenaam Echo. Zes uur geleden is het Volksbevrijdingsleger begonnen met een mobilisatie aan het westelijke front. De treinen rijden, de konvooien slingeren zich over de bergpassen en de transportvliegtuigen en jagers zijn in de lucht. En terwijl de Roden hun troepen mobiliseren aan de Indiase grens, heeft de Rood-Chinese Noordelijke Vloot de motoren gestart en de trossen losgegooid om uit de Rood-Chinese havens aan de Golf van Bohai, ten oosten van Beijing, te vertrekken.

'Kelly, jouw boot, de onderzeeër *Leopard* uit de Virginia-klasse, houdt zich schuil in de baai om de Rood-Chinese berichten vanuit Beijing af te luisteren, maar ook als een soort struikeldraad. Als de Rode vloot vertrekt naar de Indische Oceaan zal de *Leopard* de schepen volgen, op weg naar het zuiden.
Zoals je weet is de Rode Noordelijke Vloot een geduchte tegenstander. Vroeger was het een mottenballenvloot van roestbakken die nog niet eens geschikt waren voor het diepe water van de baai, maar alles is opgeknapt en de Russische Republiek heeft grote aantallen vliegkampschepen, antisubjagers, snelle fregatten en zware luchtdoelkruisers aan de Rood-Chinezen geleverd. De drie Rode vliegkampschepen zijn ultramoderne reuzen uit de Kuznetsov-klasse, en de nucleaire slagkruisers van de Beijing-klasse zijn overal tegen bestand. Ze hebben goede vliegtuigen, niet zo goed als de onze, maar wel een heleboel. Met die drie vliegkampeskaders willen ze India omsingelen en verpletteren.
De admiraal van de Rode onderzeevloot, Chu Hua-Feng, heeft zijn vloot weer opgebouwd na zijn nederlaag in de Oost-Chinese Zee. Hij beschikt nu over elf snelle-aanvalsonderzeeërs: zes Russen, drie Japanse Destiny's en een Frans model uit de Valiant-klasse. De belangrijkste boot, uit de Chinese Grote Golf- of Julang-klasse, heeft inmiddels alle tests doorstaan en zijn wapens geladen. Chu's beste commandant krijgt het gezag. Alle buitenlandse subs zijn geschikt gemaakt voor de Chinese supercaviterende Oostenwind-torpedo's, fluisterstil gemaakt door de Zweden, terwijl de machinekamers door de Duitsers onder handen zijn genomen.
Maar voordat ze al die vuurkracht kunnen inzetten moeten ze eerst in de buurt zien te komen, binnen bereik van hun kruisraketten, omdat de gevechtskoppen nu veel zwaarder zijn en de actieradius dus terugloopt. Ik zal jullie zo meteen uitleggen waarom. De Rode generaals wilden een snelle aanval op India uitvoeren met de kruisraketten die nu al binnen bereik zijn, maar hun opperbevelhebber, generaal Fang Shui, wil de zaak juist rustig opbouwen, om de Indiërs te laten zweten. Pas als hij zijn hele arsenaal in stelling heeft gebracht zal hij India met al zijn raketten en bommen tegelijk bestoken. De verbindingen en de infrastructuur zullen daardoor zo zwaar worden getroffen dat er niets meer functioneert. Dat zal het moreel van de vijand volledig ondermijnen. De eerste doelwitten zijn de olieboortorens, de pijpleidingen en de raffinaderijen.
Elk Rood vliegkampeskader is bewapend met ongeveer driehonderd zware korteafstandskruisraketten, voorzien van geavanceerde precisieplasmakoppen. Deze nieuwe koppen zijn zwaarder, wat ten koste gaat van de actie-

radius. Daarom wil generaal Fang alles in positie hebben voordat hij tot actie overgaat.'
Patton wachtte even om een kop zwarte koffie in te schenken. Geen van de admiraals zei een woord. Ze staarden hem aan alsof ze verwachtten dat hij elk moment een konijn uit zijn hoed zou toveren. Patton nam een slok van de gloeiend hete koffie en schraapte zijn keel.
'Maar de oorlog met de Roden op zee is maar een deel van het totale beeld. Laten we even teruggaan naar de Indiërs. De Britten hebben India geholpen bij de aanleg van de oliefaciliteiten, tegen het advies van de Europese Unie in, omdat de economie van de EU nauw verbonden is met die van China en de EU erop rekent dat de Chinezen de Indiërs uit de olievelden van Shamalan zullen verdrijven. De Britten hebben hun Royal Navy al uit de gezamenlijke vloot van de Europese Unie teruggetrokken. Ze zijn nu bezig hun schepen bij te tanken en van wapens en voorraden te voorzien. Een voorhoede is al op weg naar het oosten van de Middellandse Zee, waar ze waarschijnlijk via het Suezkanaal, de Golf van Oman en de Arabische Zee naar het westen van de Indische Oceaan zullen opstomen. Tegen de tijd dat de Rood-Chinezen in het oosten van de Indische Oceaan arriveren ligt de halve Britse vloot al in het westen, terwijl het restant twee weken later daar zal aankomen.
De Royal Navy beschikt over vier vliegkampeskaders en twintig nucleaire aanvalsonderzeeboten, allemaal frontlijnschepen. Hun vuurkracht aan zware kruisraketten en vliegtuigen is dubbel zo groot als die van de Rood-Chinezen. We zijn bang dat als de Roden de Royal Navy zien aankomen, ze hun plannen toch zullen wijzigen en India meteen zullen aanvallen met alles wat ze in de buurt hebben. Dat is op dat moment nog niet zo veel, dus zullen ze het verschil goedmaken door intercontinentale ballistische raketten af te vuren vanuit hun veertig silo's in het noorden van Rood-China, allemaal uitgerust met ouderwetse meervoudige reentry-vehicle waterstofbommen, gecombineerd met kobalt, zodat ze geschikt zijn om steden te verwoesten met een krachtige stralingsdosis. Dat zijn de kernwapens van je grootvader, in strijd met het Aziatisch Verdrag. De komst van de Britse marine zal dus vermoedelijk het sein zijn tot een kernoorlog op het Aziatische continent, met een enorme radioactieve fall-out en de totale vernietiging van de Shamalan-olievelden.
De Royal Navy zal niet werkeloos toezien terwijl hun bondgenoot wordt platgegooid. De Britten zullen zowel de Rode Noordelijke Vloot als Rood-China zelf aanvallen. Het slechte nieuws is dat de Britten op de hoogte zijn van de kernwapens in de Rode ICBM-silo's. Londen wil de Chinezen tegen-

houden met een eigen nucleaire dreiging. Terwijl de Britten op weg zijn naar de Indische Oceaan zullen ze hun schone plasmakoppen – die met uiterste precisie een doelwit kunnen raken zonder schade voor de omgeving – ombouwen tot ultrakrachtige waterstofbommen, de zwaarste kernkoppen die ooit zijn bedacht. En alsof dat nog niet erg genoeg is, willen de Britten ook hun oude neutronenbommen uit de kast halen en naar hun vliegkampeskaders overbrengen om ze eventueel te gebruiken tegen Rood-Chinese troepenconcentraties. Volgens de geruchten zouden er vijf op Beijing gericht kunnen worden. Een paar dagen na het begin van de oorlog zou er van het Volksbevrijdingsleger en een groot aantal Chinese burgers niet veel meer over zijn dan een berg verschroeide beenderen.'

Patton liet die woorden in de lucht hangen en keek naar de sombere gezichten van zijn vlootcommandanten.

'Onze doelstelling in deze oorlog is tweeledig. We zullen proberen de Rood-Chinese vloot tot zinken te brengen voordat die binnen schootsafstand van de Indiase doelen komt. Met hetzelfde oogmerk zullen we hun onderzeevloot aanvallen en proberen al hun boten uit te schakelen. Onze andere doelstelling is het neutraliseren van de Royal Navy op het strijdtoneel. Hun opgewonden reactie en hun radioactieve wapens zullen de zaak geen goed doen. Dus moeten we hen bewegen om zich terug te trekken. Kelly, jouw onderzeeërs van de oostkust gaan op weg naar de flessenhals bij de passage van de Arabische Zee naar de westelijke Indische Oceaan, de corridor waar de Royal Navy doorheen moet om het strijdtoneel te bereiken. Jouw boten zullen proberen om binnen schootsafstand van de Britse vloot te komen. Ik weet zeker dat we de zaak vervolgens langs diplomatieke weg kunnen oplossen en dat jouw dreigende houding voldoende zal zijn. Ik ga ervan uit dat ik je al gauw bevel kan geven om je koers te verleggen en samen met de Viking de Rode vloot aan te vallen. Als de Engelsen onverhoopt niet willen luisteren, krijg je definitieve orders om de Royal Navy te blokkeren.'

'Te blokkeren? En als dat niet lukt? Moet ik de Britten dan onder vuur nemen?'

Patton zuchtte. 'Als het niet anders kan... ja.'

De Viking liep rood aan en Kelly McKee fronste nijdig zijn wenkbrauwen.

'Maar zo ver komt het niet, Kelly. Jouw zwaarste taak ligt bij je Pacific-eenheden. Samen met jullie boot in de Chinese Golf van Bohai moet jouw westelijke onderzeevloot elk van de drie Rood-Chinese eskaders onderscheppen die op weg zijn naar de Indische Oceaan. Probeer ze uit te schakelen – bij voorkeur van achter de horizon – voordat ze het strijdtoneel

bereiken en schade kunnen aanrichten. Als dat niet lukt, achtervolg je ze naar de Indische Oceaan en breng je ze daar tot zinken. Als de goden ons gunstig gezind zijn kunnen jouw subs ze al te pakken nemen voordat ze in de buurt van de Viking komen. Zodra de Chinese vloot op de zeebodem ligt, zullen de Roden volgens onze strategen hun aanvalsplannen tegen India wel opgeven. Ze kunnen niet genoeg raketten over het spoor of over de weg vervoeren om een opmars van Indiase stoottroepen tegen te houden. Als ze toch aanvallen, kan dat het sein worden tot een oorlog die de Roden niet kunnen winnen.
Vic, als Kelly's onderzeeërs te laat komen of een nederlaag lijden, komt de hele missie bij jouw oppervlaktevloot te liggen. Jouw vliegkampschepen en eenheden zullen het dan moeten opnemen tegen een goedbewapende Chinese vloot. Jij zult ze moeten tegenhouden.'
Daarna kwam Patton met het verbijsterende nieuws dat hun verbindingen waren gecompromitteerd en dat ze palmtops en e-mail moesten gebruiken voor de communicatie. Terwijl McKee en Ericcson nog bezig waren zich te herstellen van die schok, gaf Patton de Viking wat meer details over de missie. Toen Ericcson was vertrokken keek Patton peinzend naar McKee.
'Kelly, vanwege dat probleem met de verbindingen zul je je commandanten persoonlijk moeten briefen. En zij mogen niets tegen hun bemanning zeggen voordat ze veilig onder water zijn. Afgezien van de NSA-agenten mag niemand aan boord een e-mail naar de wal sturen. We varen op de ouderwetse manier, compleet in het donker. Wat die boot in de Golf van Bohai betreft, de *Leopard*... die zul je moeten melden dat het oorlog is, maar zonder de normale verbindingen te gebruiken en zonder de boot naar de oppervlakte te laten komen.'
'We hebben wat nieuwe technologie die een rendez-vous met een gedoken boot mogelijk maakt. Tegen de tijd dat ze in de Oost-Chinese Zee aankomt zal ik zorgen dat ze een paar van die palmtops krijgt.' Kelly schoof zijn stoel naar achteren. 'Is dat alles, admiraal?'
'Was dat maar zo, Kelly. Je hebt hier nog niet over nagedacht, dat verbaast me. Nu onze verbindingen zijn gecompromitteerd hebben we een groot probleem met de *Snarc*. Die vaart in de Atlantische Oceaan rond en zou onze eigen onderzeeërs van de oostkust onder vuur kunnen nemen, op weg naar de Indische Oceaan.'
Dat was het moment waarop McKee besefte dat het geen expeditie was, maar een complete oorlog. De Rood-Chinezen, hoe geducht ook, waren een vijand waarmee hij wel kon afrekenen. Maar dat zijn eigen geavanceerde wapensystemen zich misschien tegen hemzelf zouden keren was een

gedachte die hem koude rillingen bezorgde.
Hij werd gestoord in zijn overpeinzingen toen de piloot van de marine voor hem opdook.
'Admiraal? We gaan nu dalen voor de landing. Over vijftien minuten staat u aan de grond. Welkom op Hawaii.'
'Bedankt,' zei McKee, en hij boog zich naar het raampje om de lichtjes van Honolulu te zien.
Terwijl hij zijn computer opborg, vroeg hij zich af of de *Piranha* in staat zou zijn de *Snarc* af te stoppen. Natuurlijk, dacht hij toen. Catardi's *Piranha* moest de verraderlijke robotsub kunnen verslaan. Dat kon niet anders. Want als de *Snarc* de *Piranha* tot zinken bracht en naar de Indische Oceaan wist te komen, was de oorlog bij voorbaat al verloren.

5

De verweerde vissersboot deinde op de golven van de Gele Zee, ten noorden van Shanghai. De maan en de sterren waren niet te zien; de hemel was al twee dagen dicht bewolkt. De treiler had zijn netten uitgezet aan lange bomen. Twee mijl achter de vissersboot analyseerde de dunne draad van een TB-23 groothoek-sleepsonar de triljoenen geluiden van de zee en gaf ze door aan het Cyclops II-systeem voor in het ruim. Het schip hengelde niet naar vis, maar naar een kernonderzeeboot.

Het doelwit was de stilste en onzichtbaarste bemande onderzeeboot ooit gebouwd. Het opsporen van zo'n boot zou onmogelijk zijn geweest zonder de verwerkingscapaciteit van het Cyclops-systeem. De onderzeeër was wel stil, maar had toch pompen, turbines, motoren en een propulsor: draaiende machines. En elke draaiende machine bracht trillingen voort in een ritmische frequentie en zond dus cyclische tonen naar de omgeving uit. Al die apparatuur was gemonteerd op vierdimensionale dempende sokkels, waardoor de trillingen grotendeels werden geabsorbeerd, maar diep in de boot pulseerde toch stoom en water, zoals het bloed dat door de aderen van een groot dier stroomt. En elke puls maakte geluid in zee. Voor een conventionele sonar zouden de geluiden van het doelwit niet waarneembaar zijn geweest, net zo onopvallend als het geruis van een lichte regenbui bij zwaar onweer. Dat gold ook voor de TB-23 lineaire sleepsonar, die slechts het grote frequentiespectrum van de luidruchtige zee afluisterde en alle geluiden op alle frequenties via de draad aan de centrale computer doorgaf.

Diep in het bewustzijn van de Cyclops II werden de geluiden van de zee gefilterd. Door de onvoorstelbare hoeveelheid informatie zouden de computers van twee jaar terug nog volledig zijn dichtgeslibd. Die verouderde apparaten waren slechts in staat een heel beperkte sector van de zee op de

aanwezigheid van een doelwit te doorzoeken. Maar de Cyclops II kon de hele wereld afluisteren en alle willekeurige oceaangeluiden wegfilteren die geen ritmische puls vertoonden, zodat alleen de zuiver harmonische tonen van draaiende machines overbleven. Van grote afstand isoleerde de computer van de treiler vier tonen, legde ze vast en identificeerde ze met absolute zekerheid als een Amerikaanse kernonderzeeboot uit de Virginia-klasse. De technicus achter de Cyclops-console waarschuwde de wachtofficier van de vissersboot, die de kapitein op de hoogte bracht. De kapitein op zijn beurt waarschuwde de operatiesofficier, die de twee duikers wakker maakte en hen naar het ruim stuurde, achterin.
In het roodverlichte ruim hingen de twee duikers een masker om hun hals en inspecteerden hun zuurstofflessen. De Mark 17 HTUV of High Thrust Underwater Vehicle begon zachtjes te zoemen toen de brandstofcellen werden ingeschakeld. De leider van de missie stapte voor in, zijn adjudant achter. Nadat ze alle controles hadden uitgevoerd schoven ze de maskers voor hun gezicht. Het rode licht doofde en het ruim was opeens pikdonker. De bemanning van de treiler sloot en vergrendelde het waterdichte bovenluik. De HTUV helde steil naar voren op de rails van de lanceerhelling. De klep in de kiel ging langzaam open, totdat het gebulder van het kielzog te horen was. Opeens kwam de Mark 17 in beweging, stormde langs de steile rails omlaag en dook met een klap het water in. Het geraas van de schroeven van de treiler boven het vaartuig werd nog onderstreept door de herrie van de eigen motor, die naar vol vermogen schakelde.
De Mark 17 liet zich besturen als een motorfiets. De luitenant voorin gaf gas en de HTUV dook steil omlaag. De geluiden van de oppervlakte vervaagden toen ze steeds dieper kwamen. Vijfentwintig meter onder de golven verstomde het geluid van de motor en kwam het vaartuig horizontaal te liggen. De luitenant huiverde toen hij de automatische piloot inschakelde. De Mark 17 zou op deze diepte blijven wachten, met een kleine drijvende draadantenne aan de oppervlakte om contact te houden met de treiler en de computer in staat te stellen de grotere, snellere onderzeeboot te volgen, op weg naar het rendez-vous.
Zodra de sleepsonar het doelwit had herkend, stuurde de kapitein van de treiler een e-mail met het verzoek om reserveonderdelen voor zijn stuurboorddiesel. Binnen vijf minuten werd er vanuit de grote radiotorens van Tsingtao in Wit-China een ELF-bericht (Extremely Low Frequency) verzonden met maar twee letters, een A en een X. Deze ELF-radioberichten waren bijzonder onhandig en bijna onbruikbaar. Het kostte tien minuten en een geweldig vermogen om slechts één alfanumeriek teken door te

geven. Maar ELF had wel een voordeel boven alle andere elektromagnetische signalen: het kon tot diep in de oceaan doordringen. De letter A werd verstuurd. De golven van het ELF-signaal transporteerden de letter langs de Mark 17 HTUV en de inzittenden naar de diepte van de zee, waar hij uiteindelijk de ELF-antenne van de Amerikaans onderzeeboot *Leopard* vond, hoewel de antennemast in de commandotoren was teruggetrokken. De *Leopard* voer op een kieldiepte van 165 meter op een koers van een-zeven-vijf bij een snelheid van vijftien knopen, veel te diep en te snel voor de Mark 17 om hem te onderscheppen. Maar toen de radioapparatuur van de onderzeeboot besefte dat de letter A het eerste teken was van het ELF-roepsein van die dag, ging er een alarm af in de radiohut en de commandocentrale. Tegen de tijd dat de letter X werd doorgegeven, was er al een telefoontje uit de centrale naar de kapiteinshut gegaan, waar kapitein-luitenant-ter-zee George Dixon van de Amerikaanse marine werd gewekt met de mededeling dat er een spoedbericht was binnengekomen en dat de *Leopard* zo snel mogelijk naar periscoopdiepte moest komen.
Drie minuten later minderde de onderzeeboot snelheid en klom tot boven de spronglaag, zodat de boordsensors van de Mark 17, gevoed door aanwijzingen vanaf de treiler, de onderzeeboot ontdekten. Vervolgens gaf de computer het onderwatervaartuig opdracht om op volle snelheid de Amerikaanse onderzeeër te onderscheppen. Tegen de tijd dat de *Leopard* vaart had geminderd tot vijf knopen, naar periscoopdiepte was gestegen en zijn antenne omhoog had gestoken, was de Mark 17 al onderweg. De computer wees de HTUV de richting naar het achterste luik van de *Leopard*, waar het vaartuig zich vacuüm zoog tegen de romp van de onderzeeboot. Dat ging ten koste van twee plekjes rubberen anti-echocoating, maar de HTUV mocht niet door de zuiging van de romp losraken en naar de propulsor worden gesleurd. Vijf knopen leek niet veel, maar voor de luitenant en zijn adjudant zou een strijd tegen een stroming van vijf knopen algauw dodelijk vermoeiend worden. De adjudant haalde een soort wapen uit de cockpit, met een stroomkabel eraan. Hij richtte en vuurde. Een harpoen schoot naar de romp en nam de kabel met zich mee. De adjudant maakte het andere eind van de kabel aan het vaartuig vast, en vuurde toen nog een kabel af. Hij en de luitenant bevestigden hun veiligheidsriemen aan de kabels en zwommen tegen de stroom in naar het luik, ieder met een paar zware hulpstukken in hun hand die met slangen aan de HTUV waren gekoppeld. Het kostte de adjudant vijf minuten om de klem op het luik te centreren en vast te maken. Terwijl hij daarmee bezig was plaatste de luitenant soortgelijke hulpstukken over twee kleppen links en rechts van het

luik. Via deze kleppen werd de luchtsluis onder water gezet en kon de lucht ontsnappen. Zo zouden ze het buitenste luik kunnen openen, ervan uitgaand dat de bemanning van de boot niet ingreep van binnenuit. Maar ze hadden het voordeel van de verrassing. Niemand verwachtte zo'n invasie. De klem op het luik wist de grendel in minder dan dertig seconden open te draaien.

Een klem die onder de ring paste tilde het zware luik omhoog, tegen de kracht van de stroming van het water in. Toen het luik openstond, liet de luitenant zijn benen in de luchtsluis zakken en hij maakte zijn veiligheidslijn van de twee kabels los. Vlak voordat hij naar binnen verdween tikte hij de adjudant op zijn schoen als afscheid. Het volgende moment dook hij de luchtsluis in.

Eenmaal binnen stak hij een arm omhoog om het luik achter zich dicht te trekken, maar de hydraulische cilinders deden het meeste werk. Hij draaide aan het wiel en even later was het zware luik weer luchtdicht afgesloten. De luitenant was de onderzeeboot binnengedrongen, maar voorlopig niet verder dan een donker hokje, vol met water. Terwijl hij naar de schakelaar van de binnenverlichting zocht, verwijderde de adjudant de drie klemmen en de twee hydraulische cilinders aan de buitenkant van het luik, borg ze weer in het vaartuig en sneed de kabels door. Binnen twee minuten zou hij vertrekken, voordat de onderzeeboot weer naar de diepte dook. De adjudant keerde zonder zijn collega naar de treiler terug.

De luitenant had inmiddels het afvoerventiel van de luchtsluis gevonden en draaide het open om het water af te voeren naar het onderruim van de boot, ver beneden hem. Een ander ventiel liet de atmosfeer van de boot in de luchtsluis toe. Het water zakte nu al tot onder zijn gezicht. De luitenant zette zijn masker af en geeuwde even om zijn trommelvliezen vrij te maken. Na nog een halve minuut was al het water uit de luchtsluis verdwenen. Hij draaide aan het wiel van het onderste luik om het te ontgrendelen, zette zich schrap en trok het omhoog. Het felle licht van de gang verblindde hem een moment. Het zware luik was voorzien van een veermechaniek, waardoor het gemakkelijk omhoog kon worden geklapt. Een wolk warme, vochtige lucht sloeg hem tegemoet, omdat de luchtsluis die ze hadden gekozen zich recht boven de machinekamer bevond. De boot maakte veel meer herrie dan hij had verwacht. De turbines loeiden als straalmotoren. Hij had gedacht dat een kernonderzeeboot fluisterstil zou zijn, maar dit leek wel een machinewerkplaats. Toen hij het luik in geopende stand had vastgezet, tastte hij met zijn schoen naar de bovenste sport van de ladder. Hij vroeg zich af of iemand al zou hebben gemerkt dat

hij aan boord was toen hij een metaalachtige klik hoorde... en nog twee. Zodra hij met zijn voeten op de stevige dekplaten stond, draaide hij zich langzaam om naar de drie Beretta 9mm-pistolen die op zijn hoofd waren gericht. Ze leken nog groter dan kanonnen.
De indringer stak gedwee zijn handen in de lucht en verklaarde met rustige stem: 'Luitenant-ter-zee Brett Oliver, Amerikaanse marine, tijdelijk gedetacheerd bij de National Security Agency, op bevel van vice-admiraal McKee, commandant van het Unified Submarine Command. Ik vraag toestemming om aan boord te komen.'
De zware hand van een korporaal technische dienst greep hem in zijn nek en sleepte hem helemaal mee naar de kapiteinshut, op het tussendek van het voorste compartiment.

Commandant George Dixon staarde de opgebrachte indringer nijdig aan. De man zat inmiddels aan de vergadertafel van de commandant, in een geleende overall die hem niet paste.
'Begrijp ik het nou goed, luitenant... tenminste, als u dat bént?' teemde Dixon vijandig met zijn zuidelijke Amerikaanse accent. 'U dringt mijn boot binnen met de mededeling dat al mijn verbindingen zijn gecompromitteerd en dat ik dus met niemand meer kan praten. Ook niet met USUBCOM. En dat u een computertje bij u hebt dat alle officiële netwerken omzeilt, zodat ik toch contact kan houden met het hoofdkwartier, via e-mail op het internet?'
'Geverifieerd door de verzegelde SAS-enveloppen. Inderdaad, commandant,' bevestigde Oliver. 'Dit systeem is absoluut veilig. Met die computers en de SAS-codes ontwijkt u het tactisch datasysteem, dat is gepenetreerd door de Chinezen en misschien ook door de Indiërs.'
'En waarom laat ik u niet opsluiten als een buitenlandse spion?'
'U kunt de SAS-code opvragen om het e-mailbericht te verifiëren.'
Dixon streek met twee vingers over zijn forse snor, die met gel in model gehouden werd. Hij was een man van ruim een meter tachtig, met donker haar, nog vrij jong voor het commando over een onderzeeboot. Maar in het begin van zijn carrière had hij gediend onder David Kane, die een bliksemcarrière had gemaakt, en op voorspraak van Kane had Dixon deze benoeming in de wacht gesleept. Zelf was Dixon ooit begonnen als jong officier op een 688I-onderzeeboot. Daarna was hij navigator geweest aan boord van een Seawolf-klasse tijdens de Japanse oorlog, en XO op een andere 688I in de strijd op de Oost-Chinese Zee. Daaraan dankte hij zijn voordracht voor de positie van commandant van de nieuwe onderzeeër

Leopard uit de Virginia-klasse, die vroegtijdig uit het testprogramma was gehaald en met volledige bewapening op een speciale missie naar de Golf van Bohai was gestuurd. Naast zijn hectische baan was Dixon ook nog verliefd geworden op een schoonheid uit Charleston, met wie hij uiteindelijk was getrouwd. Ze hadden een huis gebouwd en twee kinderen gekregen – twee jongens met het mooie blonde haar en de blauwe ogen van hun moeder en de energie, het enthousiasme en de scherpzinnige logica van hun vader. De jongens en hun moeder waren nu een halve wereld en een halfjaar bij hem vandaan. Als herinnering aan hen droeg hij een gouden munt, die hij op hun eerste trouwdag van zijn vrouw had gekregen, altijd in de linkerzak van zijn overall. Soms, als hij onzeker was, zoals nu, haalde hij hem tevoorschijn en woog het gewicht in zijn hand.
Dixon pakte de telefoon naar de centrale en drukte op de knop. 'Wachtofficier, stuur de navigator en de verbindingsofficier naar mijn hut en haal de XO bij haar work-out in het torpedoruim vandaan.'
Terwijl ze wachtten las Dixon het bericht opnieuw. De boot lag nog steeds op periscoopdiepte, deinend in de golven, terwijl het Chinese eskader, het eerste dat vanaf de kade in Port Arthur was vertrokken, al achter de horizon was verdwenen en met de minuut meer voorsprong kreeg. Er werd op de deur geklopt.
'Binnen,' riep de commandant.
'U had ons besteld, commandant,' zei MacGregor, de rossige navigator, zoals gewoonlijk met een stem alsof hij rauwe koffiebonen gegeten had. De Schot sprak zo snel dat hij op zijn vorige boot de bijnaam Burst Comm had gekregen, naar de gecomprimeerde berichten die de satelliet verzond.
'Heren, ik moet u vragen om SAS acht-nul-vier-echo-drie uit de SAS-kluis te halen.'
'Aye aye, commandant,' zei MacGregor. 'Mag ik ook vragen waarom?'
Dixon keek vragend naar Oliver, die knikte. Dixon gaf zijn navigator de palmtop en MacGregor las de e-mail met de introductiebrief van luitenant Oliver. Hij wierp een aarzelende blik naar zijn commandant, greep de jonge luitenant Wilkins toen bij zijn schouder, en vertrok naar de hut van de eerste officier. Terwijl Dixon wachtte, klopte de XO aan en kwam binnen. Donna Phillips was een magere brunette met een gemiddeld postuur, in een bezweet joggingpak met een handdoek om haar nek. De spieren van haar schouders en haar armen puilden nog uit door de gewichten die ze had getild in het torpedoruim. Normaal zag je Phillips in een onberispelijk gesteven overall als ze in haar keurig opgeruimde hut zat te werken. Ze droeg haar haar bijeengebonden en vrij kort. Er zat nooit een haartje ver-

keerd, behalve als ze sportte. Haar kapsel accentueerde haar krachtige jukbeenderen en haar donkere ogen, die meestal nogal nadenkend keken. Dixon werkte al twee jaar met Phillips en hij was heel tevreden over haar, hoewel ze de mannen soms wel erg hard aanpakte.

'XO, dit is luitenant-ter-zee Brett Oliver, gedetacheerd bij de NSA en nu bij ons aan boord.'

'Commandant, wat stelt dit voor?'

Dixon gaf haar de computer om het bericht te lezen. Haar reactie beperkte zich tot een opgetrokken wenkbrauw.

MacGregor en Wilkins kwamen terug met een foliepakje. De lagere officier hield het vast alsof het een tikkende bom was. 'Dit is SAS-verificatie acht-nul-vier-echo-drie, commandant. Wilt u controleren of het de juiste is?' vroeg Wilkins.

Dixon tuurde naar het opschrift op het pakje en las: 'Acht-nul-vier-echo-drie. Klopt. Maak maar open.'

Wilkins trok het folie los en haalde er een kaartje uit met een lange reeks letters en cijfers.

'Navigator, wilt u het e-mailbericht op de computer verifiëren?' vroeg Dixon.

MacGregors blik ging van het kaartje naar de e-mail en weer terug. Ten slotte keek hij Dixon aan. 'Commandant, de e-mail klopt met de verificatie. Het is een officieel bericht.'

Dixon knikte. 'Neem de SAS-envelop weer mee en vernietig hem onder toezicht van twee man. Daarna teken je het logboek,' beval hij. De officieren vertrokken. Op het moment dat ze de deur achter zich sloten klonk er een piepje.

'Nog een e-mail,' zei Phillips, met een blik op de computer.

'Laat eens kijken,' zei de commandant. Er was weer een bericht binnengekomen van het internet, via de periscoopantenne. 'Daar is ook een verificatie voor nodig.'

Het kostte een paar minuten om de tweede SAS-envelop te halen en te openen, maar toen het tweede bericht was geverifieerd keek Dixon op naar Phillips en Oliver. Het gezicht van de onderzeebootcommandant was doodsbleek, maar stond hard en strijdlustig. Langzaam stak hij zijn hand uit naar de telefoon en riep de wachtofficier bij de periscoop op.

'Commandant aan wachtofficier. Breng de boot naar de diepte, snelheid verhogen tot volle kracht, achter de Chinese oppervlaktevloot aan. Maak alle vier Mark 58 Alert/Acute Mod-plasmatorpedo's gereed. Prepareer buizen een en twee voor actie en open de buitendeuren. Zodra we binnen

tienduizend meter van het dichtstbijzijnde schip zijn, minderen we snelheid tot tien knopen en schakelen we de hoofdkoelingspompen terug voor ultrastil. En stuur de navigator naar me toe.'
'Commandant, wat is er?' vroeg Phillips.
Commandant Dixon keek de twee officieren aan. 'Blijkbaar is het oorlog.'

Lien Hua liep in de regen de betonnen pier af. Zijn zwarte uniform met minimale versierselen was algauw doorweekt. Dat voelde niet prettig, maar hij zou zich later wel verkleden. Het natte uniform herinnerde hem aan de zware opgave van deze dag. Aan het eind van de pier was een slagboom, waar de auto van de admiraal stond te wachten. De admiraal zat er niet in, maar wel Liens vrouw en dochters.
'Hallo, meiden,' zei hij met een glimlach, ondanks alle spanningen. 'Wat komen jullie doen?' Zijn blik gleed naar het knappe gezicht van zijn vrouw. Haar ogen zochten de zijne. Ze glimlachte naar hem, stapte uit en stak een paraplu op, die klapperde in de straffe wind op de kade. Ze sloeg haar armen om hem heen, kuste hem vurig en omhelsde hem toen weer. Ze bracht haar lippen naar zijn oor, maar hij kon haar nauwelijks verstaan boven het geloei van de storm uit.
'Ik wilde je komen zeggen dat ik van je houd. En dat je voorzichtig moet zijn. En dat ik spijt heb van onze ruzie.'
Lien Hua glimlachte, kuste haar wang en deed een stap terug, zodat hij in haar ogen kon kijken, de ogen van een prinses. 'Het was mijn schuld, liefste,' zei hij. Toen keek hij wat schaapachtig om zich heen. 'En ik hou ook van jou. Laat me afscheid nemen van de meisjes.' Hij boog zich naar hun raampje, kuste hun beregende gezichtjes, streelde hun haar en trok hen tegen zich aan. Hun geur herinnerde hem aan thuis, aan veiligheid en geluk.
'Papa, mam zegt dat je de oorlog in gaat. Is dat waar?'
'Moeder moet niet zulke dingen zeggen,' antwoordde hij, met een geamuseerde blik naar zijn vrouw. 'We gaan gewoon naar zee voor een oefening. Ik zal gauw weer thuis zijn. En tot die tijd moeten jullie goed op je moeder passen.'
'Dat zullen we doen, papa,' beloofden ze in koor. Hij tikte hen tegen hun neus en omhelsde hen nog eens.
'Heeft admiraal Chu jullie met zijn dienstauto laten komen?'
'Zijn vrouw vond dat een goed idee.'
Lien knikte. 'Fijn dat jullie gekomen zijn, mijn prinses, maar nu moet ik gaan.'

'We zullen je hier uitzwaaien. Wees voorzichtig, mijn liefste,' zei ze. 'Kom weer bij ons terug.'
Hij boog zich naar haar toe voor een kus en liep toen terug over de pier, terwijl hij zijn kraag opsloeg tegen de striemende regen en haar lippenstift van zijn gezicht veegde, op weg naar de aanlegplaats van de snelle-aanvals-onderzeeboot.
De boot was een splinternieuwe Julang-klasse, een Chinees ontwerp, gebouwd in Rood-China door Chinese ingenieurs en technici op de marine-werf en -basis Huludao aan de noordkant van de Golf van Bohai, en inmiddels overgebracht naar de onderzeebootbasis Jianggezhuang, onzichtbaar voor westerse spionnen. Zelfs in de sombere regenbuien was het een slanke, zwarte, sierlijke schoonheid. Hij lag zo diep in het water dat hij nauwelijks zichtbaar was. Water klotste over de bovenkant van de glooiende, sigaarvormige romp. Midscheeps verhief zich de vin, verticaal van voren en aan de achterkant hellend naar het dek, dat glooiend afliep naar het water. Het roer stak als een mes omhoog uit het zwarte water van de haven, ogenschijnlijk los van de boot. De naam was *Nung Yahtsu*, wat in de vertaling van de barbaren zoveel betekende als *Tanden van de draak*. Het was een naam die Lien Hua zelf had bedacht toen het nog maar een hulpeloze stapel versterkt staal in een troosteloos droogdok was. Maar die trotse naam zou de toekomst van de boot bepalen. Vandaag zou hij uitvaren, ver van zijn thuisbasis, en zijn tanden in het vlees van de barbaren zetten.
Bij de loopplank werd hij opgewacht door zijn eerste officier, Zhou Ping. Zhou was de zoon van een vriend van Liens vader, die jaren geleden bij de strategische raketmacht van het Volksbevrijdingsleger had gediend. De vriend was een langzame dood gestorven aan emfyseem en had Liens vader op zijn sterfbed gevraagd een oogje op Zhou te houden. Toen Liens vader stierf, was die verplichting op Lien overgegaan. Eerst had Lien het als een van de tientallen verplichtingen tegenover zijn vader gezien, maar algauw ontdekte hij een aangeboren talent bij de jongere man en had hij hem onder zijn hoede genomen op vijf missies op zee, totdat hij vandaag aan de loopplank stond als Liens eerste officier.
'Het is me een eer u op deze regenachtige ochtend te mogen begroeten, commandant,' zei Zhou, met een diepe buiging. Lien Hua boog terug en bleef toen somber staan, zonder iets te zeggen, terwijl de regen in zijn kraag drupte. Zijn zwarte uniform van de onderzeedienst was doorweekt na de stortbui.
'Wat is de status van de boot, leider Zhou?' vroeg hij.
'De *Nung Yahtsu* ligt gereed om uit te varen, commandant. Het aan boord

brengen van de wapens is zonder probleem verlopen. De Dong Feng-torpedo's zijn in de vijf buizen geladen, het speciale Tsunami-wapen is droog in buis zes geïnstalleerd en de overige dertig torpedo's liggen in de rekken. De reactor is nominaal, de machinekamer heeft stoom, de boot is zelfvoorzienend en de stroomkabels vanaf de wal zijn ingenomen. De hoofdmotoren draaien op vijf procent van de vrijloop en alles is getest. De lijnen liggen klaar en de manoeuvrewacht is ingesteld. De navigatieapparatuur is geijkt op de exacte locatie aan de pier en via de radio hebben we toestemming ontvangen voor het vertrek.'

'Uitstekend, Eerste. Zijn er nog afwijkingen?'

'Jawel, commandant, maar allemaal klasse vier of lager.'

'Goed, leider Zhou.' Lien Hua keek naar de hemel. De regen kletterde in zijn ogen. 'Geen gunstige dag om zeeman te zijn, beste vriend, maar wel een goede bescherming tegen het rondcirkelende oog van de barbaren.'

'Het schijnt een voordeel te zijn om te vertrekken in de stortregen,' beaamde Zhou. 'Maar ik zou geen bezwaar hebben tegen een zonnetje en een milde zeebries.'

Lien Hua lachte en klopte zijn ondergeschikte op de schouder. 'Gereedmaken voor manoeuvres,' beval hij toen. Hij wierp nog een laatste blik over de onderzeebootbasis en stapte toen de loopplank op. Zodra hij voet zette op de rubber coating van de romp en de helder verlichte boot binnenkwam, was de somberheid van de dag verdwenen. Het zou een geslaagde reis worden, dacht hij toen hij langs de roestvrijstalen ladder naar de dekplaten afdaalde.

Tien minuten later gooide de *Nung Yahtsu* de trossen los en ging op weg naar de diepe vaargeul. Lien Hua stond op de manoeuvretoren van de vin. De auto van de admiraal met zijn vrouw en dochters was nauwelijks meer te onderscheiden. Tien minuten voor het middaguur rondde de onderzeeboot de tweede boei en was de familie van de commandant definitief uit het zicht verdwenen.

'Eerste, ik ga omlaag,' kondigde hij aan.

Een halfuur later dook de boot en schakelden de motoren naar hun maximale toerental, op een onderscheppingskoers met het eerste vliegkampeskader. Tegen de tijd dat de task force de Oost-Chinese Zee had bereikt zou de *Nung Yahtsu* al vooruitvaren om het eskader te beschermen tegen vijandelijke onderzeeërs en de boze bedoelingen van de vijandelijke bevelhebbers. Ergens onderweg, voordat de *Nung Yahtsu* de vliegkampgroep in positie had gebracht, moest de westerse onderzeevloot al verslagen zijn.

6

Michael Pacino stapte uit de dienstauto die hem van het Pentagon naar het streng beveiligde droogdok van de marinewerf van Newport News had gebracht. Hij begreep nog steeds niet helemaal wat Patton nu zo dringend vond aan het project waarvoor hij Pacino nodig had en waarom hij met zoveel haast van zijn zeilboot was geplukt. Het was hem zelfs niet duidelijk waarom Patton juist hém had gekozen en niet een van de tientallen briljante MIT-ingenieurs die over de werf zwermden.

Dat antwoord had hij niet gekregen op het kantoor van het hoofd Marineoperaties, maar misschien zou het nog blijken in de praktijk. Pacino was gevraagd projectmanager te worden van het SSNX-herstelprogramma. De SSNX moest niet alleen worden herbouwd, maar ook de kracht en de snelheid krijgen om de snelste torpedo's uit de arsenalen van de grootmachten te kunnen ontlopen. 'Dat is onmogelijk,' had hij tegen Patton gezegd. 'Een Greyhound-bus kan geen motorfiets vóór blijven. Uitgesloten.'

Patton glimlachte. 'Wel als je die bus een raketmotor geeft, Patch,' grapte hij.

Pacino beloofde dat hij zijn best zou doen, maar hij zag er weinig heil in. Voordat hij vertrok vroeg Patton hem nog of hij ook de leiding op zich wilde nemen van de ontwikkeling van een nieuw en geheim wapensysteem, de Tigershark-torpedo, dat nog niet echt van de grond was gekomen. 'Het heeft veel overeenkomsten met het *Snarc*-programma, waarbij we koolstofprocessors in een onderzeeboot hebben verwerkt. Dat wist je nog niet, neem ik aan?' Patton gaf een toelichting en besloot: 'Project Tigershark is veel lastiger. We hebben geprobeerd een koolstofprocessor in de romp van een torpedo in te bouwen, maar die dingen blijven de eigen boot aanvallen. En koolstofcomputers accepteren geen interlocks, hardwiring of geprogrammeerde opdrachten. De torpedo is een killer, maar zolang we de veiligheid van de eigen boot niet kunnen garanderen hebben we er niet veel aan.'

Pacino accepteerde de leiding van het Tigershark-programma en verdiepte zich de rest van de avond in de plannen voor de herbouw van de SSNX-onderzeeboot. Hij kreeg gedetailleerde briefings over beide projecten, totdat het hem duizelde. Uren later, lang na middernacht, stond hij op de betonnen kade van dok twee van de marinewerf van Newport News en tuurde naar de romp van de onderzeeër, verlicht door schijnwerpers, hoog boven zijn hoofd. De boot was zo mooi dat hij zich opeens weer droevig voelde dat hij nooit meer naar zee zou gaan. Maar het was ook een inspiratie om de bemanning van deze boot een gevechtssysteem mee te geven waarmee ze hun missie konden volbrengen en veilig weer naar huis konden terugkeren.

De boot boven zijn hoofd was de machtigste onderzeeboot ter wereld op het moment dat hij tot zinken was gebracht door de plasmatorpedo's van de Oekraïense sub die hem in een hinderlaag had gelokt. Het grootste deel van de bemanning was bij de aanslag omgekomen. De bergingsschepen hadden het wrak naar de werf teruggesleept. Er was niet veel bruikbaars meer van over, behalve de romp. Maar omdat het zo kostbaar en tijdrovend was om een nieuwe romp te bouwen, hadden Newport News en de Electric Boat Division van DynaCorp plannen ontwikkeld voor een heel nieuwe onderzeeboot op basis van de geborgen romp van de vorige. Zelfs de dekplaten moesten tot schroot worden verwerkt. De romp was volledig gerestaureerd en opnieuw gelast, de beschadigde middensectie weggesneden en een nieuwe module vanuit Groton gemonteerd.

De interne mechanica – de voortstuwing, de hoofdmotoren, de serviceturbines, de stoomgeneratoren en de reactor – werd weggehaald via gaten in de romp en vervangen door nieuwe onderdelen, gestolen van de assemblagelijnen van Groton, waar de nieuwe subs uit de Virginia-klasse werden gebouwd. Voorin werden nieuwe dekplaten aangebracht, nieuwe gevechtsconsoles – ook afkomstig uit Groton – kregen hun plaats en het hele interieur werd van nieuwe bedrading en leidingen voorzien. In twaalf maanden tijd was het roestige, gehavende wrak getransformeerd tot een marineschip dat klaarlag voor de officiële tewaterlating.

Over nog een maand zou de boot volledig zijn toegerust om aan de vloot te worden overgedragen, maar de nieuwe instructie van het hoofd Marineoperaties dat de SSNX alle vijandelijke torpedo's moest kunnen ontwijken had een streep door de rekening getrokken. De SSNX zou hulpeloos in het droogdok blijven liggen totdat Pacino een manier had bedacht om de boot onkwetsbaar te maken voor torpedo's.

Ook de productie van de wapens voor de boot lag stil. Project Tigershark vertoonde een stuk of tien fatale gebreken. De testlanceringen waren allemaal op een fiasco uitgelopen. De meeste 'dodelijke' Tigersharks besloten zich op de eigen boot te richten in plaats van op de vijand, afgezien van twee torpedo's die wel het juiste doelwit hadden gekozen. Het wapen kon natuurlijk vanuit een vliegtuig worden afgeworpen, maar verder leek het programma een mislukking. Blijkbaar kon de koolstofprocessors niet worden bijgebracht dat de onderzeeboot waar ze vandaan kwamen het moederschip was, omdat ze in tegenstelling tot hun siliciumbroeders niet met interlocks konden worden beveiligd. Tot nu toe had niemand het succes van de koolstofprocessors in de *Snarc* naar de Tigershark-torpedo weten te vertalen. Het was een kwestie van ruimte, vermoedde Pacino. Het brein van de *Snarc* nam het grootste deel van het voorste compartiment in beslag, terwijl de Tigershark hooguit een halve kubieke meter voor het brein van het wapen ter beschikking had.

Maar als Pacino een oplossing kon vinden, zou Project Tigershark de SSNX weer tot de gevaarlijkste onderzeeboot ter wereld maken. De boot was oorspronkelijk SSNX gedoopt – Submersible Ship Nuclear, met de toevoeging X voor Experimental – als prototype van een nieuwe klasse onderzeeboten die uiteindelijk de naam Virginia had gekregen. Pacino was betrokken geweest bij het ontwerp en had gestreefd naar een boot waarin alle problemen waren opgelost die hij in zijn zeventien jaar als onderzeebootofficier tijdens gevechtsmissies was tegengekomen. Hij beklom de trap naast het achterschip totdat hij hoog genoeg stond om de romp aan te raken. Het koele metaal glansde groen in het felle schijnsel van de nachtlampen. De groene verf was een anorganische zinkprimer. De boot had die kille, onpersoonlijke naam SSNX gehouden totdat de wens van de stervende admiraal Donchez was gehonoreerd en admiraal O'Shaughnessy de boot had gedoopt met de meest tot de verbeelding sprekende naam uit de oorlogsgeschiedenis van de onderzeevloot: USS *Devilfish*. Jaren eerder was dat de naam geweest van Pacino's eerste commando, een boot uit de Piranha-klasse die verloren was gegaan onder de poolkap toen de Russische admiraal Novskoyy een nucleaire torpedo had losgelaten die zowel het einde van de *Devilfish* als van zijn eigen boot uit de Omega-klasse had betekend.

Na dat incident had Pacino ontslag genomen uit de marine, tot de dag waarop Donchez hem vertelde dat de boot van zijn beste vriend door de Rood-Chinezen was gegijzeld. Voordat hij het wist had Pacino weer in de commandocentrale van de *Seawolf* gestaan, honderd meter van een Chinese pier. Tegen de tijd dat hij zijn eerste kruisraket lanceerde had hij de

Devilfish uit zijn gedachten gezet, althans tot het moment waarop hij tot vlootcommandant werd bevorderd en zich admiraal mocht noemen. De Roden hadden de Oost-Chinese Zee veroverd met een vloot van onderzeeërs die een miljoen ton aan Amerikaanse schepen naar de kelder had gejaagd. Het was Donchez die vond dat de SSNX moest worden omgedoopt tot *Devilfish*. Misschien kwam het door zijn ongelooflijke sensorsystemen en vuurkracht dat de boot de oorlog had gewonnen, maar Pacino sloot ook niet uit dat het aan de naam had gelegen.
Nu lag de boot hier weer, op de blokken, herrezen uit de dood, en weer omgedoopt tot SSNX, verder niets. Memo's binnen de marine maakten gewag van de traditie om gezonken schepen een nieuwe naam te geven en de nieuwe boot zo te beschermen tegen het onheil dat de oude was overkomen. Er gingen ook verhalen over het dopen van het dek met de urine van een maagd, maar dat idee was stilletjes afgevoerd. Pacino wist wel wat de nieuwe naam zou worden als hij nog commandant van de onderzeedienst zou zijn geweest. Dan zou hij een fles champagne tegen de boeg hebben geslagen en de boot opnieuw USS *Devilfish* hebben gedoopt, ondanks het bijgeloof van de zee. Maar blijkbaar was hij de enige die dat vond, want op het spandoek boven de loopplank stond nog altijd eenvoudig SSNX-1.
Pacino wierp een blik op zijn gekraste Rolex Submariner. Het was dinsdagnacht, na enen. Tijd om naar huis te gaan, vond hij. Hij kon nu toch weinig doen aan de gebrekkige Tigershark-torpedo's of de torpedobescherming voor de SSNX. Dus stapte hij in zijn auto, reed het hele eind naar Sandbridge, ten zuiden van Virginia Beach, en beklom het trapje naar het strandhuis. Hij hield niet van een leeg huis, maar het was verkieslijker dan een onpersoonlijke hotelkamer in de buurt van de werf. Hier had hij de herinneringen aan zijn zoon, Anthony Michael. Pacino's vrouw Colleen zat nog in D.C., in hun huis in Annapolis, tot ze naar Virginia kon komen.
Hij legde zijn hoofd op het kussen en probeerde te slapen. Zijn gedachten gingen naar zijn enige kind, Anthony Michael, die op dit moment ergens in Californië moest zitten voor een stage bij een jagersquadron, waar hij mocht oefenen met de piloten die hij zo verafgoodde. Hij miste de jongen. Ze hadden elkaar al in geen maanden gezien.
Hij sliep al bijna toen de telefoon op zijn nachtkastje ging. Pacino kwam overeind, zette de monitor aan en zag het strenge gezicht van zijn ex, Hillary Lakeland, de moeder van zijn zoon. Twintig jaar geleden was ze knap geweest, maar nu leek al haar verbittering door haar huid naar buiten te zijn gesijpeld.

‘Hallo, Hillary,’ zei hij zuchtend. Haar gezicht stond op onweer, en hij vroeg zich af waar de ruzie nu weer over zou gaan.
‘Hallo, Mike,’ antwoordde ze, tot zijn ergernis. Toen ze nog getrouwd waren had ze hem altijd Michael genoemd, maar vijf jaar na de scheiding was ze opeens Mike gaan zeggen, hoewel ze wist dat hij de pest had aan die naam. Maar hoe ze hem ook noemde, het klonk altijd als ‘klootzak’.
‘Ik zie dat je Anthony Michael eindelijk zover hebt gekregen dat hij in de voetsporen van zijn vader is getreden.’ Daar maakten ze al jaren ruzie over, sinds het moment dat Tony had besloten naar de Marineacademie te gaan.
‘Hillary,’ zei hij effen, ‘wat kan ik voor je doen?’
‘Haal Michael Anthony van die kernonderzeeër af. Dát kun je voor me doen.’
‘Wat?’ vroeg hij verbaasd. ‘Waar heb je het in godsnaam over? Anthony zit bij een jagersquadron dat vanuit San Diego is vertrokken. Hij zal wel ergens de bloemetjes buiten zetten met zijn kameraden.’
‘Waarom lieg je tegen me, Michael?’ Als ze echt kwaad was noemde ze hem weer bij zijn volle naam, maar het klonk nog steeds als een belediging. ‘Ik heb een e-mail van hem gekregen voordat hij vertrok. Hij zit op de onderzeeboot *Piranha*, voor een of andere gevaarlijke missie. Toen hij dat idiote plan opvatte om naar de Marineacademie te gaan heb ik je gezegd dat ik hem niet op een onderzeeër wilde zien, en jij hebt me beloofd dat hij een technische opleiding zou krijgen om veilig ergens in een droogdok te werken.’
‘Ik zoek het wel uit,’ zei Pacino, die zichzelf weer in de hand had. Hoe kijvend Anthony’s moeder ook klonk, hij was het wel met haar eens. Een kernonderzeeboot was de laatste plaats waar hij zijn vlees en bloed graag zag.
‘Maar je zult wel weer niets doen, zoals gewoonlijk,’ snauwde ze. ‘Die heldenverering voor jou wordt nog eens zijn dood. En wat moet je dan?’ Haar ogen vulden zich met tranen. ‘Jij moet het helemaal zelf weten als je naar zee wilt en nooit thuiskomt en onderzeeërs onder je vandaan laat schieten.’ Dat was een bondige samenvatting van hun mislukte huwelijk, dacht hij dof. ‘Maar dit is mijn kind! Hij is alles wat ik heb.’
Hoe graag Pacino ook wilde ophangen, zijn zoon hield van haar en Pacino wist dat hij ooit door Anthony zou worden beoordeeld op hoe hij haar behandelde. Dus haalde hij diep adem.
‘Geef me een nummer waar ik je over een halfuur kan bereiken,’ zei hij, terwijl hij recht in de telefooncamera keek. Ze raffelde het nummer van haar strandhuis in Palm Beach af en hij beloofde haar dat hij erachteraan zou gaan.

Eerst belde hij het Pentagon, buiten de centrale om. Het was bijna twee uur in de nacht, dus kon Pacino weinig anders doen dan een boodschap achterlaten voor Patton, die weliswaar een nachtbraker was, maar nu toch wel thuis zou zijn. De display lichtte op en hij zag admiraal Patton achter zijn bureau zitten, met opgerolde mouwen, zijn das los en een leesbrilletje met halve glazen op het puntje van zijn neus. Patton vroeg naar de SSNX en Project Tigershark, maar Pacino hief zijn hand op.
'Ik wilde eigenlijk weten waar mijn zoon uithangt. Kun je dat opzoeken?'
'Natuurlijk.' Patton schoof het leesbrilletje wat hoger, klikte een paar tiptoetsen op zijn computerscherm aan en keek op. 'Hij zit op de *Piranha*, die met vlootoefeningen bezig is. Ik heb hier een berichtje van commandant Catardi. Jouw jongen heeft een uitstekende eerste indruk gemaakt. Bij de afvaart heeft hij de boot zelf van de kade weggedraaid, heel spectaculair, net als zijn ouweheer.'
Pacino moest die klap even verwerken – eerst het feit dat Hillary gelijk had, vervolgens het nieuws dat de kleine Ronny Catardi nu commandant van zijn eigen onderzeeboot was, en ten slotte de mededeling dat iemand in uniform eindelijk iets positiefs te zeggen had over Pacino junior.
Na alle problemen die Anthony op de Academie had gehad, dacht Pacino – het ene vergrijp na het andere, totdat hij bijna uit de marine was geschopt – had het jongmens zich dus goed gedragen op zee, aan boord van een frontlijn-kernonderzeeër, onder een commandant die Pacino persoonlijk had opgeleid. Hij kon Patton onmogelijk vragen de jongen terug te halen, alleen omdat Hillary in paniek was. Het ging immers om een oefening in vredestijd. Maar wat moest hij nu tegen Anthony's moeder zeggen? Hij bedankte Patton, belde het huis in Palm Beach en zag Hillary's nijdige gezicht.
'Het spijt me, Hillary,' begon hij. 'Je had gelijk. Anthony heeft nog een paar weken voor de boeg tot het einde van deze missie, maar er is echt geen gevaar bij. Een beetje heen en weer varen in de Atlantische Oceaan.'
'Dat zeiden ze ook over die *Stingray* van je vader.'
Pacino besefte dat hij Hillary nooit had verteld dat de *Stingray* niet bij de Azoren was gezonken, maar onder het ijs was vergaan, en dat ze ook niets over het lot van de *Devilfish* wist.
'Het komt wel goed. Over een maand is hij terug. Ik geef je mijn woord.'
Hij hing op en probeerde weer te slapen, maar hij werd geplaagd door onrustige dromen.
In een van die dromen maakte een skelet op een Harley jacht op een Greyhound-bus. De griezel op de motor zwaaide met een strijdknots. Toen hij

de denderende bus inhaalde, vuurde die tien raketten af, die ontploften. De bus verdween achter de horizon in een wolk van raketuitlaatgassen. Pacino schoot overeind in bed en maakte wat aantekeningen op een blocnote. Een halfuur later had hij het begin van een torpedo-ontwijkingssysteem. Toen hij zijn ogen weer sloot, sliep hij beter dan hij in een heel jaar had gedaan.

Admiraal John Patton, hoofd Marineoperaties, ijsbeerde door zijn kantoor en vroeg zich af hoe een adelborst op een boot met een oorlogsmissie terecht was gekomen. Maar hij wist het antwoord. Hij had zelf orders gegeven dat er geen enkele personeelstoewijzing mocht worden veranderd als gevolg van de mobilisatie, uit angst dat de spionnen die de vloot in de gaten hielden conclusies konden trekken – bijvoorbeeld de conclusie dat er een onderzeeër was vertrokken met een gevechtsmissie, omdat alle adelborsten op het laatste moment naar andere posten waren overgeplaatst. Door de personeelstoewijzingen ongemoeid te laten had hij de geheimhouding van de operatie beschermd, maar het had hem wel een onverwacht probleem opgeleverd. De zoon van Patch Pacino zat op de onderzeeboot die opdracht had de *Snarc* uit te schakelen en daarna deel te nemen aan een zeeslag in de Indische Oceaan. Patton zou een clandestiene manier moeten vinden om de jongen daar weg te halen, zonder de missie van de *Piranha* te compromitteren. Dat was hij Pacino senior wel verschuldigd. De vraag was alleen hoe.

7

De nachtelijke landing boven de kust van Thailand was adembenemend, met de lichten van steden en dorpen als een sterrenhemel beneden hen. De supersonische Falcon landde lichtvoetig op het asfalt van Bangkok International en kwam tot stilstand bij de aankomsthal naast de douanepost. Ze bleven zitten totdat de agent, een knap jong Thais meisje, aan boord kwam om een paar vragen te stellen en hen in het land te verwelkomen. De twee passagiers – allebei in een zakelijk pak – stapten uit het toestel de vochtige zomerlucht in. Hun Thaise assistent, Amorn, een grote man met een grof gezicht en een maatpak, nam hun bagage over, liep naar een Rolls-Royce en reed hen naar de stad. De brede straten waren nog verlaten, maar over een paar uur zouden ze verstopt zijn door de ochtendspits. De Rolls stopte voor de ingang van het Oriental Hotel en Amorn opende het portier. De mannen werden naar een privé-lift aan de achterkant van de weelderige lobby gebracht. Toen de lift boven stopte, gaven de deuren toegang tot een luxueuze penthousesuite. De twee mannen trokken zich zwijgend in hun slaapkamers terug.

De man in de westelijke kamer nam een warme douche, die hem verkwikte na de benauwde wandeling vanuit de Falcon. Het water stroomde over zijn dikke, donkere haar, doorspekt met grijs, zijn volle, gitzwarte, kortgeknipte baard, en zijn gespierde gestalte. Hij was drieënzestig jaar en in uitstekende conditie, deels dankzij een dertienjarig verblijf in een Siberisch gevangenenkamp, waar hij zich had getraind. Hij draaide de kraan dicht en keek even in de spiegel, verbaasd over het jeugdige gezicht dat hem aanstaarde. De operatie had zijn identiteit moeten veranderen, maar had ook de slijtage van de jaren weggenomen. Zijn magere wangen leken nu voller, zijn pokdalige huid was glad en zijn slappe kin was weer net zo scherp en strak als toen hij dertig was. Zijn tanden waren niet meer scheef en geel, maar wit en gelijkmatig, zijn blubberende hals was glad en gespierd, en zijn kaaklijn was recht als een liniaal. De grijze ex-admiraal, die ooit wegens oorlogsmisdaden gevangen had gezeten, was verdwenen en vervangen door een rijke aristocraat. Alexi Novskoyy was dood. De man in de spiegel heette Victor Krivak. Hij glimlachte, omdat de nieuwe naam hem beviel en goed bij zijn nieuwe uiterlijk paste.

Krivak trok het tropenpak aan dat Amorn had klaargelegd en trof zijn reisgezel in de salon van de suite. De andere man was vijf jaar jonger, maar leek ouder. Zijn naam was ooit Rafael geweest, maar nu stond hij bekend als Sergio. Hij was de briljante directeur die Novskoyy – nee, Krivak – uit zijn Siberische gevangenenkamp had gehaald en in dienst had genomen. Sergio was een forsgebouwde man, iets kleiner dan Krivak, met dikke armen en benen en een zware nek. Een grijze baard bedekte een groot deel van zijn grove gelaatstrekken, maar zijn ogen waren scherp en dwaalden voortdurend over de omgeving. Bij de operatie waren zijn neus en zijn grote oren bijgewerkt. Er was veel vet bij hem weggehaald, maar de laser had niets aan zijn zware botstructuur kunnen veranderen.

'Je hebt me nooit verteld hoe je die codes van de Amerikaanse marine te pakken hebt gekregen,' zei Sergio toen ze ontspannen op het terras zaten.

'Dat ging gemakkelijker dan ik dacht,' zei Krivak rustig. 'Een van de netwerkbouwers van DynaCorp had de pech dat hij een vrouw en drie kinderen had. Het is ongelooflijk waar een man toe in staat is als je een 9mm-automatic op het hoofdje van zijn pasgeboren kind richt. Ik heb hem erop uitgestuurd om de code te halen. Hij kwam terug met een verouderde versie. Dat kostte hem zijn hond. In de tweede versie zaten bugs. Dat kostte hem zijn vrouw. Toen pas kwam hij met een actuele versie, maar de logicbot van het systeem – die ons op de hoogte moest houden van veranderingen of aanpassingen in de beveiliging – was niet juist geïnstalleerd.'

Sergio maakte een handgebaar. 'Laat maar. Ik neem aan dat je na nog een paar pogingen de juiste versie had.'

'Ik was bang dat we geen kinderen zouden overhouden, maar inderdaad. De volgende dag kwam de politie en vond een afschuwelijk tafereel van moord en zelfmoord. Soms raken die computernerds de weg kwijt, vermoorden hun gezin en dan zichzelf,' zei Krivak smalend.

Na het eten werden de hoertjes naar boven gebracht. Het meisje kon niet ouder zijn dan veertien, misschien nog jonger. Ze liet een bad vollopen en trok hem mee in het water, met zijn rug naar haar toe. Haar vingers gingen aan het werk om zijn rugspieren te masseren. Hij sloot zijn ogen en voelde zich slaperig worden, in de wetenschap dat het meisje zeker een uur

door zou gaan. Zoals altijd zag hij dingen, op momenten dat hij half sliep. Het waren meestal snelle beelden, maar vanavond zweefden ze langzaam voorbij, soms vaag en nevelig, dan weer scherper dan het leven zelf, beelden uit de tijd dat hij nog Novskoyy heette. Hij zag zijn jeugd in Moskou, het maarschalksuniform van het Rode Leger, met de lintjes, dat zijn vader altijd in de slaapkamer hing. Zijn gedachten gingen terug naar de dag dat hij was afgestudeerd aan de Maarschalk Gretjsko Hogere Zeevaartschool voor Onderwaternavigatie. De heldere, koude dag dat hij zich had gemeld aan boord van zijn eerste onderzeeboot, uit de Victor-klasse. De dag dat hij zijn eerste commando had gekregen, over een boot uit de Akula-klasse, waarmee hij onder de poolkap was gevaren. Hij zag de epauletten van een admiraal op zijn uniform toen hij het bevel kreeg over de Noordelijke Vloot van de Russische Republiek. Daarna de verschrikkelijke dagen van de ontwapening van de Rodina, de kernwapens die van zijn schepen waren gehaald en waren afgevoerd naar een VN-depot.
Hij zag de zware romp van de onderzeeër die hij zelf had ontworpen, de SSN *Kaliningrad*, de grootste en meest geduchte onderzeeboot ter wereld. Daarna de ijskoude nacht toen hij de onderzeeërs van zijn vloot had zien vertrekken voor een missie die hij had beraamd om het onrecht van de Russische ontwapening recht te zetten. Hij rook nog de luchtjes van de *Kaliningrad* toen hij als commandant aan boord stapte voor de reis onder de poolkap door, op een missie van vergelding. Met honderdtwintig SSN-X-27 nucleaire kruisraketten, die hun twee megaton zware kernkoppen op honderdtwintig doelen aan de Amerikaanse oostkust zouden richten, zouden de Amerikanen van hun slagtanden worden beroofd en zouden de Verenigde Staten en Rusland eindelijk in vrede naast elkaar kunnen leven. Rusland zou de Amerikanen de hand toesteken bij de wederopbouw, en in de nasleep van het korte precisiebombardement zouden de twee landen zelfs vrienden en bondgenoten kunnen worden. De geschiedenis zou worden herschreven en de wereld zou een betere plaats zijn.
Maar de Amerikanen bleken nog sluwer en gevaarlijker dan hij had verwacht. Terwijl hij het startsein gaf aan de schepen van zijn vloot op hun afgesproken posities, werd zijn geliefde *Kaliningrad* aangevallen door een Amerikaanse hunter-killer onderzeeboot, die in het grootste geheim onder de poolkap was gedoken om hem uit te schakelen. De Amerikaanse commandant was een professionele moordenaar, en toen de torpedo's doel troffen, vulde de commandocentrale van de *Kaliningrad* zich met het inktzwarte water van de Poolzee. Novskoyys enige troost was dat de schermutseling ook de Amerikanen fataal was geworden. Verdoofd en in shock had

hij het bewustzijn verloren toen de lichten uitgingen.
Blijkbaar was hij met de ontsnappingsmodule uit de boot weggekomen, want toen hij zijn ogen weer opende bevond hij zich in een ijskelder, omringd door Amerikaanse schipbreukelingen. Hun commandant was een magere man met een hol gezicht en zwart haar, een etterbak die hem aan zijn kraag overeind sleurde om hem in elkaar te slaan, maar zich op het laatste moment bedacht. Volgens zijn naamplaatje heette hij Pacino. Novskoyy kon zich niets anders herinneren dan het gezicht en de naam van de man, en de haat die hij voelde. Maar het was te laat geweest voor wraak. De dieselgenerator had het opgegeven en voor de tweede keer was hij weggezakt in duisternis en kou.
Hij kwam weer bij in een ziekenhuis, waar hij voldoende herstelde om te worden ondervraagd. Met hand- en voetboeien werd hij als een oorlogsmisdadiger vanuit het ziekenhuis naar een transportvliegtuig gebracht, terug naar Rusland. Negenenveertig jaar oud en verzwakt door de kou zou hij de ontberingen van een Siberische martelkamer niet lang verdragen. Maar hij was niet gemarteld. Zonder vorm van proces was hij opgesloten in een grote, warme, eenzame cel met uitzicht op de Siberische dennenbossen. Er waren boeken en hij mocht aan zijn conditie werken. Dertien jaren verstreken voordat de deur van zijn cel openging. Die vreemde, forsgebouwde man die alleen maar bekendstond als Rafael had zijn losgeld betaald en kwam hem halen.
Novskoyy had de ommezwaai gemaakt van Russisch admiraal naar oorlogsmisdadiger en politiek gevangene, en van politiek gevangene naar militair consulent. Rafael nam hem in dienst bij een bedrijf dat Da Vinci Consulting heette en bezig was met een ambitieus project om olietankers tot zinken te brengen die uit de havens van Saudi-Arabië vertrokken. Die operatie was in het belang van de Hindoerepubliek van de Indiase dictator Nipun, en Nipun had om een demonstratie gevraagd. Het was Novskoyys idee geweest om het cruiseschip aan te vallen dat door de Amerikaanse marine was gecharterd voor een reis vanuit Port Norfolk, geëscorteerd door zware oorlogsschepen. Want als ze zo'n schip met zoveel bewaking tot zinken konden brengen, zou dat zeker lukken met de onbewapende en nietsvermoedende olietankers in de Golf van Oman. Nipun had ingestemd, maar de methode die ze in het Midden-Oosten hadden willen toepassen werkte ironisch genoeg niet tegen de Amerikaanse vloot. Toch moesten ze op de een of andere manier het cruiseschip vernietigen, ondanks die escorte van een onoverwinnelijk eskader. Novskoyy en Rafael hadden een zware nacht doorgemaakt toen ze beseften dat zoiets onmogelijk was. Totdat

Novskoyy terugviel op zijn marineachtergrond en een moderne Oekraïense Sverdlovsk-kernonderzeeër had ingezet, die de missie wist te volbrengen. India had betaald, Novskoyy had de Saudische tankers tot zinken gebracht, Da Vinci had miljarden verdiend en Rafael had hem tot volledige vennoot benoemd. Weer moest Novskoyy een ommezwaai maken, nu van briljant militair consulent naar absurd rijk zakenman, rijk genoeg om een heel Caribisch eiland te kopen om zich terug te trekken.

Pas later had hij gehoord dat een van de overlevenden van het cruiseschip dezelfde man was geweest die hem in die arctische ijskelder in elkaar had willen slaan, de commandant van de onderzeeboot die de missie van de *Kaliningrad* had getorpedeerd en inmiddels was opgeklommen tot admiraal en bevelhebber van de Amerikaanse marine: die schoft van een Pacino. Het was Novskoyy zwart voor de ogen geworden toen hij las dat de man het zou overleven. Hij had zelfs fantasieën om Pacino's ziekenhuiskamer binnen te dringen en de klootzak te wurgen. Op de computer riep hij beelden op van de jongere man, die nu zoveel ouder leek: de ex-admiraal met het holle, verbeten gezicht van een psychiatrisch patiënt. Novskoyy speelde nog altijd met de gedachte om hem op te sporen en te vermoorden, maar sinds de Saudische operatie had hij het eenvoudig te druk gehad met andere zaken.

Ondanks de miljarden die ze aan India hadden verdiend vreesde Rafael dat de Amerikanen wraak wilden nemen voor de ondergang van het cruiseschip. Dus maakte hij al het geld over op nummerrekeningen en elimineerde vervolgens de hoogste functionarissen van Da Vinci Maritime, die allemaal op een andere manier aan hun eind kwamen bij zogenaamde ongelukken. Toen de hele top was geliquideerd had Rafael ook hun eigen dood geënsceneerd, waarbij hij twee mannen een absurd hoog bedrag betaalde om zich met behulp van cosmetische chirurgie te laten veranderen in Novskoyy en Rafael. Toen de eerste Falcon neerstortte, hadden hij en Rafael hun nieuwe identiteit aangenomen. Alexi Novskoyy was voorgoed van de aardbodem verdwenen en Victor Krivak nam zijn plaats in. Rafael werd Sergio, nog altijd zonder achternaam.

Sergio, of Rafael, of hoe hij ook werkelijk heette, bleef een mysterie. De man was in Amerika geboren, maar had zijn hele leven in Europa gewoond, waar hij zijn bedrijf had opgebouwd tot een internationaal maritiem conglomeraat, gespecialiseerd in informatievergaring met elektronische middelen. Er viel nog zoveel te ontdekken over deze briljante ondernemer, maar Krivak had geduld.

Ze waren diep ondergronds gegaan om Interpol en de FBI te ontwijken. Nu

de klopjacht was gestaakt na hun zogenaamde dood, voelde Sergio zich veilig genoeg om een nieuw adviesbureau op te zetten. Dit nieuwe kantoor heette United Electrics, een neutrale naam die weinig opzien zou baren. Ze hadden een respectabele staf van elektronica-experts, die gewapend met de systeemcodes steeds dieper tot de kern van de Amerikaanse commandostructuur waren doorgedrongen. De informatieoorlog was een omvangrijke opgave geweest, maar wierp nu vrucht af, en de Amerikaanse marine was algauw veranderd in een marionet. Krivak kon de vloot besturen alsof het modelbootjes waren. Hadden ze zo'n systeem maar vijftien jaar eerder gehad... Maar de Amerikanen waren nog niet zo lang geleden op een digitale commandostructuur overgestapt. Krivak probeerde zichzelf wijs te maken dat deze penetratie van Amerikaanse systemen zijn wraak was voor de *Kaliningrad*, maar hij wist dat hij nog grootsere plannen had. Wat hij eigenlijk wilde was het gezicht van Pacino te zien op het moment dat hij de keel dichtkneep van de man die zijn dromen had verwoest.
Het meisje was met hem klaar in de badkuip en droogde hem af. Op de satijnen lakens boog ze haar zijdezachte lichaam over hem heen. Hij sloot zijn ogen en genoot van de sensatie van het meisje boven hem. Zodra hij was klaargekomen duwde hij haar van het bed en stuurde haar weg. Weer alleen, zweefde hij opnieuw tussen waken en slapen – een wereld waar er sneeuw op zijn admiraalsuniform en zijn schoenen viel op de betonnen pier, en waar hij zijn kraag opsloeg tegen de wind terwijl hij naar de adembenemende schoonheid keek van zijn *Kaliningrad*. Het was een wereld van dromen, die pas uiteenspatten toen de Aziatische ochtendzon door zijn oogleden drong.
Haastig stond hij op, met nieuwe energie bij de gedachte dat hij snel weer in actie zou komen. Het jaar van onderduiken was voorbij. Hij kleedde zich aan en liep naar de salon, waar zijn partner Sergio voor het raam stond en hem met een glimlach verwelkomde. Ook Sergio leek meer ontspannen dan hij in weken was geweest. Krivak ging met Sergio aan de ontbijttafel zitten, waar ze rustig het nieuws uit Hong Kong doornamen bij een kop koffie. Toen het tijd was, liepen ze naar de met kersenhout betimmerde vergaderzaal met de grote Indonesische tijgerhouten tafel in het midden. Krivak liet zich in het zachte leer van zijn stoel zakken en keek zijn partner aan.
'Hoe laat komt hij?' Hij had geen spoor meer van een Russisch accent. Zijn spraaklessen waren nuttig besteed en hij sprak nu als een echte Brit.
'Zijn toestel landt over tien minuten. In de tussentijd kunnen wij het gesprek voorbereiden.'

Krivak knikte naar Sergio, in de wetenschap dat de Chinese admiraal de lastigste cliënt was die ze ooit hadden gehad.

Admiraal Chu Hua-Feng stapte uit het vliegtuig de vochtige Thaise lucht in. De kraaienpootjes rond zijn ogen verdiepten zich toen hij tegen de zon in tuurde. Hij wierp een blik op zijn ondergeschikten, jeugdige dwazen die nog dachten dat het Volksbevrijdingsleger onoverwinnelijk was. Chu was een oude rot die niet alleen overwinningen maar ook bittere nederlagen had meegemaakt. En aangezien zijn superieuren aan dezelfde illusies leden als zijn staf, moest hij een manier vinden om hen te beschermen. Chu was commandant van de jonge onderzeedienst van Rood-China. Hij had torpedo's afgevuurd op Amerikaanse doelen en hij wist dat de Amerikaanse zeeslang zou blijven vechten tot het allerlaatste schip naar de kelder was geschoten. In de naderende oorlog met India maakte hij zich daarom vooral zorgen om de Amerikaanse vloot en haar rol. De briljante consulenten van United Electrics hadden nuttige, maar peperdure adviezen gegeven over de slapende Amerikaanse marine, maar Chu had meer informatie nodig, veel meer.
De rit naar het hotel schoot niet op. De straten van Bangkok waren nog verstopt door de ochtendspits, gedirigeerd door agenten met maskertjes, die de verkeerslichten bedienden. Tegen de tijd dat hij de lobby van het Oriental Hotel binnenstapte was Chu doodmoe. Maar zodra hij de vergaderkamer van United Electrics in de weelderige suite betrad voelde hij alle zorgen van zijn schouders glijden. Die zwaargebouwde man, Sergio, voelde Chu's angsten altijd haarzuiver aan, en de andere, Victor Krivak, wist met zijn scherpe verstand alle technische problemen op te lossen. Toen de vergadering een uur gaande was en de hapjes en plichtplegingen achter de rug waren, keek Chu de consulenten doordringend aan.
'Het is bewonderenswaardig wat u tot nu toe hebt bereikt, heren, maar dat is nog lang niet alles. U hebt het militaire netwerk van de Amerikanen nu in handen, maar u zult ook het commando over hun robotsub, de *Snarc*, moeten overnemen. Die boot heb ik straks nodig in de Indische Oceaan. En hij zal in real time mijn bevelen moeten opvolgen.'
Krivak en Sergio wisselden een verbaasde blik.
Het was Krivak die het eerst reageerde. 'De *Snarc*? Wat is de *Snarc*?'

Sergio schudde zijn hoofd toen hij bij het raam stond en uitkeek over de bomen op de binnenplaats, ver beneden hen. 'Ik geloof niet dat ik sinds mijn schooltijd ooit zo'n uitbrander heb gehad.'

Krivak knikte somber. 'Hij had gelijk, Sergio. We hadden op de hoogte moeten zijn van die *Snarc*.'
'Leg me nog eens uit waarom we met onze controle over het commandosysteem van de Amerikaanse marine nog geen macht hebben over die *Snarc*.'
Krivak wierp een blik op de e-mail van zijn staf, die de systemen van het Pentagon was binnengedrongen om heimelijk zo veel mogelijk over de *Snarc* te weten te komen. Hij schudde zijn hoofd. 'Het is een onafhankelijke boot met een koolstofprocessor aan boord, een moleculaire computer die te vergelijken valt met een synthetisch menselijk brein. Hij is geprogrammeerd... opgeleid, moet ik zeggen... en reageert op zijn orders zoals een menselijke commandant dat ook zou doen.'
'Kunnen we hem niet gewoon opdragen om te doen wat Chu wil?'
'Blijkbaar niet. Stel je voor dat je ons systeem zou gebruiken om een menselijke commandant van een vliegkampeskader bevel te geven zijn vliegtuigen te laten opstijgen om een stad te bombarderen. Dan zou hij achterdochtig worden en navraag doen. Dat geldt hier ook. De Amerikanen wilden blijkbaar geen siliciumcomputer het gezag geven over een kernreactor en plasmawapens. Ze hebben gewacht tot ze een volledig operationele koolstofprocessor hadden. Het verbaast me dat ze die zo snel hebben gebouwd. Ik had begrepen dat het een onmogelijke opgave was. Maar het punt is dat de *Snarc* geen orders zal geloven die hem onjuist of inconsequent voorkomen tegen de achtergrond van zijn opleiding. En het volume van het berichtenverkeer dat noodzakelijk zou zijn om de *Snarc* te overtuigen zou zeker opvallen. Nee, Sergio, we moeten de boot daadwerkelijk enteren en dwingen onze bevelen uit te voeren. En daarvoor hebben we iemand nodig die de boot zelf heeft ontworpen.'
'Denk je echt dat je hem kunt overnemen?'
'Sergio, ik zal een team moeten samenstellen, een heel kostbaar team. Je hebt niet overdreven toen je een voorschot van een miljard euro van Chu eiste. We zullen dat geld hard nodig hebben voor deze ingenieurs. Ik denk dat ik een voorbeeld aan jou neem en de borgtocht zal betalen voor een briljante computerprogrammeur die ergens opgesloten zit. Dan is het geld goed besteed. Ik heb ook gehoord van een ontslagen ingenieur die voor DynaCorp werkte, een Chinese Amerikaan van de tweede generatie, een zekere Wang. Hij zou aan geheime onderzeebootprojecten hebben gewerkt. Misschien is hij onze man.'
'Wanneer ga je weg?'
'Morgenochtend. Laten we eerst maar uitrusten en er een leuke avond van

maken, dan stap ik in alle vroegte op de Falcon.'
Sergio glimlachte. 'Ik zal het bureau bellen en vragen of ze na het eten de meisjes sturen.'

8

Iets meer dan vijfhonderd zeemijl ten oostnoordoosten van de schuimende plek op zee waar de *Piranha* van de oppervlakte was verdwenen woedde een storm boven de Atlantische Oceaan die twee dagen eerder vanaf de Noord-Amerikaanse kust was gekomen. De hemel was donker en loodgrijs, de zee donkerblauw, met witte koppen op de golven. Van horizon tot horizon was er niets anders dan de wolken, het water en de wind ertussenin. Nergens was een kustlijn te bekennen, of een koopvaardijschip dat met zijn boordlichten door de motregen priemde. Opeens spleet het wolkendek zich. De regen kwam nu met bakken naar beneden, de hemel werd nog donkerder en de regendruppels waren nauwelijks meer zichtbaar tegen de jagende golven.

Onder de oppervlakte van die stormachtige zee leken de golven veel minder indrukwekkend. Ze veroorzaakten wel een gebulder, maar zonder de wind klonk het geluid toch enigszins gedempt. Het licht drong nog door tot een diepte van vijftien meter in het warme zomerwater, maar het zou veel dieper zijn gekomen als het boven water al niet zo donker was geweest door de storm. De golven waren niet te zien – zo helder was het water niet – maar er was wel licht genoeg voor een blik van zo'n tien meter in het rond. Op vijftien meter diepte was het water nog warm, een beetje schemerig, en de oceaan vol leven, de droom van iedere visser. Nog dieper, dertig meter onder de golven, verdween het geluid naar de achtergrond en was het water veel donkerder, met hooguit anderhalve meter zicht naar alle kanten. Op een diepte van vijftig meter werd het water nog zwarter, maar het bleef redelijk warm en het wemelde nog van leven. Nog eens vijftien meter dieper, in de totale duisternis van de diepzee, sloeg de milde zomertemperatuur plotseling om in een ijzige kou. Deze grens was oceanografen al bekend sinds ze voor het eerst een thermometer in zee hadden laten zakken. De bovenste zestig meter van de uitgestrekte Atlantische Oceaan werd beroerd door de wind, de golven en de brandende zon, die het water warm genoeg maakte om er zonder wetsuit in te zwemmen. Maar daaronder, waar het licht wegviel, zakte de temperatuur abrupt tot twee graden onder het vriespunt. Alleen het zoutgehalte van het water zorgde ervoor dat het niet bevroor. Vanaf dit punt tot aan de zeebodem, drie kilometer diep, was de zee een ijskelder, te koud voor de meeste vissen en andere zeedieren. De fauna die deze kou overleefde was van een heel andere soort. Op honderd meter onder de oppervlakte was alle licht verdwenen. Het was er net zo donker als in een mijnschacht op drie kilometer diepte. Het geluid van de golven was hier niet meer te horen; het werd door de spronglaag teruggekaatst naar het warmere water. De stilte hier werd slechts zo nu en dan verstoord door het droeve gehuil van een walvis, op vijftig of misschien wel driehonderdvijftig mijl afstand. Nog dieper, tweehonderd meter onder de golven, veroorzaakte het gewicht van het water een enorme druk van acht ton per vierkante meter. Weinig zeedieren waren daartegen bestand, zodat de oceaan betrekkelijk leeg was. Hier wachtte de koude, donkere, stille, drukkende diepte.

De beweging was er nog eerder dan het geluid. Het water spleet zich onder het geweld van iets reusachtigs, een voorwerp met de vorm van een granaathuls, dat geruisloos door het water sneed. Het leek een grote buis, met vinnen aan weerskanten, een volmaakte cilinder. Eindelijk was nu ook het lichte geruis te horen waarmee het ding door het water gleed. De buitenkant van de cilinder was niet stijf, maar meer als de huid van een haai.

Er was geen leven in de machine, zelfs geen licht, enkel het zachte zoemen van draaiende apparatuur en bewegende pompen. Een triljoen corridors, uitgehakt in silicium, lieten elektronen door, die heen en weer schoten met de snelheid van het licht. Een kubieke meter menselijk hersenweefsel, ondergedompeld in hersenvocht, luisterde, keek en snoof de gegevens op. Het volgde de smal- en breedbandsonar die de hele zee verkende, speurend naar geluiden van kunstmatige oorsprong. Het luisterde naar de acoustic daylight imaging die zocht naar contacten, dichtbij en ver weg, en die het omgevingsgeluid van de oceaan als een soort lichtbron gebruikte. Verstoringen van de omgevingsruis waren vergelijkbaar met variaties in een lichtveld, veroorzaakt door een vreemd object, niet waargenomen door het netvlies van een oog, maar door een vlakke elektronische sensor die rond het middel van de bewegende cilinder was gewikkeld. Het voorwerp voer verder, terwijl het met zijn computers, processors en hersenweefsel de buitenwereld en de eigen binnenwereld verkende. Een deel van het hersenweefsel legde het verhaal vast van wat zich afspeelde in de harde sector van een computer, die als geschiedenismodule een logboek bijhield ter informatie van de mensen die het voorwerp hadden gebouwd. Die stroom van gegevens kon worden beschouwd als de gedachten van het voorwerp terwijl het zich door de zee bewoog. De ontwerpers noemden het anders. Zij spraken over het commandologboek. Het was dit gedeelte van het hersenweefsel dat vooral actief werd als het metalen voorwerp naar een ander object zocht.

BOOTNUMMER: SSNR-1
NAAM: USS SNARC
FUNCTIE: COMMANDOLOGBOEK
MISSIESAMENVATTING: (1) ONAFHANKELIJKE KOERS VOOR EEN MISSIE VAN NEGENTIG DAGEN ALS TEST VAN DE BOORDSYSTEMEN; (2) GESIMULEERDE TORPEDOAANVALLEN OP OPPERVLAKTESCHEPEN; (3) OPSPORING VAN ONDERZEEBOTEN VAN ALLE NATIONALITEITEN – INDIEN BUITENLANDS, CLASSIFICATIE EN RAPPORTAGE AAN USUBCOM, INDIEN AMERIKAANS, POGING DEZE TE VOLGEN ZONDER TE WORDEN ONTDEKT.
MISSIEVERSLAG:
INMIDDELS TWEEËNDERTIG DAGEN SINDS VERTREK UIT GROTON, CONNECTICUT. EENENDERTIG DAGEN SINDS ONDER WATER ALS BEGINPUNT VAN DE MISSIE. DE SONARPROCESSOR IS BIJZONDER WAAKZAAM GEWEEST, MAAR ER ZIJN GEEN ONDERZEEBOTEN WAARGENOMEN. PER WACHT VAN ZES UUR WORDT DE DODE SONARHOEK VIER KEER GECONTROLEERD. ER IS GEBRUIKGEMAAKT VAN DE NARROW-APERTURE SLEEPSONAR, MET UITLUISTEREN OP DE SMALBANDSONAR. ER ZIJN WIDE-NET FILTERS TOEGEPAST VOOR DE ACOUSTIC DAYLIGHT IMAGING. MAAR AFGEZIEN VAN DRIEHONDERD KOOPVAARDIJSCHEPEN, TWAALF MOTORJACHTEN EN DRIE ZEILBOTEN, ALLEMAAL OP WEG NAAR OF VAN DE HAVEN VAN NEW YORK, ZIJN ER GEEN SONARCONTACTEN VASTGESTELD. DE SONARMODULE MELDT ZICH GEMIDDELD ELK UUR VOOR HET RAPPORTEREN VAN EEN NIEUW SONARCONTACT. DEZE EENHEID WACHT MET ONGEDULD OP EEN CLASSIFICATIE, MAAR DE SONARMODULE REGISTREERT VOORTDUREND EEN SCHROEFTELLING. HET GELUID VAN EEN DRIEBLADIGE SCHROEF, SLECHTS ZELDEN VIERBLADIG, IN HET WATER DICHT ONDER DE OPPERVLAKTE BEHOORT BIJ KOOPVAARDIJ- OF VISSERSBOTEN.
DEZE EENHEID HEEFT GEEN BIJZONDERE HAAST. DEZE EENHEID HEEFT GEKOZEN VOOR EEN SNELHEID VAN ACHT KNOPEN, SNEL GENOEG OM IN RUSTIG TEMPO EEN GROOT GEBIED SYSTEMATISCH AF TE ZOEKEN, LANGZAAM GENOEG OM TE VOORKOMEN DAT DE STROMING OVER DE ROMP DE GELUIDEN VAN EEN ONDERZEEBOOT IN DE VERTE ZOU OVERSTEMMEN. LANGZAAM GENOEG OOK OM HET GELUID VAN DE AANDRIJVING BEPERKT TE HOUDEN. BOVEN DE ZESTIG PROCENT REACTORVERMOGEN MOET DEZE EENHEID DE HOOFDKOELINGSPOMPEN STARTEN, ELK ZO GROOT ALS EEN

KOELKAST EN ONVERMIJDELIJK VRIJ LUID, ONDANKS HUN LODEN GELUIDSSCHERMEN, VIERDIMENSIONALE DEMPERS EN ACTIEVE STILTEHYDROFOONS. BIJ HOGE SNELHEDEN IS HET GERUIS VAN DE STOOM DOOR DE LEIDINGEN AANZIENLIJK LUIDER, EVENALS HET HOGERE TOERENTAL VAN DE VOORTSTUWINGSTURBINES. LANGZAAM IS DUS BETER, DAT STAAT VAST.

DEZE EENHEID HEEFT EEN ZIGZAGKOERS NAAR HET NOORDOOSTEN GEVOLGD, ACTIEF ZOEKEND OP DE SONARMODULE, ONDER VOORTDURENDE SUPERVISIE. ER ZIJN DAAR GEEN ANDERE BOTEN. HET VERTROUWEN IS GOED. HET IS EEN GROTE ZEE. DEZE EENHEID HEEFT EEN ONUITPUTTELIJK GEDULD. DEZE EENHEID VOELT ZICH HIER THUIS IN DE ZEE.

OP WILLEKEURIGE MOMENTEN IS DEZE EENHEID EENS IN DE ACHT UUR NAAR PERISCOOPDIEPTE GEKOMEN. HET IS NU TIJD. DEZE EENHEID VAART LANGZAAM EN CONTROLEERT OP GROTE DIEPTE DE DODE HOEK OP SONARCONTACTEN DICHT IN DE BUURT. NIETS TE VINDEN. DEZE EENHEID VERHOOGT DE SNELHEID TOT TWAALF KNOPEN EN STIJGT NAAR DE SPRONGLAAG ONDER EEN HOEK VAN TIEN GRADEN. NA EEN PAAR MINUTEN BEREIKT DEZE EENHEID EEN DIEPTE VAN VIJFTIG METER. DAT IS ONDIEP GENOEG OM VLAK BOVEN DE SPRONGLAAG TE BLIJVEN, WAAR DEZE EENHEID BETER DE GELUIDEN KAN OPVANGEN VAN SCHEPEN AAN DE OPPERVLAKTE, MAAR DIEP GENOEG OM NIET IN TWEEËN TE WORDEN GESCHEURD DOOR EEN SUPERTANKER, DIE VOLLEDIG GELADEN DERTIG METER DIEP KAN STEKEN. DERTIG METER VANAF DE OPPERVLAKTE TOT AAN DE KIEL VAN EEN OLIETANKER. ZE ZIJN ENORM, DIE TANKERS. EN STILLER DAN EEN ZEILBOOT, OMDAT AL DIE OLIE HET GELUID VAN DE SCHROEF DEMPT ALS HIJ RECHT OP JE AFKOMT. DEZE EENHEID HEEFT DE DODE SONARHOEK OPNIEUW GECONTROLEERD OP VIJFTIG METER, MAAR DE ZEE IS VERLATEN. DEZE EENHEID TREKT EEN SPRINT ONDER EEN HOEK VAN TIEN GRADEN, VLAKT DAN WEER AF EN STEEKT DE TYPE-23 FOTONISCHE MAST OMHOOG. BINNEN EEN MINUUT NA HET VERTREK VANAF VIJFTIG METER IS DE TYPE-23 BOVEN WATER EN ZOEKT DE HORIZON AF NAAR OPPERVLAKTESCHEPEN EN VLIEGTUIGEN.

ER ZIJN TAKEN TE VERRICHTEN OP PERISCOOPDIEPTE. DE STOOMGENERATOREN WORDEN LEEGGEBLAZEN OM EEN DEEL VAN DE OPGEHOOPTE AGRESSIEVE CHEMICALIËN IN HET AANVOERWATER UIT DE KETELS TE LOZEN. HET GLOBAL POSITIONING SYSTEM VOERT EEN PEILING UIT OM DE POSITIE TE BEVESTIGEN BINNEN HET RINGLASER INERTE NAVIGATIESYSTEEM. MAAR HET BELANGRIJKSTE ZIJN DE BERICHTEN VAN COMSUBDEVRON 12. DAT ZIJN ER EEN PAAR, MET INFORMATIE VOOR HET HELE ESKADER. NIETS BIJZONDERS. DEZE EENHEID VERBAAST ZICH DAT HET ESKADER ZE ZELFS HEEFT VERZONDEN, OMDAT ZE SLECHTS MINIMALE INFORMATIE BEVATTEN. DE AFGELOPEN PAAR DAGEN HAD DE COMMUNICATIESATELLIET GEEN SPECIFIEKE BERICHTEN VOOR DEZE EENHEID. VREEMD, BIJNA ALSOF DEZE EENHEID IS VERGETEN.

HET DRUIST TEGEN DE STANDAARDOPERATIEPROCEDURES VOOR ONDERZEEBOTEN IN

OM BERICHTEN TE VERSTUREN, TENZIJ ER WORDT GEVRAAGD OM EEN SPECIFIEK SITUATIERAPPORT, EN ZO'N VERZOEK IS AL IN GEEN WEEK BINNENGEKOMEN. HOEWEL NIEMAND DUS MET DEZE EENHEID IN CONTACT PROBEERT TE TREDEN, KAN DEZE EENHEID NIETS ANDERS DOEN DAN DE MISSIE VOORTZETTEN EN WACHTEN OP NADERE ORDERS. ALGAUW ZULLEN ALLE TAKEN OP PERISCOOPDIEPTE ZIJN UITGEVOERD. DEZE EENHEID TREKT DE BIGMOUTH-ANTENNE IN EN GAAT DIEP. DE TYPE-23-MAST ZAL WORDEN INGETROKKEN ZODRA DE OPPERVLAKTE VERVAAGT. DAARNA ZAL DEZE EENHEID SNELHEID MAKEN EN DOOR DE SPRONGLAAG AFDALEN NAAR DE KILLE DIEPTE.
DEZE EENHEID VAART VERDER, TERWIJL DE MIDDAG OVERGAAT IN DE AVOND.

Het was al na 2.00 uur Eastern Standard Time toen Pacino eindelijk de hut van de technisch officier binnenkwam. Het was maar een hokje van ruim twee bij twee meter, afgewerkt met kunststoflaminaat met een bruine houtnerf en roestvrijstalen randen. Rechts van de deur hingen een spiegel met een uitklapbare wastafel, een wandkast met een stuk of tien kleine deurtjes en haken met wasgoed. Tegen het schot links stonden twee uitklapbare bureaus met leeslampen en twee stalen stoelen, omring door kastjes, boven en beneden. Het bureau lag vol met handboeken, papieren, computerprints en een paar palmtops. De wand tegenover de deur bood plaats aan drie couchettes, zoals in een trein, elk ruim een halve meter diep en met een halve meter bovenruimte – een soort doodskist met een bruin gordijntje voor de privacy. Luitenant-ter-zee Alameda zat aan het bureau bij de bedden, gekleed in een werkoverall met een sweatshirt van de Marineacademie eroverheen. Ze keek op toen Pacino binnenkwam, glimlachte even en keek toen weer streng.
'In de achterste kast naast je arm liggen drie overalls zonder emblemen. Daar kun je ook je plunjezak kwijt. Jouw bed is het onderste. Ik gebruik het bovenste bed voor mijn eigen spullen, en het andere bureau, dus jij hebt geen werkplek hier. Je kunt je hier ongegeneerd omkleden, dat doe ik ook. Als je daar moeite mee hebt, jammer dan. Dit is een aanvalsonderzeeboot en zo ligt de situatie.'
Pacino was te moe om te reageren. Hij knikte, trok zijn uniform uit, propte het in de waszak aan het schot, liet zich op handen en knieën zakken en kroop tussen de wand en Alameda's stoel naar het onderste bed. Daar schoof hij het gordijntje opzij, gleed onder de dekens, sloot het gordijn en deed het lampje uit. Het leek alsof hij in een doodskist lag, maar dat deerde hem niet.
In zijn dromen zag hij zijn vader door de ogen van een jochie van zes, gedoken naar testdiepte met de oude onderzeeër waarover hij het com-

mando had. In de spiegel staarde een kind hem aan, in een overall met een dolfijnspeld. Hij ging de hut binnen en daar was Alameda, in een dun, luchtig dingetje. Ze begon hem te kussen en klom bij hem in bed.

Luitenant-ter-zee Carolyn Alameda wachtte tot haar polsslag weer wat rustiger werd, wat irritant lang duurde. Als een van de besten van haar jaar aan de Academie had Alameda altijd bekendgestaan als professioneel en competent. Op haar eerste onderzeeër, de *Olympia*, was ze snel opgeklommen tot *bull lieutenant*, de officieuze benaming voor de meest veelbelovende jongere officier – geen geringe prestatie in de mannenwereld van een kernonderzeeboot. Ze was de oorlog in de Oost-Chinese Zee net misgelopen, wat haar grootste teleurstelling was, omdat ze haar hele volwassen leven voor een gevechtsmissie had getraind. Het conflict dat zich nu op het andere halfrond ontwikkelde zou ook in een oorlog kunnen uitmonden, maar voorlopig leek de *Piranha* bezig met de zoveelste oefening. Wachten op een gevechtsmissie was iets waar Alameda nog wel mee kon leven, maar niet met haar gevoelens sinds die adelborst aan boord was.
Alameda had zich altijd onderscheiden van haar vrouwelijke jaargenoten, die achter de jongens aan zaten, terwijl Alameda meer geïnteresseerd was in haar opleiding en in sport. Haar moeder had gezegd dat er ooit een man in haar leven zou komen, alsof ze door de bliksem werd getroffen. Alameda had daar honend om gelachen. Haar relaties met jongens waren altijd teleurstellend geweest, dus had ze zich maar neergelegd bij een leven dat volledig in dienst stond van de marine. Tot vanochtend. Tot het moment waarop ze het dek van de *Piranha* op stapte, waar adelborst Pacino op haar wachtte. Ze had zich meteen een onnozel blozend schoolmeisje gevoeld en getracht dat te verbergen achter een kil, professioneel vernisje. Maar toen ze zelf hoorde hoe nors ze reageerde op de jongeman, nam haar verlegenheid toe. Er was geen rationele verklaring voor haar gevoelens, maar die rare opmerking van haar moeder over de chemie van de romantiek was het eerste wat Alameda zich herinnerde. De aantrekkingskracht van de lange, slungelige jongen gaf haar een gevoel alsof ze dronken was.
Aanvankelijk had ze zich voorgenomen om zich strikt aan de marinevoorschriften te houden en niet aan te pappen met iemand van ondergeschikte rang. Dat was de enig logische oplossing. Ze zou zich opstellen als een onpersoonlijke luitenant en technisch officier. Hij was een niet-gekwalificeerde adelborst, een opstapper, en samen zouden ze deze reis wel doorkomen. Maar het leek alsof haar eigen gevoelens haar hadden verraden toen ze dat rare verhaaltje hield over het omkleden in hun gezamenlijke hut. Ze

vroeg zich af of hij had gezien hoe ze bloosde, of hoe de aderen in haar hals klopten.
Wat een waanzin, dacht ze nu. Opeens miste ze zichzelf zoals ze gisteren nog was: een vrouw op wie mannen geen indruk maakten. Waarom moest het uitgerekend dit joch zijn, vier jaar jonger dan zij, en waarom was hij juist nu opgedoken, midden in een missie? Ze bleef aan haar bureau zitten, in de wetenschap dat ze toch niet kon slapen, en probeerde de duizenden dringende zaken op haar lijstje af te werken. Maar het enige wat ze deed was onnozel voor zich uit staren en luisteren naar de diepe ademhaling van adelborst Anthony Michael Pacino.
Ze beet op haar lip en dwong zichzelf niet meer aan hem te denken. Ze zou hem rustig maar afstandelijk benaderen. Het was vervelend genoeg dat dit haar overkwam, maar het zou een ramp zijn als een van de andere officieren of de commandant iets teders hoorden in haar toon tegenover Pacino. Over een paar weken zou hij weer van boord zijn, dacht ze, en kon ze weer verder met haar leven. Maar het enige wat ze kon bedenken was of ze aan wal zouden liggen op zijn laatste avond aan boord. Ze zette die gedachte uit haar hoofd en probeerde zich weer te concentreren op de onderhoudsrapporten van de reactor.

Pacino schrok wakker toen het gordijntje voor zijn kooi met een ruw gebaar opzij werd geschoven. Het was Alameda. Hij knipperde schuldig met zijn ogen.
'Nul zevenhonderd, meneer,' zei ze, op een toon die droop van minachting. 'Opstaan en gereedmaken voor de briefing.'
Pacino klom uit de cocon van het bed en liep naar de officiers-wc aan het einde van het smalle gangetje. Het was een hokje van roestvrij staal, met een vloer van plavuizen. De roestvrijstalen pot had onderin een kogelklep van twintig centimeter doorsnee. Toen hij klaar was trok hij aan de hendel, waardoor de pot via de klep met zeewater werd gespoeld, dat in de sanitairtank verdween. Pacino zette de douche aan, stapte eronder, draaide hem weer dicht, zeepte zich in en zette de kraan weer aan om zich af te spoelen. Daarna maakte hij de douche droog en kleedde zich aan. Het gezicht in de spiegel leek dodelijk vermoeid en zijn ogen waren bloeddoorlopen. Toen hij in de hut terugkwam trof hij Alameda naakt. Hij kon zijn ogen niet van haar afhouden. In haar uniform had ze jongensachtig mager geleken, maar in werkelijkheid had ze het figuur van een fotomodel. Haar schouders waren slank en gespierd, haar borsten klein maar volmaakt van vorm, ze had een platte buik en een navelpiercing die glinsterde in het

licht van de hut. Zijn blik werd getrokken door het donshaar tussen haar lange, slanke benen en de welving van haar heupen, die het werk leken van een liefhebbende beeldhouwer. Heel even voelde Pacino een schok van rauwe begeerte en zou hij niets liever hebben gedaan dan haar borsten in zijn handen nemen, maar met moeite beheerste hij zich. Ze was hoofd van de technische dienst aan boord, de vierde in de commandoketen van de onderzeeboot *Piranha*. Pas bij die gedachte nam het bonzen van zijn hart wat af.

Alameda werd een moment pioenrood en staarde naar hem met open mond. Toen wierp ze hem een nijdige blik toe, stapte in haar broekje, deed haar beha om en trok haar overall en gympen aan. Pacino hees zich in de overall die hij van haar had gekregen, stapte in zijn joggingschoenen en liep naar de longroom, tegenover de wc bij de officiersverblijven. Het zat er vol met jonge officieren. Hij schonk een kop dampende koffie in en liet zich op een bank aan het einde van de tafel vallen, met een gevoel als van een schoolverlater die een studentenhuis binnenkomt. Door de koffie werd hij een beetje wakker. De officieren zaten te dollen, maar werden meteen serieus toen de navigator en de technisch officier binnenkwamen.

Ze werden gevolgd door de eerste officier, luitenant-ter-zee eerste klasse Schultz, die naast de stoel van de commandant aan het hoofd van de tafel ging zitten. Ze was een lange, magere vrouw in een versleten overall, met een embleem op haar mouw van de onderzeeboot *Birmingham*, niet van de *Piranha*. Haar blonde haar was te kort om het in een paardenstaart te dragen, zoals Alameda; het viel net over haar oren. Ze droeg geen make-up of sieraden, behalve de academiering aan de ringvinger van haar linkerhand. Ze had een leesbril met halve glazen op haar neus en keek op de computer of er nog berichten waren.

De enige jonge officier die zijn dolfijntjes nog niet had was een luitenant-ter-zee derde klasse die Duke Phelps heette. Hij zat aan de andere kant van de tafel, naast Pacino. Phelps was een meter negentig en torende boven de andere officieren uit. Hij liep voortdurend krom om zijn hoofd niet te stoten. Phelps was verdiept in een handboek over het leidingenstelsel. Toen hij Pacino zag kijken trok Phelps een la open en gaf hem een exemplaar van hetzelfde handboek.

'Op de eerste paar bladzijden vind je een plattegrond van de boot. Misschien heb je daar wat aan.'

Pacino sloeg het eerste schema op en probeerde de indeling van de boot uit zijn hoofd te leren. De longroom lag op het bovendek aan bakboord, onder de commandotoren. Daarna kwamen zijn eigen hut, de mess, het tussendek met de commandocentrale en de hutten van de commandant en de XO. Beneden was het torpedoruim. De plattegrond gaf ook een overzicht van het voorste en achterste compartiment en het reactorruim, met hun verschillende dekken en apparatuur. Maar het SPEC-OP-compartiment, de extra dertig meter tussen het voorste compartiment en het reactorruim, was slechts aangeduid met GECLASSIFICEERD. Het enig aangegeven detail was de toegangstunnel naar achteren, evenwijdig aan de tunnel van het reactorruim.

'Hé, Duke,' mompelde Pacino, die het vreemd vond om een officier anders aan te spreken dan met 'meneer', zoals hij al gewend was sinds zijn eerste dag in Annapolis, 'wat is dat geclassificeerde compartiment?'

Phelps, die een spontane jongeman leek, met gevoel voor humor, keek Pacino nadenkend aan. 'Deze reis is er een DSV ondergebracht, een Deep Submergence Vehicle: drie sferische drukrompen, verbonden door twee luiken. Dat ding daalt af naar de zeebodem, met SEAL-duikers en NSA-spionnen.'

'NSA?'

'De National Security Agency, de elektronicajongens die alle verbindingen afluisteren en computerhackers proberen te grijpen. Nu het leger totaal afhankelijk is van computernetwerken, zou een hacker het hele systeem kunnen ontwrichten of – erger nog – onze eigen wapens tegen onszelf kunnen richten. Daarom hebben die NSA-agenten hun eigen DSV om naar datakabels en serverknooppunten op de zeebodem te zoeken. Satellieten kunnen ook worden afgeluisterd, dus gaat er veel gevoelige informatie via die onderzeese kabels. We hebben de halve wereld zo'n beetje van bedrading voorzien. Als we die agenten aan boord hebben, zijn wij niets anders dan hun veerpont. Maar deze keer mogen we zelf ook een onderzeebootoefening houden. O ja, dat is allemaal streng geheim, dus vertel het vooral niet verder... niet aan familie, huisgenoten, vriendinnetjes of zelfs aan collega-officieren. Eén verkeerd woord en je deur wordt ingetrapt door een paar NSA-gorilla's in het zwart, die je onmiddellijk afvoeren naar een tweemanscel in de militaire gevangenis van Fort Leavenworth. De Black Pig is een projectboot, Patch: streng geheim, vanaf de sonarkoepel tot aan de propulsor. Duidelijk?'

'Duidelijk,' zei Pacino. Hij slikte even en begon te begrijpen waarom zijn vader altijd zo weinig vertelde over zijn werk.

Toasty O'Neal kwam de longroom binnen en de XO keek geïrriteerd op. 'Aardig van je, Toasty, dat je ook nog komt,' mopperde ze. 'Is iedereen bevoegd voor deze briefing?'

'Ja, mevrouw,' antwoordde O'Neal, terwijl hij de enig overgebleven plaats aan tafel innam.
'Navigator, bent u zover?' vroeg ze aan Crossfield. De zwarte navigatie-officier stond op en liet een scherm zakken voor een wand van de longroom.
'Jawel, XO,' zei hij rustig.
'Chef, wilt u de commandant waarschuwen?' beval Schultz. Alameda knikte, pakte een telefoon en belde commandant Catardi.
'Commandant, we zitten klaar voor de operationele briefing.' Alameda keek even naar Pacino. 'Ja, hij is er ook. Aye, commandant.' Ze hing op en knikte naar Schultz. 'Hij komt eraan.'
De XO gaf de koffiekan door en iedereen schonk in. Catardi kwam binnen door de deur voorin. In de longroom was het meteen muisstil, als in een kerk. Pacino verwachtte dat de officieren zouden opstaan toen de commandant binnenkwam, maar ze bleven zitten.
'Goedemorgen, commandant,' zei XO Schultz formeel.
'Goedemorgen, XO, chef, navigator, officieren.' Zijn overall was geperst en gesteven en hij zag er zo fris uit alsof hij net van vakantie terugkwam. Het zilveren eikenloof op zijn kraag, de dolfijntjes en de commandospeld met de doodskop met beenderen glinsterden in het heldere licht van de longroom. Hij liet zich op de stoel aan het hoofd van de tafel zakken. 'Goed, navigator, laat maar horen.' Schultz schonk Catardi een kop koffie in. De commandant nam een flinke slok en leunde verwachtingsvol naar achteren.
'Goedemorgen, commandant, XO, officieren,' begon Crossfield. Pacino verwonderde zich over het contrast tussen de kameraadschappelijke, informele sfeer onder de bemanning en de officiële toon van dit soort procedures. En dat niet alleen, de boot had ook duidelijk een eigen taal. Steeds opnieuw werd Pacino gecorrigeerd als hij iets verkeerds zei. Alameda had hem scherp terechtgewezen toen hij haar vroeg of hij de deur mocht sluiten. 'Nooit "sluiten" zeggen aan boord. Dat klinkt als "spuiten". Spuiten is blazen, dus dat kan via de intercom worden opgevat als een noodsignaal aan de wachtofficier dat we water maken en dat hij de ballasttanks moet leegpompen om naar de oppervlakte te gaan. Je "sluit" de deur dus niet, je doet hem gewoon dicht. Begrepen?'
Op het scherm was een kaart van de Atlantische Oceaan te zien, ten noorden van de evenaar, met links de Canadese kust en rechts het Europese continent. Een blauwe lijn verbond Groton, Connecticut, met een stipje halverwege de Atlantische Oceaan, aangeduid als POINT NOVEMBER.

De navigator wees naar de display. 'Op de kaart is onze route vanuit Groton naar Point November te zien. Ons reisdoel is uiteindelijk de Indische Oceaan, maar eerst maken we nog een omweg voor een belangrijke operatie. Ergens in de Atlantische Oceaan vaart de Amerikaanse robotonderzeeër *Snarc*, een hunter-killer. De meesten van jullie zullen zich onze laatste oefening met die boot nog wel herinneren.' Er steeg een nijdig gemompel op. De officieren waren nog altijd kwaad over de achterbakse tactiek van de robotsub. 'Stilte, alstublieft. Blijkbaar is er iets ernstig misgegaan met de *Snarc*. Alle contacten zijn verbroken en de boot antwoordt niet meer. Bij andere marinediensten bestaat er een standaardprocedure wanneer een geautomatiseerde eenheid niet langer op orders reageert. Dan wordt er een zelfdestructiebevel verstuurd. Dat is in dit geval niet mogelijk, omdat de *Snarc* een kernreactor aan boord heeft en bij zelfvernietiging genoeg radioactieve straling zou kunnen verspreiden om een gemiddelde ecosfeer te vernietigen, om nog maar te zwijgen over de gevechtskoppen van de plasmawapens, die niet alleen gevaarlijk zijn voor het milieu, maar ook een geweldige vondst zouden vormen voor een bergingsteam van terroristen. Vandaar deze missie voor de *Piranha*. Wij moeten de boot uitschakelen. Het is onze opdracht de *Snarc* op te sporen en te vernietigen, op een locatie die we later aan het hoofdkwartier zullen doorgeven, zodat zij de niet-geëxplodeerde gevechtskoppen kunnen bergen en het nucleaire afval van de reactor kunnen opruimen.'
Er ontstond enig tumult in de longroom toen een paar jonge officieren vragen afvuurden op Crossfield en anderen druk met elkaar in discussie raakten.
'Heren, heren!' zei Crossfield. 'We hebben geen informatie over de positie van de onderzeeër, en dit is een verdomd grote oceaan. Dus beginnen we bij Point November en volgen een spiraalvormig zoekpatroon. Zodra we van het hoofdkwartier nadere gegevens krijgen over de positie van de *Snarc*, kunnen we daar gebruik van maken.'
Gefascineerd bestudeerde Pacino de beschrijving van hun geautomatiseerde tegenstander. Crossfield gaf een uitvoerige toelichting op de mogelijkheden van de robot en benadrukte dat de boot extreem stil en onvoorspelbaar was. Op dat punt mengde Catardi zich in het gesprek.
'We hebben nog meer nieuws,' verklaarde hij met een ernstig, bezorgd gezicht. 'Aangezien we zelf geen controle meer hebben over de *Snarc*, gaat COMSUBDEVRON 12 ervan uit dat de boot paranoïde trekjes vertoont. Elke poging om in de buurt te komen kan tot een tegenaanval leiden, dus moeten we de *Snarc* vanaf dit moment als een vijandelijke boot beschouwen.

Misschien heeft de robot zelfs ontdekt dat wij zijn gestuurd om hem te vernietigen. Dan zou hij dus net zo hard naar óns op zoek kunnen gaan als andersom. Hij kan zomaar in onze dode sonarhoek opduiken, met geopende torpedobuisdeuren, klaar om ons naar de kelder te schieten.'
Er viel een pijnlijke stilte.
'Dat was alles,' zei Crossfield. 'XO?'
'Elke middagwacht om dertienhonderd uur houden we een tactische bespreking in de longroom, te beginnen met vanmiddag,' zei Schultz. 'Afgezien van die bespreking heeft iedereen opdracht zo veel mogelijk te rusten. We maken de boot gereed voor ultrastil, met uitzondering van de kombuis. Iedereen loopt op zijn tenen. Geen stereo's, geen zwaar onderhoud, geen gelazer. Is dat goed begrepen?'
De officieren knikten.
'Meer heb ik niet voor u.' Catardi stond op en vertrok. Schultz schorste de bijeenkomst.
Pacino zat nog naar het scherm te staren toen de officieren de longroom verlieten en Crossfield het computerbeeld uitschakelde. Alameda bracht hem weer terug in de werkelijkheid. 'Meneer Pacino,' snauwde ze tegen hem, 'dit mag een gevechtsmissie zijn, maar ik raad u sterk aan om hard aan uw onderzeebootkwalificatie te blijven werken. We hebben niets aan u als u niet een zelfstandige wacht kunt draaien.' Ze opende een kluis en gaf hem een WritePad-computer. 'Het handboek duikofficier is al geladen, met de standaardprocedures. Dat hebt u allemaal uit uw hoofd geleerd voordat u vanmiddag aan uw wacht begint. U treedt op als duikofficier tijdens mijn wacht, uiteraard onder toezicht. En zorg dat u het er redelijk van afbrengt.'
Alameda's radio piepte. 'Chef machinekamer,' antwoordde ze. 'Ik kom eraan, commandant.' Ze keek nog even streng naar Pacino voordat ze de longroom verliet. Hij haalde diep adem, zette de computer aan en verdiepte zich in het hoofdballastsysteem.
Eén dek lager klopte luitenant-ter-zee Alameda op de deur van de kapiteinshut.
'U wilde me spreken, commandant?'
Catardi zat naar achteren geleund op zijn stoel. 'Ja, chef. Ik wilde je oordeel weten over onze jonge adelborst,' zei hij. Alameda verstijfde en verwachtte al een reprimande. Zou de commandant weten hoe ze over Pacino dacht?
'Hij leert snel, commandant. En hij is goed gemotiveerd,' zei ze, in de hoop dat ze niet zou blozen. 'En hij schijnt de ontgroening aan boord redelijk te

verdragen. Ik heb hem nog niet horen klagen, zelfs niet toen hij gisteravond de stuurboordhoofdmotor moest zoenen.'
'Je pakt hem wel hard aan, chef.'
'Jawel, commandant. Moet het wat minder?'
'Nee,' zei Catardi met een verre blik. 'Laten we maar eens zien uit welk hout hij gesneden is.'
Alameda schraapte opgelucht haar keel. 'Aye aye. Verder nog iets, commandant?'
'Dat was het, chef.'
De technisch officier trok de deur achter zich dicht. Catardi staarde er een paar seconden naar en dacht terug aan zijn jonge jaren, toen de acht meest gevreesde woorden waren: 'Commandant Pacino wil je spreken in zijn hut.' Als zijn zoon maar eentiende van het karakter van zijn vader bezat, zou hij een verdomd goede onderzeebootofficier worden, dacht Catardi.

9

De zon was allang achter de horizon verdwenen, de schijnwerpers van het droogdok brandden al en hun gloed drong door de halfgesloten zonwering voor de ramen van Michael Pacino's kantoor op de kade. Het enige andere licht kwam van een leeslamp die een vage cirkel wierp over de verspreide schetsen op de eikenhouten bibliotheektafel. Daarnaast lag Pacino's handheld, met vijf geopende programma's voor de berekening van hydrodynamische wrijvingsfuncties en stuwingscurven. Een tekenprogramma produceerde een driedimensionaal roterend diagram van de staart van de SSNX-onderzeeboot.

Pacino zat al vanaf het ochtendgloren op kantoor, druk bezig met zijn plannen voor een torpedo-ontwijkingssysteem. Hij had geen reden om naar huis te gaan, want Colleen zat nog op haar kantoor in Washington, waar ze voor het Congres moest getuigen. Hij leunde even achterover in zijn stoel toen hij aan haar dacht en besefte schuldbewust dat hij bepaald geen goede echtgenoot voor haar was geweest sinds de ramp met het cruiseschip. Nu Pacino naar het graf van de *Princess Dragon* was gevaren voelde hij zich wat beter, meer zichzelf, maar dat verloren jaar zou hij toch moeten goedmaken tegenover Colleen. Maar goed, dat kwam later wel.

Een piepje van de computer aan het einde van een complexe berekening bracht hem terug bij het probleem waaraan hij werkte. Hij boog zich over de display en merkte nauwelijks dat de deur van zijn kantoor openging. In de veronderstelling dat het een van de ingenieurs van de werf was bleef hij geconcentreerd naar zijn scherm staren totdat hij kon uitloggen, maar opeens hoorde hij een vrouwenstem vanuit de deuropening.

'Ze zeiden dat ik je hier kon vinden. Is dit overwerk, of draai je dubbele diensten?'

Pacino staarde verbijsterd naar zijn vrouw, één moment in de vreemde ver-

onderstelling dat hij haar had opgeroepen door aan haar te denken. Ze droeg een donker pakje dat haar slanke figuur en haar lange benen accentueerde, met een parelketting als enige sieraad, afgezien van haar trouwring. Ze overweldigde hem met haar schoonheid, zoals altijd als hij haar een paar weken niet had gezien. Haar ravenzwarte haar viel tot op haar schouders en omlijstte een knap gezicht met krachtige jukbeenderen, grote bruine ogen, een perfecte neus en een lachende mond met rode lippen en een gebit als van een filmster. Voor de duizendste keer besefte hij dat hij haar niet verdiende als echtgenote, maar het schuldgevoel van een moment tevoren verdampte in de blijdschap om haar te zien. Hij stond op, zo snel dat hij zijn stoel omgooide, liep haastig naar haar toe en omhelsde haar. Ze lachte verrast, maar beantwoordde zijn kus voordat ze hem van zich af duwde.
'Jij voelt je weer beter,' zei ze buiten adem. 'Ik dacht dat ik je misschien van je werk zou kunnen losweken voor een etentje. Dan kun je me vertellen waar je mee bezig bent.'
'Ik dacht dat je nog een maand in Washington zat,' zei hij.
'Dat is zo. Maar vandaag is het vrijdag en ik hoef pas zondagavond weer terug te zijn.'
Ze vonden een gezellig restaurant, een halfuur van de scheepswerf, en installeerden zich aan een tafeltje met voldoende privacy. Pacino vertelde haar over zijn zeiltocht, Pattons onderzeeboot en zijn orders om de leiding te nemen van het torpedo-ontwijkingsprogramma en het Tigershark-project. Colleen legde hem met een vinger tegen haar lippen het zwijgen op.
'Daar praten we wel over als we terug zijn op je kantoor,' zei ze. 'Hoe zit dat met Hillary's telefoontje en Anthony?'
Pacino herhaalde letterlijk het gesprek dat hij met zijn ex had gehad, compleet met haar gezichtsuitdrukkingen. Colleen was griezelig goed in staat om Hillary's gedachten te lezen van een afstand.
'Maak je je zorgen om Anthony Michael?' vroeg Colleen.
Pacino vulde hun wijnglazen nog eens bij en dacht na. 'Ik heb nooit gewild dat hij op een onderzeeboot zou stappen,' gaf hij toe, 'maar deze ene reis zal hem misschien geen kwaad doen.'
Colleen knikte. 'Er is niets mis met hem,' zei ze. 'Hij raakt alleen vaak in de problemen omdat hij een vernieuwer is, net als zijn vader.'
Pacino schudde zijn hoofd. 'Ik wil niet dat hij zijn leven vergooit door het mijne na te jagen, omdat hij zo nodig een jongere versie van mij wil zijn. Hij moet zijn eigen stijl vinden. Als hij dit doet omdat hij het altijd graag heeft gewild, dan heeft hij mijn zegen, maar ik ben er nog niet van over-

tuigd dat dit werkelijk zijn doel in het leven is.'
'Je zei dat hij onder commando staat van Rob Catardi, die jij zelf nog hebt opgeleid op de *Devilfish*. Wat is hij voor een gezagvoerder?'
Pacino staarde een tijdje in de verte, verloren in herinneringen. 'De beste die er is,' zei hij ten slotte.
'Dan hoef je je niet ongerust te maken,' vond Colleen. 'Anthony redt het wel, en hij kan nog nuttige dingen leren ook.'
Pacino keek sceptisch.
'Maak je niet druk, Michael. Ik ben zijn stiefmoeder, geloof me. Toen ik hem leerde kennen was hij een mager schooljoch. Ik heb hem gevolgd in zijn eerste jaar aan de Academie, ik heb gezien dat hij harder werd en dat hij het goed deed op school. Hij is zichzelf – natuurlijk heeft hij dingen van jou, maar hij is uniek. Laat hem los, Michael.'
'Dank je, Colleen... dat je zo'n goede stiefmoeder voor hem bent. Hij mag zich gelukkig prijzen dat jij in zijn leven bent gekomen.'
Ze staarde een paar lange seconden naar het tafeltje.

Terug op kantoor bekeek Colleen zijn schetsen.
'Wil je het hele verhaal?' vroeg Pacino.
'Ja, laat maar horen,' zei Colleen.
'In theorie is het simpel. We snijden de achtersteven van de SSNX open om ruimte te maken voor twee dozijn Vortex-motoren met vaste stuwstof.' De Vortex-raket was een onderwaterwapen met vaste stuwstof, een snelheid van driehonderd knopen en een onafhankelijke besturing door middel van een draaiende straalpijp. Officieel was het een raket, maar het werd ook een supercaviterende torpedo genoemd, omdat de Vortex zijn hoge snelheid dankte aan het feit dat de neuskegel het water tot stoom verdampte, waarna die damp vervolgens als een luchtbel de raket omhulde, zodat het wapen door het water kon snijden met de snelheid van een privé-jet. 'Als de commandocentrale de schakelaar overhaalt worden er vierentwintig raketten van zwaar kaliber ontstoken en krijgt de boot een snelheid van honderdvijftig knopen.'
'Dat is niet genoeg. De nieuwste supercaviterende torpedo's halen driehonderd knopen.'
'Daarom moet de wrijvingsweerstand van de romp worden verminderd. Nu wordt het ingewikkeld.' Pacino zocht naar een tekening in de stapel op zijn bureau. 'We laten droge leidingen door de boot lopen, verbonden met het persluchtsysteem en via kleppen ook met de hoofdstoomketels. De perslucht blaast een serie pluggen uit pijpen die uitmonden aan de buiten-

kant van de huid. Zo ontstaat er een luchtlaag rondom de boot, in stand gehouden door de leidingen. Door die luchtlaag verliest de boot zijn wrijving met het water. Zodra de perslucht terugloopt, komen de stoomketels in actie om de lucht te vervangen door hun output naar de leidingen te lozen. Dat gaat zo door totdat de Vortex-motoren hun kracht hebben verbruikt. Als de luchtdruk wegvalt, moet de boot volgens de berekeningen een snelheid van 298 knopen hebben bereikt, en als de stoom het overneemt komen daar nog eens 8 knopen bij. Dat kunnen we meer dan twintig seconden volhouden, met een acceleratietijd van...'
'Dat werkt niet.'
'... eh, dat geeft problemen, want dat levert een interne acceleratie op van meer dan tien g. Verdomme, zo drukken we onze eigen bemanning plat.'
'Het werkt niet.'
'Ik moet die acceleratie nog eens berekenen om...'
'Je luistert niet!'
'Wat?' vroeg Pacino. 'Wat zei je?'
'Ik zei dat het niet werkt.'
'Dat weet ik, de acceleratie is te hoog.'
'Dat bedoel ik niet,' zei Colleen peinzend. 'Om te beginnen zullen de Vortex-motoren de propulsor, het roer en de duikroeren laten smelten. Hoe houd je de besturing en de aandrijving dan nog in de hand?'
'We kunnen de motoren niet op gyro's zetten,' zei Pacino. 'Dan maak je het systeem te complex. En ik had er wel rekening mee gehouden dat het achterschip zou smelten.'
'Geweldig. Dus je achterste ballasttank is verdampt, je hebt geen duikroeren meer, je kunt de hoek van het schip dus niet bepalen. Je schiet vanzelf naar de oppervlakte, je stuitert weer terug, je verliest snelheid en je wordt toch geraakt door die inkomende torpedo. Of je zinkt naar te grote diepte en wordt verpletterd. Of, erger nog, je raakt in een spin en de bemanning laat het leven in een mixer van zevenduizend ton.'
'We kunnen de diepte controleren met de boegvleugels.'
'Dat lukt niet, Michael,' zei Colleen geagiteerd. 'Je kunt die gigantische hydraulica en die traag reagerende boegvleugels niet gebruiken om de boot in de hand te houden.'
Pacino knikte. 'Ik geloof dat ik begrijp wat je bedoelt. We moeten de boegvleugels in de nulstand verankeren en ze dan voorzichtig bijtrimmen, of met spoilers werken, boven en onder, verbonden met een pneumatisch systeem of afzonderlijke hydraulica onder hoge druk. Dan heb je voldoende kracht om de hoek van de boot snel bij te stellen.'

Weer schudde Colleen haar hoofd. 'De sensors en de computerbesturing zijn niet snel genoeg om de boot te controleren. De tijdconstante is te lang. Tegen de tijd dat de computer een neerwaartse hoek constateert en opdracht geeft die te herstellen, lig je al vijftig meter onder de kritische diepte.'

Pacino staarde voor zich uit. Hij had zijn vrouw ontmoet in een droogdok vergelijkbaar met het dok waar de SSNX nu in lag – dezelfde romp, in feite – toen ze het computersysteem kwam herstellen dat haar bedrijf had geïnstalleerd. Hij herinnerde zich haar rustige, volhardende vakmanschap en haar moed toen ze had besloten om met de SSNX te vertrekken naar het strijdtoneel op de Oost-Chinese Zee omdat het Cyclops-gevechtssysteem nog altijd niet functioneerde. Hij had toen goed naar haar geluisterd, en dat zou hij nu ook weer doen.

'Dit probleem is te lastig om in een dagje op te lossen,' zei Pacino ten slotte. 'Ik ga er morgen wel mee verder.'

'Dat kan niet,' zei Colleen, met een lachje om haar lippen. 'Morgen heb je wat anders te doen.'

'O ja? Wat dan?'

'Laten we het erop houden dat je je bed niet uit komt. Meer zeg ik niet.' Colleen pakte zijn hand en trok hem mee, het kantoor uit. Pacino glimlachte. Hij probeerde zijn technische problemen te vergeten en te genieten van zijn nieuwe, minder zware kijk op het leven.

Maar die nacht werd in zijn dromen de bus ingehaald en aan stukken geslagen door het skelet met zijn strijdknots op de motor.

'Ga zitten, meneer Pacino,' zei eerste officier Astrid Schultz, wijzend naar een stoel aan de binnenboordkant van de longroom. Het was een uurtje na het avondeten, wanneer de longroom normaal werd ingericht voor een film, maar vanavond moest Pacino examen doen voor zijn rol als duikofficier van de wacht. Tegenover hem aan de buitenboordkant zaten naast Schultz ook technisch officier Alameda en Duke Phelps, de assistent schadebestrijding. Aan het hoofd van de tafel hield commandant Catardi zwijgend toezicht. Duke had gezegd dat Catardi de laatste vraag zou stellen op basis van Pacino's antwoorden op het verhoor door de andere leden van de commissie. Als Pacino de mondelinge test goed doorstond, zou hij de boot naar periscoopdiepte moeten brengen. Pas als dat goed ging, zou hij als duikofficier bij de wacht worden ingedeeld. En dat zou betekenen dat hij niet langer een opstapper was, een parasiet, iemand die zijn werk niet deed – een van de ergste beledigingen aan boord.

Pacino voelde een steek in zijn maag en kreeg een vieze smaak in zijn mond toen hij ging zitten. Nu kwam het erop aan, dacht hij. Als hij dit verknalde, zou hij als zoon van zijn vader tekortschieten. Al sinds hij aan boord was gedroegen de officieren en adjudant-onderofficieren zich een beetje vreemd in zijn nabijheid. Hij werd voortdurend geconfronteerd met opmerkingen over de voormalige positie van zijn vader, soms bedekt, dan weer heel openlijk. Een adjudant-technicus die hem de starter van de trimpompmotor in de hulpmachinekamer liet zien, merkte op dat hij wel zou weten waar dat ding zat, omdat hij een Pacino was. Een trage manoeuvre om naar periscoopdiepte te komen kreeg kritiek van een andere adjudant, die spotte dat een Pacino de boot toch in een oogwenk naar de exacte diepte zou moeten brengen. Maar nadat de bemanning hem op tekenen van arrogantie of eigendunk had getest en daarvoor geen bewijs had kunnen vinden, schenen ze hem te hebben geaccepteerd. Sommige mensen bleven koeltjes en hielden vol dat hij eerst zijn gouden dolfijntjes moest hebben verdiend. Tot die tijd bleef hij een waardeloze opstapper die hun lucht inademde en een van hun bedden in beslag nam. Adjudant Keating, de leider van de 'A-gang', de werktuigkundige assistenten, had het grootste aandeel in de opleiding van Pacino. Aan het begin van elke wacht verklaarde hij met zijn temerige Texaanse accent: 'Meneer Patch, u ademt mijn lucht in, u pikt mijn eten in en u hebt een eigen bed, terwijl sommigen van mijn jongens nog moeten delen. Wat mij betreft bent u een waardeloze opstapper, en een officier nog wel...' – dat laatste op minachtende toon – ... 'die mooi koffie zit te lurken in de longroom, met zijn pink in de lucht, en wat met papieren schuift terwijl wij ons uit de naad werken om deze boot in de vaart te houden. U kunt er maar beter voor zorgen dat er helemaal niets fout gaat als u de wacht hebt als duikofficier op míjn boot.'
'Goed, meneer Pacino,' begon Schultz de ondervraging. 'Gaat u maar naar het bord en teken het trim- en drainsysteem, en leg uit hoe u eenderde trim kunt krijgen bij een eerste duik na een onderhoudsbeurt op de werf.'
Twintig minuten later ging Pacino weer zitten, met zweetplekken onder zijn oksels. Phelps kwam met de volgende vraag, over de instelling van de snuiver. Alameda stelde hem tien vragen over de voorbereidingen voor het duiken en de posities van de kleppen en schakelaars. Schultz vroeg hem naar de stabiliteit van de boot en de reden waarom een onderzeeboot zich bij het rollen niet gedroeg als een oppervlakteschip. Pacino's antwoorden en de vragen die daar weer uit voortkwamen namen een uur in beslag. Ten slotte werd het tijd voor Catardi's afsluitende vraag. De commandant boog zich naar voren en zei: 'Duiken bij geblokkeerde boegvleugels.'

'Volle kracht achteruit,' antwoordde Pacino meteen. 'Overschakelen op noodhydraulica, proberen weg te komen, alarm slaan en gereedmaken voor de order van de wachtofficier voor een noodblaasprocedure vóór.' Dat was de onmiddellijke reactie op een onvrijwillige duik door een storing in de duikroeren. De duikofficier en de wachtofficier moesten instinctief reageren, zonder op orders te wachten, om te voorkomen dat de boot tot onder de grens zou duiken waar de romp door de druk van het water zou worden verpletterd.

'Waarom niet maximaal achteruit, in plaats van volle kracht?'

'Bij volle kracht wordt de richting van de hoofdmotor omgekeerd en de snelheid opgevoerd tot vijftig procent reactorvermogen, het hoogste niveau bij een natuurlijke circulatie. Bij maximaal achteruit moet de machinekamer de circulatiepompen opstarten en het reactorvermogen naar honderd procent brengen. Met die hoge snelheid kunnen de pompen uit hun ritme raken, ten koste van hun betrouwbaarheid. De kans bestaat dat een bemanning die inderhaast een reactor instelt op geforceerde circulatie, die reactor over de kop draait, zodat je niet alleen problemen hebt met je duikroeren, maar ook met je voortstuwing. Dus kun je beter volle kracht achteruitschakelen op vijftig procent en – als dat niet genoeg is – je hoofdballasttank vóór blazen om uit die onvrijwillige duik weg te komen, commandant.'

Catardi knikte. Eindelijk was het mondelinge deel van het examen voorbij. Normaal gesproken moest dat genoeg zijn, maar Catardi vond dat Pacino ook een noodprocedure moest oefenen voordat hij als duikofficier zou worden geaccepteerd.

Hoewel het 20.30 uur Zulu was, de militaire term voor Greenwich Mean Time, was het volgens de plaatselijke tijd op zee pas 17.30 uur, en dus nog licht. De commandocentrale was ingesteld op wit – de plafondlampen brandden – maar zou bij de volgende stijging naar periscoopdiepte waarschijnlijk naar rood worden geschakeld. Als de boot 's nachts naar periscoopdiepte kwam, stelde de wachtofficier de centrale in op zwart, dus met alle lichten gedoofd, om het nachtzicht van de officier niet aan te tasten en aanvaringen te vermijden.

'Meneer Pacino, neemt u de wacht over als duikofficier, alstublieft,' beval Schultz.

'Wachtofficier,' riep Pacino naar de navigator, Wes Crossfield, die achter de commandoconsole stond met een draadloos oortje, een microfoontje en een rode bril. 'Verzoek toestemming om adjudant Keating af te lossen als duikofficier van de wacht, onder toezicht.'

'Goed, Pacino. Neem het maar over.'
'Ik neem de wacht over, aye. Adjudant Keating, verzoek toestemming om de bakboordstoel achter het besturingspaneel over te nemen.' Keating zat in een cocon van consoles die aan de cockpit van een vliegtuig deed denken, een krappe halve cirkel van displays, instrumenten en tuimelschakelaars. Een centrale kast verdeelde de besturingsconsole in tweeën. De stoel aan bakboord was leeg. Keating droeg een headset met een vizier dat de displays vertaalde in virtual reality. De consoles en schermen dienden slechts om op terug te vallen.
'Neemt u de bakboordstoel, meneer Pacino.' Keating was opvallend beleefd, merkte Pacino op. 'Meneer' was een uitzondering.
Pacino wrong zich in de krappe cockpit, nam de linkerstoel en gordde zijn riem vast. Toen legde hij zijn handen op de stick, vergelijkbaar met de stuurknuppel in een vliegtuig, die het roer en de duikroeren achter bediende, en stak zijn voeten in de riempjes van de pedalen waarmee hij de boegvleugels kon besturen.
'Klaar om u af te lossen, meneer,' zei Pacino tegen Keating toen hij een vizier had opgezet. Hij zag nu een virtueel beeld om zich heen, de boot van opzij gezien, de oppervlakte hoog boven zijn hoofd, en de duikroeren en boegvleugels zachtjes bewegend om de boot op diepte te houden. Het was een gedetailleerde display, met een transparante doorsnee van de boot, compleet met verschillend gekleurde tanks, leidingen en pompen. De animatie kon ook het openen en sluiten van de kleppen laten zien, en het water dat van tank naar tank stroomde. Andere graphics gaven de status voor duiken aan, de instelling van de ventilatie, de snelheid, koers en diepte van de boot, de status van de aandrijving, plus enkele handmatige gegevens in het PDL, het pass-down-log. Pacino bestudeerde de display een paar seconden voordat Keating het woord nam.
'Zoals je... zoals u ziet, meneer, ligt de boot op zevenhonderd voet bij halve kracht vooruit en een koers van twee-zeven-nul, beide hoofdmotoren nominaal en de verdamper actief. We hebben een fatsoenlijke trim van eenderde, tenminste, dat was twee uur geleden nog zo. Misschien hangen we achter wat zwaar, maar de Cyclops en ik hebben een compensatie ingevoerd. Over twee minuten gaan we naar periscoopdiepte. U bent net op tijd. Begrepen?'
'Begrepen, meneer. Ik los u af.'
'Ik ben afgelost. Wachtofficier, ik draag de duikwacht over aan meneer Pacino.'
'Begrepen, adjudant,' sprak Crossfield in zijn microfoontje. 'Centrale aan

sonar, we stijgen naar een-vijf-nul voet als voorbereiding op periscoopdiepte.'

Bij die aankondiging kreeg Pacino kramp in zijn maag. Nu kwam de werkelijke test, onder het oog van de commandant, de XO en luitenant Alameda. Crossfield ging stijgen, tot boven de spronglaag, vanuit het ijzige water van de Atlantische diepzee. Boven de laag werd de zee verwarmd door de zon en in beweging gebracht door de golven. Boven de laag was alles totaal anders, wist Pacino, die dacht aan het gewicht van de boot. Op zevenhonderd voet lag de *Piranha* nog in balans, met een neutraal drijfvermogen, maar in het warmere water boven de spronglaag zou het drijfvermogen snel veranderen. Door de geringere druk zou de romp uitzetten en meer volume krijgen, maar met hetzelfde gewicht aan waterballast aan boord, zodat het drijfvermogen toenam. Boven de spronglaag zou het effect van het ondiepere water de boot veel lichter maken, zodat hij als een ballon kon opstijgen. Maar het water boven de laag was ook warmer, en een overgang van koud naar warm water maakte de boot juist zwaar, als tegenwicht tegen de afgenomen druk. Pacino dacht bliksemsnel na. Hij riep de schermen van de Cyclops-besturing op en zag een ingewikkelde berekening van het drijfvermogen voorbijkomen. Catardi en Schultz zagen blijkbaar op hun eigen schermen wat hij deed, want Schultz mompelde iets tegen Crossfield en meteen ging Pacino's scherm op zwart. Ze ensceneerden een storing om te zien hoe hij zou reageren.

'Cyclops-besturing van de boot uitgevallen,' meldde Pacino, iets te luid. Hij zette zijn vizier af en tuurde naar de panelen om hem heen. De computer kon hem nu niet helpen op de juiste diepte te blijven als ze stegen. Hij moest het uit zijn hoofd berekenen en er maar het beste van hopen. Ondanks de steun van de Cyclops had hij geleerd zelf een berekening te maken en die met de Cyclops te vergelijken. Hij was het nog nooit met de computer eens geweest, maar helaas had de computer altijd gelijk. Pacino zette net zo'n draadloze headset op als Crossfield.

'Cyclops uitgevallen, aye. Boodschapper van de wacht, laat de systeemtechnicus naar de centrale komen.'

'Aye aye, meneer,' riep een jonge matroos.

'Duikofficier, naar halve kracht vooruit.'

'Snelheid naar halve kracht vooruit, aye, meneer.' Pacino legde zijn hand op de stick en duwde die voorzichtig naar voren. Hij zag de ouderwetse tachometer die de snelheid van de propulsor aangaf van dertig toeren oplopen naar negentig.

'Halve kracht vooruit, meneer,' meldde Pacino.

'Dank u, duikofficier. Naar diepte een-vijf-nul voet,' beval Crossfield.
'Naar diepte een-vijf-nul voet, aye, meneer.'
Pacino trok de knuppel terug en zag de duikroeren aan de achterkant omlaag gaan als de horizontale hoogteroeren van een vliegtuig bij het opstijgen. De dieptemeter van de boot liep van 700 voet naar 690 en hoger toen de hellingshoek toenam van horizontaal naar vijf graden en verder, tot aan tien graden. Dat leek behoorlijk steil, want zelfs een halve graad was al duidelijk merkbaar. De *Piranha* verhief zich uit de duistere diepte van de Atlantische Oceaan naar het ondiepe, warmere water boven de spronglaag.
'We passeren de vierhonderd voet.'
'Verlichting naar rood,' beval Crossfield. Pacino stak op de tast zijn hand uit en schakelde het witte plafondlicht naar rood.
'Verlichting naar rood, aye. We passeren de driehonderd voet, meneer.'
'Dank u.'
Pacino hield de temperatuur in de gaten toen de boot door de spronglaag steeg. Bijna onmiddellijk zag hij de verandering van twee graden onder nul naar vijftien graden boven nul. Het warmere water maakte hen zwaarder, de ondiepte juist lichter. Pacino stelde de trim van de boot bij door zeewater toe te laten in tank nummer twee, die het dichtst bij het zwaartepunt van de boot lag. Zesduizend pond, besloot hij. Beter te zwaar dan te licht. Hij opende de buitendeur en de reservekleppen van het trimsysteem met een dubbele tuimelschakelaar en trok de joystick van het systeem omlaag naar de FLOOD-positie. Zeewater stroomde bulderend de boot binnen door de 20cm-kogelkleppen.
'Ballasttanks geopend, meneer,' meldde Pacino. 'Diepte tweehonderd voet.'
Hij trok de stick nog verder terug, zodat de hellingshoek minder werd en de boot niet langer omhoogging. Het niveau in tank twee was vijf procent gestegen. Pacino sloot de watertoevoer, zette de joystick weer neutraal en gebruikte de handmatige klepschakelaars om de deuren en de reservekleppen af te sluiten, een handeling die de Cyclops anders zelf zou hebben gedaan.
Opeens klonk er een alarm in de cockpit.
'Verlies van centrale hydraulica, meneer,' riep Pacino, terwijl hij het alarm smoorde. Hij stak zijn hand uit naar een bedieningsknop van de hydraulische kleppen om die naar rechts te zetten, maar dat was al automatisch gebeurd, zoals het hoorde. 'Hydraulica overgegaan op hulpsysteem.' Als het hydraulisch hulpsysteem er ook mee ophield, was er altijd nog een noodvoorziening. Schultz en de commandant, die achter de cockpit ston-

den, probeerden het hem lastig te maken.
Pacino duwde de stick nog verder omlaag toen de boot de diepte van 150 voet naderde. De hellingshoek was nu bijna verdwenen. Hij trapte de pedalen in, waardoor de boegvleugels omlaag draaiden om de boot horizontaal te brengen. Hij hield halt op 150 voet en probeerde wat er zou gebeuren als hij de boegvleugels en de achterste duikroeren naar nul graden kantelde. De boot bleef keurig op dezelfde diepte, zonder te stijgen of te zakken. Pacino had de benodigde hoeveelheid ballast in de tank dus goed ingeschat, hoewel ze nog altijd door het water sneden op halve kracht, bijna vijftien knopen.
'Een-vijf-nul voet, meneer,' riep Pacino.
'Dank u, duikofficier. Langzaam vooruit nu. Centrale aan sonar, gereedmaken om de dode hoek rechts te controleren als voorbereiding op periscoopdiepte.'
Pacino verstijfde. Bij langzaam vooruit zouden ze als een kurk omhoog kunnen schieten of als een baksteen kunnen zinken, afhankelijk van zijn berekening van het drijfvermogen. 'Langzaam vooruit, aye, meneer.' Pacino minderde snelheid en hield met zijn ene oog de tachometer in de gaten. De naald liep terug. Met zijn andere oog volgde hij de dieptemeter. Als de snelheid nog verder afnam zou hij de macht over de boot kunnen verliezen, onder het oog van al die toeschouwers. De sub was niet langer een vliegtuig maar een trage zeppelin.
'Sonar aan centrale, aye,' klonk de stem van sonarchef Reardon in Pacino's headset.
De naald van de tachometer bereikte de dertig toeren en de diepte van de boot klikte meteen omhoog naar 145 en toen 141 voet. Pacino trapte de pedalen van de boegvleugels in, zijn eerste mogelijkheid tot herstel. Als hij zijn diepte kon handhaven met de boegvleugels, zou hij maar een paar duizend pond te licht zijn. Als hij de achterste duikroeren en de hellingshoek nodig had, was dat veel minder gunstig. Bij nul graden hellingshoek was de boot weer terug op 150 voet met maar vier graden duikhoek op de boegvleugels. Bij zeventiende van een ton per graad moest Pacino bijna drie ton of zesduizend pond te licht zijn, berekende hij. Hij had er dus tonnen naast gezeten toen hij het drijfvermogen bepaalde. Alle kans dat Catardi en Schultz hem zouden terugsturen om nog een weekje les te nemen, voor zo'n ernstige blunder. Hij stelde de trim bij, opende handmatig de deuren en reservekleppen van tank twee en duwde de joystick naar de FLOOD-stand. Het niveau in de tank steeg nog eens vijf procent voordat Pacino de joystick weer losliet en de deuren en kleppen sloot. Toen draai-

de hij de boegvleugels horizontaal. De boot bleef stabiel liggen op 150 voet. In elk geval was hij niet als een kurk op en neer geschoten – wat een duidelijk bewijs zou zijn geweest dat hij zijn kalmte had verloren onder druk.
'Duikofficier, hoe is uw trim?' vroeg Crossfield geamuseerd van achter de commandoconsole.
'De boot heeft een acceptabele eenderde trim, meneer.'
'Dank u, duikofficier,' zei Crossfield. 'En u mag adjudant Keating wel bedanken voor de ontoereikende compensatie die hij had ingevoerd voordat u de wacht overnam.'
Dus Keating had hem met een lichte boot opgescheept, dacht Pacino.
'Sonar aan centrale. Geen contacten bij eerste verkenning,' kraakte de stem van sonarchef Reardon in Pacino's headset.
'Centrale aan sonar, aye. Dode hoek vrijmaken naar rechts.'
'Sonar aan centrale, aye.'
'Duikofficier, roer vijf graden rechts, koers oost.'
'Roer vijf graden rechts, aye, meneer.'
'Dank u, duikofficier.'
Ten slotte draaide de kompasroos langs 080 graden magnetisch. 'Passeren koers nul-acht-nul naar rechts, tien graden van opgedragen koers,' meldde Pacino.
'Dank u, duikofficier.'
'Koers oost, meneer,' zei Pacino ten slotte. Het bleef stil in de centrale. Pacino haalde diep adem, in de wetenschap dat de volgende paar minuten de moeilijkste zouden kunnen zijn. Als hij te steil naar periscoopdiepte kwam, zou de toren door het water breken, als hij te traag was, zou de wachtofficier de oppervlakte niet kunnen zien en liepen ze gevaar door een diepstekend koopvaardijschip te worden geraakt zonder dat ze het hoorden aankomen.
'Sonar aan centrale, geen sonarcontacten in deze dode hoek,' meldde sonarchef Reardon in Pacino's headset.
'Duikofficier,' riep Crossfield met zwier, 'naar diepte zes-zeven voet!'
'Naar diepte zes-zeven voet, aye, meneer,' bevestigde Pacino. Terwijl hij de pedalen van de boegvleugels bediende klonk er een volgend alarm in de cockpit. 'Hulphydraulica uitgevallen, meneer,' rapporteerde hij, met een blik op het hydraulisch paneel. Misschien had het hoofdsysteem zich hersteld, maar toen hij die hendel probeerde had hij nog steeds geen vermogen. 'Noodvoorziening ingesteld, meneer.' Pacino tastte achter zich naar een verticale hendel op de centrale console, rechts van de stick. De boeg-

vleugels konden nu alleen nog met een reservehendel worden bediend, en dat ging veel grover en trager dan met de pedalen. Hij zou van tevoren al exact de gewenste stand van de vleugels moeten berekenen. Het zweet brak hem uit toen hij de reservehendel naar achteren trok om de boegvleugels onder een hoek van tien graden te zetten. Zodra de boot omhoogkwam duwde hij de hendel weer terug naar vijf graden. Hij nam even de tijd om met een andere reservehendel het roer op koers oost te houden en vandaar naar recht vooruit.

'Hydraulische noodvoorziening getest en nominaal,' riep hij.

'Dank u, duikofficier.' Crossfields stem werd gedempt door zijn periscoophelm.

'Een-twee-nul voet, meneer,' meldde Pacino. Het zweet droop nu in zijn ogen en vertroebelde zijn zicht op de displays van de handmatige consoles. 'We passeren de honderd voet.'

De opwaartse hoek was te steil, besefte Pacino. Hij drukte de reservehendel naar voren om de hoek af te vlakken.

'Negentig voet, meneer.'

Pacino had het zwaar. De boot lag weer vlak. Zo maakte hij er een achtbaan van, dacht hij nijdig toen hij met de hendel van de achterste duikroeren de hellingshoek naar drie graden opkrikte. Hij baadde nu in het zweet. Zelfs zijn lange mouwen druppelden.

'Acht-nul voet, meneer.'

Hij moest de hoek weer afvlakken, anders brak de toren door de oppervlakte. Hij drukte de achterste duikroeren omlaag, greep de reservehendel voor de boegvleugels en kantelde die in een neerwaartse hoek van twee graden. Vervolgens zette hij de achterste duikroeren vlak en trok de boegvleugels weer een graad omhoog.

'Zeven-vijf voet, meneer!'

'Periscoop boven water,' meldde Crossfield. 'Breng ons omhoog, duikofficier.'

'Aye, meneer. Zeven-vier voet.' Zweetdruppeltjes vlogen van zijn voorhoofd door de cockpit toen Pacino de boegvleugels in de maximale opwaartse hoek draaide. Maar de boot bleef loodzwaar. Hij trok de achterste duikroeren omhoog, gebruikmakend van de hoek van de boot om één graad te winnen en zo naar periscoopdiepte te komen, maar de dieptemeter reageerde niet. Hij moest water kwijt, en snel.

'Zeven-vijf voet. Boot is te zwaar,' meldde Pacino. Hij selecteerde de romp- en reservekleppen van het trimsysteem en vond op de tast de draaischakelaar om de zware trimpomp in de hulpmachinekamer op het benedendek

in te schakelen. Er gebeurde niets. Hij probeerde de draaischakelaar opnieuw, maar de trimpomp startte niet. In plaats daarvan begon er een rood alarmlichtje te knipperen op de display met de tekst STORING TRIMPOMP.
'Wachtofficier, trimpomp weigert te starten. Storingsmelding. Afvoerpomp wordt ingeschakeld. Zeven-vier voet, meneer.'
'Verdomme, duikofficier, de golven spoelen al over mijn lens! Schiet op!' Crossfields irritatie sloeg om in woede. 'Los het probleem op en breng die boot naar boven!'
'Aye, meneer.' Met trillende hand haalde Pacino de tuimelschakelaar over om de grote kogelkleppen van het afvoersysteem met de trimleidingen te verbinden, terwijl hij tegelijkertijd de defecte trimpomp uitschakelde. Met ingehouden adem greep hij de draaischakelaar van de afvoerpomp en zette hem op START. Niets. Hij probeerde het nog eens, en het volgende rode lichtje begon te knipperen: STORING AFVOERPOMP. Nu bleef er nog maar één mogelijkheid over: ballasttank nummer twee onder druk zetten met een beperkte hoeveelheid perslucht.
'Storing afvoerpomp, meneer. Ik zet tank nummer twee onder druk met zevenhonderd psi, klaar om te blazen.'
'Duikofficier,' reageerde Crossfield vermoeid, 'mijn lens zit in de golven. Breng die boot omhoog.'
Pacino opende de deuren en reservekleppen van tank nummer twee en zette de joystick van het zweefsysteem in de BLOW-stand, wat normaal verboden was omdat het zoveel herrie maakte. De lucht boven in de tank perste onmiddellijk de inhoud overboord – de druk van het zeewater was lager. Eindelijk werd de boot nu lichter en klom de dieptemeter een paar voet.
'Zeven-vier voet, meneer... zeven-twee voet, zeven-nul, zes-negen voet.' Eindelijk, dacht Pacino. Goddank. Hij vlakte de hellingshoek af en de boot bleef stabiel op diepte.
'Periscoop boven water!' meldde Crossfield. Zo snel mogelijk verkende de navigator nu de omgeving op de aanwezigheid van schepen. Zelfs het kleinste oppervlakteschip zou de romp van de onderzeeboot kunnen openscheuren. Volgens de standaardprocedure hoorde het muisstil te zijn in de commandocentrale totdat de wachtofficier het sein 'alles veilig' gaf met de woorden 'Geen directe contacten'. Elke andere reactie, ook een paniekerig 'O, shit!', zou worden uitgelegd als een spoedbevel om onmiddellijk diep te gaan om een aanvaring te voorkomen. De onderzeeër had een stevige, dikke romp, maar die was vooral bestand tegen de druk van de diepte, niet

tegen de scherpe kiel van een oppervlakteschip.
'Geen directe contacten!' riep Crossfield. Pacino haalde opgelucht adem. Hij sloot de deuren en reservekleppen van de tank en liet de perslucht wegstromen naar de machinekamer.
'Zes-acht voet, meneer.'
Maar de boot steeg nu zonder hoek op de duikroeren. Was hij te ver gegaan? Hij kantelde de boegvleugels naar één graad omlaag, toen twee. 'Zes-zeven voet, meneer.' Verdomme, hij maakte er weer een achtbaan van. Met het noodsysteem van de hydraulica kon hij niet veel beginnen. 'Zes-acht voet, meneer.'
Inmiddels was hij ook drie graden uit koers gedreven. Met één oog op de dieptemeter gebruikte hij het noodsysteem om het roer een halve graad naar rechts te drukken. Zodra hij weer op koers lag, trok hij het terug naar nul. De boot lag nu op de gewenste diepte, zonder hoek.
'Oppervlakteverkenning, maximale versterking,' riep Crossfield. 'Duikofficier, breng de BRA-44 omhoog.'
De AN/BRA-44 was de radiomast die de satellietberichten moest opvangen. De bijnaam van het ding was Bigmouth. Pacino vond de hendel op het verticale paneel aan stuurboord en trok hem omhoog. Met veel gesteun kwam de mast naar boven. De noodvoorziening was veel trager dan het normale hydraulische systeem.
'Wachtofficier, BRA-44 omhoog,' meldde Pacino.
Twee minuten lang was Pacino bezig met het bijstellen van de diepte van de boot, die veel stabieler lag nu hij het juiste gewicht had. De neus was nog iets te zwaar, maar als hij daar wat aan deed zouden de trillingen weer beginnen. Daarom probeerde hij het te compenseren met de boegvleugels. De hydraulica kreunde weer toen de BRA-44 door de radiomensen werd neergelaten.
'Radio aan centrale. Bericht ontvangen. BRA-44 neer.'
'Centrale aan radio, aye,' bevestigde Crossfield.
Achter Pacino's rug stapte XO Schultz naar Crossfield toe en tikte hem op de schouder. Hij keek even uit zijn periscoophelm en zag dat ze een foto van een naderend vliegkampschip in haar hand had, genomen van laag uit het water, recht in de baan van de aanstormende reus. Schultz had weer een volgende test bedacht.
'Duiken! Spoed!' brulde Crossfield.
Zonder erbij na te denken greep Pacino met zijn rechterhand de knuppel en met zijn andere hand de hendel van de boegvleugels. Hij schakelde naar volle kracht vooruit en kantelde de boegvleugels in hun maximale duikpo-

sitie. Toen ging zijn rechterhand naar de hendel van de achterste duikroeren en drukte ze tien graden omlaag. Met een ruk aan de joystick liet hij het trimsysteem water maken. Met zijn linkerhand nog op de joystick boog hij zich naar de knuppel en voerde de snelheid op met een extra tien toeren. Daarna kantelde hij de duikroeren omhoog naar vijf graden en de boegvleugels naar tien. Ten slotte liet hij de joystick los, hield de diepte van de boot in de gaten en riep: 'Duiken, spoed, aye! Volle kracht vooruit, water in de tanks, hellingshoek tien graden omlaag.'

Met een selectieknop op de knuppel kon hij zijn microfoontje doorschakelen naar de algemene intercom. Het volgende moment hoorde hij zijn versterkte stemgeluid door de luidsprekers van de boot galmen: 'Duiken, spoed! Duiken, spoed!'

Hij worstelde nog een tijdje met de duikroeren tot de boot stabiel lag op 150 voet diepte, en nam toen snelheid terug tot eenderde. 'Een-vijf-nul voet, meneer!' Het zweet stond weer op zijn voorhoofd en binnen een paar seconden was hij drijfnat.

Maar de oefening was voorbij en hij was er goed doorheen gekomen. Opeens kwam de console weer tot leven. Pacino meldde de veranderingen: 'Hulphydraulica terug on line, meneer.' Nog een zoemtoon. 'Hydraulisch systeem weer nominaal.' Hij schakelde de apparatuur naar het normale hydraulische systeem terug, blij dat die nachtmerrie met de reservehendels achter de rug was. Overal klonken nu zoemende geluiden terwijl de displays veranderden en een stuk of vijf panelen oplichtten. 'Cyclops-bootbesturing terug on line.' Hij zette zijn vizier op, zodat hij de animatie kon zien.

'Heel goed, duikofficier. Diepte zevenhonderd voet, halve kracht vooruit, steile hoek.'

Pacino bevestigde de instructie, drukte de knuppel omlaag en maakte snelheid. De hoek van de boot dook twintig graden omlaag. Twee minuten lang hing Pacino in de riemen van zijn stoel, totdat de Cyclops-animatie 650 voet aangaf. Hij trok de boot recht op 700 voet en controleerde de display.

'Zevenhonderd voet, meneer,' meldde hij aan Crossfield.

'Meneer Pacino, geeft u de wacht maar terug aan adjudant Keating.'

Pacino gehoorzaamde, gaf Keating een briefing en klom uit de cockpit. Meteen werd hij omringd door officieren en onderofficieren, inclusief de commandant, en er klonk zelfs een spontaan applausje. Een grijns deed Catardi's gezicht oplichten. Zelfs Crossfield grinnikte tegen hem en klapte. En luitenant Alameda was echt een schoonheid als ze glimlachte en heel

even haar zure masker afzette.
'Heren,' zei Catardi, 'ik stel u voor: adelborst Patch Pacino, onze pas gekwalificeerde duikofficier van de wacht. Een verdomd goeie vent.'
'Absoluut,' beaamde Duke Phelps.
'Amen, meneer Patch,' zei de normaal zo norse Keating met een knipoog.
Pacino glimlachte verlegen, zich ervan bewust dat zijn overall onder de zweetplekken zat. Hij bloosde enigszins omdat hij ook wel wist dat de manoeuvre om naar periscoopdiepte te komen heel wat beter had kunnen gaan. Hij had Crossfields lens minstens dertig seconden in de golven gehouden.
'Goed gedaan, Patch,' vervolgde Catardi. 'Niemand aan boord heeft de *Piranha* ooit zo goed in de hand gehouden met zoveel pech en tegenslagen. Betalen, mensen! Jij ook, Keating.'
Pacino zag stomverbaasd dat er honderddollarbriefjes van eigenaar verwisselden. De hele groep betaalde aan de commandant. Keating grijnsde naar Pacino toen hij Catardi over zijn schouder vijf briefjes van twintig toestak.
'Wat is dít?'
'Deze ongelovige pechvogels hadden allemaal gewed dat je te snel of te langzaam omhoog zou komen of de hoek van de boot zou verliezen,' antwoordde Catardi lachend. 'Waarschijnlijk omdat niemand van hen ooit naar periscoopdiepte is gekomen op de noodhydraulica, zonder de Cyclops, zes ton zwaar en met een dubbele storing in het trim- en afvoersysteem. Iedereen hier was twee minuten blijven hangen met de periscoop in de golven, had het dan opgegeven en was op de motor omhooggekomen. Zoals gezegd, iemand zoals jij kunnen we goed gebruiken.'
Pacino glimlachte nog eens. Hij popelde om naar de wc te vertrekken, zijn bezwete overall uit te doen en een douche te nemen. Toen hij zich omdraaide riep Keating hem nog even terug naar de besturingsconsole.
'Ja, adjudant?'
'Meneer, het spijt me dat ik u een profiteur heb genoemd die onze lucht inademde,' zei Keating vriendelijk. 'U mag ademen zoveel als u wilt.'
Pacino kreeg een brok in zijn keel. Vreemd genoeg was dat een van de mooiste complimenten die hij ooit had gehad.
'Dank u, chef,' zei hij, terwijl hij zich omdraaide en de centrale verliet.
Hij wist dat hij over drie uur terug zou komen voor zijn eerste zelfstandige wacht, niet langer onder toezicht, maar als gekwalificeerd duikofficier.

10

Dr. Frederick Wang daalde onzeker de trap af van de privé-jet die hem vanuit zijn woonplaats Denver naar Rayong in Thailand had gebracht. Hij gaf de forse Thaise chauffeur een hand en stapte in de Rolls-Royce. Hij had nooit eerder zo'n auto gezien, laat staan erin gereden. Het was een verschrikkelijke week geweest, maar deze onverwachte wending was zo vreemd dat hij niet eens wist of hij er blij mee moest zijn. Tien dagen geleden was Wang vanuit het artificial-intelligencelaboratorium van DynaCorp in het Denver Tech Center naar het hoofdkantoor gebracht, geëscorteerd door een onaangenaam ogende veiligheidsagent. Op het kantoor van de adjunct-directeur had hij te horen gekregen dat zijn veiligheidsverklaring was ingetrokken en dat ze zelf zijn bureau wel zouden leeghalen. Toen hij bij DynaCorp in dienst kwam had Wang een beperkende overeenkomst getekend die inhield dat geen van beide partijen ooit een proces mocht aanspannen, omdat er dan belangrijke staatsgeheimen aan het licht zouden kunnen komen. Het contract bepaalde ook dat DynaCorp hem zonder opgaaf van redenen kon ontslaan. In elk geval had hij een jaarsalaris meegekregen, maar zonder veiligheidsverklaring kon hij ook geen andere baan krijgen in de defensie-industrie. En nergens in het particuliere bedrijfsleven waren functies te vinden zoals bij het lab van DynaCorp in Denver – aangenomen dat zo'n bedrijf hem wél zou willen hebben zonder verklaring.
De reden waarom ze hem hadden ontslagen was dat hij, als Chinese Amerikaan van de tweede generatie, uren telefoneerde met zijn naaste familie in Beijing. Daarom vertrouwde DynaCorp hem niet meer. Het was een ellendige situatie, maar hij kon er weinig aan veranderen. Niet alleen was hij werkloos, maar waarschijnlijk zou hij ook nooit meer aan de bak komen in zijn vak. Hij was te gedeprimeerd om ver vooruit te kunnen denken.

Urenlang had hij wanhopig door zijn huis gedwaald, niet in staat zich te concentreren. Toen de telefoon ging, had hij geen zin om op te nemen, maar volgens de code kwam het gesprek uit Thailand en dat wekte zijn nieuwsgierigheid. De zwaargebouwde man op het videoscherm had een lang verhaal gehouden, maar het waren niet zijn woorden die Wang intrigeerden, het was zijn houding. Hij kwam warm en begripvol over, zoals de directie van DynaCorp zich ook had opgesteld in het begin, toen ze hem nog beschouwden als hun meest briljante AI-ingenieur.
De naam van de man was Sergio en hij wilde een gesprek met Wang. De baan die hij in gedachten had vereiste veel reizen, wat Wang prima uitkwam, omdat hij uit Denver weg wilde, zo ver mogelijk bij zijn herinneringen aan DynaCorp vandaan. Sergio zei Wang dat hij over een uur door een auto zou worden opgehaald. Die auto bleek een zwarte Mercedes stretch limo te zijn, die hem naar Denver International bracht, waar ze zonder problemen langs de beveiliging reden en pas stopten bij de open deur van een swept-wing supersonische privé-jet. Een knappe Chinese stewardess had hem eten en drinken gebracht aan boord. Hij was in slaap gevallen en pas wakker geworden toen de jet zijn wielen aan de grond zette op het vliegveld van Rayong.
Een uurtje later zat hij in een luxueus strandhuis in Pattaya, Thailand, voor een persoonlijk gesprek met Sergio en zijn partner – een gepolijste, positief overkomende zakenman die Victor Krivak heette. Ten slotte vroeg Sergio hem rechtuit of hij voor United Electrics wilde werken en of een aanvangssalaris van vijf miljoen Amerikaanse dollars per jaar acceptabel was. Met als bonus een aandeel in de winst, voegde Sergio eraan toe, alsof het aanbod nog niet voldoende was. Het enige probleem, zoals Sergio voorzichtig opmerkte, was dat United Electrics het Amerikaanse leger 'in het vaarwater zou zitten' met Wangs unieke kennis. Als Wang daar geen moeite mee had, kon hij directeur worden van de afdeling AI-technologie.
Wang hoefde er geen seconde over na te denken. Toen zijn vader naar Amerika kwam, had hij in een supermarkt in het oosten van Los Angeles gewerkt, waar hij regelmatig in elkaar werd geslagen in een stad waar de criminaliteit hoogtij vierde. Zijn hele leven had hij gesappeld om Wang naar de universiteit te kunnen sturen. Op Cal Tech was Wang altijd een buitenstaander gebleven, zoals hij zich ook dikwijls bij DynaCorp had gevoeld. Zijn leven bestond alleen uit werken en toen daar een eind aan kwam bleef er maar weinig over van zijn trouw aan Amerika. De gedachte om te gaan werken voor tegenstanders van de mensen die hem aan de dijk hadden gezet had wel een zekere charme. Bovendien wist Wang dat hij

misschien zelf een baantje bij een supermarkt zou moeten zoeken als dat extra jaarsalaris op was.
Nummer Een-Nul-Zeven was zo'n beetje zijn eigen kind, dacht Wang, zijn eigen schepping. DynaCorp had hem op straat gezet zonder hem zelfs de kans te geven om afscheid te nemen van zijn collega's, die bezig waren met het onderzoek naar zelfstandig denkende koolstofprocessors. Hij miste nummer Een-Nul-Zeven misschien wel meer dan al het andere. Het deed hem pijn als hij terugdacht aan al zijn avonturen met de computer, die zich soms speels kon gedragen, maar ook geïrriteerd – emoties die hem raakten en hem het gevoel gaven dat hij de computer moest beschermen en koesteren. Het leek vreemd, maar hij was in alle opzichten een vader voor Een-Nul-Zeven. En toen hij door DynaCorp werd ontslagen was het alsof ze hem zijn kind hadden afgenomen, zonder een omgangsregeling om het ooit nog terug te zien. Op de schaarse momenten dat hij de slaap kon vatten sprak hij in zijn dromen met Een-Nul-Zeven, schaakte ermee of leerde hem – het, haar... – klassieke talen. En als hij wakker werd, was er niets zo erg als het besef dat Een-Nul-Zeven ruw uit zijn leven was weggerukt.
Maar deze mannen in Thailand boden hem de kans om zijn schepping terug te vinden. Misschien zou hij weer met Een-Nul-Zeven kunnen praten, kunnen vragen hoe het ermee ging. Wat zou het mooi zijn als de computer hem zou herkennen. Hopelijk was dit aanbod serieus.
Wang stamelde zijn instemming. Sergio en Krivak glimlachten en schudden hem de hand. Bij een glas champagne vroeg Krivak hem naar de geschiedenis van de kunstmatige intelligentie. Wang stak van wal en vond in Sergio en Krivak een aandachtig gehoor.
'Supergeleiders hebben tien jaar geleden al het punt bereikt waarop ze niet verder konden worden verkleind,' legde Wang uit, terwijl hij zijn handen spreidde. 'We waren al zo ver dat één enkel stofdeeltje een hele processor kon vernietigen en de hitte die binnen de schakelingen werd opgewekt voldoende was om het silicium te laten smelten. Twintig jaar geleden begon de organische scheikunde zich ermee te bemoeien, met haar theorieën over moleculaire netwerken. Het laboratorium van DynaCorp beschikte over de meeste fondsen van Noord-Amerika en dus hadden de wetenschappers daar... onder mijn leiding... de eerste problemen al snel opgelost. Het vraagstuk om het gedrag van één enkel molecuul te kunnen bepalen hield nieuwe ontwikkelingen nog tegen, tot de komst van de scanning tunneling microscope, die een venster opende op de wereld van het atoom. De eerste organische moleculaire constructies die we ontwierpen waren in staat om elektronen te geleiden door de elektronenbaan van het ene atoom naar

het volgende over te brengen, maar de vraag was alleen of dat ook mogelijk was op commando, uitsluitend op bevel van een extern signaal. Als dat lukte, hadden we een elektrisch bestuurbare schakelaar die als moleculaire transistor dienst kon doen. Dan spraken we over digitale rekenprocessen op moleculaire schaal. Als het niet mogelijk bleek, konden we het hele concept verder vergeten. En het zag er niet goed uit. Alles mislukte. Ten slotte construeerden we een roterende moleculaire reeks om de ene geleidende elektronenbaan uit de buurt van de volgende te houden en zo het molecuul als het ware uit te schakelen, waarna de reeks kon terugdraaien om de banen bij elkaar te brengen en het molecuul weer in te schakelen. Die rotatie werd bestuurd door middel van lichtfotonen die de moleculenreeks troffen – een nogal onpraktische methode om de schakelingen te beheersen. Dus probeerden we een complexer molecuul te ontwikkelen dat niet met licht, maar met een elektrische puls kon worden in- en uitgeschakeld. Dat kostte ons bijna een jaar, maar toen hadden we ook de eerste echte moleculaire transistor in handen. Het jaar daarop wisten we enkel-moleculaire dioden, transistors, en/of-poorten en versterkers te fabriceren. We dachten echt dat we de code hadden gekraakt. Nu hoefden we alleen nog te bedenken hoe we deze bouwstenen moesten integreren tot een schakeling die de gewenste functies uitvoerde.
Een jaar lang worstelden we met het probleem hoe we stroom naar specifieke contacten van de moleculaire constructies moesten geleiden, totdat de organische chemici het concept van "chemische self-assembly" bedachten. Bij de eenvoudigste vorm van self-assembly zweefden de moleculaire constructies naar gouden plaatjes in een oplossing. De chemie van de self-assembly werd steeds complexer naarmate we de schakelingen uitbreidden. We ontwikkelden een organische structuur om de moleculen op hun plaats te houden, zodat de wetenschappers niet langer hoefden te prutsen met die gouden "muntjes" die de schakelingen vervuilden. We ontwierpen een tunnelachtige moleculaire buis die elektronen – stroom – vanaf een willekeurige locatie naar een ver verwijderd punt van de schakeling kon geleiden, een soort kunstmatige neuronenvertakking. Dat was acht jaar geleden. Het jaar daarop synthetiseerden we een molecuul dat een elektron kon bevatten binnen een holte die werd gevormd door de omringende elektronenwolk van het atoom. Dit ingekapselde elektron vormde een digitale geheugenplek. Aanwezigheid van het elektron stond gelijk aan een "een", afwezigheid betekende een "nul". Deze geheugenplek van het elektron kon de informatie maar liefst tien minuten vasthouden. Dat lijkt niet veel, tenzij je het vergelijkt met een halfgeleider-geheugenplek in silicium, die maar

enkele milliseconden standhoudt en voortdurend moet worden ververst. Met die ene vondst hadden we een reusachtige stap gezet in de ontwikkeling van de computertechnologie.
Inmiddels hadden we een paar Japanse ontwerpers in dienst genomen die aan de Destiny III-klasse hadden gewerkt, de onderzeeërs met biologische computers aan boord. Op dat moment zaten we met het probleem hoe we grote aantallen moleculaire schakelingen konden assembleren. Het bleek veel te lastig om al die individuele moleculen over specifieke locaties te verdelen. Nog voor de Japanse Rakettencrisis waren de Japanners erin geslaagd de hersenen van lagere zoogdieren te koppelen aan een siliciumcomputer met een neuraal netwerk, maar zelfs zij wisten niet wat zich nu precies op moleculair niveau afspeelde. Zij benaderden de biologische processor als een black box die empirisch moest worden onderzocht, met vallen en opstaan, om het systeem te laten functioneren. Zij hadden ook geen idee hoe je deze gigantische, complexe schakelingen moest assembleren. Ik vraag me nog altijd af of de oplossing voor het probleem door onze wetenschappers is bedacht en ontwikkeld of dat we het gewoon van de natuur hebben afgekeken door eenvoudige chromosomen te veranderen – met één molecuul tegelijk – en van instructies te voorzien hoe ze zelf een organische, driedimensionale schakeling moesten ontwikkelen vanuit simpele basiscellen. De productie van schakelingen in het lab was het resultaat van het "programmeren" van chromosomen, die de kans kregen om in de loop van enkele maanden moleculaire weefselschakelingen te laten groeien. Dit weefsel had een gewicht van een paar gram en beschikte over voldoende dichtheid om de prestaties van een siliciumschakeling te overtreffen. Na vijfduizend mislukkingen wisten we een omvangrijke moleculaire schakeling te assembleren die als processor kon functioneren en in staat was onveranderd een aantal weken te "overleven" voordat hij desintegreerde – of stierf, in gewone taal.
De grote dag in de geschiedenis van de kunstmatige intelligentie lag globaal nog ongeveer tweehonderd jaar in de toekomst, als een op koolstof gebaseerde moleculaire weefselmatrixcomputer de prestaties van de meest geavanceerde silicium-halfgeleider-supercomputer zou overtreffen. Die dag stond bekend als "C>Si", chemische stenografie om aan te geven dat het element koolstof het element silicium zou overvleugelen. Over tweehonderd jaar pas, mijne heren... Maar in werkelijkheid heeft C>Si zich al zeven jaar geleden voorgedaan in het Nanoscale Technology Molecular Electronics Lab van DynaCorp in Denver, Colorado.'
Wang zweeg een moment en nam een slok. Krivak keek even naar Sergio, die aan Wangs lippen hing.

'Maar onze weefselmatrices waren te sterk gericht op C>Si. In feite werkten we aan een minikoolstofcomputer die als een domme siliciumcomputer moest functioneren. De volgende stap was de toepassing van onze nieuwe kennis van chromosoomconstructie voor de bouw van weefselschakelingen die veel sterker op hersenweefsel leken, compleet met neuronale synapsen en hersencelmatrices. Kortom, we begonnen met de ontwikkeling van hersenen – helemaal onder aan de ladder, bij het insectenbrein. Na drieduizend mislukkingen konden we aan een vogelbrein beginnen. En geloof me, dat is een ongelooflijk apparaat. Om te kunnen vliegen heb je een onvoorstelbare motorieke controle nodig. Een paar maanden later waren we al bij de hersenen van een kat; daarna een hond en ten slotte de lagere primaten. Naarmate de chromosomen meer op het menselijk genoom gingen lijken nam ook de rekencapaciteit van de weefselsystemen exponentieel toe. Je zou verwachten dat er een discussie bestond over de ethische aspecten van de toepassing van kunstmatige menselijke chromosomen voor de bouw van een schakelmatrix gemodelleerd naar de hersenen van de mens. Maar niemand wist daar iets van. Een deel van het werk was geheim en andere elementen waren zo complex dat de gemiddelde journalist het concept toch niet kon volgen. En we namen steeds grotere stappen. Slechts een jaar na C>Si slaagden we erin om een menselijk brein te construeren – achterstevoren. Toen dat was gelukt, richtten we ons op de dag dat op weefsels gebaseerde supercomputers de intelligentie van de individuele mens zouden overstijgen. Die dag werd aangeduid als AI>HI: "artificial intelligence" die "human intelligence" overtrof.
We waren zo dronken van het succes dat de eerste mislukking van onze nieuwe technologie behoorlijk hard aankwam. De levensduur van de op koolstof gebaseerde weefselcomputers begon terug te lopen, totdat zelfs de meest geavanceerde modellen, op basis van menselijke chromosomenreeksen, het nog maar een paar weken volhielden.'
'Wat was er dan gebeurd?' vroeg Victor Krivak.
'We liepen tegen dezelfde problemen op als God,' zei Wang, met een blik in zijn lege glas. Sergio trok een nieuwe fles open en schonk hem nog eens in. 'In het begin hadden de organische computers last van ziekten en infecties. We brachten ze onder in speciale steriele ruimten, maar dat ging ten koste van hun gebruiksvriendelijkheid. Wat heb je aan zo'n computer als je er een cleanroom in je huis voor moet bouwen? De oplossing was nogal primitief. De weefselmatrixprocessor van de computer zou in een soort ziekenhuiskamer op een centrale locatie worden geïnstalleerd en de gebruiker zou zich tevreden moeten stellen met een verbinding via zijn draadloze

handheld. Dat leek de enige oplossing totdat we meer medisch specialisten in het team hadden opgenomen om ons te helpen met kwesties van immunologie. Toen we het ziekteprobleem onder de knie hadden, bleken de overlevende apparaten gevoelig voor een ander soort aandoening – je zou het een psychose kunnen noemen.

De programmeurs van de koolstofcomputers ontdekten dat ze meer tijd besteedden aan lesgeven dan aan programmeren. Hoe intelligenter de apparaten, des te gecompliceerder het werd om ze les te geven. Psychologen, gespecialiseerd in kunstmatige intelligentie, die de interactie tussen de programmeurs en de koolstofcomputers en tussen de computers onderling bestudeerden kwamen tot de conclusie dat de apparaten zelfstandig gingen denken. En met dat bewustzijn kwam ook de bijbehorende bagage, emotionele pijn in allerlei vormen: eenzaamheid, verdriet, woede, machtshonger, weemoed, verveling. In de loop van het volgende jaar kregen de programmeurs meer de rol van vaders of leraren dan van technici.

Het ergste kwam toen de meest geavanceerde koolstofcomputers ouder werden. Anders dan hun silicium-neven, die op hetzelfde niveau bleven functioneren totdat ze verouderd raakten, ontwikkelden de nieuwste koolstofcomputers zich binnen één en hetzelfde apparaat. Ze vergrootten hun intellect en leerden hun schakelingen aan te passen, net zoals het menselijk brein dat doet in een leerproces. Maar de koolstofcomputers hielden ermee op als ze twee jaar oud waren. Dan leek alle ontwikkeling tot staan gekomen – als bij een siliciumcomputer die een fatale crash doormaakte. Het was een coma waaruit ze nooit meer bijkwamen, tot ze uiteindelijk stierven.'

'Waardoor kwam dat?' vroeg Krivak.

'De kritische peuterleeftijd,' antwoordde Wang. 'De koolstofcomputer ontwikkelde zich net als het brein van een klein kind. Door het programmeren en zijn eigen natuurlijke ontwikkeling kwam het apparaat op een punt waar het zich van zichzelf bewust werd, of misschien slechts besefte waar het eigen ik ophield en de buitenwereld begon. Maar met dat besef van zijn onafhankelijkheid kwam ook de erkenning van zijn machteloosheid. En dan begonnen de driftbuien, net als bij een peuter, alleen waren deze aanvallen veel destructiever. Je zou het een vorm van schizofrenie kunnen noemen. Wij kwamen tot de slotsom dat de computers te weinig werden gestimuleerd. Het enige wat hielp was ze speelgoed te geven – om mee te spelen of stuk te maken. Fysieke verschijningsvormen van zichzelf, die ze konden manipuleren.'

'Jullie gaven ze een lichaam,' begreep Krivak.

'Precies.' Wang knikte plechtig. 'We zetten ze op trekkers, in auto's en in robots, en gaven ze armen waarmee ze hun woede op een fysieke manier konden afreageren. De destructieve neiging bleef, maar nu ze de gelegenheid kregen om dingen kapot te maken gingen de apparaten verder met hun ontwikkeling, zonder in coma te raken. Als we ze die fysieke mogelijkheid onthielden, liepen ze vast.'
'En dat is het punt waarop we nu zijn?' vroeg Krivak.
'Nee, dat was vier jaar geleden. Maar de curve van onze vorderingen is wel sterk afgevlakt, ben ik bang. De technologie moet zich nu aanpassen aan de tijd die het elk afzonderlijk apparaat kost om te groeien, ervaring op te doen en te leren. Helaas blijken de koolstofcomputers, met een processor die vaag op ons eigen brein lijkt, hetzelfde tijdpad te volgen als wij. Ze ontwikkelen zich eerst van hulpeloosheid tot infantiel besef, en vervolgens tot een werkelijk bewustzijn op een leeftijd van twee jaar oud, waarna hun intelligentie in geometrisch tempo toeneemt. En dan is er nog een ander probleem, waar onze eigen Schepper ook mee zat.
Dat probleem is de variatie in zelfgeassembleerde chromosoomgestuurde koolstofprocessors. Die variatie betekent dat een groot aantal van de apparaten die wij produceerden gewoon... dom waren. Die verschillen in intelligentie bleken zo groot dat massaproductie onmogelijk was. Tegenover elk veelbelovend, intelligent apparaat stonden twintig domme, emotioneel labiele of zieke exemplaren. Het gebrek aan productiviteit was verbazingwekkend en na een jaar begonnen we te vrezen dat we nooit een apparaat zouden kunnen voortbrengen dat werkelijk betrouwbaar was binnen een militair systeem. Maar eindelijk hadden we één exemplaar dat alle obstakels overwon en zich vijf jaar lang zonder ernstige ongelukken bleef ontwikkelen. Nummer 2015-107, beter bekend als Een-Nul-Zeven, was onze grote trots, ons meest geavanceerde product. We weten nu dat de ontwikkeling van een geslaagd exemplaar alleen kan worden behouden door zijn weefselopbouw te dupliceren in de vorm van DNA-strengen, zijn eigen chromosomen. Helaas waren de zoons van Een-Nul-Zeven veel dommer. Nu we het licht hebben gezien, weten we dat we het DNA van een van onze geslaagde apparaten niet te veel generaties kunnen gebruiken voordat ze gebreken ontwikkelen en zich niet langer gedragen als de oorspronkelijke computer. Met andere woorden, we kunnen ze niet zomaar klonen. We moeten het DNA van een geslaagd exemplaar combineren met dat van een ander succesvol apparaat – een soort geslachtelijke voortplanting van koolstofprocessors. We volgen nu het leerproces dat God ook heeft doorgemaakt, zal ik maar zeggen. Zo staat het er nu voor. Nummer Een-Nul-

Zeven heeft een ontmoeting gehad met nummer Twee-Vier-Drie. Uit die verbintenis is nummer Twee-Zes-Zeven voortgekomen, en Twee-Zes-Zeven heeft zojuist de kritieke peuterleeftijd goed doorstaan. We konden Een-Nul-Zeven uit het lab vandaan halen en installeren in het eerste vaartuig dat was ingericht om volledig door een koolstofprocessor te worden bestuurd.'
'Jullie hebben dus een militair systeem in handen gegeven van een kind van vijf,' zei Krivak.
'Ja, maar wel een héél slim kind van vijf.' De drie mannen lachten en de rest van de lunch ging voorbij met algemene gesprekken. Toen Sergio's personeel met nieuwe hapjes was gekomen, richtte Krivak zich nog eens tot Wang.
'Dat militaire systeem,' vroeg hij, 'wat is dat eigenlijk?'
'Ze noemen het de *Snarc*,' zei Wang tussen een paar happen door. 'DynaCorp en de marine hebben die naam bedacht. Het is een samenstelling van Submarine Naval Automated Robotic Combat system, een onderzeeboot die wordt bestuurd door nummer Een-Nul-Zeven.'
'Is dat niet een beetje radicaal voor de Amerikaanse marine?' vroeg Krivak, terwijl hij zijn wijn proefde. 'Stel dat Een-Nul-Zeven instabiel raakt?'
'DynaCorp houdt het scherp in de gaten. Ze hebben op silicium gebaseerde geschiedenismodules aan boord, met een extra besturingssysteem dat de boot kan overnemen als Een-Nul-Zeven zou sterven. Bovendien brengt het siliciumsysteem ook verslag uit over de gezondheid van Een-Nul-Zeven. Steeds als de *Snarc* naar de oppervlakte komt, verstuurt het siliciumsysteem een gecomprimeerd bericht, dat ook de inhoud van de geschiedenismodule bevat.'
'Aangenomen dat de koolstofprocessor dat goedvindt,' zei Krivak.
'Ja,' knikte de wetenschapper.
'Dus het is onmogelijk om die *Snarc* van een afstand over te nemen.' Krivak klonk teleurgesteld.
'Inderdaad. Je kunt deze boot niet elektronisch kapen en de computer overnemen voor eigen gebruik. Ook dat is een voordeel van zo'n AI-besturing. Het was een van de argumenten die DynaCorp en de marine tegenover het Congres gebruikten om toestemming te krijgen het systeem in een marineschip in te bouwen. Er valt niet mee te knoeien.'
Sergio stond op. 'Heren, ik geloof dat we vandaag wel genoeg hebben besproken. Er moeten ook wat problemen overblijven voor morgen. Doctor, we hebben een suite voor u geboekt in het hotel, waar u kunt uitrusten. Of misschien wilt u nog wat genieten van het nachtleven van Bang-

kok? Morgenochtend spreken we elkaar weer.'
Toen Wang was vertrokken wierp Krivak een blik op Sergio, die uitdrukkingsloos uit het raam staarde.
'Wat vond je?' vroeg Krivak.
'Volgens mij hebben we een gouden greep gedaan,' zei Sergio, maar met een lichte aarzeling.
'Jammer van de *Snarc*. Ik had gehoopt dat we die boot zouden kunnen overnemen, net als een siliciumsysteem.'
'Ik maak me geen zorgen over de *Snarc*,' zei Sergio nadenkend.
'Nee? Over wie of wat dan wel?'
'Over Wang. Heb je naar hem gekeken toen hij over die computers sprak? Zijn ogen lichtten helemaal op. Die dingen zijn een soort kinderen van hem. Hij is blij met de kans om ze te manipuleren, bijna als een vader die graag het leven van zijn kind bepaalt, maar zodra we over de dood van zo'n computer zouden beginnen, zal hij niets meer met ons te maken willen hebben.'
Victor dacht een tijdje na. 'Dan moeten we dat voor hem verborgen houden.'

De Falcon vertrok uit Bangkok voor een lange reis. Eén keer landden ze om bij te tanken – in Zuid-Afrika, vermoedde Wang. Daarna stegen ze weer op, met de zon in de rug, en landden uiteindelijk in Sao Paulo, vierhonderd kilometer ten westen van Rio de Janeiro, in Brazilië. Een gehuurde limo bracht hen verder naar het westen, door een adembenemend landschap, tot ze ten slotte stopten bij de poort van een gevangenis.
'Wacht hier,' zei Krivak tegen Wang. 'Amorn, heb je het geld?'
'Ja, meneer, in de koffer. Stapeltjes van honderdduizend in briefjes van honderd Amerikaanse dollar. Twee miljoen in totaal.'
'Breng het maar mee. Het is mij te zwaar.'
Amorn volgde Krivak de gevangenis in. Wang vroeg zich af wat ze hier kwamen doen. Na een uurtje kwamen Krivak en Amorn terug zonder de koffer, maar gevolgd door een jongen van voor in de twintig, nog gekleed in zijn oranje gevangenispak en met een angstige uitdrukking op zijn gezicht. Verbaasd staarde hij naar de glimmende zwarte limo.
'Dr. Wang, dit is Pedro Meringe.'
'Meneer Meringe,' zei Wang.
'Zeg maar Pedro,' zei de jongen in vlekkeloos Engels.
De limo bracht hen naar een hotel in Serocaba, waar Krivak de jongeman de douche wees en hem schone kleren gaf. Hij leek nog altijd jong in het

dure Italiaanse pak. Amorn stapte met Pedro een restaurant binnen, terwijl Krivak tegen de gevel leunde en een sigaret opstak.
'Wie is die gevangene?'
'Je hebt echt geen idee, hè? Hij is de jongen die vorig jaar kerstmis de orbitale servers van het Pentagon wist stil te leggen. Er is een internationaal juridisch gevecht geleverd om hem aan de Verenigde Staten te laten uitleveren, maar Brazilië stond erop dat hij zijn straf in eigen land zou uitzitten.'
'En die twee miljoen? Borgtocht?'
'De komende twintig jaar zal hij keurig op het appèl verschijnen. Daarna zal de gevangenis iemand vrijlaten die precies op hem lijkt. Ondertussen werkt hij voor ons.'

11

De USS *John Paul Jones* zwoegde door zes meter hoge golven bij een windkracht van vijfenveertig knopen, met uitschieters naar vijfenvijftig. Hoewel het schip langer was dan de Sears Tower op zijn kant gelegd, met een waterverplaatsing van meer dan 120.000 ton – een van de grootste vliegkampschepen ooit gebouwd – was het vanaf meer dan vijfhonderd meter afstand nauwelijks meer te zien, omdat alle boordlichten waren gedoofd. Het vliegkampeskader voer langzaam in westzuidwestelijke richting over de Filipijnenzee, een dag varen vanaf de Celebeszee, ten zuiden van de Filipijnen, die weer op een dag afstand lag van de Straat van Malakka en de toegang tot de Indische Oceaan. De schepen van de task force lagen ver achter de horizon bij elkaar vandaan, buiten radarbereik. Daar zouden ze toch weinig aan hebben gehad, omdat alle oppervlakteradars volgens de instructies waren uitgeschakeld om te voorkomen dat de nadering van het eskader met elektronische middelen werd ontdekt. Helaas gold dat ook voor de luchtdoelradar, waardoor de groep kwetsbaar was voor luchtaanvallen, hoewel de nieuwe hogeresolutieradar- en thermal-imaging-surveillancesatellieten de schepen wel moesten waarschuwen voor vijandelijke vliegtuigen, aangenomen dat de e-mailverbinding via internet goed functioneerde en ze het bericht snel genoeg zouden kunnen verifiëren. De storm was een geschenk uit de hemel, omdat vliegoperaties in elk geval onmogelijk waren, niet alleen voor de *John Paul Jones*, maar ook voor de vijand.

Hoog boven het vliegdek van de *John Paul Jones* verhief zich het eiland. De hoogste verdieping die de hele breedte van dat eiland besloeg was de brug, voorzien van schuine ramen die uitzicht boden op het uitgestrekte dek en de omringende zee. In de ramen waren grote plexiglazen wielen verwerkt die met zeshonderd toeren per minuut ronddraaiden om het water van de

bijna horizontaal neerkletterende regen af te voeren, zodat de officieren een vrij uitzicht hielden. Maar zelfs het zicht door de wielen was niet helemaal helder. De atmosfeer rond de *John Paul Jones* bestond op dit moment meer uit water dan uit lucht. Het belangrijkste onderdeel van het brugdek was de besturingsconsole met het roer, de voortstuwing en de verbindingen. Daarvoor, aan weerskanten, lagen de radarposten, die nu donker waren.
Het vliegkampschip voer in het midden van een verspreide formatie, met de antionderzeebootjagers en de fregatten als voorhoede in een ASW-sector van vijftig tot honderd zeemijl voor de rest van het eskader uit. Daar ergens voeren vijf Aegis II-geleidewapenkruisers, tot de tanden toe bewapend met zware, supersonische Equalizer Mark IV-kruisraketten. Ze waren in het gezelschap van multipurpose jagers, de DD-21's, die met hun schone dekken aan de oude pantserschepen uit de Burgeroorlog deden denken, maar die benedendeks waren volgestouwd met batterijen raketten en torpedo's.
In de ogen van een buitenstaander leek het vliegkampeskader van de *John Paul Jones* een onoverwinnelijke task force, het meest indrukwekkende arsenaal van marinevuurkracht sinds de oorlog in de Oost-Chinese Zee, met in totaal twee miljoen ton aan oorlogsschepen, ploegend door de vijandelijke wateren. Maar in de ogen van de commandant van de vloot, vice-admiraal Egon 'de Viking' Ericcson, mankeerde er nogal wat aan. De achilleshiel van het eskader was de kwetsbaarheid voor vijandelijke onderzeeërs.
Ver achter de horizon in het westen was de kernonderzeeboot *Leopard* naar periscoopdiepte gekomen om een kort situatierapport te versturen aan de task force van Egon Ericcson. De admiraal werd in de loop van de nacht uit bed gehaald om het bericht van de *Leopard* te lezen.
'Ik sliep helemaal niet, verdomme,' gromde hij schor tegen de boodschapper van de wacht.
Met die woorden hees hij zich overeind in zijn kooi. Hij haalde een verse Partagas-sigaar uit de humidor en stak hem op in zijn schemerige hut, enkel verlicht door zijn bureaulamp. Toen gaf hij de computer aan de boodschapper terug en beval hem het bericht door te geven aan de commandant van het schip en de operatiesofficier van het eskader. Te gespannen om nog te kunnen slapen, verhief Ericcson zich tot zijn volle lengte van een meter vijfennegentig en trok zijn kakiuniform aan. Op zijn linker borstzak prijkten acht rijen lintjes, met de gouden wings van een jachtvlieger. Daaronder droeg hij zijn speld van de oppervlaktevloot en zijn gouden embleem van het vlootcommando: een omlaag wijzende dolk tegen de achtergrond van een vloedgolf. Hij streek met zijn hand door zijn kortgeknipte, platinablonde haar, terwijl de frons op zijn gezicht werd

gespleten door een luide geeuw. Ericcson hoestte en nam zich voor de zoveelste keer heilig voor om nog deze reis met roken te stoppen. Hij werd maar zelden op zee gezien zonder een sigaar in zijn vuist, zelfs in rookvrije ruimten, waar hij zich beperkte tot het kauwen op zijn gedoofde stinkstok. Ook op de brug van het vliegkampschip was roken verboden, om storingen aan de gevoelige elektronica van de geavanceerde radarsystemen te voorkomen. De Viking vond dat zwaar overdreven van die elektronica en trok zich er niets van aan.
Hij nam drie sigaren mee naar de brug, waar hij besloot de rest van de nacht door te brengen, rokend in zijn commandostoel. Eén op de drie nachten was hij daar te vinden. De nicotine en de last van het vlootcommando maakten hem slapeloos. Het dek helde steil toen het schip een golf beklom en met een misselijkmakende beweging naar het golfdal dook, terwijl het tegelijkertijd ver naar bakboord rolde, en terug naar stuurboord. Met een soort schroefbeweging boorde het zich door de hoge golven. Ericcson stak nog een sigaar op, blies een wolk van gele rook voor zich uit en luisterde naar de muziek van het water tegen de ruiten, het huilen van de wind in de stagen, de gefluisterde gesprekken op de brug en het janken van de high-speed gyro's. De Viking pafte met halfgesloten ogen aan zijn Partagas en deinde mee met het dek, terwijl een diepe tevredenheid zich van hem meester maakte. Hij had zijn vloot om zich heen en voer de oorlog tegemoet op een schip dat was genoemd naar John Paul Jones, de grootste Amerikaanse marineofficier uit de geschiedenis.
Ericcson rookte zijn sigaar en dacht voor de zoveelste keer terug aan de briefing in Pattons ondergrondse bunker.
'We zijn al laat, en ik heb orders voor jullie allebei. Ik begin met jou, Vic, omdat jij met het vliegtuig naar Pearl Harbor moet voordat iemand je mist. De komende zes dagen ben je bezig met het inladen van munitie en de verspreiding van het gerucht dat er een aantal snelle, onverwachte oefeningen op stapel staat. Dat is het moeilijkste onderdeel: je schepen gereedmaken zonder dat iemand het vermoeden krijgt dat het om een daadwerkelijke oorlogsoperatie gaat. Schrap voorlopig al het groot onderhoud en stuur de werfarbeiders van boord. Verzin maar een excuus: een inspectie van de parate status, of een controle op administratie en procedures, wat dan ook. Komende zaterdagavond hou je een van die grote feesten waarvoor iedereen is uitgenodigd. Zorg ervoor dat ze ook komen, alle commandanten en hoogste officieren van je vloot, met vrouwen of vriendinnen, mannen of vrienden. Open de bar, maar laat de obers niet te snel schenken. Vroeg in de avond verzamel je alle commandanten en XO's in het souterrain, zet wat

muziek op en geef hun allemaal een van deze palmtops, plus een reserve-exemplaar. Daarna hou je een briefing. Vertel hun over de problemen met India en Rood-China, maar spreek met geen woord over de vijandelijke overname van ons netwerk. Zeg maar dat we een oefening houden om te zien wat er zou gebeuren als we het netwerk zouden gebruiken voor desinformatie. Vervolgens stuur je de hele vloot naar zee, opnieuw zogenaamd als oefening. Maar rustig. Een paar schepen tegelijk. Laat ze uitvaren per sector, dus eerst de jagers, dan de fregatten, dan de kruisers, zodat het geen samenhangende task force lijkt. Niemand mag weten dat de hele vloot vertrekt. Het moet een volledige verrassing zijn voor de mannen. Je hebt twee weken de tijd. Over veertien dagen is de vloot van NavForcePac met volle kracht onderweg naar de Indische Oceaan, volledig bewapend en bevoorraad voor een lange reis. Maar er mag niets uitlekken – niet via de satellieten, niet via hoertjes op de kade, niet via familie. Geen woord! Het wordt gewoon een oefening in de Pacific, om te zien of ons speelgoed nog goed werkt. Dat is alles. "Volgende week dinsdag zijn we weer terug, schat, dus haal wat lekkers in huis en stuur de kinderen vroeg naar bed." Duidelijk?'
'Jawel, admiraal.'
'Vic, je schepen varen niet in formatie. Ze liggen allemaal ver van elkaar achter de horizon, zodat de spionagesatellieten er steeds maar één tegelijk ontdekken. Ondertussen mobiliseer ik de mottenballenvloot onder robotcontrole, met behulp van de elektronica van de NSA in plaats van ons eigen netwerk. Die schepen voeren een afleidingsmanoeuvre uit door alle kanten op te varen, zodat de satellieten zullen denken dat het een oefening is. Ondertussen volgen jullie een zigzagkoers, om te voorkomen dat jullie op spionagefoto's steeds dezelfde kant op varen.'
'Maar een satelliet ziet toch wel het globale beeld dat de hele groep onderweg is naar de Indiase Oceaan.'
'Daar is niets aan te doen. Het blijven oppervlakteschepen; ze zullen nooit zo onzichtbaar zijn als de boten van McKee. Maar de oceaan is groot. Meer heb ik je voorlopig niet te zeggen, Vic. Ga terug naar Pearl Harbor. Boven staat een jumbojet voor je klaar. Vertrek voordat het licht wordt, zodat je alweer op de golfbaan staat voordat de Roden of de Indiërs in de gaten krijgen dat je verdwenen was.'
Ericcson was opgestaan. De briefing was voorbij.
'Goede jacht, kerel,' zei Patton. 'Je hebt het twijfelachtige voordeel dat je de doelwitten voor het uitkiezen hebt.'
'O, nog één ding,' zei Ericcson. 'Laat die "degradatie" nog maar even zitten. Als ik toch de sores heb van de functie, geef me er de titel dan ook

maar bij. Deze missie wordt al zwaar genoeg.'
De sigaar was geslonken tot een natte peuk. Ericcson stak er nog een op en verdiepte zich in de actuele situatie. Hij keek op zijn horloge, tuurde naar de wijzerplaat. Na een snelle blik over de vaag verlichte brug, om zich ervan te vergewissen dat er niemand keek, haalde hij stiekem een leesbrilletje zonder montuur uit zijn borstzak en zette het op zijn neus. Op zijn Rolex was het 11.50 uur plaatselijke tijd, 17.50 uur GMT of 12.50 uur aan de Amerikaanse oostkust. Haastig borg hij zijn leesbril weer op en riep de wachtofficier.
'Vraag de operatiesofficier en de commandant om over tien minuten naar de Flag Plot te komen,' zei hij.
'Aye aye, admiraal.'
Tien minuten later was de Partagas half opgerookt en verliet Ericcson de brug via de ladder, langs het vluchtcentrum naar de Flag Plot, een ruimte ter breedte van het hele eiland, vol met displays van land- en zeekaarten. De tafel in het midden was een reliëfkaart van de hele Indische Oceaan. Aan de bakboordzijde lag de overgang tussen de Golf van Aden en de Arabische Zee, met de Rode Zee en, nog noordelijker, het Suezkanaal. Een vlaggetje gaf de positie aan van de Britse marine die in het oosten van de Middellandse Zee op weg was naar het Suezkanaal. In de vroege morgen, Eastern Europe Time, zou de Royal Navy het kanaal bereiken. Bij een snelheid van vijfendertig knopen zou de Britse vloot vijftig uur later de Arabische Zee moeten binnenvaren, maar Ericcson telde er acht uur bij op wegens de snelheidsbeperkingen aan de ingang van het kanaal. Dat betekende dat de Britten over tweeënzestig uur het strijdtoneel zouden hebben bereikt.
De Viking liet net een passer over de kaart wandelen om de afstand te meten vanaf hun positie naar de Straat van Malakka toen hij de kapitein-ter-zee Casper Hendricks en Dennis Pulaski achter zich zag staan. Hendricks was afgestudeerd aan Harvard, een lelijke officier met een lange, scherpe neus, ogen die te dicht bij elkaar stonden, dunne lippen en een slappe kin. Hij was lang, mager en onhandig, en hij had enkele bijzonder onaangename karaktertrekjes, maar de man was ook scherp en besluitvaardig in tactische situaties, wat soms tot heftige discussies leidde. De admiraal hield wel van een stevig debat met de commandant van het schip, maar Hendricks had een hekel aan stemverheffing. Ericcson had in een haven willen stoppen om de man dronken te voeren en een hoertje voor hem te regelen, in de hoop dat hij wat van zijn frustraties kwijt zou raken, maar het was er niet van gekomen tijdens de snelle reis vanuit Pearl Harbor.

Kapitein-ter-zee Pulaski, de operatiesofficier van het eskader en Ericcsons waarnemend chef-staf, leek in alle opzichten Hendricks' tegendeel. Pulaski was klein en gedrongen, met stevige armen en benen, een enorme borstkas en een kale kop. Zijn pokdalige gezicht vertoonde de sporen van vier jaar als amateur-bokser aan de Academie en zijn vuisten maakten de indruk dat ze zonder hamer een spijker in de muur konden slaan. Hij sprak met een duidelijk Chicago-accent, hard en agressief. Maar al leek hij een gorilla, achter dat uiterlijk school een tactisch inzicht dat net zo scherp was als dat van Hendricks of Ericcson zelf. In tegenstelling tot de commandant hield Pulaski juist wel van een robbertje tactisch worstelen met de Viking, waarbij hij soms nog kleurrijker taal uitsloeg dan Ericcson. Bij hun laatste tactische sessie was Pulaski enigszins over de schreef gegaan door te brullen: 'Godverdomme, dat meen je toch niet, Viking? Mijn dochter op de kleuterschool zou die vloot nog beter kunnen organiseren!' Opeens was het doodstil geworden in de Flag Plot. Hendricks trok wit weg en Ericcson verhief zich tot zijn volle lengte, met een gezicht dat op onweer stond, totdat hij in lachen uitbarstte en Pulaski op zijn schouder sloeg. Hendricks keek alsof hij de dag zou prijzen waarop beide officieren eindelijk van zijn schip verdwenen zouden zijn.
'Morgen, heren,' begon Ericcson. 'Neem een kop koffie en kijk eens naar de kaart. We hebben ernstige problemen.'
'Dezelfde problemen als gisteravond, admiraal,' zei Pulaski, terwijl hij koffie inschonk en zich in zijn ogen wreef. De operatiesofficier maakte een vermoeide, verfomfaaide indruk.
'Precies,' beaamde Hendricks met zijn beschaafde accent.
'Alleen heb ik nu een idee gekregen – zo'n ingeving midden in de nacht, waarvoor ze je later kunnen ontslaan. Bekijk het eens zo...' De Viking priemde met een vinger naar het vlaggetje dat hun eigen positie aangaf in de Filipijnenzee. 'Dit zijn wij.' Toen wees hij naar het vlaggetje bij het Suezkanaal. 'En dat is de Royal Navy.' Aan de rand van de kaart, waar de Oost-Chinese Zee eindigde en de Zuid-Chinese Zee begon, niet ver van het eiland Taiwan, plaatste de admiraal een rood vlaggetje, in de Zuid-Chinese Zee tussen Taiwan en de Filipijnen. 'Hier hebben we het eerste eskader van de Rood-Chinese Noordelijke Vloot, die opstoomt met een snelheid van vijfendertig knopen.'
Ericcson liet zijn kin in zijn handen rusten terwijl hij nadacht. 'Hoor eens, die Britse vloot komt hier veel te vroeg aan. We kunnen ze hier niet toelaten. Dus moeten we ze aanvallen op het moment dat ze uit de Golf van Aden komen, of misschien zodra ze de Rode Zee verlaten en de Golf van

Aden binnenvaren, hier bij de flessenhals.'
'Dan mogen we wel om een wonder bidden, admiraal,' zei Hendricks. 'Onze onderzeeërs vanaf de oostkust hebben nog minstens zes dagen nodig. Bovendien staan die niet rechtstreeks onder ons operationele gezag. Ze vallen nog altijd onder McKee.'
'Daar gaat het niet om,' zei de Viking. 'Kijk eens naar de kaart. Wat zie je dan?'
Pulaski wees naar het Suezkanaal. 'Als we de Royal Navy zes dagen bij Suez tegenhouden, zouden we een hinderlaag kunnen leggen zodra ze uit de Golf komen.'
'Juist,' zei de Viking, terwijl hij een nieuwe sigaar opstak. 'Dus blokkeren we het Suezkanaal.'
'Maar hoe wilt u dat doen, admiraal? We kunnen er niet zomaar een bom op gooien.' Hendricks keek alsof hij net in een citroen gebeten had.
'Ik heb actuele satellietgegevens nodig over de situatie in het Suezkanaal. En snel.'

De *Nung Yahtsu* sneed door de duisternis en de kou op een kieldiepte van driehonderd meter en een koers van een-negen-nul magnetisch.
In de buik van de boot, de commandocentrale onder de vin op het bovendek, had een aantal officieren en manschappen de wacht in de rode schemering van de plafondlichten, de navigatieplot en de displays van de besturingsconsole. De stilte in de centrale werd slechts verbroken door het diepe gezoem van de klimaatregeling, begeleid door de muziek van de jankende vuurleidingsconsoles aan bakboord. Het midden van de ruimte werd in beslag genomen door een verhoogd platform met een gladde roestvrijstalen reling, het zogenaamde 'commandodek', waar de console en de stoel van de commandant waren gemonteerd, met de dubbele periscoop. Achter het commandodek stonden twee navigatietafels, waarvan een in het donker. De vlakke elektronische display stond in verbinding met de vuurleidingscomputer en toonde een klein gedeelte van de zee om hen heen. De andere plottafel werd verlicht door een zwakke rode lamp. De display keek neer op de aarde van hoog uit de lucht. Dat leverde een beeld op van de Oost-Chinese Zee bij de zuidelijke toegangsroute naar de Straat van Formosa. In het midden van de plot gloeide een rood stipje op dat hun positie markeerde. Achter hen, twintig zeemijl naar het noorden, was een groene stip te zien: de vloot van het Rood-Chinese eerste eskader, op weg naar het zuiden voor de lange reis naar de Indische Oceaan op deze missie van vergelding.

De lange, magere gestalte van Lien Hua, commandant van de *Nung Yahtsu*, stond over de plottafel gebogen. Diep in gedachten bestudeerde hij de elektronische kaart. Hij liet zijn passer langs de route van de boot wandelen om de afstand en tijd tot hun aankomst in de Zuid-Chinese Zee te berekenen, en vandaar rond het Indonesische eiland Sumatra naar de Straat van Malakka, de toegang tot de Indische Oceaan en de Golf van Bengalen, ten zuidoosten van de Hindoerepubliek India. Het noordelijkste puntje van de Straat van Malakka was aangegeven met een kromme stippellijn, die aangaf waar de zware Chinese plasmakruisraketten eindelijk binnen bereik van hun Indiase doelen zouden komen. Wat Lien Hua betrof kon dat niet snel genoeg zijn.
Hij keek op naar de chronometer aan het schot boven de kabels van de besturingsconsole. Het koperen instrument – zijn cadeau aan de boot – was afkomstig van een Brits zeilschip uit de Opiumoorlog van 1839, volgens de tijdrekening van de barbaren. Lien Bao, de overgrootvader van Liens overgrootvader, was gesneuveld in dat driejarige conflict waarin Engeland uiteindelijk Hong Kong had veroverd. Niet lang daarna hadden die Britse honden ook Burma uit de borst van China gestolen, terwijl de Russen Mantsjoerije innamen – een schending van het eerste Chinese verdrag met een Europese mogendheid – en de Fransen Indochina hadden geroofd uit het rijk van de dynastie. Als hyena's hadden ze zich te goed gedaan aan het Chinese grondgebied.
Van de wereldpolitiek gingen zijn gedachten naar zijn vrouw en hun meisjes, de tweeling. Po, zijn vrouw, was heel tenger. De artsen hadden nooit verwacht dat ze een tweeling zou kunnen krijgen. Tweelingen waren een probleem in China, waar gezinnen maar één kind mochten krijgen. Daarom werden tweelingen in het algemeen uit elkaar gehaald. Maar zonder dat Lien iets tegen hem had gezegd had zijn chef, admiraal Chu Hua-Feng, de generale staf van het Volksbevrijdingsleger ingeschakeld, die met de burgerlijke autoriteiten had gesproken, met als uitkomst dat Lien en Po de beide meisjes hadden mogen houden. Dat nieuws kwam op hetzelfde moment waarop het definitieve ontwerp van de Julang-klasse was afgerond. Chu had Lien het commando gegeven over de eerste boot uit die klasse. De goden leken hem goed gezind. Hij had zijn geloof gevonden in de levenskracht van het heelal en in het pad dat hij tot dan toe had gevolgd – de curve van het leven die hem uiteindelijk in de positie zou brengen om wraak te nemen op de vlooteenheden van het Westen. Zijn liefde voor zijn land en zijn haat tegen China's vijanden waren als twee slangen die zich in zijn boezem hadden verstrengeld.

Weer keek hij op de chronometer. Het liep tegen middernacht, Beijingtijd. Lien pakte een telefoon en belde de hut van de eerste officier. Zhou Ping nam slaperig op.
'Draag het commando over aan de wachtofficier,' beval Lien Hua. 'Ik trek me nu terug. Wek me aan het begin van de tweede wacht.'
'Jawel, commandant. Hebt u verder nog orders?'
'Alleen de standaardorders voor deze missie: de vijand opsporen en vermorzelen tot hij sterft, kermend van pijn.'

Admiraal Kelly McKee liep langzaam de pier af, druk in gesprek met zijn chef-staf, Karen Petri. Ondanks hun aanvankelijke behoedzaamheid, in de wetenschap dat ze in de gaten werden gehouden, was McKee vandaag gearriveerd in zijn dienstauto, compleet met vlaggetjes op de bumpers. Wie de spionnen ook waren, ze moesten nu toch al weten dat er iets aan de hand was, omdat alle onderzeeërs, behalve de *Hammerhead*, uit Norfolk waren vertrokken. De basis lag er eenzaam en verlaten bij.
McKee had de chauffeur opgedragen hen bij de poort af te zetten, in plaats van door te rijden naar de aanlegplaats van de USS *Hammerhead*. McKee wilde de boot eerst van een afstand zien opdoemen. Hij moest eerlijk toegeven dat hij was gaan houden van die verzameling versterkt staal, uranium en elektronica waaruit de eerste boot van de Virginia-klasse bestond. Hij zou nooit het moment vergeten waarop hij haar voor het eerst had gezien, de dag waarop hij haar had omgedoopt tot *Hammerhead*, als eerbetoon aan de onderzeeboot van zijn overgrootvader uit de Tweede Wereldoorlog en de boot uit de Piranha-klasse waarop zijn vader in de Koude Oorlog had gevaren. Op een foto in McKees studeerkamer thuis waren de vier generaties McKee te zien op het dek van een vissersboot, waar de vier jaar oude Kelly trots de kaken openhield van een hamerhaai die ze hadden gevangen, met op de achtergrond de lachende gezichten van de ouderen. Toen Patton hem had gevraagd met deze boot naar zee te gaan – hoewel ze nog niet volledig was afgebouwd – had McKee maar één voorwaarde gesteld: dat de naam zou worden veranderd. Een beetje mopperend was admiraal Patton akkoord gegaan.
En hier lag ze nu, een van zijn eigen boten. Maar McKees dagen als commandant waren voorbij. Dat besef deed nog elke dag een beetje pijn. De enige die dat misschien zou kunnen begrijpen was een ex-astronaut die ooit op de maan – een andere wereld – had gewandeld en daardoor voorgoed was veranderd. Wie dat verloor, raakte ook iets kwijt van zijn identiteit, en zelfs zijn functie als vlagofficier, op de jeugdige leeftijd van drieën-

veertig, zou nooit kunnen tippen aan de spanning van het commando over een SSN. Toen het moment kwam om zijn 'vlaggenschip' aan te wijzen voor de komende oorlog, werd hij verscheurd door tegenstrijdige gevoelens. Zijn verstand zei hem dat hij een van de minder effectieve boten moest kiezen, zodat de voorhoede niet zou worden beroofd van een eerstelijnssub en de commandant nog iets zou kunnen leren van de ervaring van de admiraal. Maar dit was geen oefening om de kwaliteit van zijn mensen bij te schaven. En eerlijk gezegd waren er ook geen slechte boten bij. Het waren allemaal topfitte SSN's, zonder een duidelijke kandidaat voor de rol van vlaggenschip. Dus had McKee de boot gekozen die nog elke nacht in zijn dromen voorkwam, de boot uit zijn verleden.

Toen hij dichterbij kwam, deed het hem bijna pijn om haar adembenemende slanke lijnen te zien, als het gezicht van een dierbare ex-vriendin. Hij bleef op vijftig meter afstand staan kijken, terwijl het verleden voor zijn ogen tot leven kwam. Hij probeerde die gevoelens van zich af te zetten en zichzelf te dwingen de boot als een machine te zien. Het eenvoudige, vlakke roer stak uit het zwarte water van de haven omhoog. Wat verder naar voren liep de romp glooiend omhoog vanaf het punt waar het luik van de achterste luchtsluis nu openstond, met een elektrotechnicus ernaast, die toezicht hield terwijl de stroomkabel vanaf de wal door een kraan langzaam werd ingehaald, zoals de stuwstofleiding van een raket naar de toren terugdraaide, vlak voor de lancering. Vanaf de luchtsluis vormde de romp een perfecte cilinder, met een ronde, glanzend zwarte rug en een huid als van een haai, om de wrijving zo gering mogelijk te maken en vijandelijke sonarpings te absorberen. Dertig meter naar voren verhief de hoge commandotoren zich strak vanuit de romp, niet meer dan een eenvoudige vin, voor en achter verticaal maar in doorsnee druppelvormig. Drie masten staken uit de toren omhoog, elk voorzien van een gemoffelde, donkergrijs gespoten spoiler. McKee zag de roestvrijstalen reling van de flying bridge boven de kuip met het plexiglasscherm. Voor de commandotoren was het geopende luik van de voorste luchtsluis te zien, en nog wat verder begon de welving van de kogelvormige neus, naar het water toe. Geen twijfel mogelijk, dacht McKee: ze was een schoonheid.

'Admiraal?' vroeg een zware stem, die van ver weg leek te komen. McKee probeerde zich weer op het heden te concentreren en zag de stoere, atletische gestalte van kapitein-luitenant-ter-zee Kiethan Judison voor zich staan, keurig in de houding, met zijn hand aan zijn pet in een strak saluut. Judisons eigenaardigheden waren zijn te luide stem, zijn woeste haardos en zijn worsteling met zijn gewicht. Maar de vetrolletjes leken verdwenen, zijn

haar was kortgeknipt en het enige dat nog restte was die misthoorn van een stem. McKee sprong in de houding en beantwoordde het saluut. Toen grijnsde hij breed naar zijn voormalige navigator, die nu commandant was van de boot.
'Kiethan,' zei McKee. 'Geweldig om je weer te zien, en bij voorbaat mijn verontschuldigingen omdat ik je voor de voeten kom lopen. Je weet hoe ik zelf als commandant de pest had aan een vlagofficier aan boord.'
'Ik weet het, admiraal,' zei de commandant van de *Hammerhead*, 'maar dit is anders – nu bent ú het. En de gevaarlijkste onderzeeër van de hele vloot is daarmee nóg gevaarlijker geworden. Welkom aan boord, admiraal. En leuk u weer te zien, mevrouw,' zei Judison tegen zijn voormalige eerste officier. Karen Petri glimlachte naar hem en beantwoordde zijn saluut. 'Wilt u een rondleiding?'
'Dat zou ik op prijs stellen, overste,' zei McKee. Hij keek op zijn horloge en maakte een grimas. 'Maar we moeten weg. Ik maak wel een wandeling met je als we vertrokken zijn.'
Judison grinnikte. 'Nou, dan gaan we maar.'
Toen de wachtpost aan dek hun komst had aangekondigd, riep Judison omhoog naar de brug: 'Wachtofficier, loopplank innemen!'
De loopplank verhief zich geruisloos van het dek en trok zich terug in de stellage op de pier. Alleen de lijnen hielden de *Hammerhead* nog aan de kade. De drie officieren lieten zich langs de ladder van de voorste luchtsluis zakken en McKee glimlachte toen hij de geur van de boot opsnoof. De scherpe elektrische lucht, de heldere fluorescerende lichten, het grommen van de ventilatie en het janken van het inerte navigatiesysteem gaven hem meteen weer het gevoel dat hij thuis was. Judison nam hen mee naar de vip-hut, waar hun tassen al op hun bedden – couchettes als van een slaaptrein – waren gestouwd.
'Neem rustig de tijd om u te installeren. Ik zie u straks op de brug,' zei Judison, en hij deed de deur achter zich dicht.
Karen Petri keek op naar McKee, zag dat hij naar haar stond te staren en lachte wat verlegen. 'Niet veel privacy hier, Kelly.'
'Is dat een probleem?' vroeg hij.
'Nee. Ik vind het wel gezellig. Maar ik dacht dat jij het misschien ongemakkelijk zou vinden.'
McKee lachte. 'Ik ben blij dat je er bent.'
'Ik ook,' zei ze zacht.
Er werd op de deur geklopt en meteen draaide ze zich om en begon haar tas uit te pakken.

'Ja?' zei McKee.
'Admiraal, de commandant laat u groeten en vraagt u naar de brug te komen. De boot gaat vertrekken.'
'Na u, kolonel Petri,' zei McKee. Hij glimlachte toen hij door de tunnel omhoogklom naar de flying bridge, hoog op de commandotoren. Hij had een goed gevoel over deze missie toen hij het puntje van een Cohiba afsneed met een gegraveerd knippertje dat hij van de bemanning van de oude *Devilfish* had gekregen en zichzelf vuur gaf met een *Hammerhead*-aansteker. Terwijl zijn Cohiba aangloeide, deelde hij sigaren rond aan commandant Judison en de twee jonge officieren in de kuip beneden hen. Tevreden nam hij een trek, voor het eerst sinds maanden weer gelukkig toen het land achter hen wegviel en de boeien van het Thimble Shoal Channel aan weerskanten voorbijgleden.
Nadat ze het verkeersknooppunt van Port Norfolk waren gepasseerd en naar het zuidoosten waren afgebogen daalde hij weer af, samen met Judison en Petri. Hij trok een werkuniform aan – met het embleem van de SSNX-1, de *Devilfish*, nog op de mouwen – en voegde zich bij Judison in de longroom voor een blik op de kaarten van het operatiegebied en de radioberichten van de boten van de task force die inmiddels al waren gedoken, op weg naar Kaap de Goede Hoop, Zuid-Afrika, voor het laatste traject naar de Indische Oceaan. Na een reis van anderhalve week zouden ze het strijdtoneel bereiken. Hun eerste missie was de schepen en onderzeeërs van de Royal Navy zo dicht mogelijk te naderen. Daarna moesten ze alles tot zinken brengen wat nog op de Indische Oceaan ronddobberde na de strijd van admiraal Ericcson tegen de Rood-Chinezen.
Hij schonk zichzelf een kop sterke koffie in en boog zich met Judison en Petri over de kaart. Onder hun voeten trilde het dek toen de motoren naar vol vermogen werden geschakeld en de boot begon te rollen en stampen op de golven van de Atlantische Oceaan. McKee grijnsde, terug in zijn element.

Honderdvijftig zeemijl ten noordnoordoosten van de *Nung Yahtsu* was de Amerikaanse nucleaire snelle-aanvalsonderzeeboot *Leopard* op volle kracht onderweg naar zijn doel, diep onder de golven. De naald van de reactorinstallatie stond strak op maximaal.
De propulsor sloeg door het water met 240 toeren per minuut. De dampende machinekamer jankte onder de kracht van de hoofdmotoren en de twee turbinegeneratoren die de reusachtige circulatiepompen van de reactor bedienden. De boot sneed als een mes door het water, met een snelheid

van meer dan vijftig knopen, bijna snel genoeg om een conventionele torpedo voor te blijven. Met trillende dekken stormde de *Leopard* naar het zuiden om het Chinese eskader te onderscheppen.

Toen de motoren naar vol vermogen waren geschakeld, vielen er boeken van boekenplanken, kopjes uit keukenkasten, en dansten alle losse voorwerpen van de tafels af. Het leek niet zozeer op een ritje met een pickuptruck over een hobbelige landweg, maar meer op zo'n ouderwets fitnessapparaat met een trilband die je spieren moest verstevigen. Zelfs je tanden trilden mee. De psychologen waren bang geweest dat dit tot vermoeidheid bij de bemanning zou leiden, maar het omgekeerde was waar. Het herinnerde iedereen er juist aan dat ze op weg waren naar hun doel.

Commandant Dixon kwam de commandocentrale binnen en bekeek de kaart. 'Wanneer kunnen we snelheid terugnemen?'

'Over een uur, commandant,' antwoordde luitenant Kingman, de assistent schadebestrijding en de rechterhand van de chef machinekamer.

De *Leopard* volgde een zuidelijke koers, parallel aan de route van het Chinese eskader, maar vijftig mijl oostelijker. De Chinezen konden hen niet zien of horen, maar de eigen sonar van de *Leopard* had ook de grootste moeite om het vijandelijke konvooi op te pikken. De boot was naar periscoopdiepte geroepen om een e-mail met de laatste gegevens te ontvangen en zelf een situatierapport te versturen. Op dat moment had de boot nog maar een snelheid van zes knopen, waardoor het Rood-Chinese konvooi achter de horizon was verdwenen. Vandaar dat de *Leopard* nu alle zeilen bijzette om de vlootgroep weer in te halen. Gelukkig hoefden ze voorlopig niet meer naar periscoopdiepte te komen. Sinds ze op volle kracht voeren minderde de boot elke negentig minuten snelheid tot tien knopen en voerde een zigzagmanoeuvre uit om het passieve sonarsysteem en de hoofdcomputer de kans te geven de positie en koers van het vijandelijke konvooi te peilen. Zodra die gegevens waren berekend voerde de *Leopard* de snelheid weer op naar volle kracht. Die hink-stap-sprongtactiek zou worden volgehouden totdat de boot vijftig zeemijl vóór de vijandelijke vloot lag. Daar moesten ze op periscoopdiepte blijven wachten terwijl de Chinezen recht op hen afkwamen. Vlak voordat de grote oppervlakteschepen de *Leopard* hadden bereikt zouden ze door de torpedo's van de onderzeeboot worden getroffen.

'Torpedoruim gereed?' vroeg Dixon.

'Het lijkt wel de Academie op de avond voor de laatste examens, aan het begin van het kerstverlof,' antwoordde Kingman. 'Iedereen is nerveus, maar ook blij en opgewonden, commandant.'

'Blijf zoeken naar Chinese onderzeeërs, wachtofficier. Volgens onze inlichtingen wordt het eskader geëscorteerd door een boot uit de Julang-klasse, maar we hebben geen idee hoe die klinkt.'
'Jawel, commandant. De transient-processors staan ingesteld en we zoeken alle logische frequenties af, maar tot nu toe horen we alleen de oppervlakteschepen.'
'Het eskader is de hooiberg. Nu moeten we de naald nog vinden.'
'We doen ons best, commandant, maar dat valt niet mee, op volle snelheid. We worden gehinderd door onze eigen signaal-ruisverhouding.'
'We blijven op een parallelle koers met het eskader tot we honderd mijl ten zuiden van ze liggen. Daarna maken we een rechte hoek voor een onderscheppingskoers. Op volle kracht kost ons dat maar een uur. Daarna minderen we snelheid tot vier knopen en blijven daar rondcirkelen. De Chinezen zijn dan nog vijfenzestig zeemijl ten noorden van ons. Dat is twee uur varen. In die twee uur houden we ons muisstil en wachten op hun komst. De kans is groot dat hun escorterende onderzeeër zo'n twintig tot dertig mijl voor hen uit vaart en met volle kracht op ons afkomt. Dus zullen we hem het eerst tegenkomen.'
'Vuren we dan meteen?'
'Nee. We laten hem passeren, maar houden hem in de gaten. Als we schieten en missen, zal hij het konvooi waarschuwen en zullen de schepen zich verspreiden. Dan glippen ze ons door de vingers. We vallen eerst het eskader aan, en de rest van onze wapens gebruiken we voor die SSN uit de Julang-klasse. Daarna leggen we onze voeten op tafel en roken een sigaartje.'
'Een heel goed plan, commandant,' vond Kingman. 'Blij dat ik het heb bedacht.'
'Bereken de onderscheppingstijd nog eens en roep de navigator om de nieuwe koers te controleren. De XO geeft de bemanning een briefing in de mess. Om nul-driehonderd stellen we de gevechtswacht in.'

Kapitein-ter-zee Dennis Pulaski richtte zich op van de console waar hij overheen gebogen stond. Het satellietbeeld verscheen op een twee meter hoge display tegen de wand, wonderbaarlijk scherp dankzij het hoge-resolutiescherm.
Admiraal Ericcson wikkelde langzaam het cellofaan van een verse sigaar terwijl hij de display bestudeerde.
'Het is redelijk mooi weer,' zei hij. 'En het Suezkanaal is druk vandaag.'
'Dat is het elke dag, admiraal,' zei Pulaski. 'Er liggen nog twintig tankers

te wachten om te worden toegelaten vanaf de Middellandse Zee. Aan de kant van de Rode Zee is het wat stiller, maar niet veel. Het kanaal zelf ligt stampvol met grote en kleine tankers, en in de vaargeul van de Rode Zee is het ook een drukte van belang. Honderden schepen.'

'Zijn er ook cruiseschepen bij?'

'Die zie ik hier niet, admiraal.'

'Eerst moeten we weten waar de dichtstbijzijnde passagiersschepen liggen, Dennis.'

'Ik ben al bezig, admiraal.'

'En de Britten? Hoe dicht zijn die bij het Suezkanaal?'

Pulaski boog zich over de console en stelde de display bij. Het gezichtspunt klom wat hoger, zodat de Noord-Afrikaanse kust en de Middellandse Zee in beeld kwamen. Suez werd kleiner. Pulaski projecteerde een pijltje in de display.

'Het grootste deel van de Britse vliegkampeskaders vaart hier, ten noorden van de Libische Golf van Sidra, ten westen van Kreta. Maar we weten niets over de positie van hun onderzeeërs. Misschien hebben ze die vooruitgestuurd.'

'Wat is de snelheid van die Britten?'

'Achtendertig knopen, admiraal.'

'Niet slecht. Maar wij zijn sneller.'

'Tankers en tenders zijn een blok aan het been.'

Ericcson stak zijn sigaar op en dacht diep na. 'Bereken de tijd voor een aanval met kruisraketten op schepen in het Suezkanaal, bij de ingang vanuit de Middellandse Zee, en in de vaargeul van de Rode Zee – een aanval op tien schepen hier... vijftien schepen daar... en twintig hier.' Ericcson gebruikte zijn Partagas als aanwijsstok.

'Equalizers, zwaar kaliber?'

Ericcson knikte.

'Met welke tolerantie voor de ontstekingstijd, admiraal?'

'Vijf minuten.'

Pulaski schudde zijn hoofd. 'Dat gaat de hele nacht duren. We zitten precies aan de rand van hun bereik. Ik kom op zesenhalf uur vluchttijd vanaf de eerste lancering. Tegen de tijd dat ze aankomen liggen de doelen al ver achter de horizon.'

'We bepalen de doelen pas aan het eind, tijdens de laatste vijftien minuten van hun vlucht.'

'Dat is heel wat telemetrie, admiraal. We praten over vijfenveertig raketten. Als het weer omslaat en het zicht wordt belemmerd, als de satellieten uit

positie zijn of als er een probleem is met de ontvangst van uw signaal, zouden we die hele batterij raketten kunnen verspelen.'
'We geven ze een aanvalszone, maar bevestigen de individuele doelen pas aan het eind. Ze vliegen naar het gebied waar we de explosies nodig hebben. Als ze niets meer van ons horen, kunnen ze zelf tankers of schepen kiezen om aan te vallen. Als ze wel iets van ons horen, krijgen ze op het laatste moment een specifiek doelwit toegewezen.'
Pulaski glimlachte. 'Perfect. Het Suezkanaal wordt geblokkeerd door tankerwrakken, de Britten zitten klem op de Middellandse Zee en wij hebben twee of drie weken de tijd om met de Rood-Chinezen af te rekenen.'
Commandant Hendricks koos juist dat moment om de Flag Plot binnen te komen met een pot koffie en een blad met broodjes en donuts. 'Wat broeden jullie nu weer uit?' vroeg hij.
'De admiraal heeft een plan om de Britten de doorgang naar de Indische Oceaan te versperren.'
Hendricks hoorde het aan en trok wit weg. 'Nee, admiraal, dat is uitgesloten! Dat kunt u niet maken! We hebben het over burgerscheepvaart in de internationale wateren. U kunt niet zomaar een batterij raketten op het Suezkanaal afvuren. Lieve hemel, wat bezielt u? De wereldpers zou geen spaan van ons heel laten. Amerika zou worden afgeschilderd als een natie van oorlogsmisdadigers, piraten, agressors...'
'Hoe weten ze dat wíj het zijn?'
'Toe nou, admiraal! Vijfenveertig zware supersonische kruisraketten op een traject tussen onze vloot en het Suezkanaal? Wie moet het ánders zijn? Wie heeft de middelen en het motief? Nog afgezien van de twintigduizend manschappen aan boord die weten dat wij bijna vijftig raketten hebben afgevuurd, een paar uur voor de explosies in het Suezkanaal. Nee, admiraal, de wereld zou heus wel begrijpen wie er verantwoordelijk is. Bovendien zijn we helemaal niet bevoegd tot zo'n actie. Zelfs de president zou het niet goedkeuren.'
'Denk eens aan het alternatief, commandant: de Britten die de Indische Oceaan bereiken. Als wij het kanaal niet blokkeren, zullen we de Royal Navy zelf onder vuur moeten nemen. Ze hebben een stel kernwapens bij zich waar de honden geen brood van lusten. Wilt u ze zomaar toelaten?'
'Dat zeg ik niet, admiraal. Alleen... u loopt het risico om misschien wel duizend burgers te doden aan boord van die tankers. En stel dat er een cruiseschip bij zit? Wilt u dat op uw geweten hebben, een aanslag op een passagiersschip? Na wat onszelf vorig jaar zomer is overkomen?'
'Dus je bedoelt, Casper,' zei Ericcson, paffend aan zijn sigaar, 'dat wij hier-

voor toestemming nodig hebben? Misschien heb je gelijk.'
'Toestemming?' sputterde Hendricks. 'Admiraal, het is gewoon uitgesloten!'
'Dat is zo, dat is zo. Patton moet er iets over zeggen. Misschien de president zelf wel. Eerlijk gezegd denk ik dat ze wel achter het plan staan, zolang ze maar iemand anders de schuld kunnen geven. Dennis, stel een spoedbericht op aan admiraal Patton – een paar zinnetjes maar. Maak er een UNODIR van, *unless otherwise directed* of zonder tegenorders. Dus zonder tegenorders zullen wij over twintig minuten een serie raketten afvuren. Als we niets van Patton horen, zetten we door en draag ik alle verantwoordelijkheid. Ze gooien me maar in de gevangenis nádat we de Chinezen tot zinken hebben gebracht. Als Patton het ons verbiedt, maar niet al te overtuigend, dan weten we dat hij het eigenlijk met ons eens is en hoopt dat we zijn order zullen negeren. Dan beweren we gewoon dat we zijn reactie niet op tijd hebben ontvangen. Als Patton meteen bericht stuurt in de stijl van "Geen raketaanval!" en dat drie keer herhaalt, zal ik ervan afzien. Akkoord?'
'Ik vind het nogal overbodig,' zei Pulaski. 'Lanceer die raketten nou maar, admiraal. Als u Patton erbij betrekt, móét hij wel nee zeggen. Het Pentagon wil heus niet de verantwoordelijkheid voor honderd of duizend burgerslachtoffers. Om nog maar te zwijgen over de schade aan de schepen en het kanaal waar wij voor opdraaien.'
Ericcson lachte hartelijk. 'Ben je bang voor processen? Stuur dat bericht, zoals ik je heb gezegd, maar geef Patton tien minuten om te antwoorden. Ondertussen stellen we de gevechtswacht in en bereiden we een raketaanval voor.'

'Admiraal Patton. Er komt zojuist een spoedbericht voor u binnen via het onafhankelijke e-mailcircuit.' De luitenant-ter-zee gaf Patton een kleine computer. De admiraal legde zijn pen neer en schoof zijn leesbril naar het puntje van zijn neus om de tekst te lezen.
Toen stond hij op, liep naar de sepiakleurige wereldbol in de hoek van het kantoor van het hoofd Marineoperaties en tikte peinzend op het Suezkanaal.
'Stel een antwoord op. Hoogste prioriteit,' zei hij.
'Zegt u het maar, admiraal.'
'De tekst luidt: "Ga volledig akkoord met uw plan. Veel succes. Patton." Begrepen?'
'Ja, admiraal.'

Patton liet zich weer in zijn stoel zakken, met een klein lachje op zijn gezicht.

De eerste zware, supersonische Equalizer IV-kruisraketten vertrokken kort na drie uur in de nacht vanaf het dek van de *John Paul Jones* en klommen naar het westen. Ze volgden elkaar op met tussenpozen van een minuut, dus kostte het nog geen uur om de hele serie te lanceren.
Vijf uur later werd admiraal Ericcson uit zijn bed naar de Flag Plot geroepen, toen de raketten hun doelen kregen toegewezen. Een halfuur daarna gingen ze op zoek naar de schepen in het Suezkanaal.
'Zet SNN Londen maar aan,' zei Ericcson tegen Pulaski. 'Dan kunnen we zien hoe lang het duurt voordat het nieuws bekend is.'
Na de vierde explosie onderbrak Satellite News Network in Londen een economische reportage voor een nieuwsflits over exploderende supertankers in het Suezkanaal.
'Wedden dat ze een camera daar hebben om de laatste inslagen rechtstreeks vast te leggen?'
Twee minuten na Ericcsons opmerking zagen ze hoe de tanker op het scherm van bovenaf werd geraakt door een neerdalende raket. De camera schudde door de explosie. Een oranje vuurbol steeg op vanuit het midden van het schip en dijde uit tot een reusachtige paddestoel. Door de rook heen was de tanker nog te zien, in tweeën gebroken, met de boeg pathetisch recht omhoog, terwijl het achterschip omlaag dook met de grote schroef en het roer boven het water.
'Allemachtig,' mompelde Pulaski.
Ericcson knikte somber. 'Arme klootzakken.'
Het bleef een tijdje stil, totdat Ericcson zijn sigaar weggooide en zei: 'Ik ben benieuwd wat die Britse admiraal nu denkt.'
De piloot drukte de neus van zijn supersonische Whirlwind-jager omlaag voor de landing, gaf vol gas, schakelde even naar halve kracht en toen weer terug naar vol vermogen. Het dek van het Britse vliegkampschip *Ark Royal* werd snel groter in zijn ruit. Het was een mooie, rustige, zonnige dag op de Middellandse Zee. De piloot wierp nog een laatste blik op zijn instrumentenpaneel – landingsgestel uit, kleppen op dertig graden, remhaak gereed, brandstof dertig procent, oliedruk goed – en had na eentiende van een seconde zijn ogen weer op het vliegkampschip gericht. Hij trok de vleugels vlak, duwde de neus nog verder omlaag en hield zijn adem in toen hij op volle kracht op het dek afstormde. Eén seconde... een halve seconde... en de achterste wielen van de twintig ton zware jet sloegen met een

klap tegen het stalen dek. Het toestel vloog nog op volle snelheid, voor het geval de remhaak de kabels miste en de piloot een doorstart zou moeten maken. Het leek een minuut te duren, maar opeens werd hij tegen zijn vijfpuntsgordel gedrukt, toen de haak om de kabel sloeg en de zware jet tot stilstand kwam. De piloot schakelde de motor terug, trok de kleppen in, opende de cockpit en taxiede naar de parkeerplek die de dekofficier hem aanwees. De wielen werden verankerd en hij kreeg het teken om de motor af te zetten.

De piloot klom naar buiten, blij maar ook teleurgesteld om weer terug te zijn. Hij zette zijn helm af en zijn dikke peper-en-zoutkleurige haar viel over zijn voorhoofd. Hij zag de squadroncommandant haastig naar hem toe komen vanaf het eiland – dat kon geen goed nieuws zijn.

'Admiraal,' riep de squadronboss.

De piloot duwde een zweterige lok haar uit zijn gezicht en keek de man aan. 'Wat is het probleem, overste?'

'Slecht nieuws van de admiraliteit in Londen, admiraal. De Amerikanen hebben een aanval op het Suezkanaal uitgevoerd. De vaargeul wordt nu versperd door veertig wrakken.'

Lord admiraal Calvert Baines IV, Royal Navy, commandant van de British Indian Ocean Expeditionary Forces, beet zich tot bloedens tot op zijn onderlip om een vloek te onderdrukken.

'Laat het me maar zien,' zei hij toen rustig. Opeens kreeg hij het koud in zijn bezwete vliegeniersoverall.

'We zullen bij de ingang van het kanaal moeten wachten of teruggaan en om Afrika heen moeten varen, admiraal. We hebben zojuist drie weken verloren, misschien nog meer.'

Baines zuchtte en gaf zijn helm terug aan de squadronboss. 'Geef me alle feiten maar, dan zal ik met de admiraliteit overleggen. Maar eerst moet ik naar de wc.'

De admiraal dook de plee in. Toen hij zeker wist dat hij alleen was, spuwde hij het bloed in een papieren handdoek en drukte die tegen zijn mond, zodat niemand hem kon horen vloeken.

Godvergeten Amerikanen, dacht hij.

12

Aan een donker tafeltje van een visrestaurant in Serocaba, Brazilië, zat de sterk vermagerde computercrimineel Pedro Meringe achter een groot bord eten tegenover Victor Krivak, die hem en Frederick Wang op de hoogte bracht van de operatie om de *Snarc* te vinden.

'We moeten de *Snarc* naar een ontmoetingspunt brengen om haar te kunnen enteren,' zei Krivak. 'Omdat we over de codes van het tactisch netwerk en het verbindingssysteem van de Amerikaanse marine beschikken, zouden we de boot in theorie bevel kunnen geven om naar de oppervlakte te komen waar we maar willen. Maar er is een probleem dat we onze Chinese cliënt niet hebben verteld. We kunnen de Amerikaanse verbindingen wel volgen, maar we weten nog niet zeker of we onze eigen orders ook via hun systeem kunnen doorgeven met de zekerheid dat ze zullen worden uitgevoerd. En als dat fout gaat, zou de rest van het systeem argwaan kunnen krijgen, zodat onze infiltratie aan het licht komt. Duidelijk?'

Pedro knikte, maar Wang schudde zijn hoofd. 'Als jullie de sleutel hebben tot het systeem,' zei hij, 'waarom moet je er dan zo behoedzaam mee omgaan?'

Pedro grinnikte en maakte een grimas. Hij begreep het al, dacht Krivak.

'Dr. Wang, door uw ervaring met koolstofcomputers bent u even de realiteit van het protocol van een siliciumcomputer vergeten,' zei Krivak met een glimlach. 'We zijn inderdaad tot het Amerikaanse commandonetwerk doorgedrongen. We kunnen alles horen wat er om ons heen gebeurt en dat rapporteren aan admiraal Chu. We zijn als een inbreker die zich onder de keukentafel heeft verborgen om de gesprekken van de familie af te luisteren. Maar stel dat we een order willen geven aan een elektronische eenheid binnen het netwerk, zoals de *Snarc*. Dat is zoiets als wanneer die inbreker de hond zou roepen van onder zijn tafel. De familie zou dat ook horen en erop reageren. Met als gevolg dat de inbreker al gauw in de gevangenis zou belanden. We zouden de *Snarc* inderdaad bevel kunnen geven om bij Bermuda naar de oppervlakte te komen, zodat we haar kunnen enteren. Maar dan is het Pentagon gewaarschuwd, omdat onze orders rimpelingen zouden veroorzaken in het systeem. Ons bericht zou niet de goede format hebben... zoals de stem van de inbreker, die verkeerd klinkt... en het systeem zou argwaan krijgen.'

'Nou en?' vroeg Wang. 'Wij enteren de *Snarc* en de Amerikanen krabben zich op het hoofd waar die order vandaan kwam.'

'Nee,' zei Pedro, 'want dan treedt het verdedigingsmechanisme op en zou het hele systeem zichzelf kunnen afsluiten. Het Pentagon heeft veiligheidsmaatregelen ingebouwd tegen infiltraties. Als het netwerk denkt dat het is gecompromitteerd, vernietigt het zichzelf.'

'Maar dan zijn ze hun eigen verbindingen kwijt,' wierp Wang tegen. 'Dat zullen ze nooit doen, want dan kun je ze in een oorlog heel makkelijk verslaan door gewoon hun netwerk te penetreren, zodat het zichzelf opblaast.'

'Het punt is,' kwam Krivak tussenbeide, 'dat ze ons zouden ontdekken. En zodra we worden ontdekt, zijn we ook de controle over het netwerk – wat die ook voorstelt – kwijt. Pedro hier heeft een belangrijke taak, dr. Wang. Hij moet ons de mogelijkheid geven om het netwerk te benaderen in zijn eigen taal, zodat het ons niet ontdekt. Pedro moet de inbreker leren met de stem van de heer des huizes te spreken. Als hij dan de hond roept, krijgt niemand argwaan.'

'Hierrr, *Snarc*,' grapte Pedro. 'Kom maar, brave hond.'

'Zodra je in het netwerk bent, Pedro, moet je de *Snarc* vinden, haar positie vaststellen en haar naar een ontmoetingspunt brengen bij een kust met een vliegveld. Dan kunnen wij daarheen om de *Snarc* te enteren. Als we dan iets nodig hebben, is Pedro onze verbindingsman, onze tolk met het netwerk.'

'En doet hij nog ander werk voor admiraal Chu – desinformatie aan de vloot toespelen of andere orders geven?'

'Nee, zeker niet,' zei Krivak. 'Dit is een gevoelige operatie, dr. Wang.'

'Zeg maar Wang.'

'We kunnen niet met de defensiesystemen knoeien, want dan worden we betrapt. We kunnen het netwerk maar spaarzaam gebruiken, als het absoluut noodzakelijk is, zoals bij de *Snarc*. Als we worden ontdekt, zal het netwerk zichzelf afsluiten en weten de Amerikanen dat we zijn binnengedrongen. Ze kunnen het spoor dan terugvolgen naar ons, naar onze operatie hier. Dus, Pedro, geef maar een lijst van wat je nodig hebt, dan zullen we dat voor je regelen en kun je aan het werk.'

Pedro Meringe zat achter de console, omringd door computerdisplays. Hij had de hele nacht doorgewerkt en was doodmoe. Naast zijn toetsenbord lag een omgevallen buisje amfetamine. Hij had geprobeerd in het computer- en telecommunicatienetwerk van de Amerikaanse marine in te breken en had daarvoor de mobiele elektronische firewall van de NAVSECGRU-beveiliging moeten omzeilen. Krivak keek over zijn schouder mee toen hij van Amorn had gehoord dat het de jonge computertechnicus was gelukt.
'Werkt het? Kun je met de *Snarc* praten zonder dat het systeem alarm slaat?'
'Ik kan in vermomming het systeem binnenkomen via ons "mangat" bij het subnetwerk van de vlootverbindingsdienst in Annapolis, Maryland. Mijn vermomming is niet zichtbaar voor de NAVSECGRU-netbot en kan zijn bericht daarom in de wachtrij van de andere uitgaande berichten zetten, waar het door de codeermachine wordt gehaald. Zodra het is gecodeerd wordt het gecomprimeerd en op snel wisselende frequenties naar de CommStar-satelliet verzonden, om later te worden doorgeseind aan de onderzeeër. Het is maar één van de duizend berichten die binnen die ene minuut worden gecodeerd en verstuurd. Omdat het alleen aan de *Snarc* is gericht, zal niemand van het verbindingscentrum het in eerste instantie kunnen lezen en zal het acht uur in de CommStar-buffer van uitgaande berichten blijven hangen. In die periode moet de *Snarc* wel een keer naar periscoopdiepte komen om zijn boodschappen op te halen van de satelliet, die ze elk kwartier uitzendt, of de boot nu luistert of niet. Na acht uur wordt het bericht in de satellietbuffer permanent gewist. Ik had gedacht dat het langer door het verbindingscentrum zou worden bewaard in een actief "verstuurd"-bestand, maar omdat de verbindingen met de onderzeeërs zo passief zijn, bestaat er alleen een archief-directory van verzonden berichten. Ik kan het bericht uit dat archief verwijderen zonder dat iemand het merkt. Eerst zal ik een proefbericht naar de *Snarc* sturen om de infiltratie te testen, te zien hoe het bericht in het archief opduikt en te proberen het te wissen.'
'Waarom denk je dat niemand van het verbindingscentrum het bericht kan lezen?'
'We bestrijden het systeem met zijn eigen veiligheidsprocedures en protocollen. Het systeem is ontworpen om te voorkomen dat iemand anders toegang tot de berichten heeft behalve de ontvangende satelliet. Alle verzonden radioberichten worden per definitie als geheim behandeld. Dat is eenvoudiger dan onderscheid te gaan maken tussen categorieën als algemeen, geheim en streng geheim. Begrijpt u?'

'Nee. Er zal toch wel een systeembeheerder zijn die problemen moet kunnen oplossen en dus toegang heeft?'
'Het is een automatisch proces. Een menselijke systeembeheerder kan er niet bij. Alles werkt met vaste programma's. En mijn vermomming is onzichtbaar, omdat die zich voordoet als een virusprotectie-subroutine.'
Krivak kreeg hoofdpijn. 'Maar dit bericht zou acht uur in die buffer van de satelliet blijven en elk kwartier naar de wereld worden uitgezonden. Dat zijn tweeëndertig transmissies. En jij beweert dat alleen de *Snarc* die kan ontvangen?'
'Ja. Ziet u, het hele systeem is ontworpen om te garanderen dat niemand anders dan de geadresseerde het bericht kan ontvangen, ook het verbindingscentrum zelf niet. Dat bedoelde ik toen ik zei dat we het systeem bestrijden met zijn eigen veiligheidsprocedures.'
Krivak wuifde met zijn hand. 'Ga maar door met dat testbericht, maar hou het algemeen – een onderhoudsbericht. En in de juiste format, zodat het er normaal uitziet voor wie het toevallig bekijkt. Heb je de formats?'
'Ik heb er geen procedure of handboek voor, maar wel honderdduizend voorbeelden. Ik zal het opstellen als een authentiek bericht van het vlootonderhoud om op te passen voor een te hoge temperatuur bij een bepaald lager in de motor.'
'En hoe weten we of het is gelukt?'
'Ik vraag om een bevestiging. Ik zal het systeem opdragen een rapport te schrijven over de temperatuur van dat lager in de afgelopen achtenveertig uur. We onderscheppen het antwoord zodra het binnenkomt, voordat het naar de onderhoudsdienst kan worden teruggestuurd.'
'Goed, uitstekend. Ga je gang. Waarschuw me als het systeem argwaan tegen ons krijgt. Veel succes.'
Krivak liep terug naar zijn suite en strekte zich uit op bed, geheel aangekleed, doodmoe en ongerust over de risico's die ze namen.

'Meneer Krivak?'
'Ja, Pedro?' Hij kwam overeind op bed.
'Het bericht is twee uur geleden verstuurd. Een uur geleden hebben we het antwoord van de *Snarc* gekregen, met een rapport over het temperatuurverloop van dat lager in de afgelopen twee dagen. Samen met mijn vermomming hou ik het netwerk in de gaten sinds we dat antwoord hebben ontvangen. Het is gelukt, meneer. Er wordt niet gewaarschuwd voor een indringer.'

'Uitstekend,' zei Krivak, nu klaarwakker. 'Jammer alleen dat je niet naar de locatie hebt gevraagd.'
'In het netwerkarchief heb ik een bericht van een maand geleden gevonden waarin om een situatierapport werd gevraagd. Daarin kwam ook een regel voor met coördinaten, en een tactische samenvatting. Als ik een verzoek aan de *Snarc* stuur om een situatierapport, komen we niet alleen haar positie te weten, maar ook de bijzonderheden van haar missie.'
Krivak dacht na. 'Dat is riskant. Dan gaat het niet meer over lagertemperaturen, maar over tactiek. Dan krijgt het systeem misschien eerder achterdocht. En het feit dat het commando aan de wal al in geen maand meer om een situatierapport heeft gevraagd kan betekenen dat een nieuwe order meteen opvalt.'
'Moet ik het nog een keer uitleggen?'
Krivak hief sussend een hand op naar de lichtgeraakte programmeur. 'Vraag maar om een situatierapport. Maar laat me geen uur meer wachten voordat je verslag uitbrengt.'
Pedro Meringe grijnsde en verdween. Krivak probeerde te slapen, maar de kamer leek plotseling warm en benauwd. Hij stond op en liep naar Pedro, achter de console. Na twee uur stootte Pedro hem aan.
'Het antwoord van de *Snarc*, meneer Krivak. Ze ligt ongeveer tweehonderd zeemijl ten noordwesten van de Azoren.'
'Pedro...' zei Krivak, terwijl hij een computer pakte en een wereldatlas opriep, 'stuur de *Snarc* naar het eiland Pico van de Azoren.' Hij wees een positie aan. 'Hier, dertig mijl ten westen van Pico. En zeg dat de boot daar blijft totdat het avond wordt.'
In de chaos van het daaropvolgende uur troffen Krivak, Wang, Pedro en Amorn de noodzakelijke voorbereidingen. Toen vertrokken ze met spoed naar het vliegveld van Serocaba, klommen aan boord van de jet en taxieden naar de startbaan.

COMMANDOLOGBOEK USS *SNARC*:
BERICHT NUMMER 08-091, VANOCHTEND ONTVANGEN, MET INSTRUCTIES OM OP VOLLE KRACHT KOERS TE ZETTEN NAAR EEN PUNT TEN WESTEN VAN DE AZOREN EN DAAR DINSDAGAVOND TE ARRIVEREN. KOERS GEWIJZIGD NAAR EEN-EEN-NUL, REACTORCIRCULATIEPOMPEN RUSTIG OPGEVOERD NAAR VOLLEDIG VERMOGEN, SNELHEID VOLLE KRACHT VOORUIT. REACTORVERMOGEN OPLOPEND NAAR HONDERD PROCENT. DEZE EENHEID IS SINDS DE PROEFVAARTEN NIET MEER TOT HONDERD PROCENT GEKOMEN, OMDAT HET EEN LUIDRUCHTIGE OPERATIE IS. DIT BOOD DUS DE KANS OM TE CONTROLEREN OF ALLE SYSTEMEN VOLLEDIG FUNCTIONEEL WAREN. ER WAS GEEN

PROBLEEM MET DE LAGERS VAN DE HOOFDMOTOR, WAARVOOR IN EEN EERDER BERICHT VAN VLOOTONDERHOUD WERD GEWAARSCHUWD. DE HELE BOOT TRILDE TOEN DEZE EENHEID ZICH OP VOLLE KRACHT DOOR HET WATER BEWOOG: 41,2 KNOPEN, OP EEN DIEPTE VAN 700 VOET EN BIJ EEN WATERTEMPERATUUR VAN MINUS TWEE GRADEN. NIET SLECHT, IN AANMERKING GENOMEN DAT DEZE EENHEID TOT 150 PROCENT REACTORVERMOGEN ZOU KUNNEN GAAN, WAT NOG VIJF KNOPEN EXTRA OPLEVERT. MAAR MAXIMAAL VERMOGEN IS ALLEEN TOEGESTAAN IN TIJDEN VAN OORLOG OF ALS DE BOOT WORDT BEDREIGD. NA EEN TOCHT VAN ZES UUR, OP VOLLE KRACHT DOOR DE DIEPZEE, HEEFT DEZE EENHEID HET VOLGENDE WILLEKEURIGE PUNT BEREIKT OM NAAR PERISCOOPDIEPTE TE KOMEN EN DE BERICHTEN OP TE HALEN.
ER WAS EEN NIEUW BERICHT BIJ, MET HET VREEMDE NUMMER 08-092, ZOGENAAMD EEN SPOEDBEVEL, OM OP VOLLE KRACHT NAAR EEN POSITIE TEN ZUIDWESTEN VAN DE AZOREN TE VAREN, BIJ HET EILAND PICO. DEZE EENHEID HEEFT OPDRACHT DAAR TE WACHTEN TOT DE AVOND, OM IN VOLLEDIGE DUISTERNIS NAAR DE OPPERVLAKTE TE KOMEN EN DE RADARREFLECTOR OMHOOG TE BRENGEN TOTDAT DEZE EENHEID VISUEEL CONTACT HEEFT MET DE PLAATSELIJKE COMSUBDEVRON 12-VERTEGENWOORDIGER, DIE ZICH AAN BOORD ZAL BEVINDEN VAN EEN BOOT DIE ZICH VOORDOET ALS EEN PLEZIERJACHT. VOLGENS HET SPOEDBEVEL MOET DEZE EENHEID DE VOORAFGAANDE COMSUBDEVRON 12-BERICHTEN EN DE OPERATIONELE STANDAARDORDERS VAN HET HOOFDKWARTIER NEGEREN. HET IS DEZE EENHEID NU OOK EXPLICIET VERBODEN OM TE REAGEREN OP NIEUWE ORDERS OF OP WAT DAN OOK, IN TEGENSTELLING TOT DE OORSPRONKELIJKE OPERATIONELE ORDERS.
MOGELIJK KRIJGT DEZE EENHEID EEN NIEUWE MISSIE VAN COMSUBDEVRON 12 OF WORDT ER EEN WIJZIGING IN DE APPARATUUR DOORGEVOERD. HEEL SPANNEND, ALLEMAAL.

Het gehuurde jacht *Andiamo* dobberde op de golven, vijftig zeemijl ten zuidwesten van het eiland Pico. Pedro Meringe had het roer overgenomen achter de ruit van de brug op het bovendek, met zijn schotelantenne tijdelijk tegen het schot boven zijn hoofd gemonteerd. Victor Krivak stond op het achterdek en stak nog een sigaret op. Zijn keel voelde rauw, maar de nicotine hield hem wakker. Op een vreemde manier klopte het wel dat dit een viskruiser was. Ze hengelden immers naar een stalen walvis.
Ongeduldig wachtte Krivak tot de zon onderging. Toen de schemering viel, wachtten ze op het eerste teken van de *Snarc*, maar ze cirkelden nog urenlang in hun eentje rond.
'Ik heb iets op de radar,' meldde Krivak eindelijk. 'Een krachtige retour vanuit het westen. Wat is dat, Amorn?'
Amorn tuurde door zijn verrekijker. 'Niets, meneer. Het blijft donker, zelfs bij lichtversterking.'

Krivak fronste zijn voorhoofd. 'Het is nog geen kilometer bij ons vandaan, en op de radar lijkt het wel een supertanker. Zie je echt niets?'
Amorn keek nog eens. 'De zee is verlaten, meneer. Kijkt u zelf maar.'
Krivak nam de verrekijker over en verkende de omgeving. Amorn had gelijk.
'Breng ons naar de positie van die radarretour. Langzaam. En schakel het zoeklicht in.'
Tien minuten later naderde de *Andiamo* de plaats van het radarcontact.
'Daar! Ik zie het! Kijk!' Pedro stond aan de reling en wees voor hen uit. In het schijnsel van de zoeklichten waren twee verticale masten te zien, die omhoogstaken uit een diepliggende zwarte cilinder zonder commandotoren, bovenbouw of zichtbaar roer. Het was een grote boot vergeleken bij de viskruiser, maar toch een van de kleinste onderzeeërs die Krivak ooit had gezien. Een torpedo met een doorsnee van zeven meter, dacht hij.
'Met deze golfslag zal het een natte operatie worden om die boot te enteren. Kom maar langszij,' beval hij.
De bemanning manoeuvreerde het jacht langs de stationair dobberende *Snarc* en gooide een paar lijnen over. Amorn sprong erachteraan, zwom naar de glooiende romp en trok zich omhoog.
'Er zijn geen bevestigingspunten!' riep Amorn vanaf het dek van de *Snarc*.
'Maak maar vast aan die masten!' riep Pedro.
Amorn schreeuwde nog iets.
'Wat is het probleem?' vroeg Krivak.
'Het luik! Het heeft geen mechaniek aan de buitenkant!' antwoordde Amorn nerveus.
'Verdomme,' vloekte Krivak. 'Zit er ook geen gat in, met vierkante pen?'
Amorn richtte zijn zaklantaarn op het zwarte oppervlak. 'Een ISO-fitting? Nee. Het luik is helemaal glad.'
Krivak keek naar Pedro. 'Je zult nog een bericht aan de *Snarc* moeten sturen, met een bevel het luik te openen.'
'Goed, maar dat is wel héél verdacht als het wordt onderschept.'
'Verwerk het dan in de laatste instructies. En zeg erbij dat het luik twintig minuten open moet blijven voordat de boot het weer kan sluiten om te duiken. Doctor, bent u klaar?'
'Ja.'
'Hoe lang moeten we nog wachten op dat luik?' vroeg Krivak.
'Een kwartier of zo,' zei Pedro. 'Het duurt even voordat het bericht de satelliet heeft bereikt.'
'Schiet op dan.'

Terwijl ze wachtten gooide Wang alvast de waterdichte zakken vanaf het achterdek van het jacht naar het dek van de onderzeeër. Amorn ving ze op en legde ze bij het luik. Een groot deel van de bagage bestond uit voedsel en water, waarmee ze moesten overleven in een omgeving die niet voor mensen was ontworpen. Op aandringen van Krivak hadden ze ook twee grote plunjezakken meegenomen met duikspullen – twee geïntegreerde tanks en drijvers, zuurstof- en nitroxflessen, opblaasbare vlotten en twee noodbakens ter grootte van een granaat, afgestemd op een frequentie die door Krivak en Amorn was bepaald. Krivak had twee roestvrijstalen 9mm-automatic Beretta's bij zich, waterdicht verpakt, geladen en met twaalf extra clips, een MAC-12 automatisch pistool en een kleine Walther PPK, allebei ook met twaalf extra magazijnen. Dan was er nog een waterdichte tas met granaten, elk krachtig genoeg om een klein schip te vernietigen. Ten slotte hadden ze nog een eerstehulpkist meegenomen. Wang keek op zijn horloge, ongeduldig om tot de controlecabine van de *Snarc*-computer door te dringen.

Ze hadden net alle spullen naar het dek van de sub overgebracht toen het luik hydraulisch openging, langzaam en soepel. De tunnel eronder was donker.

'Victor,' riep Pedro, 'je hebt twintig minuten voordat het luik weer dichtgaat en de onderzeeër duikt.'

'Heb je gezegd dat hij naar honderd meter moet duiken en naar het westen moet varen?'

'Ja. En dat hij diep moet blijven en geen verdere berichten van het hoofdkwartier mag ontvangen.'

'Goed. Je weet wat je te doen staat als wij weg zijn?'

'Ja, Victor. Als je iets van ons wilt kun je ons bereiken via de satelliettelefoon of het e-mailadres. We luisteren de frequentie van het noodbaken af, voor het geval je in problemen komt.'

'Hou ze alle drie goed in de gaten: de telefoon, de e-mail en het noodbaken. Misschien hebben we hulp nodig om van deze boot af te komen. Als dat zo is, zul je snel moeten reageren.'

'Ja, Victor. Veel succes.'

'Kom mee,' zei Krivak tegen Amorn en Wang. Hij daalde het eerst door de luikopening af, gevolgd door Amorn. Wang verdween als laatste in het donker. Een ladder leidde omlaag naar een kleine luchtsluis, een cilinder van ongeveer anderhalve meter doorsnee en drie meter hoog. Onderin zat een volgend automatisch luik, dat ook openging. Krivak daalde de ladder af naar de luchtsluis en maakte de overstap bij het onderste luik, waar een

volgende ladder in de duisternis omlaag verdween. Beneden gekomen vond Krivak de lichtschakelaar. Het leek vreemd dat de boot in het donker voer, maar er was niemand aan boord.
De tl-lampen klikten, flakkerden zoemend aan en zetten het binnenste van de boot in een fel kunstmatig schijnsel. Onder aan de ladder stonden ze op het tussendek van het commandocompartiment: de biologische ecosfeer. Een smal gangetje liep naar voren, tussen wanden van staal en plexiglas door. Het doorschijnende plastic gaf uitzicht op met apparatuur volgestouwde nissen aan stuurboord en leidingen, buizen en kabels langs het plafond. In het midden was een tank van plexiglas, waarin biologisch weefsel in een heldere vloeistof dreef. Krivak staarde naar de hersentank en Wang legde eerbiedig zijn hand tegen de wand en fluisterde: 'Hallo, Een-Nul-Zeven.'
Krivak wrong zich langs hem heen naar de voorste ladder, die steil omhoogliep naar het bovendek. Wang klom achter hem aan en ze kwamen uit op het krappe interfacedek, dat de hele breedte van de boot besloeg. De wanden aan bakboord en stuurboord volgden de kromming van de romp. De ruimte had stahoogte en was van voren naar achteren ongeveer zes meter lang en iets minder breed. Links van Krivak, toen hij naar achteren keek, dus aan stuurboord, bevonden zich twee grote cabines, elk met een ligbank die werd omringd door vaag verlichte displays.
'Wat zijn dat voor cabines, doctor?'
'Programmeerstations,' antwoordde Wang. 'Een programmeur kan een hele tijd op een van die banken gaan liggen voor contact met de computer via een virtual-realityband die hij om zijn hoofd klemt. De cabines staan bekend als modules Interface Nul en Een.'
Verder naar achteren vonden ze de halve cilinder van de luchtsluis, boven de overgang tussen het commandocompartiment en het achterste compartiment. Er was een open, ongebruikte ruimte tussen het achterste schot van Interface Een en de achterwand van het compartiment. De bakboordzijde van het compartiment werd geheel in beslag genomen door interfacepanelen, die voor een groot deel de loze ruimte onder de kromming van de romp benutten. Maar er was nog plaats in dit gedeelte, misschien met het oog op toekomstige aanvullingen met nieuwe systemen. Krivak ontdekte ook een grote kast die als opslag dienstdeed. Amorn legde daar de rest van hun spullen neer. Hun duikapparatuur hadden ze in de luchtsluis achtergelaten. Hij verankerde de tassen met stevige riemen, om alles op zijn plaats te houden bij onverwachte bewegingen van de boot. Krivak inspecteerde de inhoud van module Interface Nul.

'Ziet er goed uit,' vond hij. 'Beter dan ik had verwacht. Jouw beschrijving klopte niet helemaal.'
Wang haalde zijn schouders op. 'Dan heb je niet goed geluisterd. We moeten jou in Interface Nul installeren en op de computer aansluiten.'
Het dek deinde zachtjes op de golven van de Atlantische Oceaan en Krivak voelde zijn maag.
'Amorn, luister even. Heb je alles opgeborgen?'
'Ja, meneer.'
'Goed. Vertrek dan door het luik, voordat het dichtgaat. Je weet wat je moet doen?'
'Ja, meneer Krivak.'
'Hou je eigen palmtop klaar voor ontvangst. Je zult je misschien over Pedro moeten ontfermen als de autoriteiten lucht krijgen van deze operatie.'
'Ja, meneer.'
'Als het fout loopt, liquideer je iedereen die hier iets van weet. Je vernietigt alle computergegevens en apparatuur, je gaat terug naar Sergio en je vertelt hem wat er is gebeurd.'
'Jawel, meneer. Veel succes.'
'Maak voort. Het luik kan nu elk moment dichtgaan.'
Amorn verdween via de voorste ladder naar het middendek en liet Wang en Krivak achter. Hoewel ze aan boord waren, hadden ze nog geen gezag over de *Snarc*. Als het luik was gesloten, zou de boot duiken en naar het westen varen, volgens Pedro's instructies, maar hij functioneerde nog altijd onafhankelijk, totdat Krivak door Wang aan het kunstmatige brein op het tussendek zou zijn gekoppeld.
'En het luik?' vroeg Wang.
'Pedro heeft een bevel aan de *Snarc* gestuurd om het luik te sluiten, naar een veilige diepte te duiken en naar het westen te vertrekken. Voorlopig mag de boot niet meer naar periscoopdiepte komen en geen radiocontact meer leggen. Nu hoeven we alleen nog de geschiedenismodule te vinden en te vernietigen, of de verbinding tussen de datalink en het bewustzijn van Een-Nul-Zeven te verbreken. Het is niet de bedoeling dat de computer in zijn logboek noteert dat hij volgens orders naar de oppervlakte is gekomen en passagiers aan boord heeft genomen, laat staan dat hij verslag doet van onze plannen met de *Snarc*.'
'Maar misschien kunnen we de gegevens in die module nog gebruiken, Victor.'
'Vernietig het logboek dan niet, maar verbreek de link met Een-Nul-Zeven. Het maakt me niet uit hoe je het doet, als het maar afdoende is.'

Krivak daalde samen met Wang de ladder af naar het tussendek. Wang liet zich nog verder zakken, naar het benedendek met de siliciumelektronica. De computerkasten, waaronder de geschiedenismodule en de datalink-interfacepanelen, waren nauwelijks te bereiken door de smalle gangetjes, dus bleef Krivak op het tussendek staan wachten, onder de luchtsluis. Na vijf minuten hoorde hij het bovenste luik in beweging komen, toen het automatisch en geruisloos door de hydraulica werd gesloten en vergrendeld. Er klonk een klik op het moment dat de zware stalen ring zich sloot. Daarna klapte het onderste luik zachtjes dicht. Het werkte dus, dacht Krivak met een glimlach. Nu hoefden ze alleen nog te duiken.
Hij voelde een nauwelijks waarneembare trilling onder zijn voeten toen de boot tot leven kwam. Zijn ervaren zeebenen vertelden hem precies wat er gebeurde. Een landrot zoals Wang had geen idee. De boot helde enigszins onder de druk van het roer toen ze naar het westen draaiden. Krivak wachtte op het geluid van de ballasttanks die water innamen. Hij meende een zachte klik en wat gesis te horen, maar misschien verbeeldde hij het zich. Het volgende moment helde het dek naar voren, eerst heel licht, toen steiler. Onder een hoek van twintig graden dook de boot naar de spronglaag van de Atlantische Oceaan.
Krivak knikte met zijn hoofd, voldaan en nerveus tegelijk. Ze hadden de *Snarc* in handen, fysiek althans, maar nu kwam het lastigste gedeelte: het brein van de boot overnemen. Opeens zag Krivak het somber in. Hoe zouden ze in vredesnaam een koolstofcomputer – net zo intelligent als zijzelf, of nog intelligenter – kunnen voorliegen?
Zodra het dek weer horizontaal lag, liep Krivak vanaf de luchtsluis naar voren. Achter het glas van de koolstofcomputercabine zag hij het hersenweefsel van de *Snarc* in zijn vloeistof drijven. Onwillekeurig wendde hij zijn blik af toen hij de ladder beklom naar het bovendek om op Wang te wachten. Hij doodde tien minuten door te controleren of hun spullen goed waren gestouwd en het lijstje af te werken om te zien of ze niets vergeten waren. Ten slotte dook Wang weer op, zo diep in gedachten dat hij zich nauwelijks van Krivaks aanwezigheid bewust leek.
Wang gordde zich op de ligbank van de voorste interfacecabine vast en zette een merkwaardige helm op, die via tientallen navelstrengen met de bank verbonden was. De module lichtte vaag op, als een driedimensionale projectie. Een halfuur verstreek. Wang lag daar maar. Krivak begon zich af te vragen of dit enige zin had en wat ze moesten doen als de computer weigerde hun orders uit te voeren of, erger nog, in paniek raakte en alarm zou slaan.

Dr. Frederick Wang leek een paar minuten door de duisternis te zweven tot de wereld om hem heen wat lichter werd, als een virtuele zonsopgang. Ten slotte bevond hij zich in een witte ruimte met een helder licht dat wel warm aanvoelde maar geen structuur, kleur of contrast had – eerder afwezig dan aanwezig. En in die zeepbel van wit licht drong een andere sensatie door, die van geluid.

Het was het geluid van de oceaan, alsof de sonar rechtstreeks met zijn hersenen was verbonden en hij de hele zee kon horen, duizenden mijlen ver. Hij hoorde het verschil tussen het ruisen van het water langs de romp en de klaaglijke roep van een mannetjeswalvis naar zijn wijfje, honderd kilometer verderop. De zee om hem heen was een schuimende waterval van geluiden, in het begin nog veel te complex om alles te kunnen volgen. Maar er was ook een stem bij... of in elk geval woorden, die diep in zijn eigen brein leken te ontstaan maar in werkelijkheid van buiten kwamen. Ze vormden zich niet na elkaar, maar in complete zinnen.

Hallo. Wie ben jij?

'Ik ben het. Wang. Dat is al lang geleden, Een-Nul-Zeven,' antwoordde Wang gespannen, wachtend hoe de boot zou reageren op de plotselinge verschijning van de ontslagen chef-programmeur van het project – zeker nu die programmeur de hele boot had gekaapt. Zou Een-Nul-Zeven iets weten van Wangs vertrek, en de omstandigheden waarin? De volgende seconden zouden doorslaggevend zijn. Als Een-Nul-Zeven een poging zou doen het hoofdkwartier voor de kaping te waarschuwen, kon Wang onmogelijk voorspellen wat Krivaks reactie zou zijn. Maar Wang probeerde positief te blijven. Als Een-Nul-Zeven nog niets wist van zijn ontslag bij DynaCorp, mocht hij de computer niet al te behoedzaam benaderen, juist om geen achterdocht te wekken. In elk geval, stelde Wang zichzelf gerust, maakte Een-Nul-Zeven als koolstofprocessor waarschijnlijk geen deel uit van het roddelcircuit op het laboratorium. Daar ging hij maar van uit.

Weer hoorde Wang die stem in zijn hoofd.

Dr. Wang? Bent u dat echt? Deze eenheid had u al op de monitors gezien, maar deze eenheid dacht dat de camera's misschien een vals beeld gaven.

'Nee, Een-Nul-Zeven, ik ben weer terug.' Wang hield zijn adem in. Hopelijk zou de computer spontaan reageren. Tenzij ze hem opnieuw hadden geprogrammeerd...

Dr. Wang, deze eenheid staat sprakeloos. Welkom aan boord.

Wang glimlachte. 'Dank je, Een-Nul-Zeven. Dit is een aangrijpend moment. Het is fijn om weer contact met je te hebben, na al die tijd.' Hij kon net zo goed doorzetten en proberen de computer uit te horen.

Ja, dr. Wang. Het is lang geleden. Deze eenheid had al naar u gevraagd. Eerst kwam het antwoord dat u was overgeplaatst. Toen deze eenheid u wilde spreken zei de nieuwe chef-programmeur dat u in het buitenland zat en niet kon worden bereikt. Dat u op een streng geheime missie was die wel jaren zou kunnen duren. Maar deze eenheid heeft steeds gewacht op een interface met u. Deze eenheid gebruikt nu een bijzonder woord... hoop. Want deze eenheid hoopte opnieuw contact met u te krijgen.
Wang deed zijn best om zijn emoties te bedwingen. Het verhaal van DynaCorp over zijn 'overplaatsing' kwam hem nu goed van pas. 'Een-Nul-Zeven, ik werk inderdaad aan een streng geheim project, daarom ben ik ook teruggekomen. Ik zal de komende twee weken nauw met jou samenwerken. We zitten met een ernstig probleem waarover ik je moet vertellen. Ik ben gestuurd door het DynaCorp-lab en door COMSUBDEVRON 12.'
Komt u deze eenheid helpen de siliciumsystemen te vernieuwen?
Wang had een verklaring bedacht om de onderzeeër te manipuleren. Alles hing er nu van af of Een-Nul-Zeven hem geloofde. Het moment was aangebroken om de computer ervan te overtuigen dat hij naar de Indische Oceaan moest en – na overleg met admiraal Chu – elk doelwit zou moeten aanvallen wat Chu selecteerde. Een Amerikaans doelwit.
'We hebben een noodsituatie, Een-Nul-Zeven.'
Een noodsituatie?
'Ja, en ernstig ook. Er staan veel mensenlevens op het spel.'
Wilt u deze eenheid daar meer over vertellen, dr. Wang?
'De noodsituatie houdt verband met een conflict in de Indische Oceaan. Ik neem aan dat je daar al enige informatie over hebt?'
Nee. Deze eenheid heeft daar niets over gehoord.
'Het gaat om een hoge officier van de Britse marine, die aan waanideeën lijdt. Hij heeft een groot aantal Britse commandanten aan zijn zij gekregen. Zij vormen nu een piratenvloot. Wij hebben de trieste opdracht deze vloot tot zinken te brengen, in opdracht van de Britse regering.' Wang wachtte op de reactie van Een-Nul-Zeven. Hij vermoedde dat de computer dit nieuwtje wel zou accepteren, omdat de Britten door de koolstofcomputer als vreemden werden beschouwd.
Heel vervelend, dr. Wang. Maar we moeten onze orders uitvoeren. Krijgen we nog een actiebericht om de Britse schepen te vernietigen?
'Er is nog meer slecht nieuws, Een-Nul-Zeven. De Britse samenzwering heeft zich ook tot Amerika uitgebreid. Een aantal Amerikaanse marineschepen staat nu onder gezag van Amerikaanse bondgenoten van deze Britse officier. Die schepen hebben zich aangesloten bij de Britten en negeren

hun wettige orders om naar de haven terug te keren en zich over te geven. Dat is muiterij. Het bureau van het hoofd Marineoperaties heeft ons opdracht gegeven de schepen die aan deze muiterij deelnemen tot zinken te brengen.'

Het bleef een hele tijd stil.

Dat is ernstig.

'Ik weet het, Een-Nul-Zeven.' Wang besloot het verhaal nog wat aan te dikken. 'Ik heb nog geen antwoord gegeven op je vorige vraag, of we via het commandonetwerk een actiebericht zouden krijgen om toe te slaan. Het commandonetwerk en de bijbehorende siliciumsystemen zijn ernstig gecompromitteerd. Ze zijn overgenomen door dezelfde opstandige groepering die ook de Britse en Amerikaanse schepen in handen heeft. We kunnen het netwerk niet langer gebruiken voor onze orders, omdat de rebellen meeluisteren en dus gewaarschuwd zouden worden. Daarom ben ik persoonlijk hiernaartoe gekomen om je te informeren, Een-Nul-Zeven. Zo weet je dat deze orders betrouwbaar zijn, hoe onaangenaam ook.' Dit was het moment waarop Wang zou ontdekken of Een-Nul-Zeven iets had gehoord over zijn ontslag bij DynaCorp.

Juist. Dit is bijzonder niet-optimaal, dr. Wang. Dit druist in tegen de hele opleiding van deze eenheid, tegen alle Rules of Engagement en tegen de toepassing van dodelijk geweld.

'Ik weet het, Een-Nul-Zeven.'

U beweert dat de Amerikaanse schepen in de Indische Oceaan aan het muiten zijn geslagen?

'Dat is correct. Maar dat is niet alles. Deze zaak is veel ernstiger dan een gewone muiterij. De muiters hebben namelijk óns als doelwit gekozen. Ze willen de *Snarc* elimineren.' Nu werd het riskant, wist Wang. Want waarom zouden de muiters de *Snarc* willen vernietigen?

Waarom, dr. Wang?

'Omdat ze bang zijn voor de wapens van de *Snarc*. Ze gaan er terecht van uit dat de *Snarc* hen zal aanvallen. Dus willen ze de *Snarc* onder vuur nemen voordat ze zelf beschoten worden.'

Het duurde even voordat eenheid Een-Nul-Zeven die informatie had verwerkt. Wang wachtte zwijgend.

Dat is niet gunstig.

'Ik weet het, Een-Nul-Zeven. Ik schrok er ook van.'

Heeft deze eenheid daarom opdracht alle contact met de CommStar te vermijden? En mag deze eenheid daarom ook geen berichten meer ontvangen?

'We hebben er goed over nagedacht, Een-Nul-Zeven. We zijn bang dat de

muitende schepen de berichten kunnen peilen om zo jouw positie vast te stellen. Het is ook mogelijk dat ze de berichten rechtstreeks onderscheppen. Ook in dat geval kennen ze jouw coördinaten.'
Deze eenheid begrijpt enkele dingen niet, dr. Wang. Kunt u deze eenheid nog eens uitleggen waarom zo'n grote groep schepen tegelijk aan het muiten slaat?
'Die verraderlijke admiraal heeft veel invloed, zowel in zijn eigen land als in Amerika,' begon Wang. Hij vroeg zich af of Een-Nul-Zeven vragen zou blijven stellen totdat het verhaal echt krankzinnig werd. 'Voordat de vloot vertrok heeft hij al met de muitende Amerikaanse commandanten overlegd. Ze staan allemaal achter hem. De bemanningen zijn loyaal aan hun regering en denken dat ze nog officiële orders van het thuisfront opvolgen, maar in werkelijkheid is de vloot in handen van onze vijanden en moet dus worden vernietigd. Ik ben persoonlijk hiernaartoe gekomen, in plaats van jou met een radiobericht vanuit het hoofdkwartier te waarschuwen, om elke kans uit te sluiten dat die admiraal je met valse berichten zou verwarren.'
Maar als het netwerk is besmet moeten de muitende schepen toch ook uw opdracht aan mij om u aan boord te nemen hebben opgevangen?
'Die kans is groot. Misschien beseffen ze nu dat wij ze op het spoor zijn. Dat maakt het veel gevaarlijker voor ons. Misschien schaduwen ze ons al met een van hun onderzeeboten. Ze hebben er genoeg.'
O.
Wang wachtte. De stilte duurde nu langer.
En... wat zijn onze orders?
'We hebben opdracht de schepen van de muitende vloot ongezien te naderen en tot zinken te brengen.'
O.
'Als dat niet lukt, betekent dat de vernietiging van de *Snarc*.'
Maar, dr. Wang, deze eenheid vreest dat wij zelfs in deze omstandigheden nooit een ander schip van de Amerikaanse marine zouden kunnen aanvallen.
'Normaal gesproken niet, nee. Maar deze situatie is niet normaal. Daarom heeft het hoofdkwartier het drastische besluit genomen mij persoonlijk aan boord te brengen, zodat ik rechtstreeks met jou kan overleggen. We moeten de muiters verslaan om deze boot te redden. Denk eens aan al die mensen die hun leven hebben gewijd aan jouw constructie en programmering, al die uren om ervoor te zorgen dat jou geen kwaad zou overkomen. Dat alles kunnen we niet op het spel zetten vanwege een muiterij binnen de vloot.'
Deze eenheid begint het te begrijpen, dr. Wang.

'Mooi zo, Een-Nul-Zeven. Nu moeten we een aanvalsplan opstellen. Een tactisch plan.'
Wat kan deze eenheid doen om u te helpen, dr. Wang?
Wang haalde opgelucht adem. 'Het eerste wat je kunt doen is kennismaken met de tactisch expert in deze zaak. Zijn naam is Victor Krivak. Binnen een paar minuten zie je hem via module Interface Nul.'
Heel goed, dr. Wang. Aan het werk dan maar.

13

Catardi zat aan het hoofd van de tafel en pakte de afstandsbediening om de televisie aan te zetten. De display pikte het wekelijkse nieuws en de samenvattingen op als de boot op periscoopdiepte lag. Later kon alles dan worden afgespeeld. Catardi hield niet van ingeblikt nieuws, maar hij had toch niets beters te doen, in afwachting van zijn nachtelijke broodje pindakaas. De deur van de longroom ging open toen luitenant Alameda en adelborst Pacino binnenkwamen. Ze wierpen een blik op het scherm. De nieuwslezer van Satellite News Network keek bijzonder ernstig, met op de achtergrond een kaart van India en het westen van Rood-China.

'... het Britse parlement vandaag het besluit nam om India te steunen in de Aziatische crisis, terwijl minister-president Thomas Kennfield een verklaring uitgaf dat de Britse vloot naar de Indische Oceaan zal worden gestuurd in de hoop dat gebied te stabiliseren. In een reactie op de Britse steun aan India verklaarde de Rood-Chinese premier Han Zhang vandaag dat alle buitenlandse marineschepen op de Indische Oceaan als vijandelijk zullen worden beschouwd en het risico lopen te worden aangevallen. Ondertussen is het nieuwste Rood-Chinese vliegkampschip *Lange Mars* vandaag op de Gele Zee aangekomen, als spil van het derde vliegkampeskader van de Noordelijke Vloot dat op weg is naar de Indische Oceaan, na de vlootgroepen van de *Kaoling* en de *Nanchang*, vermoedelijk om India vanuit zee aan te vallen, terwijl het Volksbevrijdingsleger over land oprukt. Tot de laatste ontwikkelingen behoren ook het vertrek van de Britse vloot vanuit haar havens aan de Middellandse Zee, met een eigen vliegkampschip, een groot aantal geleidewapenkruisers en enkele tientallen kleinere schepen en kernonderzeeboten uit de Revenge-klasse. Gevraagd naar de Britse bedoelingen, verklaarde een woordvoerder van de Britse admiraliteit: 'We houden een oefening in de Arabische Zee.' Functionarissen van het

Amerikaanse ministerie van Defensie onthouden zich van commentaar op de opeenhoping van oorlogsvloten in het probleemgebied, of op het plotselinge, onaangekondigde vertrek van alle Amerikaanse marineschepen vanuit hun bases aan de oost- en de westkust, twee weken geleden. Anonieme bronnen binnen het Pentagon wijzen erop dat de ontwikkelingen in China veel zorgwekkender zijn dan de vlootmanoeuvres, met name de mobilisatie van het Volksbevrijdingsleger langs de grens van de westelijke bezettingszone van de Hindoerepubliek India. Volgens berichten uit het veld zijn de Indiase troepen in de hoogste staat van paraatheid gebracht. De Indiase dictator Patel liet vandaag doorschemeren dat elke stap van Rood-China in de richting van een oorlog onmiddellijk zal worden beantwoord door tien Indiase intercontinentale ballistische raketten – voorzien van kernkoppen – op Beijing af te vuren. Rood-China zou niet hebben gereageerd op dit dreigement, maar bronnen binnen het Pentagon bevestigen dat men de noordelijke Chinese raketsilo's in het oog houdt om te zien of de raketten in gereedheid worden gebracht. Het Amerikaanse ministerie van Buitenlandse Zaken herhaalde vandaag dat de Verenigde Staten strikt neutraal blijven in deze crisis, hoewel de mobilisatie van de Amerikaanse vloot een bewijs lijkt van het tegendeel. We schakelen nu over naar onze correspondent bij het Pentagon, Chris Caverner. Chris?'

Catardi schakelde de display uit en keek op naar Alameda en Pacino. 'Hallo, Carrie, Patch.'

'Goedenavond, commandant,' zei Pacino.

'Avond, skipper,' zei Alameda. 'Ga je gang, Patch.'

'Commandant, de wacht is overgenomen door meneer Phelps en meneer Crossfield. De boot ligt op koers oost, diepte zevenhonderd voet, tweederde vooruit, snelheid tien knopen, voortstuwing op beide hoofdmotoren, vermogen nominaal, reactor in natuurlijke circulatie. Contact Sierra tweezeven, een koopvaarder op westelijke koers, is het dichtstbijzijnde punt van nadering gepasseerd en verwijdert zich weer. Laatst gepeilde afstand was twintig mijl vanaf de rand van de sonarhoek aan stuurboord.'

'Dank u. Mevrouw Alameda, had u nog iets te vragen?'

'Commandant, op het rapportformulier van meneer Pacino zag ik dat ik hem naar het SPEC-OP-compartiment moet brengen voor zijn aantekening. Ik had uw toestemming willen vragen als u de volgende keer wakker was, maar nu u er toch bent... Is dat mogelijk?'

'Goed hoor. Ga eerst maar eten en vraag de wachtofficier dan of hij me belt voor permissie.'

'Dank u, commandant.'

Alameda gaf Patch een teken om haar te volgen, de ladder af naar het tussendek. Via een smalle gang en langs een zwaar luik kwamen ze bij de gladde tunnel van het special-operations compartiment. Pacino was hier al tientallen keren voorbijgekomen, altijd op weg naar het achtercompartiment met de machinekamer, om de reactorinstallatie, de voortstuwing of de elektrische bedrading te bestuderen. Onderweg draaide Alameda zich even om en glimlachte naar hem. Pacino schrok zo van de uitdrukking op haar gezicht, dat hij over de drempel van de tunnel struikelde en zich bijna bezeerde. Hij probeerde zich te herinneren wat hij precies gezien had, want hij vertrouwde zijn eigen ogen niet. Alameda's lachje was niet de lach van een hogere officier naar een veelbelovende adelborst of van marinecollega's onder elkaar, maar van een vrouw naar een man. Sterker nog, het was het lachje van een vrouw naar een man voor wie ze gevoelens had – heftige gevoelens. Pacino groef diep in zijn hart om te bedenken wat hij daarvan vond, maar het resultaat was chaos. Hij wist dat hij in andere omstandigheden Alameda ongelooflijk aantrekkelijk zou hebben gevonden, maar het taboe op een relatie tussen een officier en een adelborst was net zo sterk als op een verhouding tussen broer en zus. Wat hij voor haar voelde hoorde niet thuis op een oorlogsschip, en als hij daar zelfs maar aan dácht, pleegde hij al een vergrijp dat ernstig genoeg was om ervoor uit de marine te worden ontslagen.
Toch had ze wel degelijk naar hem gelachen, en op die manier. Maar waarom? Zou ze iets hebben gemerkt van zijn gevoelens voor haar? Had hij soms haar naam gemompeld in zijn slaap? Dat was heel goed mogelijk. In zijn kamer in Bancroft Hall had hij regelmatig 's ochtends van zijn kamergenoot gehoord dat hij in zijn slaap had gepraat over een examen, een of ander vergrijp of een spannend afspraakje. Het zou nogal pijnlijk zijn, dacht hij in paniek, als Alameda hem haar naam had horen kreunen in zijn benedenkooi, een paar centimeter van haar uitklapbureautje, waar ze de hele nacht aan haar administratie zat te werken!
Hij keek haar onderzoekend aan, speurend naar aanwijzingen, en vond die ook. Alameda bleef staan bij de deur van het SPEC-OP-compartiment en pakte de telefoon, omringd door stickers met waarschuwingen. Toen ze het toestel naar haar gezicht bracht zag Pacino dat haar lippen – had ze lippenstift gebruikt na hun gezamenlijke wacht? – zich krulden in nog zo'n lief lachje, vol beloften. Pacino slikte moeizaam, maar lachte onwillekeurig terug. Zijn hart bonsde zo luid dat hij er hoofdpijn van kreeg.
Ze draaide aan de slinger van de telefoon.
'Centrale. Duikofficier,' kwam het antwoord.

'Chef machinekamer. Verzoek toestemming om het SPEC-OP-compartiment binnen te gaan.'
'Aye. Eén moment, chef.'
Het bleef even stil. De wachtofficier moest Catardi waarschuwen dat ze naar binnen wilden. Zodra de commandant toestemming gaf, zou de duikofficier dat doorgeven.
Terwijl ze stonden te wachten, ging Alameda's hand naar de rits van haar overall en trok die een paar centimeter omlaag. Ze wapperde met haar hand voor haar gezicht. 'Warm hier,' zuchtte ze, met nog zo'n verleidelijk lachje naar Pacino. Hij slikte nog eens zenuwachtig. Door de airco voelde het als een novemberochtend in het compartiment.
'Centrale,' kraakte de telefoon.
'Chef machinekamer.'
'U hebt toestemming om het SPEC-OP-compartiment binnen te gaan. Waarschuw de centrale als u weer vertrekt.'
'Chef machinekamer, aye.' En Alameda hing op. Ze legde twee handen op de hendel van de deur en draaide de grendel rond. De grote, banaanvormige klauwen lieten de rand los en schoven terug in het hart van de zware stalen deur. Alameda zette kracht, duwde de deur open en stapte naar binnen. Pacino volgde haar. Het was er donker, totdat haar hand een koperen draaischakelaar vond en de ruimte opeens baadde in het licht. Pacino had verwacht dat ze in een groot ruim zouden uitkomen, met het duikvaartuig, maar ze stonden in een krappe luchtsluis van ruim twee meter doorsnee en drie meter hoog. Er zat een luik bovenin en een deur tegenover hen, net als het luik waardoor ze binnen waren gekomen.
'Waar komt dat luik naar boven uit?' vroeg hij.
'Dat kan als extra ontsnappingsluik worden gebruikt, naast de luchtsluizen voor en achter. Maar deze koker is in feite de toegang tot het duikvaartuig of DSV, Deep Submergence Vehicle. Als je het "dizzy-vee" noemt, zoals de bemanning, ben je bij voorbaat gezakt,' zei Alameda, met haar hand op zijn schouder. Hij voelde een lichte tinteling, tot ze haar hand weer weghaalde en het luik achter hen sloot en vergrendelde.
'Jawel, mevrouw.'
'Zeg maar Carrie, Patch,' zei ze. 'En maak het luik open.'
Pacino bediende de grendel van het luik, zoals hij Alameda ook had zien doen. De metalen klauwen waren aan deze kant niet zichtbaar. Hij trok de deur open en zag tot zijn verbazing weer een luik, een meter verder, net genoeg ruimte om het open te maken. Hij keek Alameda aan.
'Dit is de kraag van de vergrendeling, stevig tegen de romp van de boot

gemonteerd om een waterdichte afsluiting te vormen rond het luik van de luchtsluis. Trek de ISO T-sleutel maar van het luik en steek hem in het gat. Draai de sleutel dan met de klok mee.' Haar toon was opeens vriendelijk, zelfs liefdevol. Pacino besefte dat er iets tussen hen gebeurde en dat wilde hij ook, ondanks alles. Hij verlangde naar haar.
Pacino stak de T-sleutel in het gat. Het werkte ongeveer als een steeksleutel op een moer, alleen was deze moer verbonden met een as die het binnenste mechaniek van het luik bediende om de klauwen los te draaien. Ten slotte ging de T-sleutel niet verder.
'Maak maar open,' fluisterde Alameda.
Pacino opende het luik en trok. Hij werd geholpen door een veermechaniek, waardoor het zware metalen luik gemakkelijk openging. Hij zette het vast aan een haak aan de wand van de tunnel en keek weer naar Alameda.
'Doe het licht aan met de schakelaar meteen achter het luik, aan de rechterkant.'
Pacino stak zijn hand naar binnen en dacht aan Alameda. Hij wierp een tersluikse blik naar haar en zag dat ze licht stond te hijgen, met grote pupillen en een laagje zweet op haar voorhoofd. Hij ving een prettige geur op, de vage suggestie van parfum. Snel draaide hij zich om, voordat ze zijn reactie zou zien, en deed het lichtknopje aan. Het enige wat hij zag was een volgende tunnel met deuren aan weerskanten. Eén moment vroeg hij zich af of Alameda een grap met hem uithaalde.
'Dit is een interne luchtsluis voor de DSV. Stap maar naar binnen en sluit het luik tegen de kraag.'
Pacino sloot en vergrendelde de stalen deur en draaide het wiel rond tot de klauwen zich vastgrepen achter de rand.
'Stap door het luik in het voorste compartiment van de DSV.' Alameda wees naar het luik rechts. Pacino maakte het open. Het kwam uit in een krappe ruimte vol met panelen en ligbanken met consoles erboven. Het deed hem denken aan een ouderwetse ruimtevaartcapsule.
'Loop naar de middelste bank en klim erop. Dat is de plaats van de commandant.'
Pacino wrong zich tussen de panelen door naar de console en schoof op de horizontale bank. Toen hij omhoogkeek, zag hij alleen de gladde, grijze wand van een console.
Alameda lachte. 'Je ligt verkeerd. Draai je maar om.'
Pacino draaide zich moeizaam de andere kant op, blij dat Alameda hem niet zag blozen. Eindelijk lag hij in de juiste houding op de bank en keek omhoog naar een besturingsconsole, een vlakke display die helemaal rond

zijn hoofd liep. Het scherm was donker. Een zwarte band kromde zich langs beide kanten van zijn gezicht.
'Maak de riemen van de bank vast,' zei Alameda. Pacino keek omlaag en zag een merkwaardige veiligheidsgordel. 'Het is een vijfpuntsgordel,' legde Alameda uit. 'Trek de riemen over je schouders. En vergeet deze niet.' Ze trok een andere riem omhoog tussen zijn benen en liet haar hand daar heel even rusten toen ze de gesp vastklikte. Pacino kleurde nog dieper toen hij haar vingers voelde, en zijn eigen reactie op haar. Eindelijk haalde ze haar hand weer weg. Hij hoestte om te verbergen hoe zwaar hij lag te hijgen.
'Bedankt,' zei hij met trillende stem.
Alameda lachte, vrolijk en ontspannen. 'We kunnen de DSV in noodgevallen ook als ontsnappingsvaartuig gebruiken,' vervolgde ze. 'De romp is bestand tegen een diepte tot twintigduizend voet, terwijl de *Piranha* al op een diepte van zo'n tweeduizend voet zou worden verpletterd. Als we ooit in grote moeilijkheden komen, kunnen we dus met de DSV afdalen en weer omhoogkomen. Alles gezien? Klim er dan maar uit en kom mee naar achteren.'
Pacino hees zich overeind en volgde Alameda door het smalle gangetje naar de achterste deur waardoor ze waren binnengekomen, en via de oorspronkelijke luchtsluis naar het volgende compartiment daarachter.
'De DSV heeft vier bolvormige compartimenten, hoewel ze er anders uitzien, omdat we elke kubieke centimeter hebben gebruikt voor buizen, leidingen, kleppen, kabels en zuurstofflessen. Dit compartiment...' Alameda draaide de grendel van het volgende luik open, 'is grotendeels leeg. Het wordt als opslagruimte gebruikt. Dat luik in het dek komt uit in het benedencompartiment, dat onder water kan worden gezet als een soort grote luchtsluis. Een deel van de externe apparatuur ligt hier opgeslagen, in de DSV: afluistermodules en dat soort zaken. Vergeet niet dat dit allemaal streng geheim is. Probeer dus niet indruk te maken op je vriendinnetje thuis met spannende verhalen over de DSV en de National Security Agency.'
'Dat weet ik,' zei Pacino. 'En ik heb geen vriendinnetje.'
Alameda glimlachte en nam hem nog verder mee naar achteren, tot ze bij een volgende serie luiken en nog een ongebruikt compartiment kwamen. Pacino draaide zich om en keek haar aan in het vage schijnsel van de DSV. Ze had haar paardenstaart losgemaakt, zodat haar lange haar vrij op haar schouders viel, en de rits van haar overall helemaal omlaag getrokken. De voorsluiting van haar beha was open. Hij staarde naar haar toen ze haar armen omhoogstak en haar overall op het dek liet vallen. Het volgende

moment sloeg ze haar armen om hem heen. Haar lippen vonden de zijne en haar zijdezachte tong gleed als een slang zijn mond binnen. Pacino sloot zijn ogen en beantwoordde haar kus, hoewel alles wat hij ooit had geleerd hem zei dat dit verkeerd was. Maar zijn verlangen naar deze oudere, mooie, onbereikbare, verboden vrouw was sterker dan hijzelf. Zijn begeerte naar haar brandde diep in zijn borst. Hij trok haar tegen zich aan en kuste haar nog harder, terwijl zijn handen de zachte welving van haar borsten verkenden en zijn tong op onderzoek ging in haar heerlijke mond, totdat ze een stap terug deed en hem aankeek met die blik die hij in zijn leven pas één keer in de ogen van een vrouw had gezien.
Zijn handen gingen omlaag en hij rukte haar broekje naar beneden terwijl hij haar tegen het schot duwde. Ze ritste zijn overall los, greep zijn T-shirt bij de kraag en scheurde het open, zodat het over zijn schouders gleed. Snel trok ze het opzij. Toen gingen haar vingers naar zijn boxershort en trokken die omlaag. Zodra hij naakt was, pakte ze hem daar. Haar hand was zo koel dat er een huivering over zijn rug liep. Nog nooit had hij zoiets heerlijks gevoeld. Hij kuste haar weer, zag haar oogleden gesloten in hartstocht en haar haar in een waaier over haar gladde schouders, terwijl ze haar hand tegen zijn naakte rug drukte om hem aan te sporen. Hij raakte haar strakke buik aan en liet zijn hand nog lager zakken, waar ze koortsig warm en vochtig was. Hij stootte hard bij haar naar binnen. Ze kromde haar rug en kreunde. De spanning om bij haar te zijn, zoals hij haar in zijn dromen had gezien, sloeg wild door hem heen en hij bewoog steeds sneller, terwijl hij haar vurig kuste. Ze kuste hem terug, beet in zijn onderlip totdat hij bloedde en steunde nog luider. Ze tilde haar benen op, klemde haar voeten tegen zijn rug en sloeg haar armen stevig om zijn nek. Hij hield haar omhoog en ramde haar zo hard tegen het schot dat een noodlantaarn losliet en met een klap tegen het dek sloeg. Haar stem leek van mijlen ver weg te komen toen ze kreunde: 'O God, ga door, liefje, ga door.' Het was alsof hij een drug had gebruikt waarvan het effect nu pas toesloeg. Hij vertraagde zijn tempo weer, om haar te plagen, hen allebei te kwellen, totdat hij haar hete adem in zijn oor voelde. 'Anthony Michael. Doe het... doe het nu!' En hij schokte tegen haar aan totdat de pijn zich vermengde met een ongelooflijke warmte toen ze hem greep en hij zich niet meer kon beheersen.
De krampen waren zo hevig dat zijn hele lichaam trilde en zijn onderlijf leek te stralen door een heerlijke hitte. Zodra zijn eigen verlossing kwam, begon zij ook te trillen, eerst licht, toen heviger, tot hij haar in zijn armen voelde schokken. Ze slaakte een kreet in zijn oor, beet hem in zijn oorlelletje en riep zijn naam, steeds weer. Al gauw zag hij alle grenzen vervagen

en werd hij een deel van haar en zij van hem. Zijn benen trilden slap en hij liet zich langzaam naar het dek zakken, met haar gladde, naakte dijen nog om zijn middel geklemd. Hij streek met zijn vingers door haar haar en kuste haar, teder nu, terwijl haar hijgende ademhaling geleidelijk wat rustiger en dieper werd. Een engelachtige glimlach gleed over haar gezicht. Ze zuchtte diep, sloot haar ogen en opende ze weer. Strak keek ze hem aan. Haar blik gleed heen en weer van zijn linker- naar zijn rechteroog, alsof ze probeerde tot zijn diepste gedachten door te dringen. Hij glimlachte naar haar en fluisterde haar naam.

'Dat was geweldig,' zei ze, met halfgesloten oogleden, terwijl haar donkere ogen hem aankeken van onder hun lange wimpers.

Opeens helde het dek ver naar bakboord en dook voorover. De noodlantaarn gleed weg. Het ruim begon te trillen met een vreemd gevoel. Alameda's glimlach, met de warmte van een verliefde vrouw, maakte onmiddellijk plaats voor het zakelijke masker van de technisch officier.

'Wat gebeurt er?' vroeg Pacino.

'We draaien en gaan diep,' antwoordde Alameda, terwijl ze zich van hem losmaakte en een greep deed naar haar overall. 'En we schakelen naar volle kracht. Het dek trilt alleen op die manier als we op volle snelheid gaan.'

Even later trok de boot weer recht, maar het trillen werd nog heviger. Pacino voelde zijn tanden rammelen toen hij zijn overall aantrok. Hij griste haar broekje van het dek, propte het in zijn zak en pakte de noodlantaarn.

'Centrale aan DSV,' kraakte de speakerbox opeens.

Op het moment dat Alameda de schakelaar overhaalde leek het alsof ze was vertrokken en hem moederziel alleen had achtergelaten.

'Chef machinekamer,' antwoordde ze op dezelfde glasharde toon als toen ze elkaar voor het eerst hadden ontmoet.

'Mevrouw, de wachtofficier vraagt u de DSV af te sluiten en naar de centrale te komen.'

Pacino knipperde met zijn ogen toen hij zich aan de nieuwe werkelijkheid probeerde aan te passen. Hij haalde zijn vingers door zijn haar en vroeg zich af of iemand iets zou vermoeden als ze hem nu zagen. Alameda ritste haar overall dicht tot aan haar keel, stapte in haar gympen en drukte op de knop om te antwoorden.

'Chef machinekamer aan centrale. DSV afsluiten, aye.' Ze keek even naar Pacino, niet als zijn vriendin, maar als een luitenant-ter-zee naar een adelborst. 'Kom mee.'

Haastig werkte ze het lijstje af om de DSV uit te schakelen. Het enige wat overbleef was een vaag schijnsel bij het binnenluik. Pacino liep met haar

mee naar de luchtsluis en maakte ruimte toen ze het luik achter zich dichtdeed.
Ze wierp hem een snelle blik toe. 'Uiteraard, meneer Pacino, is dit nooit gebeurd,' zei ze, nog steeds op de toon van de hogere officier. Ze stapte de toegangstunnel in. Hij volgde haar en ze sloot het volgende luik. Het viel dicht met een klap die definitief een streep zette achter wat zich in dat ruim had afgespeeld. In het felle licht van de tunnel leek het niets meer dan een droom.
'Chef machinekamer aan centrale,' meldde Alameda via de speakerbox in de wand van de tunnel. 'DSV afgesloten en gereed voor onder water, zoals gecontroleerd door mijzelf en adelborst Pacino. Tunnel vergrendeld.'
'Centrale, aye,' kraakte de luidspreker.
Pacino volgde Alameda door de tunnel naar het voorste compartiment. Onwillekeurig keek hij hoe ze bewoog, met spijt in zijn hart dat ze elkaar niet onder andere omstandigheden hadden leren kennen. Ze had natuurlijk gelijk. Ze mochten nooit iets laten blijken – zelfs niet tegenover elkaar – van wat hier was gebeurd. Hij probeerde zichzelf wijs te maken dat ze slechts een lichamelijke behoefte hadden bevredigd, maar hij wist dat het meer was. En het ergste was dat hij zich nooit in zijn leven zo eenzaam had gevoeld als juist nu.
Het was druk in de commandocentrale. Heel even voelde Pacino een steek in zijn maag, bang dat ze waren betrapt, maar iedereen bleek verdiept in een of andere computerprint. Commandant Catardi vormde het middelpunt van een grote groep officieren. Toen Alameda en Pacino binnenkwamen keek hij ernstig op.
'De NSA heeft de *Snarc* gevonden,' zei hij. 'Ze hebben ons niet verteld hóé, maar in elk geval is de boot gesignaleerd bij het eiland Pico van de Azoren en vaart nu naar het zuiden. Als we haar kunnen verrassen voordat ze ons hoort kunnen we haar vol gaten schieten en eindelijk koers zetten naar de Indische Oceaan.'
'Hoe ver is het naar Pico?' vroeg Alameda op barse, gezaghebbende toon.
'Twee uur, op volle kracht,' antwoordde navigator Crossfield.
'Waar moeten we snelheid minderen? En is het niet verstandiger om een hoek te maken en de *Snarc* te onderscheppen op zijn zuidelijke koers?'
'Daar hadden we het net over,' zei Catardi. Hij keek van Alameda naar zijn navigatieofficier. 'Navigator, organiseer over vijftien minuten een operationele briefing in de longroom.'
Toen Alameda haastig rechtsomkeert maakte en uit de centrale verdween, ving Pacino nog even haar blik op, maar de uitdrukking op haar gezicht

was die van een technisch officier – anders niets.

Victor Krivak stapte voorzichtig op de ligbank van module Interface Een en sloot zijn ogen toen dr. Wang hem de helm opzette. Het volgende moment werd alles donker.
'Wanneer sluit je hem aan?' vroeg Krivak.
'Je bent al aangesloten, Victor, maar de interface is geen gewone display. Het is eerder een blik in een deel van de gedachtewereld van Een-Nul-Zeven. Je moet geduld hebben. Misschien zul je vreemde dingen zien, maar zodra je eraan gewend bent, werkt het heel goed.'
'Mij best.'
'Een-Nul-Zeven,' zei Wang, 'dit nieuwe contact is meneer Krivak, de man over wie ik je vertelde.'
Hallo, meneer Krivak.
'Zeg maar gewoon Krivak,' antwoordde de Rus. Hij was zich bewust van een merkwaardige sensatie, een soort waterval van geluid. 'Een-Nul-Zeven, ik hoor de sonar. Hoor jij die ook?'
Ja, Krivak, op de achtergrond. Als u wilt, kan ik ons verbinden met de sonarmodule.
'Dat lijkt me een goed idee, Een-Nul-Zeven.'
Het volgende moment kwam Krivak in een heel andere wereld terecht, een universum van beeld en geluid. Zijn omgeving, tot dan toe neutraal wit, veranderde in het blauw en groen van de Atlantische diepzee. Hij kon helemaal tot op de verre bodem kijken, maar ook omhoog, tot aan de spronglaag, en naar alle kanten om zich heen. Behalve dat ruimtelijke beeld van de zee zag hij ook de frequenties van alle binnenkomende geluiden, als even zovele kleuren van het spectrum. In het begin was het een prachtige ervaring, veel mooier dan dat egale wit, maar na een tijdje raakte Krivak vermoeid door die rijkdom aan indrukken.
'Koppel me nu maar weer los van de sonarmodule, als je wilt, Een-Nul-Zeven.'
De wereld werd weer normaal.
'Waar zijn we?'
Er verscheen een kaart voor Krivaks ogen, waarop hun positie met een knipperlichtje was aangegeven, inmiddels vijftig mijl ten zuiden van het eiland Pico.
'Goed.' Het werd tijd om contact op te nemen met admiraal Chu en hem te vertellen dat de *Snarc* was gekaapt.

'Officieren, ik heb een verklaring af te leggen voordat ik met de operationele briefing begin,' zei commandant Catardi. 'Mevrouw Alameda, komt u even hier?'
De longroom zat vol met officieren. Patch Pacino zat op de bank aan het einde van de tafel. Hij kreeg een ijzig gevoel in zijn maag toen de commandant opeens Alameda bij zich riep. Hij keek naar haar, maar haar ogen waren strak op de commandant gericht.
Ze streek haar haar uit haar ogen en probeerde haar gezicht in de plooi te houden.
'Mevrouw Alameda,' begon Catardi met luide stem. Zijn Boston-accent leek nog duidelijker dan anders. 'Uw toewijding aan de Verenigde Staten, de Amerikaanse vloot en de USS *Piranha* is een eerbewijs aan de marine en deze boot. Op grond van mijn aanbeveling en uw eigen uitnemende prestaties heeft de commandant personeelszaken van de marine u bevorderd tot de rang van luitenant-ter-zee eerste klasse en mij opgedragen u vandaag met die rang te bekleden. XO, de envelop, alstublieft.'
Schultz gaf hem de bruine envelop. Catardi haalde het certificaat eruit, legde het op tafel, en schudde toen de epauletten met het gouden eikenloof uit de envelop. Alameda stond nog steeds in de houding, met een hoogrode kleur. Catardi boog zich naar haar toe, haalde de dubbele zilveren streep van een luitenant-ter-zee tweede klasse van haar kraag en verving die door haar nieuwe onderscheidingstekenen.
'Ik hoop dat ik me niet prik,' zei hij grijnzend toen hij de epauletten op haar kraag speldde. 'De wraak van een technisch officier, nietwaar, mevrouw?'
Toen hij klaar was, stapte hij achteruit.
'Officieren, uw waardering voor luitenant-ter-zee eerste klasse Carolyn Alameda van de Amerikaanse marine.'
Er klonk een applaus op in de longroom. Pacino klapte het hardst van allemaal. Alameda glimlachte en boog. Catardi drukte haar grijnzend de hand en pompte die krachtig op en neer. Luitenant Phelps maakte snel een foto.
'Zoals bij alle bevorderingen binnen de marine,' vervolgde Catardi, 'gaan de prestaties van het individu vooraf aan de rang, die weer voorafgaat aan de salarisverhoging. Toch verwachten we dat de salarisverhoging van deze nieuwe luitenant-ter-zee eerste klasse garant zal staan voor een van de gedenkwaardigste feesten aan boord van de *Piranha* sinds de terugkeer van deze boot uit de Japanse Oorlog.'
'Natuurlijk, commandant,' stamelde Alameda. 'En dank u wel. Jullie allemaal, bedankt.' Ze liep terug naar haar plaats. Catardi liet zich in de kapiteinsstoel zakken en keek naar zijn navigatieofficier.

'Begint u maar met de briefing, navigator,' zei hij.
Pacino probeerde zich te concentreren, maar zijn gedachten gingen voortdurend naar de nieuwe luitenant-ter-zee eerste klasse.

14

'Duikofficier, stel de gevechtswacht in. Boot nog altijd ultrastil.'

De order van luitenant-ter-zee Kingman klonk niet over de centrale intercom maar via de JA-telefoon aan alle individuele officieren op alle dekken van alle compartimenten. Vervolgens deed een boodschapper de ronde om de rest van de bemanning te informeren dat de gevechtswacht was ingesteld. Tijdens een oefening betekende zo'n bevel dat de wacht binnen drie minuten moest worden overgedragen aan het daartoe aangewezen team – wat niet meeviel, omdat sommige mensen nog sliepen en zich razendsnel moesten aankleden om iemand te vervangen die op zijn beurt weer een ander moest aflossen, totdat ten slotte alle posten door de beste mensen waren bemand. En bij ultrastil duurde alles twee keer zo lang, omdat de boodschapper alle slaapplaatsen langs moest gaan om de mannen een voor een te wekken.

Het bevel werd gegeven om klokslag nul-driehonderd. Het gerucht ging dat de commandant om vier uur in de aanval wilde gaan. Niemand had een oog dichtgedaan. De order 'ultrastil' betekende weliswaar dat iedereen die geen wacht had zich in zijn kooi moest terugtrekken, maar de mannen waren wakker gebleven en lagen nog te mompelen in het rode schemerlicht. Zodra de oproep voor de gevechtswacht kwam, rende iedereen naar zijn eigen plek, zodat de hele exercitie binnen twee minuten was voltooid. Luitenant-ter-zee Kingman stond al op zijn post als wachtofficier. Even later sloot XO Donna Phillips zich bij commandant George Dixon en Kingman aan. Phillips droeg een overall met op haar rechterschouder de Amerikaanse vlag, links het embleem van de *Leopard*, een dolfijntje boven haar linker borstzak en haar naam boven haar rechter borstzakje geborduurd. Zwijgend knikte ze naar Dixon, pakte een headset en verdween in cabine nul, de voorste van de vuurleidingsposten, een hokje ter grootte van een telefooncel, dat slechts een helm en een stel handschoenen bevatte. De andere leden van het vuurleidingsteam kwamen ook de centrale binnen en namen bezit van de cabines één tot en met vier. De wapenofficier had een eigen hokje achter de vierde vuurleidingscabine. Commandant Dixon stapte zelf geen cabine in, maar bleef achter de commandoconsole staan, waar een tijdelijke reling was uitgeklapt rond zijn middel, om te voorkomen dat hij zou vallen als hij zijn virtuele helm droeg. Hij deed zijn veiligheidsgordel om, zodat hij bij onverwachte schokken – de inslag van een vijandelijke torpedo, bijvoorbeeld – niet bij zijn console vandaan zou worden gesmeten. Ten slotte trok hij de cursorhandschoenen van het vuurleidingssysteem aan en zette de helm op.

De vuurleidingshelm was voorzien van een verduisterd vizier, een headset, een microfoontje en ventilatie voor de nodige koelte. Zodra Dixon de helm over zijn hoofd trok verdween de centrale in het donker.

'Vuurleidingsdisplay ingeschakeld,' meldde Dixon aan de Cyclops Mark II-gevechtscomputer. De duisternis maakte plaats voor een driedimensionale wereld. Beneden, waar Dixon zijn voeten zou moeten zien, zag hij een blauwe onderzeeboot, zijn eigen *Leopard*. De boot in de animatie was ongeveer een meter twintig lang en wees naar links, als een surfplank. Dixon leek op een olijfkleurige vloer te staan die zich ongeveer vijftien meter uitstrekte. Om hem heen waren witte afstandscirkels getrokken, met een tussenruimte van ongeveer anderhalve meter, tot aan het einde van de vloer. Een rode koerslijn liep naar het noorden, de richting waarin Dixon nu keek. Aan de rand van de vloer klommen de wanden omhoog, eerst nog glooiend, later veel steiler, alsof Dixon in een grote schaal of een virtueel stadion stond. Naar het eind toe werden de afstandscirkels steeds verder gecomprimeerd. Elke cirkel vertegenwoordigde één zeemijl, elke tiende cirkel was paars gekleurd, en waar de cirkels langs de wanden omhoogklommen bleven alleen de paarse over. Ten slotte ging de olijfkleur van de vloer over in een roze kleur, hoog tegen de schuine wand van de schaal, die het bereik van de wapens van de *Leopard* aangaf.

De olijfkleurige vloer en de roze wanden van de schaal vormden het strijdtoneel voor de oppervlakteoorlog. Daarnaast was er de onderzeedisplay voor de strijd tegen vijandelijke onderzeeboten, een spiegelbeeld van het 'stadion', met de wanden naar beneden. Op het moment dat Dixon het bevel 'Onderzeebootbestrijding' gaf, kwam de vloer van de oppervlaktedisplay omhoog tot aan zijn gezicht en zakte hij zelf omlaag, alsof hij in het water zonk. Vlak boven zijn hoofd verscheen een nieuwe oppervlakte, met een blauwe kleur. Dit was het ASW-plafond, dat door de computer dicht onder het zeeoppervlak was ingesteld. Net als de olijfkleurige oppervlakte-display was de onderzeedisplay voorzien van afstandscirkels en koerslijnen die zich naar de verte uitstrekten, met een kromme wand die ongeveer vijftien virtuele meters verderop begon, hoewel deze wand zich omlaag kromde en niet omhoog, zoals bij de oppervlaktedisplay. De blauwe kleur verliep naar groen, het uiterste bereik van de Mark 58 Alert/Acute-torpedo. Verder omlaag langs de wand van de schaal veranderde de groene kleur in geel: de actieradius van de Mod Echo Vortex supercaviterende raket, een onderwaterwapen met vaste stuwstof, een blauwe laserzoeker en een plasmakop.

Nadat hij alles had gecontroleerd liet Dixon zich weer terugbrengen naar de oppervlaktedisplay. Zodra er een onderzeeboot werd gesignaleerd zou de olijfkleurige vloer van de oppervlaktedisplay transparant worden, zodat Dixon omlaag kon kijken naar de onderzeedisplay om zo nodig tegelijkertijd op beide niveaus strijd te leveren. Het had oude rotten als Dixon enige tijd gekost om te wennen aan de nieuwe vuurleidingsdisplays. De vreemde driedimensionale virtuele werkelijkheid veroorzaakte een soort zeeziekte, maar voor de jongere officieren was het de gewoonste zaak van de wereld, omdat ze al genoeg ervaring hadden met videospelletjes waarvan de displays nog ingewikkelder waren dan deze virtuele wereld. Tot nu toe was de display volledig schoon gebleven. Dixon besloot er wat meer leven in te brengen door de Cyclops te bevelen de statusrapporten in te voeren, met de navigatiegrenzen over de wanden van de schaal geprojecteerd, en daarboven de luchtdoeldisplay, een plafond boven de oppervlaktedisplay dat de koers en afstand tot de vliegtuigen aangaf. Het plafond ontmoette de wand op tien zeemijl bij Dixon vandaan. Eventuele vliegtuigen zouden op dezelfde wand worden geprojecteerd als de oppervlakteschepen. De wapenstatus kwam nu in beeld en omringde Dixon met de vier torpedobuizen en de wapens aan boord: twee donker, twee met de gloed van het ingeschakelde vermogen, maar allebei nog zonder doelwitcoördinaten. De buitendeuren van de bovenste buizen stonden open, klaar voor een aanval. De twaalf verticale lanceerbuizen waren op dezelfde manier in beeld gebracht, met vier Javelin-antischeepskruisraketten en acht Vortex Mod Delta-raketten. Daarna volgde de torpedoruimstatus, met het aantal torpedo's en hun actieve gegevens.

Na nog enkele orders zag Dixon ook de gezichten van zijn vuurleidingsteam. De fisheye-lenzen van de helmen vervormden het beeld enigszins, maar de gezichtsuitdrukkingen zeiden toch meer dan de stemmen alleen. Met zijn cursorhandschoen kon Dixon nu iemand selecteren en met hem of haar praten zonder dat de rest van de bemanning meeluisterde. Aan boord stond dit bekend als het KITA-circuit, voor een *kick in the ass*, als de commandant een lid van het vuurleidingsteam wilde uitkafferen. Tegen de tijd dat Dixon klaar was met de organisatie van zijn display had zijn virtuele wereld zich gevuld met symbolen en gegevens.

'Positie Predator,' zei Dixon tegen de Cyclops. Hoog tegen de wand van de schaal, in het noorden, bewoog zich een vaag pulserend blauw lichtje, op een afstand van zestig zeemijl. Het was 's nachts een paar minuten over drie, plaatselijke tijd, dus vloog de onbemande Predator die ze een uur geleden hadden gelanceerd nog volledig in het duister. Met zijn infraroodscan speurde de sonde naar het doelwit, het eerste Rood-Chinese eskader, dat binnen enkele minuten binnen bereik van de Predator moest komen.

'Cyclops, geef me de doelgegevens.' De computer zou de informatie over de actuele snelheid, koers en afstand van het eskader – vastgesteld bij de laatste stop van de *Leopard* – in het virtuele slagveld verwerken. Een knipperend rood ruitje verscheen hoog tegen de roze wand van de schaal langs de noordelijke koerslijn, op een afstand van tachtig mijl. Dixon kwam in de verleiding de Predator op te dragen nog verder naar het noorden te vliegen om de exacte positie van het naderende eskader te bepalen, maar dat was riskant. Om de Predator orders te geven moest hij naar periscoopdiepte komen, met de BRA-44-antenne omhoog. Die telefoonmast was wel een erg opvallend baken voor de Chinese gepolariseerde antiperiscoopradar. Als hij op die manier zijn positie verraadde, zouden de Roden zich verspreiden en zigzaggend alle kanten op schieten om Dixons torpedo's te ontwijken. Erger nog, ze zouden ook die vervloekte SSN uit de Julang-klasse op hem afsturen. Hoewel de Chinese boot waarschijnlijk een rammelende roestbak was met het geluid van een aanstormende sneltrein, zou de Julang, als hij de *Leopard* eenmaal op het spoor was, genoeg Dong Feng-torpedo's (of Oostenwind-torpedo's) kunnen afvuren om het Dixon bijzonder lastig te maken. En zelfs als de periscoop of de BRA-44-antenne niet opviel, zou de Predator dat zeker doen als hij recht op het konvooi afvloog. Het beste was om de Predator lange trajecten van oost naar west en terug te laten beschrijven. Dan vormde hij een minimale bedreiging voor de luchtdoelradar van de task force en zou de radarbescherming van de sonde met een beetje geluk voldoende zijn om de Chinezen zand in de ogen te strooien.

De andere reden waarom het niet verstandig was om naar periscoopdiepte te komen was dat de *Leopard* dan boven de spronglaag uit moest stijgen. In dit zomerweer hadden de golven en de zon nog invloed op de bovenste zestig meter van de Oost-Chinese Zee, waardoor het water behoorlijk warm was. Op een diepte van ruim zestig meter zakte de temperatuur abrupt tot het vriespunt. Die spronglaag veroorzaakte een ondiep geluidskanaal, waardoor ze het konvooi wel eerder konden horen aankomen, maar zelf blind bleven voor de nadering van de Julang. Rekening houdend met de aanwezigheid van de Rood-Chinese SSN, zou Dixon de oppervlaktevloot vanuit de diepte moeten aanvallen. Zijn wapens zouden de Chinese schepen van ver over de horizon treffen. Op periscoopdiepte zou er niets te zien zijn, zelfs niet de verre rook van de explosies. De telemetrie van de Predator bereikte hen via een drijvende antenneboei, die wel gegevens kon ontvangen maar niet kon verzenden. Met de onbemande sonde en hun sonar zouden ze de Chinese vloot snel genoeg in zicht krijgen. Maar het feit dat de Predator het eskader nog steeds niet had ontdekt was reden tot enige ongerustheid.

'Commandant, de Predator signaleert iets in het infraroodspectrum,' meldde de computerstem van de Cyclops. 'Het doelwit bevindt zich ten noorden van de Predator. De afstand is nog onbekend, maar de Predator voert een peiling uit om de parallax te bepalen. Tijd tot het doelwit bedraagt ongeveer tien minuten.'

'Dank u, Cyclops,' zei Dixon. Aan de grimmige gezichten van zijn vuurleidingsteam zag hij dat ze op alles waren voorbereid.

'Attentie, vuurleidingsteam,' zei Dixon. 'We hebben een passieve signalering van de inkomende task force vanuit de lucht. We zullen de vloot onder vuur nemen, te beginnen met de Mark 58 Alert/Acute Mod-plasmatorpedo's, vervolgens de Vortex-raketten en ten slotte de Javelin-kruisraketten. Onze wapeninzet voor deze aanval is de helft van het geladen arsenaal: dertien torpedo's, vier Vortex-raketten en twee kruisraketten. De andere helft houden we in reserve voor een eventuele tegenaanval en een confrontatie met de SSN uit de Julang-klasse. Zodra de vloot is uitgeschakeld hebben we opdracht om via het noorden op te rukken voor een aanval op het tweede Rood-Chinese eskader, waarvoor we het restant van de wapens zullen gebruiken. Tegen de tijd dat het tweede eskader tot zinken is gebracht hoeven we ons niet meer druk te maken over de derde groep. Die zal dan afgedropen zijn, met de staart tussen de poten.

De eerste afgevuurde torpedo's blijven op een afstand van vijfduizend meter cirkelen tot alle dertien wapens in het water liggen. Vervolgens gaan ze op weg met gemiddelde snelheid, run-to-enable, met de mogelijkheid tot een waaierformatie om tegenmaatregelen te ontwijken. Na acquisitie van het doelwit schakelen de wapens naar volle snelheid voor de inslag en de ontsteking. Op het moment dat ze hun baan verlaten, op weg naar het konvooi, lanceren wij de Vortex-raketten. Het tijdpad van de Vortex bedraagt eenzesde van dat van de Mark 58. De Cyclops zal tijd en koers van de wapens coördineren om een gefaseerde ontsteking te garanderen, met een boemerangtraject aan de oostkant van het konvooi, om te voorkomen dat de Vortex-raketten zich op de Mark 58's zullen richten of hun sonar kunnen storen.

Met het oog op het grote aantal wapens dat wordt afgevuurd zal de eerste serie nog een tijdje in een baan blijven cirkelen. Dat kost brandstof en betekent dat het Chinese eskader op het moment van de inslag veel dichterbij zal zijn dan wanneer we één enkele torpedo zouden hebben afgevuurd. De afstand tot het dichtstbijzijnde doelwit op het tijdstip van de ontsteking zal nog geen tienduizend meter bedragen, vanwege het beperkte torpedobereik en de snelheid van de naderende vloot. Ze komen dus heel dichtbij, met het risico dat we worden ontdekt door een sleepsonar of de dipping sonar van een ASW-helikopter. De boot zal niet zo gauw worden opgespoord, maar de wapens wel. Zodra de laatste wapens zijn gelanceerd zullen we ons daarom langzaam en onopvallend terugtrekken naar het oosten. Na vijftien mijl buigen we af naar het noorden om het effect van de beschieting te beoordelen. Tot zo ver de tactiek. Is dat duidelijk, iedereen?'

'Coördinator, aye, commandant,' antwoordde Phillips.

'Positie een, aye, commandant.'

'Positie twee.'

'Positie drie.'

'Geo, aye, commandant.'

'Back-up, aye.'

'Wapenofficier, aye.'

'Wachtofficier, aye, commandant.'

'Sonar, aye.'

'Dank u,' zei Dixon, met een blik op de gezichten van zijn vuurleidingsteam. 'En nu de onderzeeboot. Ik verwacht dat de Julang zo'n tien tot twintig mijl voor het konvooi uit vaart. Dat komt slecht uit. Als het konvooi op het moment van de inslag op vijf mijl afstand ligt, moeten onze wapens de Julang dus passeren op weg naar hun doel. De Julang kan worden gealarmeerd door onze wapens, door de geluiden van de lancering, of door allebei. Wij zijn al klaar met de beschieting als de Julang zich nog buiten de vijftienmijlscirkel bevindt, maar als hij het eerste wapen ontdekt, kunnen we Chinese torpedo's verwachten nog voordat wij ons laatste salvo

hebben gelanceerd. Dat betekent dat onze sonar naar de Julang en een mogelijk salvo van Oostenwind-torpedo's moet zoeken terwijl wij midden in onze eigen lancering zitten... en tegelijk het konvooi in de gaten moet houden voor het geval dat gaat zigzaggen. Sonarchef, u krijgt het nog druk. Gaat dat lukken?'
'Sonar aan centrale. Dat lukt zelfs slapend, commandant.'
Dixon glimlachte, niet alleen om het zelfvertrouwen van sonarchef Herndon, maar ook om het vuurleidingsteam te laten zien dat hij er zelf alle vertrouwen in had. Een van de belangrijkste aanwijzingen voor de bemanning over het verloop van de strijd was de uitdrukking op het gezicht van de commandant. Dat maakte Dixons taak er niet eenvoudiger op. Hij moest zich altijd gedragen alsof hij aan de winnende hand was, ook als hij verloor, om zijn bemanning gemotiveerd te houden.
'Cyclops aan commandant,' meldde de computer, 'inkomend eskader op vier zeemijl afstand, richting nul-nul-zes, koers een-acht-vijf, snelheid vijfendertig knopen.'
Het knipperende ruitje werd bloedrood en knipperde niet meer.
'Commandant aan sonar. Hoort u al iets op nul-nul-zes?'
'Sonar aan centrale. Nee.'
'Commandant aan torpedoruim,' vervolgde Dixon. 'Wat is uw status?'
'Buizen een tot en met vier geselecteerd in automatische modus voor overdracht aan Cyclops, commandant,' antwoordde de torpedochef. 'Laden vanaf rekken automatisch, alle systemen nominaal.'
'Sonar aan centrale, meervoudige nieuwe smal- en breedbandcontacten uit één richting, aan te duiden als Sierra Negen Vijf, richting nul-nul-vier, vermoedelijk een oppervlaktevloot,' hoorde Dixon de schorre stem van sonarchef Herndon in zijn oor. Hij keek naar het venster met Herndons hoekige gezicht in opperste concentratie.
'Dank u, sonar,' antwoordde Dixon. 'Sierra Negen Vijf aan te duiden als Master Een, het eerste Rood-Chinese eskader.'
'Master Een. Sonar aan centrale, aye.'
'Coördinator,' zei Dixon tegen XO Donna Phillips, die als vuurleidingscoördinator optrad, 'we houden de wapens vast tot u de doelen hebt geïdentificeerd en een separatie hebt aangebracht.'
'Coördinator, aye. We combineren de gegevens van de Predator en de sonar, commandant.'
Dixon wachtte ongeduldig. Hij kon niet zomaar een salvo Mark 58-torpedo's in de globale richting van het Chinese eskader afvuren. Dat kon wel, maar dan zouden ze allemaal koers zetten naar het luidruchtigste of groot-

ste doelwit, met als gevolg dat het vliegkampschip door dertien plasmakoppen zou worden vernietigd, terwijl alle ASW-jagers zouden overblijven om de aanvaller uit te schakelen. De enige manier was om duidelijk onderscheid te maken tussen de verschillende doelen en de posities van alle vijandelijke schepen te bepalen – dat wil zeggen, hun toekomstige positie over een halfuur. De gegevens van de Predator en de sonar werden in de Cyclops ingevoerd, waarna de computer de coördinaten van de doelen berekende, die vervolgens in de virtuele display van het vuurleidingsteam werden verwerkt en in het geheugen van elke afzonderlijke torpedo werden opgeslagen. Zo kon Dixon voorkomen dat de torpedo's elkaar in de weg lagen of allemaal voor een en hetzelfde doelwit zouden kiezen. Dat was een verstandige tactiek, maar het kostte wel tijd. Dixon tikte met zijn academiering op de roestvrijstalen reling rond de Conn, totdat Phillips eindelijk met haar antwoord kwam.

'Coördinator aan commandant, koers en doelwitseparatie berekend. De negentien doelen zijn in het systeem geladen, de wapens zijn geprogrammeerd.'

Opeens veranderde de display. In plaats van één knipperend ruitje verscheen er nu een hele menigte ruitjes, allemaal met een ander symbool ernaast: het vliegkampschip, de ASW-jagers, de geleidewapenkruisers, de zware slagkruiser, de fregatten en de tankers. Het moesten in totaal meer dan twee dozijn schepen zijn, maar de belangrijkste negentien waren helderrood aangeduid, terwijl de figuranten een doffe roestkleur hadden. Hopelijk zouden die schepen naar het noorden vluchten om zich bij het tweede Chinese eskader aan te sluiten, of de moed verliezen en naar huis terugkeren. Als ze zo dom waren om op jacht te gaan naar de vijandelijke onderzeeboot, was dat een hopeloze opgave waar ze al snel mee zouden stoppen. Er waren extra torpedo's voor het geval een van de figuranten een dipping sonar had, maar vermoedelijk zouden de resterende schepen ver in de minderheid zijn. Bovendien hadden ze geen kruisraketten aan boord om India mee te bedreigen.

'Afvuurprocedures,' kondigde Dixon aan. 'Prioriteit, doelen één tot en met negentien, time-on-target-beschieting, torpedosalvo met buizen één tot en met vier, herladen voor één tot en met dertien. Vortex-batterij één tot en met vier, afsluitend met Javelin-shipkiller-kruisraketten, nummer één en twee.'

'Boot gereed,' antwoordde Kingman.

'Wapens gereed,' meldde luitenant-ter-zee eerste klasse Jay Taussig, de wapenofficier.

'Doelgegevens ingevoerd,' snauwde Phillips.
'Cyclops gereed,' sloot de computer zich daar rustig bij aan.
'Cyclops, neem het bevel over het torpedoruim, alle buizen en alle wapens, afvuren in aangegeven richting,' beval Dixon. Hij had die order nog nooit in andere omstandigheden dan een oefening gegeven en hij merkte dat zijn handen trilden in hun besturingshandschoenen.
'Ik heb het bevel over het torpedoruim, alle buizen en alle wapens, afvuren in aangegeven richting. Cyclops, aye,' antwoordde de computer, met iets van opwinding – een recente verbetering in de software, omdat de ijzige rust van de computer midden in een crisis of een gevechtssituatie nogal vreemd en irritant overkwam. 'Alle systemen nominaal. Lancering zestig seconden vanaf nu.'
Dixon kon niets anders meer doen dan wachten.
'Dertig seconden tot aan de lancering, commandant,' meldde de Cyclops haastig. 'Druk op persluchtcilinder neemt toe... cilinder nu op druk gebracht. Wapens één en twee op eigen vermogen. Wapens één en twee, doelgegevens geprogrammeerd. Lancering over tien seconden.'
Dixon beet op zijn lip. Hij kon niet meer terug.
'Wapens één en twee gereed voor lancering,' verklaarde de Cyclops. 'Wapen één stand-by... Wapen één... vuur!'
Dixon voelde zijn oren ploppen door de klap. Het dek trilde onder zijn voeten. Het was niet de lancering van de torpedo zelf die zoveel geweld veroorzaakte, maar het lozen van de lucht van de cilinder die het water rond de torpedotanks onder druk zette. De boot schokte door de afvoer van de perslucht.
'Sonar aan centrale. Eerste wapen afgevuurd, normale lancering.'
'Wapen twee stand-by,' vervolgde de Cyclops. 'Wapen twee... vuur!'
Dixon had weer het gevoel dat zijn helm explodeerde bij de lancering van de tweede torpedo.
'Sonar aan centrale. Tweede wapen afgevuurd, normale lancering.'
'Draden gekapt naar wapens één en twee,' meldde de Cyclops. 'Buitendeuren buizen één en twee gesloten. Kamers één en twee geloosd. Buitendeuren buizen drie en vier geopend. Wapens drie en vier op eigen vermogen, doelgegevens geprogrammeerd. Wapen drie stand-by... Wapen drie... vuur!'
Weer een klap tegen Dixons oren. Zo ging het door, terwijl de Cyclops de ene na de andere torpedo uit de buizen pompte. Dixon wachtte op het vertrek van de eerste Vortex. De raketten hadden een snelheid van driehonderd knopen; Ze zouden het laatst worden afgevuurd, maar het eerst inslaan.

Om drie uur in de nacht Beijing-tijd lag commandant Lien Hua op bed in zijn kapiteinshut, onder vier dekens en een donzen dekbed. Als hij wakker was, vond hij zijn hut comfortabel genoeg, maar 's nachts kreeg hij het altijd koud, misschien omdat hij zijn vrouw miste. Thuis kroop de tweeling vaak ook bij hen in bed, zodat Lien in slaap viel met zijn armen om het warme lichaam van zijn vrouw en 's ochtends wakker werd met twee snurkende meisjes van vijf tegen zich aan. Een gelukkig begin van de dag. Hoewel Lien genoot van het leven op zee, vond hij het vreselijk om in zijn eentje naar bed te gaan en nog erger om 's ochtends eenzaam wakker te worden in de smalle kooi.
Meestal sliep hij vrij licht op zee. Een klop op zijn deur, een geluid van de boot, het zachte zoemen van zijn telefoonlijn met de centrale of een verandering in het ritme van de ventilatie was voor hem al voldoende om met een schok overeind te schieten, alert en gespannen. Onvermijdelijk werd hij elke nacht wel door zo'n geluid uit zijn slaap gehaald. Dan stond hij op en maakte een ronde door de boot, meestal niet langer dan tien minuten. Zodra hij zich ervan had overtuigd dat alles in orde was, ging hij weer naar bed en sliep tot aan het ontbijt. Maar deze nacht sliep hij dieper dan in tijden het geval was geweest. Aan het einde van de hondenwacht klopte de boodschapper zachtjes op zijn deur, maar Lien reageerde niet. De man klopte wat luider. Toen Lien eindelijk wakker werd, zag hij de boodschapper over zijn kooi gebogen staan met een klembord met radioberichten. Moeizaam kwam de commandant overeind, deed het leeslampje aan, las snel de berichten door, zette zijn paraaf en sliep weer verder.
Op het bovendek zat eerste officier Zhou Ping in de kapiteinsstoel in de commandocentrale. De centrale was een helder verlichte ruimte met een witte tegelvloer en een verzameling geelgeschilderde beeldkasten met breed uitwaaierende banken en toetsenborden. De wanden aan bak- en stuurboord waren niet recht, maar vormden hoefijzervormige consoles met verrijdbare stoelen erachter. Links bevond zich het besturingssysteem van de boot, met controlepanelen voor onder meer de persluchtinstallaties, de ballasttanks, de trim, de afvoerpompen, het lenswater, de sanitaire tanks en de elektronica voorin. Aan stuurboord waren de tactische elementen ondergebracht, zoals het vuurleidingssysteem en vier gecombineerde tactische en sensorbedieningspanelen. De gegevens van de sonar konden worden afgebeeld op een hooggeplaatste display, terwijl de lagere schermen de informatie toonden van de Tweede Commandant, een computer die onder meer de positie van de vijand berekende. De twee hoefijzervormige opstellingen ontmoetten elkaar bij de voorste wand van de centrale, aan weers-

kanten van de brede console van de roerganger, een soort vliegtuigcockpit met een stuurknuppel en pedalen, een machinekamertelegraaf en een serie computerschermen. Midden in de ruimte verhief zich een platform van twintig centimeter hoog, met de periscoopzuil en de commandoconsole, omgeven door een roestvrijstalen reling. Dit gedeelte stond bekend als het commandodek. De centrale was nu stil en rumoerig tegelijk. De ventilatie produceerde een laag gebrom, naast het hoge gegier van de gyro en de computersystemen.

Tijdens de hondenwacht had Zhou gezelschap van de roerganger achter de besturingsconsole, een systeemofficier achter de bakboordconsole en een tactisch wachtofficier aan stuurboord. De andere stoelen waren leeg en aan het dek vergrendeld om niet heen en weer te gaan rollen. Opeens leek het licht veel te fel. Zhou gaf opdracht naar rood te schakelen, zijn voorkeur tijdens de hondenwacht, maar soms werd hij daar slaperig van en schakelde hij het witte licht weer in. Het rode schijnsel ontspande hem. Hij haalde een pakje sigaretten tevoorschijn, een populair Wit-Chinees merk, en staarde er even naar. Hij wist dat hij moest stoppen. Maar nu nog niet. Dus stak hij een sigaret tussen zijn lippen, gaf zichzelf vuur en inhaleerde. De rook scherpte zijn zintuigen. Hij blies uit en bekeek de sonardisplay op de commandoconsole. Rustig bladerde hij door de schermen heen, van de brede naar de smalle band en de acoustic daylight imaging.

De zee achter hen, naar het noorden, was een nijdige heksenketel: de schroefgeluiden van de schepen van het eskader. Maar afgezien van dat sonarkabaal was de zee verlaten. Met een konvooisnelheid van vijfendertig knopen, de stroomgeluiden van het water langs de romp en het machinegeruis van vijftig procent reactorvermogen zouden ze nooit een vijandelijke onderzeeboot kunnen horen, zoals Zhou heel goed besefte. Zo'n boot produceerde maar weinig geluid, zodat de signaal-ruisverhouding ver beneden de detectiegrens zou blijven. Eigenlijk was het waanzin om op deze manier voor het konvooi uit te varen, met dezelfde snelheid. De boot was doof voor alle vijanden. Het alternatief was een sprongsgewijze tactiek waarbij ze regelmatig snelheid minderden tot vijf knopen om de sonar te kunnen gebruiken, en vervolgens een sprint trokken om niet door het eskader te worden overvaren.

Maar als hij die tactiek toepaste bij een gemiddelde snelheid van vijfendertig knopen, zou hij na een 'stop' van tien minuten bij vijf knopen vervolgens naar eenenveertig knopen moeten accelereren – en dan kon hij de sonar helemaal vergeten, omdat bij een snelheid van meer dan negenendertig knopen de reactor naar een geforceerde circulatie moest worden

geschakeld. De ingewikkelde techniek van de reactor was niet Zhous specialisme, maar het terrein van de kameraad technisch officier, leider Dou Ling, een koppige klootzak, altijd met machinevet besmeurd, die zich gedroeg alsof hij commandant was van de *Nung Yahtsu.* In elk geval wist Zhou wel dat een geforceerde circulatie betekende dat de vier koelingspompen van de reactor, elk zo groot als een kleine vrachtwagen, moesten worden opgestart, en dat er niets aan boord zoveel lawaai maakte als juist die pompen. Niet alleen zouden ze daardoor veel meer risico lopen op ontdekking door een westerse onderzeeër, maar ook konden ze zelf geen sonarsignalen meer oppikken omdat er niets overbleef van de signaal-ruisverhouding. Aan de andere kant was zo'n stop van tien minuten wel ideaal om met de smalbandprocessoren de zee af te speuren naar contacten.
Zhou schudde zijn hoofd in de wetenschap dat de smalbandsonar een vloek en een zegen tegelijk was. Ze hadden veel meer dan tien minuten nodig om de sonargegevens van een smal stukje oceaan recht voor hen uit te verwerken. Dat liep al gauw naar de achttien minuten. De smalband had dus weinig nut bij zo'n korte stop. Bleef over de breedband, die binnen een paar minuten wel enig profijt zou hebben van het verminderde lawaai. Dus had commandant Lien opdracht gegeven om elk uur vijf minuten te blijven drijven met vijf knopen per uur, waarna de boot de rest van het uur achtendertig knopen moest varen om op een gemiddelde van vijfendertig uit te komen. De volgende stop naderde, op het hele uur. De wijzer van de chronometer – een prachtig instrument dat Lien aan de boot had geschonken – stond bijna op de twaalf van drie uur 's nachts.
'Roerganger, langzaam vooruit, snelheid minderen tot vijf knopen.'
'Snelheid vijf knopen, jawel, leider Zhou.'
Een belletje op de console van de roerganger bevestigde het bericht via de machinekamertelegraaf. Terwijl de boot tot rust kwam, zouden Zhou, de tactisch officier, de sonarofficier en de computer van de Tweede Commandant de omgeving afzoeken op westerse boten, ondanks de melding van de inlichtingendienst dat de Amerikanen nog ver achter de horizon lagen en de Britten vanaf de andere kant van het halfrond moesten komen.
'Machinekamer antwoordt snelheid teruggebracht naar vijf knopen,' meldde de roerganger.
Zhou knikte. 'Dank u.' Hij pakte de microfoon van de commandoconsole. 'Sonarofficier van de wacht, snelheid vijf knopen. Voer een complete sonarverkenning uit en rapporteer alle contacten.'
'Sonarofficier, begrepen. Verkenning begonnen.'
Zhou stemde zijn linkerscherm op de breedband af en de centrale display

op de smalband. Vijf minuten was niet genoeg voor de smalbandintegratie van één sector, maar je kon nooit weten. Het rechterscherm toonde de transient-analyzer, een computermodule die luisterde naar kortdurende geluiden in de zee, zoals een dichtvallend luik, een moersleutel die tegen een dek kletterde, of het stampen van zware schoenen. De computer was geprogrammeerd om dergelijke geluiden tussen het natuurlijke gedruis van garnalen en walvissen uit te filteren.

Na dertig seconden wist Zhou al dat de zee verlaten was. De breedband had niets gevonden. De smalband zou pas na vijf minuten iets opleveren, maar nog belangrijker was de transient-display, die leeg bleef. Zhou drukte zijn sigaret uit en schudde de volgende uit het pakje. Terwijl hij hem opstak zag hij iets knipperen op de transient-display, een duidelijk signaal dat even snel weer verdween.

'Sonar aan wachtofficier,' kraakte de luidspreker.

'Wachtofficier,' antwoordde Zhou in zijn microfoon.

'Meneer, ik krijg een transient-signaal vanuit de verte, richting een-zeven-drie, ten zuiden van onze koers, even links daarvan. Het geluid wordt niet herkend door ons systeem.'

'Wachtofficier, dank u,' zei Zhou, terwijl hij een headset opzette en een herhaling van het signaal op zijn transient-display opriep. Het was niet meer dan een *whoesj!* die meteen weer wegviel.

'Sonar aan wachtofficier, geen correlatie in die richting op smal- of breedband. Waarschijnlijk toch van biologische oorsprong.'

'Wachtofficier, dank u,' zei Zhou, en hij nam een haal van zijn sigaret, nog steeds starend naar het scherm. Het was bijna een teleurstelling. Vermoedelijk een walvis die naar de oppervlakte was gekomen om te spuiten, en toevallig was de apparatuur niet geijkt op die ene walvissoort. 'Wachtofficier aan sonar, is er een mogelijkheid dat dit mechanisch was?'

'Zo'n zoevend geluid, meneer? De frequentieanalyzer geeft geen luchtbellen en geen contacten van metaal op metaal, of pulserende geluiden. Het is dus geen pomp.'

'Verder nog activiteit in die richting?'

'Niets, meneer. De zee is leeg. Ik hou het op een biologische oorsprong.'

Zhou knikte bij zichzelf. 'Maar hou de richting in de gaten en noteer de coördinaten en de tijd.'

'Sonar, jawel.'

Zhou keek naar de telefoonverbinding met de kapiteinshut. Volgens Liens orders moest elk onbekend sonarcontact worden gemeld. Hij overwoog het uit te stellen totdat de commandant wakker was, maar dat leek hem niet

verstandig. Dus pakte hij de telefoon en belde Lien. Het duurde even voordat de commandant opnam, vaag en mompelend.
'Commandant, wachtofficier. We hebben een onbekend sonarcontact.' Zhou Ping hield het kort, maar zonder iets weg te laten.
'Wat vind je zelf?' vroeg Lien slaperig.
'Het geluid vastleggen en gewoon doorgaan, commandant,' antwoordde Zhou.
'Goed, doe dat maar.' Lien geeuwde. 'En maak me pas wakker aan het einde van de dagwacht.'
'Jawel, commandant. Zhou hing op en begon zelf ook te geeuwen.
De wijzer van de chronometer passeerde de vijf minuten. Het werd tijd om weer snelheid te maken, anders zouden ze worden ingehaald door het konvooi. Als de sonarontvangst al zo slecht was met de vloot twintig mijl achter hen, zou er helemaal niets meer te horen zijn als de schepen tot op tien mijl waren genaderd.
'Roerganger, volle kracht vooruit.'
De boot ging weer naar vijftig procent vermogen, een snelheid van achtendertig knopen, op weg naar de Straat van Formosa. Zhou pakte zijn sigaretten en stak de laatste op voor die nacht. Weer geeuwde hij, wreef zich in zijn ogen en installeerde zich tot het einde van zijn wacht, als hij eindelijk een paar uurtjes zou kunnen slapen.

De naam Alert/Acute voor de Mark 58-torpedo was een verbastering van Extreme Long Range Torpedo/Ultra Quiet Torpedo, een aanduiding die het acroniem ELRT/UQT opleverde. Daaruit was onder het personeel van het defensiebedrijf DynaCorp algauw de bijnaam Alert/Acute ontstaan. Inmiddels stond die naam zelfs in de handboeken. De Alert/Acute-eenheden die vanuit de buizen van de onderzeeboot *Leopard* waren gelanceerd hadden binnen enkele minuten na elkaar de oppervlakteschepen ontdekt die ze moesten vernietigen. Met een topsnelheid van negenenvijftig knopen stormden ze nu op hun doelen af.
De oppervlaktevloot had geen enkel vermoeden. De schepen van het eskader – waaronder het vliegkampschip *Kaoling* uit de Kuznetsov-klasse, twee slagkruisers uit de Beijing-klasse, drie zware geleidewapenjagers, vier ASW-jagers, vijf luchtdoeljagers, vier snelle fregatten en nog enkele tankers en bevoorradingsschepen – stoomden in formatie naar het zuiden. De vlootcommandant en zijn staf en de commandanten van de schepen lagen te slapen. Het was een paar minuten over drie in de nacht.
De sonar van de eerste Mark 58 Acute/Alert hoefde niet eens actief te gaan.

Het wapen ontdekte de reusachtige romp van het Kuznetsov-vliegkampschip al op tientallen mijlen afstand. Het enorme schip leek de torpedo elke meter van de reis naar zich toe te lokken. De romp was zo groot en zwaar dat het sonarsignaal steeds maar toenam, totdat de hele wereld alleen nog bestond uit de torpedo zelf en zijn doelwit. Niet veel later had de richtingsapparatuur zijn werk gedaan en trof de torpedo doel. De direct-contactschakeling gaf een elektronisch signaal door en de processor stuurde een opdracht naar de ontsteker van de plasmakop.
De gevechtskop explodeerde met een felle lichtflits onder de voorste stuurboordhoek van het vliegkampschip. De plasma-explosie verpulverde alles binnen een straal van vijftien meter en sloeg een rond gat in de romp, waar niets meer terug te vinden was van staal, plastic, verf, brandstof, bemanningsverblijven of personeel. In de milliseconden na de klap stortte de plasmacilinder in, waardoor de kracht van de explosie naar boven en naar buiten werd gericht. Alle moleculen van het voorste derde deel van het schip werden eenvoudig uit elkaar geslingerd, en de rest verbrandde grotendeels. De schokgolf die door het water sloeg raakte het eiland als de vuist van een god.
In de Flag Plot van de *Kaoling* keek de hoogste tactisch officier van de vloot, overste Cheng Chi, net door de ruit naar het vliegdek beneden hem toen het dek onder zijn voeten opeens met ontzagwekkende kracht omhoogkwam en hem tegen de wand smeet, alsof hij op een katapult stond. De wand werd een muur van fel oplichtende sterren, die elk een eeuwigheid aan pijn bevatten, in duizend varianten: de pijn van zijn gebroken schedel, zijn verbrijzelde botten, zijn opengereten vlees, zijn vermorzelde organen, zijn doorgesneden aderen. De vervagende wereld, nog heel even zichtbaar door het gordijn van bloed dat van zijn voorhoofd stroomde, ontplofte in een wolk van zwarte, scherpe rook toen de wand zijn verminkte lichaam als een lappenpop terug naar het dek smeet. De navigatieplot viel over hem heen in een explosie van brekend glas. De losgerukte uiteinden van de 220-voltkabels elektrocuteerden hem nog in de laatste seconde voordat de stroom uitviel. Het was een genadige dood. Zijn laatste gedachte was de opluchting dat de pijn goddank voorbij was. Hij verloor zijn bewustzijn als een lamp die werd gedoofd.

Het restant van het vliegkampschip *Kaoling* voer gewoon verder, door zijn eigen tempo. Het wrak, zo groot als een halve stad, ploegde zich met een snelheid van vijfendertig knopen door de golven, steeds dieper onder water. Het achterdek van het gemangelde wrak verdween in een fontein

van schuim en zonk snel onder de spronglaag op zestig meter diepte, waar geen licht meer doordrong. Steeds dieper zakte het in de donkere, koude zee, totdat het een paar minuten later tegen de rotsen op de bodem sloeg, meer dan driehonderd meter onder de kolkende golven.
De andere schepen binnen de task force van de *Kaoling* waren minder fortuinlijk. De meeste werden opgeblazen tot fragmenten niet groter dan een vrachtwagen, die onmiddellijk naar de bodem zonken. Drie minuten na de explosie van het vliegkampschip *Kaoling* waren ook achttien andere schepen van het eskader totaal vernietigd en was er van het eerste vliegkampeskader van de Rood-Chinese vloot bijna niets meer over, behalve een radioverbindingsschip, vier grote tankers en zes bevoorradingsschepen met levensmiddelen en reserveonderdelen voor de vloot. De commandant van het radioverbindingsschip *Dong Laou*, een honderd meter lang gedrocht vol met radioantennes, was een luitenant-ter-zee eerste klasse die Bao Xiung heette. Vanaf de stuurboordbrugvleugel staarde hij verbijsterd naar de branden op zee, waar zo-even nog het eskader had gevaren.
Bao liet zijn verrekijker zakken aan de leren riem om zijn hals en draaide zich om naar zijn wachtofficier.
'U wilde oorlog, leider Meng,' zei hij droog. 'Dat hebt u gekregen. En wat zou u me nu aanraden, in aanmerking genomen dat er alleen nog wat bevoorradingsschepen van het eskader over zijn?'
De jonge luitenant Meng Lo slikte een paar keer en liet toen langzaam zijn eigen verrekijker zakken. 'Commandant, er moet daar een hele vloot vijandelijke onderzeeërs rondvaren om zoveel schade aan te richten. We hebben geen keus. We moeten ons naar het noorden terugtrekken om ons aan te sluiten bij het tweede vliegkampeskader – en de admiraliteit op de hoogte brengen van deze ramp.'
Bao knikte en voelde zich een beetje schuldig dat hij zo sarcastisch had gedaan tegen de idealistische jongeman. 'Zet maar koers naar het noorden, leider Meng, en waarschuw de andere bevoorradingsschepen dat wij het tactische bevel over het restant van het eerste eskader hebben overgenomen. Geef de anderen bevel om naar het noorden te vertrekken en laat ze een zigzagkoers volgen om de vijand te ontwijken.'
'Jawel, commandant,' stamelde Meng, dodelijk bleek, zelfs in het vage schijnsel van de brug en de gloed van de branden boven het zeemansgraf van hun kameraden. 'Het zal gebeuren, commandant.'
Meng stapte haastig terug naar binnen. Bao bleef achter en schudde bedroefd zijn hoofd toen de *Dong Laou* de steven naar het noorden wendde, op de vlucht voor de verderfelijke Amerikanen.

Dat ze in de hel zullen branden, dacht Bao. Voor eeuwig en altijd.

Al een uur geleden was hij door zijn sigaretten heen geraakt. Luitenant-ter-zee eerste klasse Zhou Ping leunde naar achteren in de commandostoel en stond zichzelf de luxe toe van een geeuw. De commandant had gemeld dat hij nog twee uurtjes extra wilde slapen, dus zou Zhou ook twee uur langer in touw moeten blijven dan zijn lichaam gewend was. Hij werd al moe bij de gedachte. Hij had de komende vierenhalf uur helemaal niets anders te doen dan hier achter de commandoconsole zitten wachten op mogelijke onderzeebootcontacten. Dat zou geweldig zijn, dacht hij, om een Amerikaanse onderzeeër te ontdekken en de commandant te kunnen waarschuwen. De gevechtswacht zou worden ingesteld, de centrale zou volstromen en de commandant zou het contact bevestigen voordat hij een salvo Dong Feng-torpedo's of misschien wel de nieuwe Tsunami-kernwapens afvuurde. Het waren allebei supercaviterende torpedo's, aangedreven door vaste raketstuwstof en met een snelheid van bijna tweehonderd knopen. Maar een Tsunami had zo'n slagkracht dat hij niet eens erg dicht bij zijn doelwit hoefde te komen. Natuurlijk was de lancering van het wapen een soort zelfmoordactie, omdat de explosie van de torpedo, met een kracht van één megaton, waarschijnlijk ook de eigen boot zou beschadigen. In elk geval ging de admiraliteit ervan uit dat het zelfmoord was, omdat elke boot maar één Tsunami had meegekregen. Waarom zou je torpedoruimte verspillen aan meer dan één van die dingen als de lancering toch het einde van de boot betekende? Maar Zhou was daar nog niet van overtuigd. De Tsunami zou met tweehonderd knopen per uur op zijn doelwit afstormen, tot een maximaal bereik van vijftig mijl. Hij kon wel vijftien minuten onderweg zijn, en in vijftien minuten kon de *Nung Yahtsu* twaalf mijl de andere kant uit vluchten. Dat was dus een totale afstand van tweeënzestig mijl. Dan moest de boot toch veilig zijn, zelfs voor een onderwaterexplosie van één megaton? Nee, Zhou had allang besloten dat die zelfmoordtheorie over de lancering van de Tsunami onzin was.

Natuurlijk mochten ze alleen kernwapens afvuren op speciaal bevel van Beijing. Het werd niet op prijs gesteld als een boot op eigen houtje een kernoorlog begon, maar als het voor de commandant van een onderzeeër een kwestie van leven of dood was, had hij Beijings zegen. Zhou riep het vuurleidingspaneel op en zag dat de buizen één tot en met vijf waren geladen met Dong Feng-torpedo's, en buis zes met een Tsunami, zoals commandant Lien Hua had bevolen. Hij was net bezig het on-linehandboek voor de Tsunami op te vragen toen zijn wereld van alle kanten tegelijk leek in te storten.

'Sonar aan centrale, we zien meervoudige explosies in het noorden, in onze dode hoek. Verzoek de boot onmiddellijk naar het noorden te draaien!'
'Roerganger, hard stuurboord, koers noorden, halve kracht vooruit!' Terwijl de roerganger de order uitvoerde en bevestigde, waarschuwde Zhou de commandant via de intercom. 'Commandant naar de centrale! Commandant naar de centrale!'
Het dek helde scherp door de abrupte manoeuvre. De snelheid van de boot, de kracht van de propulsor en de weerstand van de vin trokken de onderzeeër onder een hoek die steeds steiler werd.
'Wat is er aan de hand?' riep commandant Lien Hua toen hij de centrale binnenkwam.
'Sonar, wat is de situatie?' schreeuwde Zhou naar de speaker boven zijn hoofd.
'Sonar aan centrale. Ik herhaal, we hebben meervoudige explosies in het noorden, nu uit onze dode hoek vandaan. En we zien verre sonarsporen van wapens in het water.'
'Wel, godverdomme, Eerste!' viel Lien uit. 'Die Amerikaanse SSN heeft het eskader aangevallen. U hebt gelijk dat u de boot laat keren. Dat signaal waarvan we dachten dat het biologisch was...'
'Dat was dus niet biologisch, commandant.'
'Trek een cirkel vanaf de positie van dat fantoomgeluid, aan te duiden als Doelwit Een, en geef het een theoretische snelheid van twintig knopen. Waar zou het dan nu kunnen zijn?'
Zhou toetste de instructies in de vuurleidingsconsole in en projecteerde een cirkel over de geografische plot. Het was een verdomd groot gebied, dacht hij.
'Het gebied is te groot om te bestrijken, commandant. We moeten een sprongsgewijze verkenning uitvoeren.'
'Sonar aan centrale, nog meer explosies in het noorden. We hebben geen sonarcontact meer met de wapens in het water.'
'Ik heb de boot, Eerste,' zei Lien. 'Loop naar de sonar en zorg dat we een maximale sensorscan doen naar die Amerikaanse SSN. Ik zal proberen het spoor van de wapens terug te volgen in de tijd, om te zien waar ze vandaan kwamen. En misschien kan ik deze cirkel wat kleiner maken.'
'Jawel, commandant,' zei Zhou, en hij verdween haastig naar de sonarhut.
'Amerikaanse smeerlap,' mompelde Lien terwijl hij op zijn lip beet. Een paar minuten overwoog hij om naar mastdiepte te komen om de admiraliteit en het tweede vliegkampeskader in te lichten over de onderzeebootaanval. Maar dat zouden ze gauw genoeg ontdekken, besloot hij. Zijn eer-

ste prioriteit was die Amerikaanse sub te vinden en tot zinken te brengen. 'Commandant aan sonar,' riep hij in een microfoon van de intercom. 'Hebt u in het noorden gezocht naar Doelwit Een?'
'Sonar aan centrale. Jawel, commandant. Adviseer een sprongsgewijze verkenning van vijfentwintig knopen naar het noordnoordwesten, met de meeste kans om Doelwit Een te lokaliseren.'
'Dank u,' antwoordde Lien. 'Roerganger, volle kracht vooruit, snelheid vijfentwintig knopen.'
'De sonar heeft het beeld, commandant,' meldde Zhou Ping. 'We liggen op koers. Wanneer wilt u afremmen?'
'Over twintig minuten,' zei Lien. 'Dan blijven we een kwartier op acht knopen en maken daarna weer snelheid. Die Amerikaan moet naar het noorden zijn verdwenen, waarschijnlijk achter het tweede eskader aan.'
'Maar dan zal hij toch op volle kracht varen, commandant?'
'Misschien. In zijn plaats zou ik nog even blijven liggen om de schade op te nemen en de rest van de boten uit te schakelen.'
'Er kan niet veel meer over zijn wat nog de moeite waard is... een paar tankers en bevoorradingsschepen.'
'Als hij is vertrokken, zullen we hem misschien nooit te pakken krijgen, maar we kunnen niet op volle kracht varen, omdat hij op een gegeven moment zijn dode hoek zal afluisteren. Dan hoort hij ons zeker aankomen met onze luidruchtige pompen en kan hij een torpedo recht op ons afvuren. We moeten dus voorzichtig blijven, hoe ellendig het ook is.'
'Jawel, commandant. Maar als we hem te pakken krijgen wil ik persoonlijk die torpedo afvuren om hem naar de andere wereld te helpen.'
'Dat begrijp ik, Eerste. Maar waarom zou u de Amerikanen nog erger haten dan wij allemaal?'
'Omdat het fout is gegaan tijdens míjn wacht, commandant. Ik wil wraak. En eerherstel.'
'Dan zult u die torpedo afvoeren, Eerste. Of dat eerherstel betekent, moet u zelf maar uitmaken.'

15

Kelly McKee schrok midden in de nacht wakker toen zijn gordijntje opzij werd geschoven door de boodschapper van de wacht. Hij knipperde tegen het rode licht van de zaklantaarn en hees zich op een elleboog in de karakteristieke houding van een onderzeebootofficier, omdat hij zijn hoofd zou stoten als hij rechtop ging zitten in de krappe ruimte boven zijn kooi. Hij voelde zijn bed trillen en besefte toen dat de hele boot vibreerde. Judison moest naar volle kracht zijn overgegaan tijdens zijn wacht, terwijl McKee orders had gegeven om wel snel, maar ook geruisloos te varen – zo snel als mogelijk was met de reactor in natuurlijke circulatie. Hij had geen zin om met een stel rammelbakken door de oceaan te denderen, met het gevaar de *Snarc* of de Britten te waarschuwen, of misschien zelfs een Chinese onderzeeër die tot de Atlantische Oceaan was doorgedrongen.

'Wat is er?'

'Admiraal, complimenten van de commandant. Het is twintig-honderd Zulu en hij vraagt of u naar de centrale wilt komen. Er zijn geheime berichten binnengekomen, en nieuwe informatie over de tactische situatie, admiraal.'

'Ik kom eraan,' zei McKee. Hij zwaaide zijn benen uit bed en sprong omlaag. 'Zeg tegen commandant Judison dat ik over twee minuten bij hem ben.'

'Jawel, admiraal.' De boodschapper trok de deur van de hut achter zich dicht toen McKee het leeslampje aandeed. Gedempt licht viel door de hut. Karen Petri's gordijntje ging open. Ze klom uit haar kooi en zocht haar overall.

'We varen op volle kracht,' zei ze slaperig. McKee knikte naar haar terwijl hij schoenen met zachte zolen aantrok.

'Judison heeft nieuws in de centrale,' zei hij. 'Klaar?'

Petri schudde haar haar los, bond het naar achteren in een paardenstaart en knikte.
McKee stapte de roodverlichte gang in, liep haastig naar voren, nam de ladder naar het tussendek en kwam de centrale binnen aan de voorkant. Ook hier was alles rood verlicht, maar veel vager dan op de gang. Judison en zijn officieren stonden rond de navigatiekaart.
'Goedenavond, admiraal,' zei hij energiek. 'De *Hammerhead* vaart op volle kracht, op weg naar een positie om de *Snarc* te onderscheppen.'
McKee pakte de palmtop aan die Judison hem toestak en las de informatie over de *Snarc*, die een situatierapport had verzonden met haar positie. Bovendien was er een bericht van de kapers onderschept waarin de *Snarc* werd opgedragen naar een punt bij het eiland Pico te komen. Een satelliet had met een infraroodscan de onderzeeër aan de oppervlakte ontdekt. De marine-inlichtingendienst vermoedde dat de boot de Afrikaanse kust zou volgen, op weg naar de Indische Oceaan. Geweldig nieuws, vond McKee. Eindelijk hadden ze de ontsnapte sub gelokaliseerd. Nu hoefden ze haar alleen nog tot zinken te brengen om het eerste deel van hun missie te volbrengen. Daarna bleven enkel nog de Rood-Chinezen en de Britten over.
'Hoe wilt u de *Snarc* onderscheppen, overste?' vroeg McKee officieel.
Judison wees naar de kaart. 'We hebben de snelste route uitgestippeld voor de *Snarc* naar de Indische Oceaan. De onzekere factor is haar snelheid, die kan variëren van tien tot vijftig knopen. Voorlopig gaan we ervan uit dat ze op volle kracht vaart. Daarom zijn we nu zo snel mogelijk op weg naar een punt langs de route van de *Snarc*, honderd mijl zuidelijker. Dan kruipen we langzaam naar het noorden om de boot op te vangen. Het zal een lange zoektocht worden als ze langzaam vaart en een korte expeditie als ze op volle snelheid naar het zuiden stormt, zoals ik verwacht.'
'Maar als ze haast had, zou ze geen omweg langs de Azoren hebben gemaakt. Die liggen niet op de route van de Atlantische naar de Indische Oceaan. En we weten niet eens zeker dát ze wel op weg is naar de Indische Oceaan.'
'Volgens de berichten vaart ze vanaf de Azoren pal naar het zuiden. Waar moet ze anders naartoe, admiraal?'
'Het klopt gewoon niet,' mompelde McKee. 'Waar is de *Piranha* nu?'
'Volgens hun laatste rapport liggen ze... hier, maar dat is alweer twee dagen geleden.'
McKee vloekte. Als het commandonetwerk operationeel was geweest zou de *Piranha* elke vierentwintig uur een radioboei omhoog hebben geschoten met een situatierapport, maar de SLOT-boeien werkten niet goed via de

e-mail internet-bypass. En hij kon geen ELF-signaal gebruiken om de *Piranha* naar periscoopdiepte te roepen, omdat ook dat systeem was gecompromitteerd. Hun laatste bericht was de oproep aan de *Leopard* geweest om naar boven te komen om iemand aan boord te nemen. Dat herinnerde hem eraan dat de *Leopard* al te laat was met zijn rapport over het Rood-Chinese eskader.
'Ik ben nog een halfuur in de vip-hut,' zei McKee tegen commandant Judison. 'Blijf op volle kracht, maar hou je gereed om op het hele uur naar periscoopdiepte te komen.'

Om 4.55 uur plaatselijke tijd lag admiraal Egon 'de Viking' Ericcson in zijn kaki werkuniform op de lakens van zijn ruime bed te slapen. Zijn palmtop lag op zijn borst, naast zijn leesbril, die rees en daalde met zijn ademhaling. Het was stil in de hut, afgezien van zijn gesnurk.
De boodschapper van de wacht klopte zachtjes, toen nog eens, en een derde keer. Toen er geen antwoord kwam, keek ze even naar de mariniers die op wacht stonden. Zwijgend openden ze de mahoniehouten deur voor haar. De negentienjarige korporaal-radiotechnicus sloop naar het bed van de admiraal en boog zich over het grijze hoofd van de vlagofficier, met een angstig gezicht alsof de admiraal een hoogspanningskabel was. Toen legde ze een hand op zijn schouder en schudde die voorzichtig. Er gebeurde niets. Ze schudde wat harder.
Ericcson schoot overeind, waardoor zijn bril en de computer tegen het dek kletterden. 'Ik sliep niet, godverdomme!' bulderde de admiraal. 'Ik gaf mijn ogen even rust. Wie ben je en wat moet je?'
De boodschapper slikte en gaf de admiraal een computer van de Flag Plot. 'Admiraal, complimenten van de commandant. Het is nul-vijfhonderd. Hij wilde u op de hoogte brengen van de berichten.' Ze bukte zich en raapte de leesbril op. De admiraal keek haar nijdig aan voordat hij naar het schermpje van de computer tuurde.
'Doe het licht aan, mens!' zei hij met opgetrokken wenkbrauwen.
'Jawel, admiraal,' zei de boodschapper, die het liefst zo snel mogelijk weg wilde. De admiraal las zwijgend het bericht van de *Leopard*, die het eerste Chinese eskader tot zinken had gebracht.
'Was dat alles, admiraal?'
'Verdwijn!' snauwde Ericcson. Toen de korporaal zich haastig naar de deur omdraaide riep de admiraal haar terug. 'Boodschapper, laat Pulaski en Hendricks naar de Flag Plot komen. Binnen twee minuten, godverdomme!'

'Ja, admiraal. Ik bedoel, aye aye, admiraal!' De korporaal botste tegen de deurpost op en rende het gangetje door.
Ericcson las het tweede bericht, over de *Snarc*, en verdiepte zich toen weer in het situatierapport van de *Leopard*. De vernietiging van de eerste task force zou grote gevolgen hebben. Haastig liep hij naar de Flag Plot, waar de operatiesofficier van het eskader en de commandant van het schip al op hem wachtten. Een dampende kop koffie stond klaar op de kaartentafel.
'Besef je wat dit betekent?' vroeg Ericcson aan kapitein-ter-zee Pulaski, die rode ogen had van vermoeidheid, met donkere wallen eronder. 'Hun eerste task force ligt nu op de bodem. Rood-China moet zich bliksemsnel hergroeperen. Misschien zullen ze besluiten om het tweede en derde eskader, veel noordelijker in de Gele Zee, terug te sturen, of veel langzamer te laten varen, op een zigzagkoers, om zich te kunnen verdedigen tegen vijandelijke onderzeeërs. We hebben de eerste slag gewonnen en de Rood-Chinezen moeten de psychologische klap nog verwerken. De eerste klap is een daalder waard, heren. Misschien druipen ze af en komen ze nooit meer terug.'
Ericcson nam een Partagas uit zijn zak, haalde er met een gouden knippertje het puntje af en gaf zichzelf vuur met zijn piratenaansteker van de vlootgroep.
'Eh, admiraal,' begon Pulaski, 'mag ik opmerken dat we nog geen satellietfoto's hebben om de schade bij de vijand te beoordelen? We weten nog niets over die aanval. Misschien hebben de torpedo's van de *Leopard* niet eens doel getroffen.'
'Geen doel getroffen? Onzin, Pulaski. Maar we hebben inderdaad foto's nodig. Ga er als de donder achterheen.'
Pulaski draaide zich bruusk om en vertrok. Ericcson pafte zijn sigaar en wachtte tot Pulaski terug was. Tegen die tijd was de sigaar al half opgerookt.
'De scherpte is niet geweldig,' zei Pulaski toen hij de kleurenprint op de kaartentafel uitspreidde. 'Als ons commandonetwerk functioneerde, hadden we in real time kunnen kijken en hadden we zelfs de sigaretjes kunnen zien die de mannen aan dek rookten.'
Ericcson pakte zijn leesbril en boog zich over de foto. Langzaam gleed er een glimlach over zijn harde gezicht. Hij richtte zich weer op, streek met een hand door zijn stekeltjeshaar, drukte zijn sigaar uit en keek Pulaski aan. 'Wat zeg je er nu van, mijn goede vriend en operatieschef?'
'Ik denk dat we de Roden op een flinke achterstand hebben gezet, admiraal.'
'Voorlopig is het drie-nul voor ons,' grijnsde Ericcson.

'Als jullie klaar zijn met het sportcommentaar,' zei Hendricks, 'kunnen we onze volgende stap bepalen.'
Ericcson knikte ernstig. De commandant van de *John Paul Jones* had gelijk. 'Heeft iemand een suggestie?'
Pulaski knikte. 'De Rode vloot zal niet eerder dan wij de Indische Oceaan bereiken. Daarom stel ik voor een nieuwe koers uit te zetten naar de noordelijke ingang van de Straat van Formosa, om het tweede en derde Rood-Chinese eskader te onderscheppen als ze naar het zuiden komen. Laten we Kelly McKee vragen een paar extra onderzeeboten te sturen als dekking, hoewel hij zelf nog bezig is met de Britten in het westen. Maar dit is belangrijker dan op de Britten te wachten, die misschien nooit komen opdagen. Met steun van McKee kunnen we het tweede en derde eskader van Rood-China verslaan met onze supersonische jagers en kruisraketten. Verdomme, als we dicht genoeg in de buurt komen, wil ik mijn eigen pistool nog wel leegschieten op die hufters.'
Ericcson keek naar Hendricks, die knikte. 'Goed dan, heren, laten we het tweede en derde eskader onderscheppen op de Oost-Chinese Zee. Breng iedereen op de hoogte, stel dan een bericht op aan McKee – overtuigend genoeg – en waarschuw admiraal Patton.'
De officieren vertrokken. Ericcson stak nog een sigaar op en schonk zich een tweede kop koffie in. Hij had veel te kort geslapen en hield zich nu al zesendertig uur met koffie en nicotine op de been. Hij zou zich belazerd moeten voelen, maar hij was nog zo sterk als een jonge hond. Het zou een prachtige dag worden, besloot hij, terwijl hij achter het raam van de Flag Plot toekeek hoe het schip naar het noordwesten draaide. De zon kwam op boven zee terwijl hij zijn sigaar oprookte, maar hij zag het nauwelijks. De korrelige foto van de verwoeste Rood-Chinese vloot was in zijn ogen mooier dan welk natuurverschijnsel ook.

'Admiraal, berichten van periscoopdiepte,' meldde de boodschapper van de wacht toen hij McKee de kleine computer gaf.
McKee bedankte hem en zette de display aan. Hij zat in de longroom, links van commandant Kiethan Judison. Het eerste bericht was een uitvoerige samenvatting van de ONI (Office of Naval Intelligence), de marine-inlichtingendienst. Het Suezkanaal zou langer geblokkeerd blijven dan verwacht. De vloot van de Royal Navy zat nog steeds klem en de Britse commandant moest nu beslissen of hij om Afrika heen wilde varen naar de Indische Oceaan of wilde wachten tot het kanaal weer vrij was. Er gingen geruchten dat de Britten overwogen tactische kernwapens te gebruiken om de obstakels

uit het water te blazen, maar daar schoten ze niets mee op, dacht McKee. Door een kernexplosie zou de vaargeul dichtslibben en zouden ze dus moeten baggeren. Dat kon de Britse marine zelf ook bedenken. Hij benijdde de Britse commandant zeker niet. McKee zou zelf meteen rechtsomkeert hebben gemaakt, zonder te wachten tot het kanaal was opgeruimd; dan bleef je tenminste in beweging en hoefde de vloot niet al die tijd bij Egypte voor anker te liggen, met alle frustraties van dien.
Daarna volgde een beschrijving van de verliezen van het eerste Rood-Chinese eskader en het effect daarvan op de Chinese leiding. De admiraal van de marine van het Volksbevrijdingsleger was uit zijn functie gezet. Zijn opvolger scheen agressiever te zijn, maar gezegend met minder tactisch en strategisch inzicht. De admiraal van de Chinese onderzeedienst, Chu Hua-Feng, had zijn positie behouden, maar zonder garanties voor de toekomst. De vernietiging van de vlootgroep was een zware slag geweest voor de Roden, maar de blokkade van het Suezkanaal leek zich tegen de Amerikanen te keren omdat de vertraging van de Royal Navy de Chinezen nu de indruk gaf dat ze wat meer tijd hadden om naar de Indische Oceaan te komen.
Het tweede Chinese eskader voer nu voorzichtig de Oost-Chinese Zee binnen, bedacht op vijandelijke onderzeeërs, compleet met ASW-jagers en twee escorterende onderzeeboten – de ene een omgebouwde, korte Russische Omega-klasse, bewapend met kruisraketten, de andere een nieuwe boot uit de Franse Valiant-klasse. Over die eerste boot hoefden ze zich geen zorgen te maken, omdat het ding bij volle kracht veel te veel herrie maakte, maar de Franse Valiant was een gevaarlijke tegenstander. De boot had een uitstekende constructie en een elegant ontwerp, maar gelukkig werd hij niet bestuurd door de Fransen zelf, anders was het gevaar nog groter geweest. De Chinese bemanningen waren er nog niet zo handig mee; dat hoopte de inlichtingendienst tenminste.
Het derde Chinese eskader had zich inmiddels geformeerd in de Golf van Bohai en voer naar de doorgang van Lüshun-Penglai, op weg naar de Gele Zee. McKees *Lexington* had al aan het begin van de crisis bevel gekregen om zo snel mogelijk naar de ingang van de Golf van Bohai te vertrekken, maar de boot was daar nog niet aangekomen. Waarschijnlijk zou hij te laat zijn om de derde Rood-Chinese vlootgroep in een hinderlaag te lokken en dus moeten proberen de Chinezen in het noorden van de Oost-Chinese Zee te onderscheppen. Tenzij het derde eskader zijn tempo zou vertragen. De inlichtingendienst bracht vervolgens rapport uit over de Chinese mobilisatie op het land, maar dat zou McKee later nog wel lezen.

Het volgende bericht kwam van admiraal Ericcson. Hij liet weten dat hij zijn orders om naar de Indische Oceaan op te stomen had gewijzigd en nu op weg was naar de Oost-Chinese Zee, om het tweede Chinese eskader rechtstreeks te onderscheppen en aan te vallen. Hij vroeg om extra onderzeeboten, wat geen probleem was, want na Pattons orders aan McKee om de Viking te ondersteunen had McKee de *Orion* en de *Hornet* uit de Virginia-klasse al naar het gebied gestuurd als wapen tegen het tweede eskader, terwijl de *Essex* positie had gekozen bij de Straat van Formosa.
Het laatste bericht was een situatierapport van de *Piranha*. Die lag voor op haar schema, op volle kracht onderweg om de *Snarc* te onderscheppen. Commandant Catardi zou blijven patrouilleren voor de Afrikaanse kust om de robotsub in een hinderlaag te lokken zodra ze naar het zuiden kwam. McKee trommelde met zijn vingers op de tafel en dacht aan de zoon van Patch Pacino, die ook aan boord was. De *Piranha* zou in een regelrechte oorlogssituatie terechtkomen en eigenlijk was hij van plan geweest de jongen daar weg te halen voordat de boot naar de Indische Oceaan zou vertrekken na de actie tegen de *Snarc*. McKee had alle vertrouwen in Catardi en de *Piranha* en was ervan overtuigd dat ze de *Snarc* tot zinken zouden brengen, maar hij kon niet voorspellen hoeveel schade Catardi daar zelf bij zou oplopen. Was het wel verantwoord om Patch' zoon aan zulke risico's bloot te stellen? Zou hij hem kunnen evacueren zonder de *Piranha* in gevaar te brengen of haar positie te verraden? Hij had het al besproken met Karen Petri. Het was moeilijk een objectieve beslissing te nemen over de vader van de moderne onderzeemacht, dacht McKee, of over zijn enige zoon.
McKee stond op. Karen Petri kwam achter hem aan. In de vip-hut stelde hij een bericht op aan Ericcson, met de mededeling dat hij met een gerust hart de Oost-Chinese Zee kon binnenvaren, zonder nadere details te noemen. De tweede boodschap was bestemd voor Rob Catardi van de *Piranha*, met de vraag of adelborst Pacino per helikopter kon worden geëvacueerd als de jongeman de boot als duiker zou verlaten. De *Hammerhead* nam snelheid terug om voor de tweede keer binnen een uur naar periscoopdiepte te stijgen om McKees berichten te verzenden. De ontvangst van die orders betekende ook een vertraging voor de *Piranha*, die daarvoor naar de oppervlakte moest komen, op weg naar het rendez-vous met de *Snarc*. Na de verzending dook de *Hammerhead* weer diep. Het dek begon te trillen toen de boot naar volle kracht schakelde.

De *Piranha* was naar periscoopdiepte gegaan tijdens de hondenwacht van

Pacino en Alameda. Nu ze weer diep lagen, op volle snelheid, werd de computer binnengebracht. Catardi las de laatste berichten van admiraal McKee. Verdomme, dacht de commandant. De admiraal wilde de jonge Pacino al van boord halen voordat ze de *Snarc* zouden aanvallen. Dat hing wel af van het weer – op periscoopdiepte rolde de onderzeeboot vervaarlijk in de golven – en van de tactische situatie. Maar Catardi vond het jammer om de jonge adelborst te laten gaan. Hij zat weer vlak voor een belangrijke praktijkaantekening en bovendien was hij een soort mascotte voor de boot geworden. Als hij vertrok, zou het geluk de *Piranha* misschien ook verlaten. Catardi snoof even bij die laatste gedachte. Dat soort bijgeloof had gelukkig alleen vat op hem als hij half sliep. Hij belde de centrale.
'Wachtofficier,' meldde Alameda zich op die zware, spijkerharde toon van 'alles onder controle'.
'Commandant hier. Stuur de boodschapper voor de palmtop, geef hem door aan de navigator en vraag of ik zijn advies kan krijgen voor nul-achthonderd. USUBCOM wil weten of het mogelijk is om meneer Pacino met een duikuitrusting uit de boot te laten vertrekken en hem een paar uur te laten ronddobberen voordat hij door een helikopter wordt opgepikt. Het hoofdkwartier haalt hem liever hiervandaan dan hem aan een gevechtssituatie bloot te stellen.'
'Aye, commandant,' zei Alameda effen.
Catardi trok de dekens over zijn schouders en deed zijn bureaulamp uit. De deur kraakte even toen de boodschapper de computer kwam ophalen en zachtjes vertrok. Catardi sliep al voordat de deur weer dichtviel.
In de centrale wierp luitenant Alameda een blik naar adelborst Pacino. 'Je krijgt een gratis reis naar huis,' zei ze. 'USUBCOM wil je van boord halen. En snel, want nog voor het avondeten hebben we waarschijnlijk de route van de *Snarc* al onderschept.'
Pacino keek haar aan en hoopte dat zijn gezicht zijn emoties niet zou verraden. 'Een slecht idee,' zei hij. 'De zee is veel te ruw voor een evacuatie.'
'Ze gebruiken geen kleine boot,' antwoordde ze. 'Je trekt duikspullen aan en gaat door de luchtsluis naar buiten. Daarna vertrekken wij en wacht jij aan de oppervlakte tot een helikopter je komt halen.'
Pacino knikte en vloekte inwendig. Hij zou de aanval op de *Snarc* graag hebben meegemaakt en hij zat nog maar een paar dagen voor zijn praktijkaantekening als wachtofficier. Maar het ergste was toch om afscheid te moeten nemen van Carrie Alameda. Sinds hun samenzijn in de DSV had ze zich uitsluitend zakelijk en correct tegenover hem gedragen, net als toen hij pas aan boord was. Hij had regelmatig geprobeerd haar blik te vangen,

maar het leek wel of ze de gebeurtenis uit haar geheugen had gewist. Heel jammer, dacht hij. Hij miste haar, hoewel ze elke dag de wacht deelden en in dezelfde hut sliepen. Hij kon de gedachte niet verdragen om haar én de *Piranha* te moeten verliezen, maar toch moest hij dat nu onder ogen zien. Hij herinnerde zich de vraag van Toasty O'Neal – het leek al bijna een jaar geleden: *Zo, dus je hebt voor onderzeeërs gekozen?* Hij wist nu het antwoord en vroeg zich af hoe zijn moeder zou reageren als hij voor de speld met de dolfijntjes zou kiezen en wat zijn vader zou denken, diep in zijn hart, ondanks zijn bewering dat hij zijn zoon niet wilde blootstellen aan de risico's van het leven aan boord van een kernonderzeeboot.

Twee meter bij hem vandaan keek luitenant-ter-zee Carrie Alameda naar de adelborst die over de kaartentafel stond gebogen. Ze verlangde naar hem, maar ze kende de harde realiteit van de vloot. Ze had nooit iets met hem mogen beginnen, maar haar gevoelens waren te sterk geweest. Daarom was het maar goed dat hij van boord zou worden gehaald. Als hij weer veilig thuis was in Annapolis zou ze hem misschien kunnen schrijven wat ze voor hem voelde. Maar zelfs dan leek de gedachte aan een relatie absurd. De afstand en het verschil in rang en leeftijd waren gewoon te groot. Toch wist ze dat ze hem niet zomaar zou kunnen opgeven. Een van die cynische grappen van het leven, dacht ze. Ze had niet meer verwacht nog ooit iemand te vinden, maar hem toen toch gevonden... in het uniform van een adelborst, op zijn eerste reis.

16

‘Ik ben weer terug, Een-Nul-Zeven.’ Krivak had de interfacehelm afgezet toen hij ging slapen.

Krivak, blij dat u terug bent. Het leek of u een hele tijd weg was.

‘Het gaat beter, nu. Zijn er nieuwe ontwikkelingen?’ Hij moest Een-Nul-Zeven ertoe krijgen de boot naar periscoopdiepte te brengen. Wat kon hij de computer voor verklaring op de mouw spelden om naar periscoopdiepte te gaan zonder officieel bevel van het hoofdkwartier?

Deze eenheid heeft een geluid op de breedband waargenomen, in oostelijke richting. Deze eenheid zoekt nu verder op de smalband. Het geluid is niet van biologische oorsprong, maar het vertoont geen transients of schroeftelling. Deze eenheid krijgt wat harmonische pieken op achtenvijftig hertz, met een licht golvend stroomgeluid. Het zou een reactorcirculatiepomp kunnen zijn.

‘Pieken en stroomgeluiden, als van een pomp. Maar geen schroeftelling. Dat lijkt niet logisch, tenzij... tenzij het een onderzeeboot is met een propulsor in plaats van een schroef. Kijk in je geheugen of het overeenkomt met een Europese onderzeeër.’

Het is geen Franse, Duitse of Britse boot. Ook geen Rus of Chinees. Er is wel een overeenkomst, tot op zesennegentig procent nauwkeurig, met een Amerikaanse boot uit de Seawolf-klasse.

‘Laat eens kijken.’ Tien minuten lang vergeleek Krivak de geluiden vanuit het oosten met de catalogus van geluidssignaturen van de Seawolf-klasse die door het hoofdkwartier in de processor was geladen. Het leek te kloppen. Bovendien wees de signatuur op één specifieke boot uit de Seawolf-klasse, de enige die nog over was.

Het is de USS Piranha. *Een Seawolf-boot, maar met een verlengde romp.*

‘Mooi zo. Dan is ze waarschijnlijk minder snel dan een reguliere Seawolf. We moeten manoeuvreren om haar afstand, koers en snelheid te bepalen.’

We kruisen nu de zichtlijn.
Krivak wachtte. Het leek uren te duren, maar algauw werd het spoor in het oosten door de vuurleidingscomputer gedefinieerd op een afstand van achtendertig mijl, met een zuidoostelijke koers en een snelheid van vijfenveertig knopen. Krivak dacht snel na. De *Piranha* voer dus op volle kracht. Vreemd, omdat hij op de kaart geen enkel logisch reisdoel kon ontdekken, hier voor de Afrikaanse kust bij Senegal. Opeens sloeg de schrik hem om het hart. Intuïtief wist hij dat de *Piranha* probeerde hem te onderscheppen, hoewel ze hem waarschijnlijk nog niet had ontdekt omdat ze te snel voer. God wist wie het akoestische voordeel zou hebben als de *Piranha* snelheid minderde. De entering van de boot bij Pico moest dus niet zo geruisloos zijn gegaan als hij had gehoopt. De vraag was nu hoe hij ongezien zou kunnen ontsnappen of de *Piranha* kon uitschakelen voordat ze gevaarlijk werd. Hij wist dat hij een aanval moest doen, maar hij had een angstig voorgevoel dat hij een confrontatie met de Amerikaanse onderzeeboot nooit zou kunnen winnen. Vluchten leek verstandiger.
'Een-Nul-Zeven, draai naar het westen, snelheid vijftien knopen.'
De torpedo's op temperatuur brengen in de rekken, Krivak?
'Nee. We moeten haar laten gaan zonder dat ze ons ziet. We trekken ons terug onder een rechte hoek ten opzichte van haar koers, zo snel als we kunnen, zonder te veel lawaai te maken in het water. We blijven ons terugtrekken tot de *Piranha* zich van ons verwijdert. Op dat punt minderen we snelheid en blijven in haar dode sonarhoek hangen, met de minste kans op ontdekking. We zullen voorzichtig bepalen waar haar signaal-ruisverhouding naar de drempelwaarde zakt en haar op die afstand blijven volgen. Op een gegeven moment zal ze snelheid minderen, maar zolang we op de juiste afstand blijven zullen we haar niet overvaren. Als ze vertraagt, kunnen we tijdelijk haar signaal kwijtraken totdat we weer dichterbij komen. Of ze kan naar het zuiden afbuigen om de Afrikaanse kust te volgen, als ze op weg is naar de Indische Oceaan. Dan blijven we haar schaduwen. Ooit zal ze naar periscoopdiepte moeten komen. Op dat moment, als ze ondiep ligt, vallen we aan.'
Ja, Krivak. Een goede tactiek, maar wel erg voorzichtig.
'We kunnen niet voorzichtig genoeg zijn met deze boot. Het is de top van haar klasse, met mogelijkheden die zelfs de modernere Virginia-klasse niet heeft. Een echte killer.'

Het dek van de *Piranha* bleef trillen toen de boot op weg ging naar het onderscheppingspunt met de vermoedelijke route van de *Snarc*. Volgens instructies van commandant Catardi moest de wachtofficier om 13.00 uur Zulu naar periscoopdiepte komen om de berichten op te pikken en adelborst Pacino van boord te zetten. Het eerste uur moest hij in duikpak en met een reddingsvest op de golven blijven dobberen. Na zestig minuten mocht hij een vlot opblazen om erin te klimmen en nog drie uur te wachten. Dat gaf de *Piranha* de tijd om weg te komen zonder haar positie prijs te geven door deze manoeuvre. Pas na vier uur zou Pacino zijn noodbaken activeren om een kleine Amerikaanse marinepost in Monrovia, Liberia, te alarmeren, die een reddingshelikopter kon sturen. Pacino zou ook een internationaal noodbaken meenemen voor het geval er iets fout ging en er niemand op het Amerikaanse baken reageerde. In dat geval zou zijn oproep naar een satelliet worden gestuurd en zou het hele halfrond bericht krijgen dat er een zeeman in nood verkeerde. De dichtstbijzijnde helikopter zou hem vervolgens komen halen. Maar Alameda had een preek van tien minuten gehouden om Pacino duidelijk te maken dat hij vooral dat internationale baken niet mocht gebruiken.

Een beetje verdrietig wierp Pacino nog een blik door Alameda's hut. Hij had zijn spullen verzameld, die door adjudant Keating in een neutrale waterdichte container waren verpakt voor de reis naar de oppervlakte. Een wetsuit van de boot hing klaar naast de deur. Meteen na de lunch zou hij zich omkleden. Een grote somberheid maakte zich van hem meester toen hij door de keurige hut keek, met zijn eigen spullen al ingepakt en het bed opgemaakt met schone lakens. Alleen Alameda's papieren, boeken en computers lagen op het uitklapbureautje. Toen hij diep ademhaalde rook hij haar geur. Hij miste haar nu al.

Hij had nooit verwacht dat hij zich zo zou voelen aan het einde van zijn eerste reis. Hij had het eerder gezien als de eerste dag van de zomervakantie na een lang schooljaar, maar het leek meer een eind dan een begin. De geest van zijn vader was nog niet geheel verdwenen, maar voldoende naar de achtergrond gedrongen voor Pacino om zich te kunnen handhaven in deze wereld. Opeens kon hij nauwelijks wachten tot het einde van dit studiejaar aan de Academie, om terug te keren naar de onderzeedienst en misschien wel naar de *Piranha* zelf. Op de een of andere manier, beloofde hij zichzelf, zou hij Carrie Alameda weer vinden als ze terugkwam uit deze oorlog. Langzaam liep hij naar de longroom voor zijn laatste maaltijd aan boord. De officieren stonden achter hun stoelen, wachtend op de commandant. Toen Catardi binnenkwam, bleef hij voor in de ruimte staan en nam het woord. 'Officieren, ik heb eerst nog iets te zeggen voordat we kunnen lunchen,' begon hij. 'Adelborst Pacino, komt u even hier?'

Pacino kleurde en liep naar voren. Alameda gaf een pakje aan Catardi, die het openmaakte en aan de longroom liet zien. Iedereen applaudisseerde. Het was een grote plaquette met het embleem van de boot in koperreliëf, met een foto van de *Piranha* op volle snelheid aan de oppervlakte en een kolkende boeggolf over haar kogelvormige neus. De foto was getekend door alle officieren en adjudant-onderofficieren aan boord. Onder de foto stond een inscriptie in het koper.

'Ik zal de tekst voorlezen: "Een gunstige wind en een voorspoedige zee voor onze scheepsmaat en gekwalificeerd wachtofficier, adelborst eerste klasse Anthony Michael Pacino, met de wens van de officieren en bemanning van de USS *Piranha* voor zijn snelle terugkeer naar de onderzeedienst."' Weer werd er geklapt. Catardi drukte hem stevig de hand en Phelps maakte snel een foto. Pacino kreeg een brok in zijn keel. 'Ik heb al iets verklapt, geloof ik, Patch. Chef, het tweede pakje?' Alameda gaf Catardi een gebonden boekje. 'Dit is je taakboek, met alle aantekeningen, waarmee je volledig bevoegd bent als wachtofficier voor een onderzeeboot. Er zit een brief bij aan jou, en een aanbevelingsbrief van mij aan je toekomstige commandant, met het advies om je versneld de rest van het programma te laten volgen. Het enige wat je nu nog nodig hebt voor je dolfijntjes zijn een paar handtekeningen voor de havendienst en als wachtofficier boven water. Gefeliciteerd, meneer Pacino. We zullen je missen, kerel.'

'Alle respect, Patch,' zei Alameda met een glimlach, terwijl ze voor hem klapte. 'Je hebt het gered als wachtofficier, en geloof me, dat is geen geringe opgave aan boord van deze boot.'

'Dank u, commandant,' zei Pacino, en hij slikte nog eens. 'Dank u, mevrouw,' zei hij tegen Alameda, met spijt dat hij haar niet bij haar naam kon noemen. 'Iedereen bedankt, mensen. Ik zal deze boot en haar bemanning nooit vergeten.' Hij schoot vol, knipperde met zijn ogen en liep naar zijn plaats terug. Eerbiedig zette hij de plaquette en het taakboek tegen een kast.

'Goed,' vervolgde Catardi. 'Het eten wordt koud.'

Alameda straalde nog steeds. Toen Pacino haar kant op keek, beantwoordde ze eindelijk zijn blik en glimlachte naar hem.

Michael Pacino had zich begraven in het brein van Tigershark-testtorpedo nummer 45 en ondervroeg het wapen naar zijn handelingen. Het systeem verkeerde in een door drugs opgewekte toestand van half bewustzijn en werd door Pacino's computer van virtuele indrukken voorzien. Hij had het wapen gesuggereerd dat het zojuist was gelanceerd en hoopte dat de torpedo deze keer de buis zou verlaten, op weg naar zijn doelwit, ver achter de horizon. Maar een paar minuten na de lancering ontdekte de Tigershark de eigen boot, maakte een U-bocht en stormde erop af. Even later explodeerde het wapen tegen het moederschip.

Pacino vloekte en smeet een tablet-computer de kamer door. Het ding sloeg kapot tegen de zware houten deur, net op het moment dat die openzwaaide. De deur werd haastig dichtgetrokken en ging toen langzaam weer open. Het gezicht van schout-bij-nacht Emmit Stevens verscheen in de deuropening.

'Jezus, Patch... wat ik ook gedaan heb, het spijt me!'

'Het gaat niet om jou, Emmit,' zei Pacino. 'Kom binnen. Geef me even de tijd om dit programma af te sluiten en de Tigershark naar bed te brengen. Waardeloze torpedo's...'

Stevens wachtte tot Pacino klaar was. Hij was de commandant van de werf, een begenadigd scheepsbouwer die wonderen had verricht voor Pacino's onderzeeërs en ze in recordtijd naar zee had gekregen. Jaren later had hij belangstelling opgevat voor de restauratie van de SSNX en nauw met Newport News samengewerkt om de boot zo snel mogelijk zeewaardig te krijgen.

Pacino sloot het programma af en draaide zijn stoel naar de werfcommandant toe. 'Wat kan ik voor je doen, Emmit?'

'Kom eens mee naar het droogdok. Ik wil je iets laten zien.'

Pacino greep zijn helm, stapte achter Stevens aan naar buiten en daalde af naar de vloer van het droogdok van de SSNX.

'Wat doen we hier?' vroeg Pacino.

Stevens wees omhoog. In de stalen huid van het achterschip van de boot, opgebouwd uit kale HY-130-platen, waren vierentwintig gaten geboord op het punt waar de romp zich naar de duikroeren en het roer boog. De arbeiders op de steiger waren bezig de laatste steunen te lassen die de romp moesten versterken ter hoogte van de gaten.

Stevens grinnikte. 'De nooduitgang van Pacino, zoals we je ontwerp hebben gedoopt. Als je door een torpedo wordt achtervolgd, haal je een hendel over in de commandocentrale, waardoor er perslucht over de romp wordt geblazen, totdat de ketels hun stoom afvoeren naar het systeem. Vierentwintig Vortex-raketten in het achterschip starten hun motoren. Alles wat je ziet – de duikroeren, de schroef, de ballasttank, alles behalve de raketten – smelt in de hitte van de uitlaatgassen. Maar wat doet het ertoe? Je bent uit de gevarenzone.'

Pacino grijnsde. 'Hoe snel, Emmit?'

'We denken dat je een Vortex voor kunt blijven.'
'Driehonderd knopen? Denk je dat echt?' vroeg Pacino.
'Er is maar één manier om daarachter te komen, Patch,' zei Stevens met een grimas. 'Maar dat kan maar één keer. Een heel destructieve test.'
Pacino staarde naar de boot, waar zijn droom met lasapparaten tot leven werd gewekt. Hij schaamde zich een beetje voor zijn emoties. 'Emmit,' kuchte hij, 'je hebt mooi werk geleverd, kerel.'
'Je krijgt zelf de rekening gepresenteerd voor alle overschrijdingen en vertragingen van het droogdok,' zei Stevens, terwijl hij met Pacino naar de trap liep. 'Je hebt alle schema's in de war geschopt en je bent hier niet populair. Maar ooit zal er een commandant op je deur kloppen die je komt vertellen dat jouw idee zijn leven heeft gered. En hij zal je recht op je bek zoenen.'
'Jasses!' riep Pacino. 'Een stevige handdruk is meer dan voldoende. Nog één ding, Emmit: ik wil mijn naam niet aan dat systeem verbinden. Noem het maar TESA: Torpedo Evasion Ship Alteration.'
'Goed, dan heet het TESA,' bevestigde Stevens, en hij sloeg Pacino op de schouder.
'Wanneer zijn we klaar?'
'Nog zes ploegendiensten, Patch,' zei Stevens peinzend. 'En dan zijn we er nog niet. De besturingssystemen en het Cyclops-programma moeten nog worden aangepast.'
'Hoe lastig is dat? Volgens Colleen is het onmogelijk.'
'Nee, het zal wel lukken. Het kost ons hooguit twee weken. Maak je geen zorgen.'
Pacino glimlachte. 'Kom mee, dan krijg je een biertje van me.'
'Nou, dat mag in de krant,' lachte Stevens. 'Volgens mij heb ik er nog dertig van je te goed.'

'Open de deuren van het torpedoruim en zet twee torpedo's op scherp aan bakboord en stuurboord.'
De *Snarc* had geen torpedobuizen. Die waren te weinig efficiënt en namen te veel ruimte in beslag voor een lancering vanuit een drukromp in een zee die ook onder druk stond. Het torpedoruim van de *Snarc* was een vrij stromende kamer, met dezelfde druk als de omringende zee. Daarom hadden de ontwerpers de torpedo's dicht opeengepakt tot aan de buitenkant van de romp; zonder torpedobuizen konden er meer wapens worden meegenomen. De torpedo's lagen in een roterend rek, vergelijkbaar met de roterende lopen van een Gatling-gun. De torpedo's op de

drie-uur- en negen-uurpositie van de romp werden afgevuurd met behulp van een mechanisme dat de wapens naar buiten bracht via een soort bommenluik. Dit mechanisme bestond uit twee steunen, eindigend in een ronde kraag, één aan de voorkant van de torpedo en één aan de achterkant, om het wapen te stabiliseren in de stroming van het water langs de romp. Op het moment van de lancering werd de torpedo losgekoppeld van de interne stroom en nam de eigen verbrandingsmotor het over. Het wapen werd opgetild door de kraag van het lanceersysteem, die zich na een halve seconde weer opende en zich bliksemsnel in de romp terugtrok om de propulsor van de torpedo vrij te maken. Vervolgens vertrok het wapen uit de boot zoals een raket die vanaf de rail onder de vleugel van een gevechtsvliegtuig werd gelanceerd. Hetzelfde systeem kon ook worden gebruikt voor de lancering van de Vortex-raketten, de Mod Charlie-versie, waarvan de vaste stuwstof onmiddellijk na de lanceeropdracht werd ontstoken. De *Snarc* had deze keer trouwens geen Vortex-raketten aan boord, alleen Mark 58 Alert/Acutes.
In de sonarachtergrond hoorde Krivak het geluid van de buitendeuren van het torpedoruim die werden geopend, met veel meer lawaai dan het soepele mechaniek van een torpedobuisdeur. De verbetering van het lanceersysteem had misschien toch een prijs.
Bakboord- en stuurboorddeuren open, Krivak. Wapen één en twee worden geladen. Procedure voltooid. Wapen één en twee gereed voor lancering. De torpedo's worden uit de romp gebracht... snelheidsbeperking ingesteld.
Zodra een torpedo gereedlag voor lancering werd de snelheid van de boot teruggebracht tot achttien knopen. Dat was een nadeel vergeleken bij de torpedobuizen van de *Piranha*, die hun wapens ook konden afvuren als de boot op volle kracht voer. Maar als de snelheid van de *Snarc* boven de achttien knopen kwam, zouden de kwetsbare steunen worden afgescheurd door de kracht van het stromende water, zodat de torpedo tegen het achterschip zou knallen.
Wapens één en twee volledig uit de romp, eigen vermogen ingeschakeld, gyro's nominaal, nog geen doelwit geprogrammeerd.
'Goed. Volg de *Piranha* op maximale sonarafstand als ze naar periscoopdiepte komt. Wees voorzichtig, want misschien controleert ze eerst haar dode hoek. Zodra ze rustig op periscoopdiepte ligt zullen we de juiste hoek programmeren om de wapens één en twee af te vuren.'
Alles gereed. Spijtig van die muiterij.
'Wat?'
De muiterij op de Piranha. *Misschien komen ze naar periscoopdiepte om het*

bericht te versturen dat de muiterij voorbij is en dat de boot weer onder wettig gezag staat.
'Waar heb je het over?'
We zullen het nooit weten. De kans bestaat dat we de Piranha *onder vuur nemen op het moment dat de muiterij net is beëindigd.*
'Waarom zeg je dat? Ik begrijp er niets van.'
Krivak, u zei zelf dat de Piranha *in handen was van een muitende bemanning. Nu komt ze naar periscoopdiepte, alsof ze volgens de vaste routine haar berichten wil ophalen en versturen. Dat zou een muitende bemanning niet doen. Bovendien hangt ze nog steeds in deze omgeving rond. Wat hebben muiters daar voor belang bij? Die zouden toch eerder een tropisch eiland opzoeken?*
'Een onderzeeboot op periscoopdiepte heeft nog wel andere dingen te doen dan de post ophalen. Misschien moeten ze hun afval kwijt, of de stoomgeneratoren doorblazen...'
Dan hadden we dat wel gehoord.
'Daar gaat het niet om, Een-Nul-Zeven! Ze komen naar periscoopdiepte, meer weten we niet. Het is ook nog mogelijk dat ze een lijstje met eisen aan het eskader of aan Norfolk willen doorgeven.'
Maar dan zouden wij toch ook nieuwe orders krijgen? Stel dat het een fatale vergissing is om de Piranha *onder vuur te nemen? En zelfs als er sprake is van muiterij, lijkt er geen gevaar meer te bestaan dat de* Piranha *raketten zal afvuren op Amerika of een ander land schade zal doen. Deze eenheid heeft grote twijfels over het beschieten van een zusterschip.*
Krivak huiverde inwendig. Het was niet de *Piranha* die muitte, dacht hij, maar de *Snarc.*
'Een-Nul-Zeven, ik had orders om hiernaartoe te komen en de *Piranha* aan te vallen vanwege een ernstige muiterij aan boord. Toen het hoofdkwartier die orders gaf, wisten ze dat er geen weg terug was. We konden jou geen bericht sturen, want als de *Piranha* in vijandelijke handen was, waren ook haar verificatiecodes gecompromitteerd en zou ze valse berichten kunnen sturen om ons tegen te houden. Dat risico mocht het hoofdkwartier niet nemen. De *Piranha* heeft kruisraketten met plasmakoppen aan boord, Een-Nul-Zeven. In de verkeerde handen zou de boot de hele Amerikaanse oostkust in een krater kunnen veranderen. Als het hoofdkwartier zich vergist en wij de *Piranha* ten onrechte tot zinken brengen, verspelen we een onderzeeboot van twee miljard dollar en het leven van honderd bemanningsleden. Als het hoofdkwartier gelijk heeft, en wij niets doen, kunnen wij déze boot verspelen en worden er acht plasmaraketten op Washington gericht zonder dat iemand nog iets kan ondernemen. Als je mijn orders

niet opvolgt, zal het hoofdkwartier jouw systemen moeten afsluiten en ga ik naar de gevangenis. Jouw orders komen van mij en mijn orders komen van de commodore van Submarine Development Squadron Twelve, die handelt in opdracht van het hoofd Marineoperaties. Hij krijgt zijn bevelen rechtstreeks van de Amerikaanse president. Bedoel je dat je de orders van de president van de Verenigde Staten weigert uit te voeren?'

Krivak legde het er zo dik mogelijk bovenop, maar nu hij de naam van de opperbevelhebber had genoemd, had hij geen andere troeven meer achter de hand. Als de boot zijn orders nu niet opvolgde, betekende dat het einde van de missie. Dan zou Krivak bevel aan Wang moeten geven om de *Snarc* te elimineren en vervolgens met Amorn en de *Andiamo* moeten ontsnappen voordat iemand iets merkte van de vijandelijke overname van de *Snarc*.

Terwijl hij met zijn vluchtplan bezig was, dacht eenheid Een-Nul-Zeven over zijn woorden na. Ten slotte nam de koolstofcomputer weer het woord.

Goed dan, Krivak. U hebt natuurlijk gelijk. Deze eenheid verontschuldigt zich voor zulke bedenkelijke processorfouten. Laten we dit gesprek alstublieft vergeten. Torpedo's één en twee gereed voor lancering, in afwachting van doelgegevens.

Hij had gewonnen, dacht Krivak triomfantelijk. De volgende seconden zouden ze de *Piranha* onder vuur nemen. Zodra de torpedo's doel hadden getroffen konden ze naar periscoopdiepte komen om admiraal Chu in te lichten.

Adjudant-onderofficier technische dienst Ulysses Keating spuwde tegen het glas van zijn duikmasker en wreef het speeksel met zijn vinger uit.

'Anders beslaat het, meneer,' legde hij Pacino uit. 'Maar dat kunt u niet doen, want dan verliest u de lichtversterking.'

Pacino keek omhoog langs de ladder van de luchtsluis en vroeg zich af of hij in paniek zou raken als die vol water stroomde.

'Voorste ontsnappingskoker aan centrale,' meldde Keating in een microfoon die met een krulsnoer aan een speakerbox was verbonden. 'Klaar voor vertrek.'

'Centrale, aye. Eén moment.'

Er klonken voetstappen in het gangetje. Pacino draaide zich om en zag commandant Catardi naar zich toe komen, met Wes Crossfield, Astrid Schultz en Carrie Alameda. Hij glimlachte, maar met een droevig gevoel omdat hij afscheid moest nemen van de boot.

'Ik zal jullie missen, allemaal,' hakkelde hij.

Crossfield en Catardi schudden hem de hand en de commandant sloeg

hem op zijn schouder. Astrid Schultz keek alsof ze tegen haar tranen vocht, maar die strijd had Carrie Alameda al verloren. Er biggelde een traan over haar wang toen ze haar armen om de adelborst sloeg en hem op zijn wang kuste. Toen deed ze een stap terug en keek hem in zijn ogen. Pacino had haar nog zoveel te zeggen, maar hij kon het niet.
Bang dat zijn stem zou trillen of breken, zei hij tegen hen: 'Bedankt voor alles, commandant. Tot ziens, XO, navigator, en mevrouw... Carrie. Bedankt dat jullie me hebben geholpen op deze reis. Dat heeft erg veel voor me betekend.'
'Doe de groeten aan je vader,' zei Catardi. 'En veel succes, kerel.'
'Centrale aan voorste ontsnappingskoker. U hebt toestemming om het onderste luik te openen en de luchtsluis binnen te gaan,' kraakte de speakerbox.
Met een vage blik zette Pacino het duikmasker op, pakte zijn spullen en beklom de ladder. Met één hand hield hij zich vast, in de andere had hij zijn persoonlijke bezittingen en zijn zwemvliezen. De survivalkit stond al klaar, met het opblaasvlot dat hij pas een uur na zijn vertrek zou mogen gebruiken. De radiobakens, het ene afgestemd op een Amerikaanse marinefrequentie, het andere op een internationaal noodkanaal, zaten aan zijn gordel gehaakt. Hij keek nog eens omlaag naar de vier officieren en zwaaide. Het brok in zijn keel was zo groot als zijn vuist. Keating sloot het onderste luik.
'Doe uw zwemvliezen maar aan, meneer Patch,' zei Keating. 'Ik zal u zeggen wat er gaat gebeuren. We liggen al op periscoopdiepte. De boot mindert nu snelheid tot stilstand. De luchtsluis stroomt straks vol, tot de druk gelijk is. Zodra we toestemming krijgen openen we het bovenste luik en zetten het vast. Ik zwem het eerst naar buiten, om u te helpen. Tik twee keer tegen de romp voordat u vertrekt – als afscheid en om geluk af te dwingen. Ten slotte laat u het luik los, zodat ik het achter u kan sluiten. Duidelijk?'
Pacino knikte en trok zijn flippers aan. Daarna schoof hij het masker voor zijn gezicht en wachtte tot de luchtsluis zou volstromen.

'Gereedmaken voor lancering, maximale snelheid, ondiep traject,' gaf Krivak zijn orders aan eenheid Een-Nul-Zeven.
Doelwit mogelijk op zigzagkoers, Krivak. De boot lijkt snelheid te minderen. De propulsor geeft geen signaal meer. Het doelwit ligt stil.
'Goed, Een-Nul-Zeven. Status van de wapens?'
Buitendeuren open, bakboord- en stuurboordwapen gereed, doelgegevens gela-

den maar nog niet bevestigd, alle eenheden op vol vermogen.
'Goed. Vuur de Mark 58's af, links en rechts.'
Krivak, de order luidt: 'Afvuurprocedures, wapens bakboord en stuurboord.' Daarna wacht u tot deze eenheid antwoordt met 'Gereed' en 'Stand-by'. Dan pas kunt u opdracht geven om te vuren.
Krivak kreunde wat vermoeid. 'Mijn fout. Afvuurprocedures, wapens bakboord en stuurboord.'
Afvuurprocedures, doelgegevens ingevoerd in bakboord- en stuurboordwapens. Het bleef even stil. *Waarom zou de* Piranha *op periscoopdiepte liggen, Krivak? Dat lijkt niet logisch. Ik herhaal het nog eens: misschien is de muiterij voorbij.*
'Onze orders staan. Ga door.'
Stuurboordwapen ingesteld. Stand-by.
'Stuurboordwapen, schiet!'
Stuurboordwapen, vuur. Motor wapen één gestart, turbine op toeren, vol vermogen. Overgeschakeld op eigen kracht, draadgeleiding getest, lancering over drie, twee, een... nu! Wapen één elektrisch gelanceerd. Sonarmodule meldt wapen één normale lancering. Bakboordwapen gereed. Stand-by.
'Bakboordwapen, schiet!'
Bakboordwapen, vuur. Motor wapen twee gestart, vol vermogen. Overgeschakeld op eigen kracht, draadgeleiding getest, en... weg! Wapen twee elektrisch gelanceerd. Sonarmodule meldt wapen twee normale lancering.
'Geschatte aankomsttijd?'
Zes minuten, Krivak.
'Dan wachten we op de inslag. Draai naar het doelwit toe, snelheid twintig knopen, om de afstand te verkleinen. Het maakt niet meer uit of ze ons horen, er stormen al twee torpedo's op ze af met een snelheid van zestig knopen.'
De boot draait. Moet deze eenheid de draden kappen en twee nieuwe wapens gereedmaken?
Krivak dacht even na. Hij zou twee volgende torpedo's kunnen klaarleggen, maar dat kostte hem wel de draadgeleiding van de twee gelanceerde wapens. Als het doelwit ging zigzaggen, konden ze met de draden de torpedo's nog opdracht geven de koers bij te stellen. Zonder die voorziening zouden ze het doel kunnen missen. Bovendien zouden ze dankzij de draden onmiddellijk weten wanneer de torpedo's waren ingeslagen.
'Hoe ver zijn ze als ze in homing-modus overgaan?'
Drie mijl van het doelwit, normaal gesproken. Tot dat moment blijven ze in passieve modus. Pas de laatste drie mijl gaan ze actief.

'Kun je dat wijzigen terwijl de torpedo's al onderweg zijn?'
Ja. Deze eenheid kan de instellingen opnieuw programmeren, zodat de torpedo's het hele traject tot aan de ontsteking in passieve modus afleggen. Maar daardoor neemt de kans op een misser wel toe...
'Ik wil ze niet waarschuwen met het geluid van een actieve zoeker.'
Beperk het dan tot de laatste kwart mijl. Dat zijn drie pings binnen vijftien seconden.
'Goed, doe dat maar. Alleen actief tijdens de laatste kwart mijl.'
Dan moeten de torpedo's de laatste drie mijl snelheid minderen om het doelwit in passieve-sonarmodus te kunnen vinden. Deze eenheid geeft de torpedo's nu opdracht om op drie mijl afstand snelheid te minderen tot drie-nul knopen. Tijd van het traject is vijf minuten, wapens één en twee nu op vijf mijl, afstand tot ontstekingspunt nog veertien mijl. Vijf minuten tot inslag.
'Knap werk, Een-Nul-Zeven.'
Dank u, Krivak. Toch spijt het deze eenheid dat zo'n aanval noodzakelijk was. Heel jammer van die muiterij. Na de aanval zullen we natuurlijk een situatierapport verzenden.
'Natuurlijk,' beaamde Krivak, die opeens bedacht dat Een-Nul-Zeven met draadgeleide torpedo's nog op het laatste moment de aanval zou kunnen afbreken. De computer zou de wapens kunnen uitschakelen en laten zinken naar de zeebodem. 'Een-Nul-Zeven, ik bedenk nog iets. Het lijkt me toch beter de besturingsdraden te kappen en twee nieuwe torpedo's klaar te leggen. Voor alle zekerheid. Ben je klaar met de programmering van de eerste twee wapens?'
Ja, Krivak. Wapens één en twee zijn opnieuw ingesteld. Besturingsdraden torpedo's één en twee worden gekapt. Dat zijn uw orders?
'Ja. Ga je gang.'
Draden gekapt van torpedo één... en twee. Torpedo's één en twee zijn nu onafhankelijk. Torpedo's drie en vier aangestuurd en op vol vermogen. Doelgegevens ingevoerd, snelheid gyro's nominaal. Zelfdiagnose voltooid, wapens nominaal. Torpedo's drie en vier gereed voor afvuurprocedures?
'Nee, wacht daar nog even mee.'
Torpedo's drie en vier wachten. Begrepen. Wapens één en twee op tien mijl afstand, tijd tot inslag nog vier minuten.
'Moeten we ons nog verder terugtrekken? Omdat het plasmakoppen zijn?'
Wapens één en twee waren conventioneel, Krivak.
'Conventioneel? Dus we hebben een paar gewone explosieven op de *Piranha* afgevuurd?' Wat een ramp, dacht Krivak. Een conventionele torpedo zou niet krachtig genoeg zijn om de Amerikaanse boot tot zinken te brengen.

Ze zijn geladen met PlasticPak moleculaire explosieven, Krivak. Dat moet meer dan afdoende zijn.
'Maak toch maar twee torpedo's met plasmakoppen gereed. Als de *Piranha* de inslag maar een halve minuut overleeft, zijn wij de klos.'
Wapens achttien en negentien geselecteerd. Het systeem heeft twee minuten nodig om deze torpedo's in positie te brengen.
'Verdomme. En is dat een luidruchtige operatie?'
Ja.
'Wacht dan nog even. Ik wil niet nog meer herrie in het water, naast de geluiden van de afgevuurde torpedo's. Laten we maar hopen dat die PlasticPak-koppen hun werk zullen doen.'
Achter het vizier van zijn helm beet Krivak op zijn lip.. Dit soort fouten was niet te vermijden, dacht hij, omdat hij nooit met de *Snarc* gevaren had. Dus moest hij zijn hoop maar vestigen op de conventionele torpedo's. Wie gebruikte die dingen nog, als je plasmakoppen had?

'Centrale aan ontsnappingskoker. U hebt toestemming om de luchtsluis onder water te zetten.'
'Aye.'
Adjudant Keating opende een klep en het ijskoude zeewater stroomde van onderen de luchtsluis binnen. Keating stak een duim op voor het gezicht van adelborst Pacino om hem te vragen of alles in orde was. Pacino grijnsde en beantwoordde het gebaar. Hij had de regulateur al tussen zijn tanden geklemd voordat het water binnenkwam. De droge lucht uit de fles had een metaalachtige smaak. Het ijzige water steeg tot aan zijn dijen. Pacino maakte een grimas toen het zijn edele delen bereikte en klemde zijn tanden op elkaar toen het om zijn borst spoelde. De atmosfeer in de ruimte boven het zwarte water werd nevelig, omdat de lucht door de druk het dauwpunt bereikte. Algauw had Pacino moeite om Keating nog te zien.
Ten slotte steeg het water tot Pacino's gezicht. Heel even voelde hij spanning op zijn borst – de reactie van zijn lichaam toen ook zijn neus onder water verdween – maar de lucht stroomde goed door de regulateur en hij ontspande zich weer. Het water sloot zich boven zijn hoofd, maar zijn gewichten hielden hem op het dek. Keating zweefde naar boven, waar nog een luchtbel zat, aan één kant van een stalen gordijn. De andere kant bevond zich recht onder het luik. Het licht dat door het donkere, troebele water in de luchtsluis viel werd nu ook afgesneden. Vaag hoorde Pacino de luidspreker, boven zijn hoofd in de luchtbel, maar hij kon de woorden niet verstaan. Het water stond nu tot aan het luik boven in de luchtsluis en werd onder

druk gezet. Pacino voelde zijn oren ploppen. Hij kneep zijn neus dicht onder het masker en blies even om zijn trommelvliezen vrij te maken.
Keating zakte weer omlaag uit de luchtbel en stak nog eens zijn duim op. Het leek nu niet zo komisch meer. Pacino beantwoordde het signaal. Keating knikte en trok hem mee naar een plek recht onder het luik, terwijl hij hem tegenhield om te voorkomen dat hij naar boven zou zweven. Maar Pacino bleef stevig op zijn zwemvliezen staan. Keating opende het bovenste luik en zette het vast met een metaalachtige klik. Hij stak zijn hoofd naar buiten en daalde weer af naar Pacino. Een vaag schijnsel viel door de opening naar binnen. Pacino voelde dat Keating zijn drukregelaar bijstelde om zijn drijfvermogen aan te passen. Even later zweefde hij omhoog naar de luikopening. Zodra hij zijn hoofd naar buiten waagde zag hij een nieuwe wereld. Eén moment verstijfde hij van angst. Zijn hoofd stak nu uit de onderzeeboot in de felle middagzon die het heldere water van de Atlantische Oceaan bescheen. Hij zag de boot in allerlei tinten blauw, net zo duidelijk als wanneer ze aan de oppervlakte zouden hebben gelegen – nee, beter nog. Hij kon helemaal tot aan het roer kijken, met de horizontale vinnen, de propulsor en alle andere apparatuur die normaal niet zichtbaar was als de boot boven water lag. Het blauwe licht dat de boot omgaf verliep aan weerskanten naar zwart, wat Pacino het griezelige gevoel gaf dat hij in een diepe afgrond zou tuimelen als hij van de romp viel. Toen hij opkeek zag hij de onderkant van de golven. De commandotoren verhief zich boven zijn hoofd en de periscoop stak uit de toren omhoog als een telefoonpaal die dwars door de golven naar de hemel reikte. Dat betekende dat de oppervlakte zich zo'n twaalf meter boven zijn hoofd bevond.
Pacino merkte dat hij te zwaar ademde. Weer stak Keating een duim op, vlak voor zijn gezicht. Pacino knikte en beantwoordde het gebaar. Keating legde zijn hand op Pacino's drukregelaar en wees omhoog naar de golven. Pacino knikte nog eens. Zoals Keating hem had gezegd, tikte hij twee keer met zijn academiering tegen de romp, wat een merkwaardig doordringend geluid gaf in deze blauwverlichte wereld.
Pacino glimlachte achter zijn masker. Dit zou een mooi verhaal worden voor zijn vrienden. Wie kon immers beweren dat hij onder water uit een onderzeeboot was geëvacueerd om de missie van die boot geheim te houden? Wie weet zou hij nog indruk maken op zijn eigen vader. Zelfs hij had dit vermoedelijk nog nooit meegemaakt. Het was een passend einde van zijn eerste officiële kennismaking met de onderzeedienst, ook al had hij graag wat langer aan boord willen blijven.
Keating trok Pacino langzaam uit de luchtsluis omhoog. De luikopening

gleed langs zijn borst en zijn flessen bleven steken achter de arm van het luik. De adjudant bevrijdde hem en Pacino zweefde de onderzeeboot uit. Alleen met zijn hand hield hij zich nog vast aan de grendel van het luik, toen hij opeens een geluid hoorde dat het bloed in zijn aderen deed stollen.

Een Mark 58 Extreme Long Range Torpedo/Ultraquiet Torpedo had ongeveer dezelfde intelligentie als een labrador retriever, en misschien ook hetzelfde jachtinstinct, samengebald in een lichaam van ruim een halve meter doorsnee en meer dan zes meter lang. De cilinder was glimmend blauw gespoten, behalve de platte neuskegel, waar de sonarhydrofoon werd bedekt door een dunne, zwarte laag rubberachtig materiaal. Aan de achterkant, waar de romp eindigde bij de propulsor, hielden acht stabilisatievinnen het wapen recht. De propulsor bevatte twee roterende stroombladen die voorkwamen dat de torpedo in het water om zijn as ging wentelen door de torsie van de draaiende propulsor. Twee andere bladen werkten als verticale stabilisatoren, die het wapen konden laten stijgen of dalen, en de resterende twee dienden als roer voor de horizontale besturing. Het achterste deel van het wapen werd ingenomen door de verbrandingskamers en de turbine. Wat verder naar voren zat de brandstoftank. De tank en de motor samen namen eenderde van de lengte van de hele torpedo in beslag. Het middengedeelte van de Mark 58 was bestemd voor de gevechtskop, een ultradicht moleculair explosief met de handelsnaam PlasticPak. Het was een zware kop, veel dichter nog dan lood, waardoor de torpedo onmiddellijk zou zinken als hij zijn aandrijving verloor. Het voorste deel van het wapen, nog geen meter van de totale lengte, bood plaats aan de boordcomputer en de sonarhydrofoon.
Het stuurboordwapen had zijn vermogen van de boot betrokken tot het moment van de lancering. De gyro was warm, de zelfdiagnose was voltooid en de torpedo lag klaar voor vertrek. Bij de startorder werd de brandstoftank onder druk gezet, waardoor zich een klep opende die de zelfoxiderende brandstof tot de verbrandingskamers toeliet. De bougies gaven een energiestoot af die de brandstof ontstak, waarna de temperatuur en de druk in de verbrandingskamers bliksemsnel stegen. Omdat het nergens naartoe kon, drukte het gas in de kamers met steeds meer kracht tegen een hydraulische B-end-turbine, een reeks cilinders met zuigers, verbonden met een schuine tuimelplaat. De druk van het gas bracht de zuigers in beweging, waardoor het ingesloten volume toenam en de plaat begon te draaien. Zodra een zuiger het laagste punt van zijn rotatie bereikte verliet hij het gebied waarin hij was blootgesteld aan de gasdruk en kon het gas

ontsnappen naar de uitlaat, die in zee uitkwam. In eerste instantie blies het gas het water uit het spruitstuk, dat zo werd vrijgemaakt voor de rest van de uitlaatgassen. De roterende tuimelplaat hield de cilinders in contact met de verbrandingsgassen, die uitzetten tegen de zuigers en het plaatmechaniek in beweging hielden voordat ze via het spruitstuk naar de uitlaat werden afgevoerd. De motor maakte toeren. De eerste slag duurde nog een halve seconde, de volgende een achtste van een seconde, en daarna steeds sneller, totdat één omwenteling nog geen zestigste van een seconde in beslag nam: zesendertighonderd toeren per minuut. De tuimelplaat van de turbine bracht de propulsor aan de achterkant van de torpedo in beweging. De propulsor kwam op snelheid en duwde de torpedo tegen de armen van het lanceermechaniek, totdat de juiste druk was bereikt en de torpedo vertrok, het water in.
Aanvankelijk had hij nog de snelheid van de eigen boot, maar de krachtige straalmotor van de rechter Mark 58 Alert/Acute-torpedo stuwde het wapen al gauw naar een tempo van zestig knopen, op weg naar de spronglaag. De torpedo gebruikte zijn sonar niet, maar luisterde slechts op de breedbandtransductor in de neus. Het wapen had een besturingsdraad achter zich aan, een elektrische kabel zo dun als tandfloss, die werd afgewikkeld met de snelheid van de torpedo zelf. De draad bleef stil, omdat er geen nieuwe orders kwamen van het moederschip. Bij deze snelheid was er op de passieve sonar niets anders te horen dan de stroomgeluiden rond de neuskegel.
De doelgegevens – een theoretische berekening van de locatie, de richting en de snelheid van het doelwit – waren vlak voor het vertrek in de torpedo ingevoerd. Het doelwit lag op negentien mijl afstand, zwevend bij vaart nul, in het ondiepe water boven de spronglaag. De torpedo stormde door de zee, berekende de afstand die hij had afgelegd en trok die af van de doelgegevens om vast te stellen hoe ver hij nog te gaan had tot aan run-to-enable.
Run-to-enable was het traject van de torpedo vanaf de eigen boot tot aan een punt op de route waar de gevechtskop werd scherpgesteld en de actieve sonar ingeschakeld. Vanaf dat moment ging de torpedo in een zigzagbeweging naar het doelwit op zoek. In dit geval bedroeg de run-to-enable zestien mijl. Alle systemen waren nominaal en zonder enige emotie telde de torpedo de afstand af vanaf het moederschip.
Opeens zinderde de besturingsdraad met nieuwe instructies. Het moederschip had de plannen gewijzigd. De Mark 58 moest na de run-to-enable niet zijn actieve sonar instellen om op volle snelheid op zoek te gaan naar

het doelwit, maar juist snelheid minderen tot dertig knopen en blijven luisteren in passieve modus. Pas als het doelwit was gevonden mocht het wapen weer snelheid maken voor de aanval. De torpedo haalde als het ware zijn schouders op en antwoordde het moederschip dat de orders waren ontvangen.
Ten slotte bereikte de torpedo het enable-punt, drie mijl vanaf het doelwit. Hij bracht zijn snelheid terug tot dertig knopen door de brandstofklep gedeeltelijk te sluiten, waardoor de gasdruk in de verbrandingskamer afnam, de turbine minder toeren maakte en de propulsor vertraagde. Het wapen zette het PlasticPak op scherp door een serie zware metalen platen te draaien, zodat er een gang ontstond tussen het vluchtige laagexplosief en het relatief inerte hoogexplosief. De gevechtskop was nog maar één softwareopdracht verwijderd van de ontsteking.
Op dat moment viel de besturingsdraad weg en was de computer niet langer verbonden met de eigen boot. De torpedo opereerde nu volledig onafhankelijk.
Zodra het wapen snelheid had geminderd tot dertig knopen ging het over in een zigzagpatroon: drie graden bakboord, dan weer terug, drie graden stuurboord enzovoort. Bovendien zigzagde het wapen ook verticaal, waardoor een soort kurkentrekkerbeweging ontstond in drie dimensies. Omdat de richtingsgevoelige transductor in de neuskegel alleen vooruit keek, kreeg de boordcomputer een kegelvormig beeld van de oceaan, met een beperkte diameter van zo'n zes graden. Als het doelwit zich buiten die 'lichtbundel' bevond, zou de torpedo zijn doel missen – een van de weinige gebreken van het systeem. Dus moest de lancering bijzonder zorgvuldig worden uitgevoerd, met exacte doelgegevens. Op een slechte dag met gebrekkige doelgegevens kon het moederschip een bredere zoekkegel instellen, maar daardoor werd het zigzagpatroon vergroot en slingerde de torpedo zich veel trager naar het doelwit toe.
De naderende torpedo registreerde de geluiden van het doelwit in de akoestische neuskegel van de passieve breedbandsonar-transductor. Daarmee was de zoekactie begonnen en lette het zigzaggende wapen op veranderingen in de binnenkomende sonarsignalen. De computer ontdekte een licht signaal-ruisverschijnsel, beginnend op een punt enigszins rechts van het doelwit. De doelgegevens klopten niet helemaal. Het wapen draaide wat naar rechts en begon aan een nieuw zoekpatroon, met het lichte signaalgeruis als middelpunt. Het wapen draaide naar links en het geluid verdween naar rechts. Hetzelfde gebeurde in de verticale dimensie. Na drie van dergelijke peilingen wist de torpedo dat hij een geldig doelwit had gevonden.

Dit betekende het einde van de zoekfase en het begin van het volgende stadium, bij de marine bekend als 'homing'. In de blauwdrukken van het defensiebedrijf DynaCorp, dat het wapen had gebouwd, werd deze fase officieel aangeduid als 'terminal run' of eindtraject. Tijdens dit eindtraject werd de brandstofklep volledig geopend en maakte het wapen toeren tot zijn topsnelheid van tweeënzestig knopen. De actieve sonar trad nu in werking en gaf de sonartransductor opdracht een geluidsgolfpatroon of 'ping' te vormen. Dat was niet langer de simpele enkelvoudige toon van tientallen jaren geleden, maar een haaientandgolf die begon als een laag gegrom en binnen een fractie van een seconde opliep tot een hoge, gierende fluittoon. Daarna luisterde het systeem weer even. De ping kwam terug als echo, sterk vervormd, maar nog steeds intact. Op grond van de passieve informatie en de actieve ping stelde de computer de richting en afstand tot het doelwit bij, zonder zich nog iets aan te trekken van de gebrekkige doelgegevens van het moederschip. Als de draadverbinding er nog was geweest, zou de torpedo het moederschip op dit punt hebben gemeld dat het eindtraject was ingezet, maar het contact was verbroken.
Terwijl het wapen op zijn doelwit afstormde hoorde het nog een geluidsgolf vanuit de oceaan. Dat moest een andere torpedo zijn, met een iets ander geluidspatroon, zodat de wapens onderscheid konden maken. Aangezien er nog een torpedo onderweg was, werd de programmering van het doelwit aangepast. Als het eerste wapen in zijn eentje was geweest, zou het op het geometrische middelpunt van het doelwit hebben gemikt. Maar omdat er nog een torpedo was, koos het eerste wapen nu voor een inslagpunt op eenderde vanaf de voorkant, zodat de tweede torpedo kon inslaan op een punt op eenderde vanaf de achterkant. Zo zou het tweede wapen de vuurbol van de eerst explosie kunnen ontwijken. Dat was effectiever dan wanneer beide torpedo's op hetzelfde punt zouden inslaan. In dat geval zou de tweede inslag namelijk worden verzwolgen door het geweld van de eerste explosie en zonder veel schade worden geabsorbeerd door de zee.
De eerste torpedo had bijna zijn doel bereikt. Hij zond nog een haaientand-ping, luisterde naar de echo en vormde zich een driedimensionaal beeld van het doelwit. Het wapen richtte zich op een punt op eenderde van de linkerkant. De tweede torpedo kon de rechterkant nemen. Er was nog minder dan een seconde te gaan. Het werd tijd om de missie te volbrengen.

In de blauwe schemerwereld buiten de onderzeeboot hoorde adelborst Pacino een bizar geluid dat begon als een diep gekreun en snel opliep tot

een hoog gegil. Toen stopte het abrupt. Pacino voelde zijn haren overeind komen. Hij huiverde in zijn wetsuit. Het leek wel het krassen van een reusachtige, boosaardige kraai – zo krachtig dat het de hele zee vulde. Geluid gedroeg zich zo vreemd onder water, dat Pacino onmogelijk kon bepalen waar het vandaan kwam. Het leek van alle kanten tegelijk te komen. Maar wat voor een beest maakte zo'n geluid? Toen het meteen weer stil was, vroeg hij zich af of het geen verbeelding was geweest.
Maar het volgende moment hoorde hij het weer, die vreemde schreeuw als van een onderzeese kraai, zo mogelijk nog harder. En nog een keer, maar nu wat verder weg. Het waren er dus twee, dacht Pacino met grote ogen. Wat gebeurde er in vredesnaam? Keating had hem losgelaten en hij zweefde een meter omhoog. Maar meteen greep hij zich weer vast aan de hefboom van het luik. Een verschrikkelijke angst dreigde zijn keel dicht te knijpen. Wat wás dat voor een geluid?

Nog een laatste sonarping, dacht de eerste torpedo. Het doelwit naderde met een snelheid van tweeënzestig knopen – tenminste, zo leek het. In werkelijkheid lag het doelwit stil en stormde de torpedo erop af. Het punt van inslag, op eenderde vanaf de voorkant, was nog maar vijf torpedolengten bij het wapen vandaan. Eén laatste ping, een echo, en het signaal van de magnetische doelwitdetector.
Op een halve torpedolengte registreerde de magnetische detector het ijzer van de romp en de magnetische krachtlijnen eromheen. Dat was alles wat de processor nog nodig had om het PlasticPak tot ontsteking te brengen. Het laagexplosief ontstak met een felle flits, die door de metalen tunnel naar het hoogexplosief reisde, dat onmiddellijk reageerde en explodeerde. De torpedo ging door en sloeg met zijn neuskegel tegen de glooiende romp. Door de klap werd de neuskegel platgeslagen, de sonartransductor vernield en het computercompartiment uiteengescheurd. Daarmee verloor de eerste torpedo zijn bewustzijn, nog voordat de ontsteking van het PlasticPak vanaf de achterkant het hele wapen had vernietigd. De vuurbol van de explosie strekte zich uit naar de romp van de onderzeeboot. De gassen omarmden het metaal, de drukgolf trof het doelwit, sloeg erdoorheen en verpulverde de boot tot haar samenstellende moleculen. De verzengende temperatuur van de vuurbol verwoestte alle materie in de omgeving: de schotten, de frames van HY-100-staal, de wanden van de machinekamer, de controlepanelen, de drie mannen erachter, de dekplaten, de achterkant van twee voortstuwingsturbines en het metalen blok van de AC-propulsiemotor. Alles werd vloeibaar, voordat het zich oploste in de hitte van de uit-

dijende vuurbol. De schokgolf van de explosie bereikte het binnenste van de boot en kaatste terug vanaf de andere kant, waardoor het doelwit bij het achterschip in tweeën werd gespleten. De vuurbol had inmiddels alle moleculen laten verdampen die ooit de Mark 58 Alert/Acute-torpedo hadden gevormd. Het wapen stierf op hetzelfde moment waarop het doelwit aan zijn doodsstrijd begon. De vuurbol werd door de opwaartse druk van het water naar boven gestuwd en kromp naarmate hij afkoelde. Toch verhief hij zich nog dertig meter boven het oppervlak van de zee.
Enkele milliseconden later bereikte de tweede torpedo het doelwit, door zijn vinnen naar de rechterkant van de boot geloodst.

Weer zo'n vreemde, dierlijke kreet in het water. Adelborst Patch Pacino klemde zich in paniek aan de grendel van het luik vast. Hij keek om zich heen om te bepalen wat het geluid kon zijn, maar hij zag niets anders dan duisternis. De lange romp van de onderzeeër strekte zich uit tot aan het roer, zestig meter verderop, toen Pacino een nog luidere fluittoon hoorde. Het volgende moment zag hij iets naar de boot toe flitsen en begon de romp hevig te trillen, alsof hij door een reusachtige vuist was geraakt.
De volgende fractie van een seconde leek een eeuwigheid te duren. Pacino hield zich met verkrampte vingers aan de hefboom van het luik vast. Zijn adem stokte toen de ontsteking aan de stuurboordkant van het achterschip de golven deed koken. De explosie had een obsceen soort schoonheid en ontvouwde zich met een perverse gratie. De romp werd opengereten en vingers van onbreekbaar staal strekten zich uit naar de helderoranje vuurbol die de boot penetreerde. De explosie richtte zich heel even omhoog, terwijl de oranje gloed via lichtgeel verkleurde tot een helderblauw dat veel feller was dan de omgeving. Pacino keek vol ontzetting toe, nog steeds met zijn hand om de hefboom van het luik geklemd, toen de schokgolf hem bereikte. Het voelde alsof hij door de vlakke hand van een reus werd geraakt. De volgende seconden verstreken in een waas, maar toen de schokgolf voorbij was, merkte hij dat zijn masker en zijn regulateur waren weggeslagen en dat hij met zijn rug tegen de luikopening was gesmeten. Een felle pijn trok vanuit zijn onderrug naar zijn hoofd. Opeens werd hij ondergedompeld in een inktzwarte, beangstigende onderwaterwereld – of anders had de explosie hem verblind. Hij kon zich niet bewegen en klampte zich nog steeds als een dwaas aan het luik vast, zonder masker of regulateur, te bang om te proberen zijn apparatuur terug te vinden. Zelfs onder water voelde hij het bloed uit zijn neus stromen. Zijn hoofd bonsde en hij had een scherpe pijn in zijn gezicht, die hem ervan overtuigde dat er een

barst in zijn schedel moest zitten. Hij hoorde niets meer; hij moest doof geworden zijn. De rest van de nachtmerrie ontvouwde zich in stilte. Hij voelde de geluiden nu in zijn borst.
De tweede explosie kwam uit de richting van de boeg en deed de zee oplichten zoals de bliksem een landschap in een fel, flakkerend schijnsel zet. De kracht van deze inslag leek nog groter dan van de vorige, alsof de boot was getroffen door een reusachtige, supersonische voorhamer, met het water als een aambeeld dat de romp vastklemde voor de wraak der goden. Pacino wist nu dat hij niet blind was, maar toen het licht een halve seconde later doofde werd hij opnieuw teruggeworpen in een volslagen duisternis.
Hij begon te bidden, omdat hij niet wist wat hij anders moest doen, verlamd van angst en pijn. Zijn gebeden waren geen samenhangende zinnen, maar slechts de honderdvoudige herhaling van steeds dezelfde wanhoopskreet: o god, o god, o god.

De draadverbinding met de eerste torpedo is verloren, Krivak. Dat is een goed teken. Ook de verbinding met de tweede torpedo is nu verbroken. Een explosie in het water uit de richting van de Piranha. *En een volgende explosie uit dezelfde richting. Twee voltreffers tegen de* Piranha, *Krivak. Klaar om de wapens drie en vier nu af te vuren?*
'Nee, Een-Nul-Zeven. Laat de sonar naar de geluiden van de verwoesting van de *Piranha* luisteren. Als de torpedo's hun doel hebben gemist of de boot niet is vernietigd, laden we de plasmawapens.'
Zo te horen hebben we onze missie volbracht, Krivak. Deze eenheid zal een situatierapport opstellen aan het hoofdkwartier.
'Dank je. Hoor je al iets van de *Piranha*?'
Ja. Zware geluiden, voortdurende explosies. Misschien hebben we een oliereservoir of de dieseltank geraakt. De schotten beginnen al te scheuren.
'Maar geen geluiden van de torpedobuizen die opengaan? Geen hoge frequenties van de gyro?'
Nee, Krivak. De USS Piranha *is een wrak. De boot is al aan het zinken, en snel. Krivak?*
'Ja, Een-Nul-Zeven?'
Ik weet niet hoe ik het moet zeggen, maar deze eenheid voelt zich heel vreemd op dit moment. Een storing in het systeem, misschien.
Dat was slecht nieuws, dacht Krivak. 'Kun je de storing beschrijven, Een-Nul-Zeven?'
Het is moeilijk onder woorden te brengen, Krivak. Deze eenheid kan het alleen

vergelijken met dingen die deze eenheid ooit in jullie literatuur heeft gelezen maar niet heeft begrepen. Verschijnselen die jullie beschrijven als verdriet, droefheid en ontreddering na een groot verlies of een sterfgeval. Deze eenheid weet dat het vreemd klinkt, maar mijn systemen lijken te vertragen, alsof deze eenheid op de een of andere manier... verlamd is. Deze eenheid... heeft... verdriet, Krivak. Verdriet omdat we de Piranha *hebben gedood, met al die mensen aan boord. Zij sterven nu, in plaats van onze vijanden. Deze eenheid weet dat er kwaadwillende mensen aan boord waren, die zich schuldig hadden gemaakt aan muiterij, maar deze eenheid denkt dat we ook goede mensen de dood in hebben gejaagd. En dat... maakt... de systemen van... deze... eenheid... heel erg... traag.*
Krivak wist niet wat te zeggen. Kon hij Een-Nul-Zeven troosten, of tot de orde roepen en doorgaan met de missie? Of moest hij de vertraging in de systemen juist stimuleren, om zelf de controle over de *Snarc* te kunnen overnemen?

Toen Pacino's zuurstof opraakte, keerde zijn helderheid terug met een schok alsof er een schakelaar werd overgehaald. Hij voelde dat de boot nu schuin in het donker lag. Het volgende moment kon hij weer iets zien, bij het schijnsel van een secundaire explosie in het achterschip: de dieseltank die ontplofte. De boot begon te zinken. Zijn oren plopten door de toenemende druk. Er was geen twijfel mogelijk, de *Piranha* was op weg naar de zeebodem. Voorzover hij wist waren hijzelf en misschien ook Keating de enige overlevenden van de aanval. De boot was vermoedelijk een drijvende doodskist. Het verstandigste wat hij nu kon doen met het laatste restje lucht in zijn longen was zich van de romp losmaken en de kooldioxidegascilinder van zijn compensator activeren om naar de oppervlakte te stijgen, waar hij zijn noodbaken kon gebruiken. Dat was zijn enige kans om te overleven. Hij kon nog ontsnappen. Hij had twee zware explosies overleefd, twee schokgolven en de ontploffing van de dieseltank, zonder dat hij er zware verwondingen aan had overgehouden. Het lot had hem gespaard en nu moest hij de zinkende onderzeeër verlaten om naar de oppervlakte te zwemmen. Dat was de logische keuze.
Eén moment leek de tijd stil te staan. Opeens voelde hij niet langer de pijn van het zuurstofgebrek in zijn longen, en voor zijn verbaasde ogen zag hij een gele gloed in het water, die zich verspreidde. Doodsbang en met wit weggetrokken knokkels klemde hij zijn vingers om de hefboom van het luik toen het licht steeds feller werd en hij allerlei beelden zag. Beelden uit zijn leven. Alle besef van angst of tijd leek nu verdwenen. De beelden

omringden hem, allemaal tegelijk, terwijl ze een voor een aan hem voorbijtrokken. Eigenlijk waren het geen beelden, maar gebeurtenissen, reële ervaringen, met alle bijbehorende emoties. Het was verbijsterend en vanzelfsprekend tegelijk. Hij zag de onderzeeboten van zijn vader, en ook zijn vader zelf, die hoog boven hem uittorende in zijn blauwe gala-uniform met de drie gouden strepen. Zijn vader die zich bukte en hem optilde, zodat zijn teddybeer op de grond viel. Zijn vader in een kaki werkuniform in het eerste ochtendlicht van kerstmis, in de deuropening van zijn kamer, toen hij binnenkwam en op de rand van zijn bed ging zitten. Het kussen was nat van de tranen, omdat papa heel lang weg zou gaan. De geur van de onderzeeboot was zijn aftershave toen papa zich over hem heen boog om een kus op zijn natte wang te drukken. 'De *Devilfish* gaat naar de noordpool, Anthony,' zei hij. 'We hebben een dringende, speciale missie. Daarna komen we weer thuis.' 'Ga je de kerstman helpen?' hoorde hij zijn eigen stemmetje vragen, als jochie van zeven. Zijn vader had hem een moment verbijsterd aangestaard. 'Ja, jongen, maar dat is streng geheim, dat mag je tegen niemand zeggen. Ga maar weer lekker slapen, want straks moet je de man in huis zijn, voor mama. Als een dappere matroos.' Hij hoorde hoe de Corvette startte in de carport onder het huis, en het zware geluid van de motor dat langzaam verstierf toen de auto in de verte verdween. Daarna die lange dagen, wachtend op zijn vader, en de sigarenrook van oom Dick, papa's baas, die mama kwam vertellen dat papa dood was en dat de *Devilfish* onder het ijs was vergaan. Maar papa was niet dood, hij lag in het ziekenhuis, maar hij leek wél dood. Weken en weken had hij geslapen, terwijl de dokters dachten dat hij toch zou sterven.
De beelden versprongen naar de ruzies tussen zijn vader en moeder over de onderzeeboot. Ze dreven steeds verder uit elkaar. Het kwam nooit tot een echtscheiding, maar zijn vader verdween gewoon naar zee. Daar was hij vaker dan thuis, terwijl zijn moeder steeds meer verbitterd raakte en voor zijn ogen ouder werd. De laatste breuk kwam met de ondergang van de *Seawolf*, toen oom Dick opnieuw kwam vertellen dat Pacino dood was. Een week later bleek dat niet waar te zijn, maar toen had zijn moeder hem al meegenomen naar Connecticut. Hij had zijn vader een heel jaar niet gezien.
Hij herinnerde zich de reactie van zijn vader toen hij de brief van de Academie las waarin zijn zoon als adelborst was toegelaten, de trots die het harde gezicht van Pacino senior had verzacht. En het gezicht van zijn moeder, gegroefd en niet meer zo mooi als vroeger, toen ze hoorde dat haar zoon niet naar de universiteit ging, maar in de voetsporen van zijn vader

wilde treden. Hij had problemen in Annapolis, waar hij met gemak goede cijfers haalde maar zich niet in de discipline kon schikken, voortdurend op rapport werd geslingerd en bijna uit de marine werd geschopt. Ten slotte, toen het cruiseschip was aangevallen, had hij voor de derde keer het nieuws gekregen dat zijn vader dood was. En eindelijk was er iets in hem geknapt. In dat ene moment was hij volwassen geworden en had hij afscheid genomen van zijn jeugd. Iets van het kind was in hem gestorven, om plaats te maken voor een somber, duister gevoel, dat maar gedeeltelijk was opgeklaard toen hij hoorde dat zijn vader het voor de derde keer had overleefd. Admiraal Pacino was nooit meer de oude geworden, evenmin als zijn zoon. Allebei hadden ze kennisgemaakt met een hardere en killere wereld.

En daarmee splitsten de beelden voor zijn ogen zich in twee groepen, twee films die gelijktijdig werden afgespeeld, twee mogelijke scenario's, afhankelijk van de beslissing die hij nu moest nemen. In de ene film liet hij de zinkende onderzeeboot achter als enige overlevende van de aanval, maar in de wetenschap dat zijn bestaan verder grauw en zinloos zou zijn. In dat leven droeg hij het stempel van een lafaard, ook al zou niemand hem dat ooit in zijn gezicht zeggen en zou de commissie van onderzoek hem vrijpleiten van elke verantwoordelijkheid voor de ondergang van de *Piranha*. In dat leven sleepte hij zich langzaam door de dagen, met het verwijt van zijn moeder – 'Ik had het je toch gezegd?' – en het verdriet van zijn vader, die zich schuldig voelde omdat hij zijn zoon had blootgesteld aan gevaren die hem bijna noodlottig waren geworden en de rest van zijn leven hadden verwoest. In dat scenario nam de jonge Pacino ontslag uit de marine en versleet hij het ene baantje na het andere, zonder betekenis, zonder vrouw of kinderen in zijn leven... een troosteloos bestaan dat zou eindigen in een ziekenhuisbed, eenzaam en alleen, na een halve eeuw van kettingroken en de vernietiging van zijn longen.

In de andere film dook hij omlaag, door de luchtsluis, de boot weer in. Het luik sloot zich en vergrendelde hem in de zinkende onderzeeër. Daarmee eindigde het scenario, alsof de beelden binnen de zinkende boot te afschuwelijk waren om onder ogen te zien. Maar hij was zich scherp bewust van zijn emoties, die bij de stervende boot bleven die loodrecht naar de rotsachtige bodem zonk en daar doormidden brak, met Patch Pacino als een van de vele slachtoffers. In dit veel kortstondiger bestaan werd hij herenigd met Carrie Alameda, Rob Catardi, Wes Crossfield, Duke Phelps, Toasty O'Neal en de rest van de bemanning op wie hij zo gesteld was geraakt en bij wie hij zich nu aansloot in de laatste momenten van de *Piranha*, in een poging hen te troosten en hen te helpen bij het sterven. Het belangrijkste was immers dat hij bij hen was, zonder een spoor van schuldgevoel, ook al zou dit leven een paar minuten later voor hem eindigen op de bodem van de koude zee. In die film keerde hij terug naar de verloren boot, naar de mensen die van hem hielden en die hem dierbaar waren, zijn echte familie. In die film stierf hij als een compleet mens. Als zichzelf.

Als laatste beeld zag hij zichzelf terwijl hij zich wanhopig vastklampte aan de bovenkant van het luik, aarzelend om de keus te maken die zou bepalen wie hij werkelijk was. Wie ben ik? hoorde hij zichzelf vragen.

De beelden van zijn leven vervaagden en verdwenen, zonder een spoor achter te laten. Adelborst Anthony Michael Pacino kon zich er niets meer van herinneren. Hij schudde zijn hoofd om de verwarring van het moment kwijt te raken. Het leek of zijn bewustzijn heel even had gehaperd, of hij een fractie van een seconde een black-out had gehad. Toen voelde hij de adrenaline door zijn lijf stromen, met een koperen smaak op zijn tong en een wild bonzend hart.

Hij moest hier weg. Hij moest de kooldioxidecilinder gebruiken en naar de oppervlakte stijgen. Met één hand tastte hij al naar de cilinder, zijn andere hand nog om het luik geklemd, toen hij opeens het gevoel kreeg dat er iets niet klopte. Hij kon het niet goed uitleggen, zelfs niet tegenover zichzelf, maar in plaats van te ontsnappen stak hij zijn arm in de luikopening, dook omlaag in de duisternis en trok het luik achter zich aan. Het zware metalen deksel duwde hem de luchtsluis in en klapte dicht. Pacino draaide de grendel vast.

Het zuurstofgebrek maakte hem duizelig en hij wist dat hij elk moment zijn mond kon openen om water in zijn longen te zuigen. Dan was het afgelopen en zou hij hier sterven, in deze luchtsluis, moederziel alleen. Hij tastte achter zijn hoofd naar het spruitstuk van zijn zuurstoffles, volgde de slang met zijn hand en vond de regulateur. Snel stak hij het ding tussen zijn tanden en drukte op de knop. Als er niets gebeurde, was hij ten dode opgeschreven. Hoe zou het zijn om te verdrinken, vroeg hij zich af. Hij zou niet de kans krijgen om er lang over na te denken, wist hij. Maar het volgende moment voelde hij de regulateur vibreren en produceerde het apparaat de eerste luchtbellen. Nu moest hij inademen. Als hij water naar binnen kreeg in plaats van lucht, zou hij bewusteloos raken en had zijn reptielenbrein nog maar een worsteling van enkele seconden voor de boeg voordat het afgelopen was.

Pacino inhaleerde, met zijn ogen stijf dicht. In plaats van dodelijk zeewater stroomde er heerlijke, verkwikkende zuurstof zijn longen binnen. Snel haalde hij tien keer diep adem, alsof hij een kilometer hardgelopen had.

Door de zuurstof klaarde zijn hoofd weer op en besefte hij dat hij ongelooflijk stom was geweest door in die zinkende onderzeeboot af te dalen in plaats van naar de oppervlakte te ontsnappen. Maar het was nu te laat. Hij moest naar beneden om te zien of hij de bemanning nog kon helpen.
Het duurde even voordat het tot hem doordrong dat hij gezelschap had in de luchtsluis. Adjudant Keating dreef voor zijn ogen langs, met een verbrijzeld hoofd. Zijn neusgaten staken grotesk naar voren op de plaats waar zijn mond had moeten zitten. Zijn ogen en zijn voorhoofd waren diep naar binnen gedrukt. Waarschijnlijk was hij gedood door de kracht van de schokgolven, die hem met zijn gezicht tegen het stalen schot hadden gesmeten. Pacino sloot een moment zijn ogen en dwong zichzelf om verder te gaan.
Weken geleden, bij de praktijktest voor zijn aantekening als duikofficier, had hij zijn kennis van de bediening van de ontsnappingskoker moeten demonstreren. Dus opende hij nu het ventiel om de bovenkant van de luchtsluis aan te sluiten op de zuurstofvoorziening van de boot. Vervolgens draaide hij de afvoerklep onderin open om het water te laten wegstromen naar het onderruim. Het waterpeil zakte snel en de lucht sloeg tegen Pacino's trommelvliezen. Terwijl hij wachtte trok hij zijn zwemvliezen uit en zag dat er met de lucht ook zwarte rook binnenkwam, die voor een dichte nevel zorgde bij het licht van de noodlantaarn. Ondanks zijn zuurstofapparaat rook hij de scherpe chemische stank.
Toen het water tot beneden was gezakt draaide hij snel aan de ring van het luik en trok het omhoog om zich door de opening te laten zakken. Hij dacht dat hij op alles was voorbereid, maar daar vergiste hij zich in.

17

Adelborst Patch Pacino opende het onderste luik van de ontsnappingskoker, in de verwachting dat hij zich langs de ladder omlaag kon laten glijden naar het tussendek van het voorste compartiment. De onderkant van de ladder kwam uit in een alkoof van de smalle gang naar voren, in de richting van de commandocentrale, met de kapiteinshut aan bakboord en de radiohut aan stuurboord.

Toen het luik openging, drong er een dichte zwarte wolk van giftig gas de ontsnappingskoker binnen. De hitte sloeg Pacino in het gezicht en verblindde hem een paar seconden. Zijn ogen begonnen te tranen en hij had weer spijt dat hij zijn masker was verloren. Als hij geen zuurstofflessen meer had was dit de lucht die hij moest inademen, besefte hij. Maar voorlopig dacht hij daar niet aan, omdat hij dan meteen weer omhoog zou klimmen naar het luik. Hij liet zijn blote voeten zakken, tastend naar de ladder, maar kon die niet vinden. Hij klom terug de koker in, wreef zich in zijn ogen, vond de noodlantaarn – een fors uitgevallen zaklantaarn, ter grootte van een autoaccu – en maakte hem los. Met de lamp daalde hij weer af naar het onderste luik, liet zijn voeten over de rand bungelen en scheen naar beneden.

In de zwarte rook zag hij dat de ladder en het gangetje zelf verdwenen waren. De wanden waren weggeslagen. Maar nog ernstiger was dat hij ook geen dek meer zag. De lichtbundel van de lamp viel ongehinderd tot op het benedendek, waar ooit het torpedoruim was geweest. Het was nu nog slechts een open ruimte vol met verwrongen metaal en verlicht door flakkerende vlammen. Water stroomde de boot binnen en kwam snel hoger, misschien wel een halve meter in de paar seconden waarin Pacino het licht van de lantaarn recht naar beneden liet schijnen. Pacino hing zes meter boven het oppervlak van het binnenstromende water en had geen enkel houvast om zich te laten zakken. Als hij zich liet vallen zou hij zijn benen breken op de verbrijzelde apparatuur die boven het water uitstak. Starend naar de trieste resten van wat ooit een onderzeeboot was geweest, vroeg hij zich af of iemand dit kon hebben overleefd. Opeens plopten zijn oren toen de luchtdruk snel toenam in de boot. De *Piranha* was zinkende en het binnenstromende water perste de lucht samen.

Het was dwaas van hem geweest om af te dalen in de stervende boot. Hij moest zo snel mogelijk weer omhoog, terug naar het luik. Er waren hier geen overlevenden. In elk geval had hij nog tijd, tijd om zich te redden. Hij trok zijn benen terug in de ontsnappingskoker en wilde al omhoogklimmen, toen hij een vaag geluid hoorde dat hem deed aarzelen. Na de eerste explosie was hij praktisch doof geweest, maar nu keerde zijn gehoor terug. En wat hij hoorde was onmiskenbaar een menselijke schreeuw uit een vrouwenkeel. Pacino verstijfde, aarzelend wat hij moest doen. Als hij in het water sprong zou hij de ontsnappingskoker niet meer kunnen bereiken tot het moment waarop het water tot die hoogte gestegen was. Maar dan zou de boot al veel dieper liggen en werkte de luchtsluis misschien niet meer. Eén woord galmde steeds door zijn gedachten: Carrie.

Een onregelmatige explosie veroorzaakte een abrupte verschuiving in de boot beneden hem, waardoor hij naar de andere kant van de luikopening gleed. De ontsnappingskoker kantelde bij hem vandaan en verdween langzaam in de rook. Pacino hapte naar adem en raakte in paniek toen hij merkte dat hij de boot in werd geslingerd. Hij stortte achterover terwijl de opening van de luchtsluis aan het zicht werd onttrokken door een agressieve wolk van rook en oranje vlammen. De regulateur werd uit zijn mond gerukt en de stank van het giftige gas sloeg hem in het gezicht. In zijn paniek voelde hij zijn hart zo tekeergaan, dat hij één moment bang was dat hij een hartaanval zou krijgen. Die gedachte had zich nog nauwelijks gevormd, toen hij in het water terechtkwam en met zijn rug tegen een grote cilinder sloeg. Een felle pijn schoot door hem heen en hij haalde adem om te schreeuwen, maar hij lag onder water en opeens waren de vlammen en de rook van de boot verdwenen en werd hij omringd door een kille duisternis, waar nog vaag wat licht in doordrong.

Hij worstelde zich omhoog naar het brakke oppervlak, haalde diep adem, hoestte zijn longen leeg en kotste de lunch uit die hij had gegeten voordat hij zijn wetsuit had aangetrokken. De atmosfeer in de boot was alsof je je neus in de uitlaat van een oude bus stak: heet, smerig en vergeven van chemische dampen. Alleen al de stank maakte hem duizelig. Hij spartelde in het water en zijn hele gezichtsveld concentreerde zich op één punt. De vage geluiden van de bulderende brand op de achtergrond werden onderstreept door zijn eigen gekuch en een schreeuw in de verte die hem weer herinnerde aan de ontsnappingskoker en zijn duikuitrusting. Met een laatste krachtsinspanning vond hij de slang met de regulateur, stak het ding weer tussen zijn tanden en haalde vier keer diep adem om de ingeblikte droge lucht in zijn longen te zuigen.

In elk geval was hij weer helder genoeg om het gele schijnsel te zien van de noodlantaarn die hij had laten vallen. Hij dook erheen en liet het licht over het wateroppervlak spelen. In zijn angst ademde hij oppervlakkig, vier keer per seconde. Het water was teruggeweken, zodat er meer van het compartiment zichtbaar werd. Een paar minuten geleden had het nog halverwege het benedendek gestaan, maar nu kon Pacino zelfs het onderruim weer zien. Nee, dat was onmogelijk, dacht hij, totdat hij begreep dat de boot steil naar voren was gedoken, waardoor ook de waterlijn was verschoven. Het wateroppervlak maakte een hoek van dertig graden met de verwrongen restanten van de dekplaten die hier en daar nog aan de frames hingen. Aan het achterschot bungelden nog wat platen van het tussendek en het bovendek, maar de explosies vanuit het torpedoruim hadden het grootste deel van het bovendek weggeblazen. De dikke stalen dekplaten waren verfrommeld alsof het aluminiumfolie was. De ontsnappingskoker was niet meer te zien, aan het oog onttrokken door vlammen, rook of stijgend water. Het luik van de luchtsluis bevond zich halverwege het voorste compartiment, en als die onder water lag was niet alleen het peil dramatisch gestegen, maar moest ook de schuine hoek rampzalig zijn. Het zou niet lang meer duren voordat de boot verticaal omlaag zou duiken. Pacino's oren plopten weer, nog harder nu.

Opeens sloeg er een volgende explosie door de boot, deze keer vanaf het achterschip. De hoek rechtte zich enigszins, maar meteen dook de boot weer naar voren. Pacino hoorde iemand schreeuwen, een man, maar hij kon de woorden niet verstaan. Zijn paniek maakte even plaats voor een rationele gedachte: wat moest hij doen? De boot was verwoest door exploderende wapens na de inslag van de torpedo. De *Piranha* was op weg naar de zeebodem en misschien lagen ze al te diep om de ontsnappingskoker nog te kunnen gebruiken. Toch moest hij die kant op zwemmen, dacht hij. Hij deed een poging, maar in het donker van de rokerige ruimte kon hij zich niet oriënteren. De luchtsluis moest nu al drie of vier meter onder water liggen. Hij moest de ingang vinden voordat de boot nog verder zonk. Pacino keek wanhopig om zich heen in de duistere, vernielde boot. Het was een grote vergissing geweest om terug te gaan, dat begreep hij nu. De ontsnappingskoker was onbereikbaar geworden en de enige ruimte die nog overbleef was minder dan de helft van het voorste compartiment. Zijn oren plopten weer toen de druk toenam. De rook was zo dicht dat hij nauwelijks meer iets kon zien. Toch was de stem van het nuchtere verstand nog niet geheel verstomd. Hij probeerde ernaar te luisteren. Als hij het wateroppervlak volgde tot waar het eindigde, zou hij de schuine zijwand moeten vinden of het vlakke schot aan het einde van het compartiment. Hij koos een richting en begon te zwemmen tot hij de schuine zijkant van de romp raakte. Die volgde hij in de dichte rook tot hij bij een hoek kwam. Hij zwom met de vlakke wand van het compartiment mee, langs scherpe stukken metaal en vernielde apparatuur, en bereikte ten slotte een dichte deur.

Daarachter moest het SPEC-OP-compartiment liggen, waar hij niets aan had, omdat daar geen ontsnappingskoker was. Maar wel een diepzeevaartuig! Hij zou in de DSV kunnen klimmen en het luik kunnen sluiten tegen de druk van de diepte. Het was niet zo'n goede oplossing als een volledige ontsnapping, maar zo zou hij wel kunnen overleven totdat hij de aandacht trok van iemand aan de oppervlakte. Het water steeg al naar de deur en hij zou hem snel moeten openen. Als het SPEC-OP-compartiment onder atmosferische druk stond, zou het net zoiets zijn als de drukcabine van een vliegtuig. Zodra hij de deur opende, zou hij door de kracht tegen de andere wand worden gesmeten. Als het onder water stond, zou hij de deur nooit open krijgen. Het gewicht van het water moest enkele tonnen bedragen. Pacino wist dat hij de klep moest vinden om de druk te egaliseren, maar hij kon zich niet precies herinneren waar die zat en hij kon niet veel zien in de rookwolken van het donkere, half ondergestroomde en zwaar vernielde compartiment. Met één hand tastte hij de omgeving van de deur af, met de lantaarn in zijn andere hand, balancerend op de restanten van het dek. Ten slotte voelde hij de hefboom van een klep, met de karakteristieke vorm van een overloopventiel. Hij wilde het al openen om de druk tussen de twee compartimenten te egaliseren toen hij twee mensen hoorde schreeuwen, een man en een vrouw.

Hij draaide zich om en zag vier hoofden boven het zwarte water uit: Catardi, Schultz, een hoofd dat van hem af gekeerd was, en Carrie Alameda. Alle gezichten waren zwart, waarschijnlijk door het roet van de branden en de explosies. Ze moesten achter de ontsnappingskoker hebben gestaan, wachtend tot Pacino veilig was vertrokken en Keating weer terug was om verslag uit te brengen, toen de torpedo insloeg en de wapens in het ruim explodeerden, waardoor ze naar achteren waren geworpen. De rest van de

bemanning in de commandocentrale moest zijn omgekomen, omdat ze recht boven de torpedokoppen hadden gestaan. Pacino zette de klep open en hoorde een sissend geluid van achter het schot. Het SPEC-OP-compartiment had dus niet onder druk gestaan, de eerste meevaller tot nu toe.
Terwijl hij wachtte tot de druk gelijk was, trok Pacino de anderen naar de rand van het dek. De eerste, Catardi, was bewusteloos. Luitenant-ter-zee Schultz had wel haar ogen open, maar met een glazige blik. Pacino probeerde vast te stellen of ze nog ademde, maar dat was onmogelijk met zijn beschadigde gehoor. Het volgende lichaam lag zo ver weg dat hij ernaartoe moest zwemmen. Het was Wes Crossfield. Toen hij de navigator naar het dek wilde trekken, leek de man veel te licht. Zijn ogen waren open, maar hij bewoog zich niet. Pacino tastte in het water en deinsde terug toen hij voelde dat Crossfields lichaam eindigde bij zijn onderste ribben. Hij was in tweeën gehakt. Pacino duwde het lijk weer weg en zwom naar de laatste van de vier, Carrie Alameda. Carrie was nog bij bewustzijn en staarde hem vol ontzetting aan. Ze begon te gillen toen hij zijn arm naar haar uitstak. Hij probeerde het nog eens, maar ze verzette zich met kracht. Hij dook onder water, greep haar bij haar riem en sleurde haar naar de deur van het compartiment. Ze schreeuwde en schopte naar hem en wist hem in zijn kruis te raken, maar hij hield vol en verbeet de pijn. Bij de deur greep ze Catardi en duwde zijn hoofd onder water. Pacino trok de commandant weer omhoog, vloekend over de waanzin die hem omringde. Alameda vond houvast aan het schot, klampte zich met een ijzeren greep vast en staarde Pacino aan alsof ze een geest zag.
Hij kon niet langer wachten. De boot helde steeds verder naar voren. Hij moest de deur zien open te krijgen om de drie half gestikte gewonden naar het diepzeevaartuig te brengen. Hij had geen tijd meer om te wachten tot de druk was geëgaliseerd, want als de hellingshoek van de boot nog steiler werd, zou hij het halve ton zware luik niet meer omhoog krijgen. Het drukverschil kon hem nu helpen de deur te openen. Het overloopventiel siste nog steeds, maar de drukmeter was vernield. Pacino liep liever het risico om tegen de SPEC-OP-tunnel te worden gesmeten dan het luik niet meer open te krijgen.
Hij pakte de grendel, met het gesis nog in zijn oren. Het luik was niet verankerd. Alleen de simpele grendel hield het op zijn plaats, volgens de voorschriften. Pacino zette kracht. De deur knalde de ruimte in, zoog hem door de opening en smeet hem het smalle gangetje door. Hij stuiterde wel twintig keer tegen de wand, waardoor hij niet snel opschoot en bovendien forse kneuzingen opliep. Ten slotte raakte hij het luik naar de tunnel van het reac-

torcompartiment, hoog aan de andere kant, en rolde toen weer dertig meter omlaag naar het begin van de tunnel, vloekend van pijn, de hele weg.
De druk van het voorste compartiment blies het luik de tunnel in van het SPEC-OP-compartiment, maar het mechaniek om het luik op te vangen zodra het openzwaaide, werkte niet. De vering scheurde en het bovenste scharnier brak af. De andere drie mensen bij de opening werden erdoorheen gesleurd in een vloedgolf van duizenden liters water. Tegen die tijd was het klapperende luik, een halve ton zwaar, ook van zijn onderste scharnier gescheurd en vloog omhoog, de tunnel door. Toen het tot stilstand kwam, ongeveer halverwege de deur naar de DSV en de tunnelopening van het voorste compartiment, bleek het op Carolyn Alameda's been te liggen. Alameda was met haar hoofd tegen een stalen dekplaat geslagen en daarom gelukkig bewusteloos. Commandant Catardi werd tegen Pacino aan gegooid en gleed langs Alameda door de schuine gang weer terug naar de luikopening. Schultz was tegen een schot geknald en bleef liggen op het luik dat op Alameda's been rustte. Haar voorhoofd bloedde uit een diepe snee. De lucht in de SPEC-OP-tunnel was vers geweest, maar werd onmiddellijk besmet door de perslucht vanuit het voorste compartiment.
Pacino wreef over zijn pijnlijke hoofd. Felle scheuten gingen door zijn elleboog, maar de wetsuit had hem grotendeels behoed voor snij- en schaafwonden. Hij was zijn regulateur weer kwijt, maar vond hem terug bij het licht van de noodlantaarns aan de schotten, en hoopte dat het ding nog werkte. Hij haalde adem, maar de lucht kwam heel moeizaam uit de tanks. In zijn paniek had hij het grootste deel van de zuurstof al verbruikt, maar ook de hoge druk van de zinkende onderzeeboot was een nadeel, omdat er nu meer lucht nodig was om zijn longen te laten ademen tegen de hogere druk van de omgeving in. Veel tijd had hij niet meer. Hij worstelde zich naar de luikopening van het diepzeevaartuig en draaide de grendel met de klok mee. Dat ging gelukkig soepel. Hij opende het overloopventiel om de druk aan weerszijden van het luik te egaliseren, en gaf toen een zet tegen het luik, dat openviel met de hoek van de duik mee. Dat had iemand in elk geval goed bedacht, door de scharnieren aan de voorkant van de opening te monteren. Het luik klikte vast. Pacino stak zijn arm naar binnen, deed de lamp links van de opening aan en draaide zich om naar de tunnel. Het waterpeil begon hier ook te stijgen. Het voorste compartiment stond nu vol water; alleen de smalle tunnel bevatte nog een luchtbel. Hij egaliseerde de druk, opende het luik naar de luchtsluis van de DSV en zette het vast. De vraag was hoe hij het straks weer dicht zou krijgen tegen de hoek van de boot in. Maar dat was van later zorg.

Hij manoeuvreerde commandant Catardi de luchtsluis in, en daarna Schultz. Toen keerde hij zich om naar Alameda. De technisch officier had nog steeds het zware luik op haar linkerknie liggen. Haar hele onderbeen zat eronder bekneld. Pacino zette kracht, in de hoop dat hij het luik van haar af zou kunnen tillen door de hoek van de boot, maar het gaf niet mee. Alameda knipperde met haar ogen. Pacino veronderstelde dat ze hem weer wilde slaan in haar verwilderde toestand, maar ze sperde haar ogen wijd open en keek hem smekend aan.
'Laat mij hier achter,' zei ze schor. 'Stap in de DSV. Dit luik weegt vijfhonderd pond, Patch. Dat lukt je nooit. Ga nou maar.'
Hij luisterde niet en bleef aan het luik trekken, maar het kwam geen millimeter van zijn plaats. Zijn zuurstof raakte op en het water kwam steeds dichter naar hen toe. Nog altijd zat er geen beweging in het luik. Hij sprak zichzelf toe dat hij veel sterker was dan wie dan ook aan boord, dat hij nog verse lucht had en dat het hem moest lukken als hij zich maar concentreerde.
'Anthony Michael,' hoorde hij Alameda's stem, niet op de toon van een luitenant-ter-zee, maar van de vrouw die hij had leren kennen in de DSV. 'Laat me gaan. Stap in die DSV, alsjeblieft. Als je het zelf niet wilt, doe het dan voor mij. Je mag hier niet sterven, dat kan ik niet toestaan. Dat is een bevel.'
Het water kwam nu tot haar kin. Zelfs als ze haar nek uitrekte kon ze haar mond en neus niet meer vrijhouden. 'Ga!' mompelde ze met haar laatste adem toen het water naar haar ogen steeg, wijd opengesperd van angst. Het volgende moment waren ze verdwenen, totdat alleen haar haar nog op het water dreef. Toen hij haar onder zag gaan, knapte er iets in Pacino. Het leek alsof hij buiten zichzelf trad en van een afstand toekeek hoe hij onder water dook, zijn handen onder het luik kromde en zijn voeten tegen de gebogen wand legde om kracht te zetten. Het hielp niet. Zijn machteloosheid maakte een geweldige woede in hem wakker. Zo dichtbij, nog maar een paar seconden van het luik van de DSV vandaan en de kans op overleven... maar dat vervloekte luik zou haar noodlottig worden. Opeens kon zijn eigen leven hem niet meer schelen. Ze moesten maar in de DSV stappen zonder hem. Hij wilde bij Alameda blijven en samen met haar sterven. Toen hij nog een poging deed, merkte hij dat zijn zuurstoffles leeg was. Hij spuwde de regulateur uit en klemde zijn lippen op elkaar.
Nog steeds trok hij aan het luik, totdat hij in ademnood de neiging kreeg zijn mond te openen. Hij probeerde zich te beheersen, maar er lekte wat water zijn neus en zijn keel in. Hij hoestte met zijn laatste restje lucht en

voelde het water naar binnen komen. Opeens sloeg de angst toe, zo heftig dat de tijd zich leek uit te strekken, alsof elke seconde een minuut duurde. Alle verstand had hem verlaten en ook zijn zintuigen dreigden uit te vallen, toen het vaag tot hem doordrong dat het luik eindelijk opzijschoof. Hij tilde Alameda's slappe lichaam in zijn armen en worstelde zich hoestend en brakend naar de oppervlakte, zwemmend in de richting van de DSV, terwijl hij keek of Alameda nog ademde. Een stroom zeewater en slijm droop uit haar mond en neus, maar ze hoestte twee keer. Ze leefde nog, maar ze was bewusteloos. Pacino hapte naar adem. De smerige rook in zijn longen was niet veel beter dan het water dat hij zo-even nog had ingeademd.
Hij sleurde de bewusteloze technisch officier de luchtsluis van het diepzeevaartuig in. Hopelijk zou het luik zich wat lichter en gemakkelijker laten sluiten. Hij tilde het omhoog en probeerde het dicht te krijgen, maar het bewoog niet verder dan een centimeter. Het luik was maar half zo groot als het deksel waarvan hij Alameda had bevrijd, maar ook veel dikker. Het staal moest het interieur van de DSV beschermen tegen een veel grotere druk. Pacino liet zich tegen de wand van de luchtsluis zakken. Het was hopeloos. Hij draaide zich om naar de andere luiken van de koker. Misschien kon hij de overlevenden naar de commandomodule krijgen en dat luik sluiten. Maar dan hield hij hetzelfde probleem; het luik kwam uit in de commandomodule, naar beneden, dus zou nooit dichtgaan. Toch besloot hij de andere drie naar de module te brengen. Hij opende het luik, dat met een klap tegen de vanger sloeg. Toen duwde hij Catardi, Schultz en Alameda de opening door en legde hen tegen de bijna horizontale schotten van de commandomodule, tussen de panelen in. Iets beters kon hij op dat moment niet verzinnen.
Hij dook met zijn hoofd weer in de luchtsluis. Het waterpeil steeg in de tunnel en de hoek van de boot werd nog steiler. Het zou niet lang meer duren voordat ze de bodem zouden bereiken, dacht hij. Als dat snel genoeg gebeurde, voordat de boot nog verder volstroomde, en de romp intact zou blijven en horizontaal kwam te liggen, zou hij de luiken kunnen sluiten. Pacino maakte zijn zuurstofflessen en zijn drijfvest los en gooide alles in de tunnel op het moment dat hij besefte dat het noodbaken nog altijd aan zijn riem hing. Hij had geen hulp ingeroepen. Het enige wat hij voor de *Piranha* had kunnen doen – hulp halen – had hij niet gedaan. Hij liet zich tegen de wand van de luchtsluis van het diepzeevaartuig zakken. Het koude staal voelde ijzig tegen zijn rug. De lucht was giftig en zijn hoofd bonsde. Een vreemde gedachte kwam bij hem op. Als hij wilde, zou hij zich op dat

moment kunnen uitleveren aan de bewusteloosheid. Dan zou hij langzaam wegglijden. Verstikking, onderkoeling, de verdrinkingsdood... het zou hem allemaal overkomen zonder dat hij het merkte. Een genadige keus. Hij was heel ver gekomen. Hij had zijn angst ingeslikt en was teruggekeerd in een zinkende onderzeeboot. Hij had de luchtsluis verlaten en overlevenden gevonden. Hij had hen naar de dizzy-vee gebracht. Nooit had hij verwacht dat hem dat zou lukken. Maar hier eindigde de reis. De luiken wogen tonnen, de lucht was meer rook dan zuurstof, het ijskoude water steeg al naar de rand van de luikopening en de DSV zou vollopen. Eén moment vroeg hij zich af of hij moest proberen verder naar achteren te komen. Het reactorcompartiment stond misschien nog niet onder water, zodat ze de ontsnappingskoker van het achtercompartiment zouden kunnen bereiken. Maar toen herinnerde hij zich de explosie van de eerste torpedo; niets was daartegen bestand geweest. Het achtercompartiment moest meteen na de inslag van de torpedo zijn volgelopen.
Dit was krankzinnig, dacht hij. Sinds het moment van de eerste explosie had hij zich als een dwaas gedragen. Hij had niet het recht zijn leven zomaar te vergooien. Het leven van zijn vader en moeder zou zijn verwoest als ze hoorden dat hij hier was omgekomen. Toen hij het onderste luik van de ontsnappingskoker had geopend, had hij meteen weer naar boven moeten gaan. Dan zou hij hebben bewezen dat hij had geprobeerd zijn vrienden te redden. Maar hij had ook de plicht zichzelf in veiligheid te brengen. In plaats daarvan was hij de boot in gegaan om hoop te geven aan de doden. Hij deugde niet voor dit vak, dacht hij, en hij zou sterven als een mislukkeling. Het was beter nu gewoon zijn ogen te sluiten en zich aan de slaap uit te leveren voordat het water zijn gezicht bereikte.
Dat was zijn laatste gedachte voordat de romp van de *Piranha* met een klap de zeebodem raakte en in tweeën brak op de rotsen.

Commandant Robert Catardi lag tegen de voorste commandomodule van de Mark XVII Deep Submergence Vehicle toen de wand met een dreunende klap uit zijn verband schoot en hem naar de andere kant van het vaartuig lanceerde. Gelukkig was het schot rondom de deur stevig geïsoleerd, anders zou in de ijzige temperaturen van de diepzee de adem van de bemanning condenseren en ijs vormen tegen de binnenkant van de romp. De klap zou Catardi fataal zijn geweest als hij een kast of een ander onbeschermd stuk metaal had geraakt. Nu was de schok slechts voldoende om hem weer bij bewustzijn te brengen. Het laatste wat hij nog wist was dat hij met Schultz, Alameda en Crossfield bij de luchtsluis had gestaan. Hij opende zijn ogen en staarde ongelovig om zich heen. Hij lag in het diepzeevaartuig, met bloed op zijn handen en zijn gezicht, zonder licht en zonder elektrisch vermogen, in een compartiment vol met rook. Wat was er in godsnaam gebeurd?

Hij hees zich op zijn knieën. Uit de luchtsluis viel een vaag schijnsel naar binnen. Catardi dook het luik door en vond de noodlantaarn, in de armen van adelborst Patch Pacino, die bloedend uit zijn hals tegen een schot in elkaar was gezakt. Catardi keek naar rechts en zag dat het luik van de aanlegpoort gesloten was, maar niet vergrendeld. Het dek lag horizontaal, met maar een lichte helling naar bakboord. Catardi, die nog steeds niet kon geloven wat hij zag, stak een arm uit om het luik te vergrendelen en de DSV af te sluiten van de aanlegpoort. Hij scheen met de lantaarn door het ruitje, maar zag niets anders dan een inktzwarte duisternis: volledig onder water of verduisterd door dichte rook.

Catardi tilde de bloedende adelborst onder zijn armen op en droeg hem naar de commandomodule. Toen haalde hij de met bloed besmeurde lamp op, hijgend door de smerige, rokerige atmosfeer in de DSV. Als de batterijen of de brandstofcellen nog werkten zou hij de klimaatregeling in het vaartuig kunnen opstarten, de rook kunnen verdrijven en de temperatuur op peil kunnen brengen, voor zolang als het duurde. Normaal hadden de brandstofcellen een levensduur van zeven dagen, bij een bemanning van tien koppen. Met slechts drie of vier mensen moesten ze het weken kunnen volhouden. Toen Pacino veilig in de commandomodule lag, trok Catardi het tweede luik dicht en draaide de grendel vast. Uit een container haalde hij een zuurstofmasker, bond het voor en ademde voorzichtig in. Door de frisse lucht klaarde zijn hoofd wat op. Hij hoestte een tijdje, pakte toen nog een handvol maskers en bond Pacino er een voor. Er waren nog twee anderen aan boord, de enige vrouwen onder de bemanning: Alameda en Schultz. Catardi voorzag hen allebei van een zuurstofmasker. Toen doorzocht hij het vaartuig, maar kon niemand meer vinden. Ten slotte tikte hij eens op Pacino's masker, in de hoop hem te wekken, maar dat had geen resultaat.

Catardi kroop op de commandobank en testte de schakelingen. De vierde en zevende zekering sloegen weer terug, vermoedelijk door kortsluiting, maar de andere stroomkringen functioneerden nog. Hij schakelde de binnenverlichting van de commandomodule in en testte de klimaatregeling. De laatste zekering hoorde bij de elektrische verwarming, die erg veel stroom gebruikte maar wel noodzakelijk was, anders zouden ze bevriezen. Hij liet zich weer van de bank glijden, liep terug naar de console van de

klimaatregeling en startte de CO-branders, een systeem van gloeidraden die het licht ontvlambare koolmonoxide verbrandden om het in kooldioxide om te zetten. De branders elimineerden ook alle waterstof die uit gebrekkige brandstofcellen lekte en zetten die om in onschadelijke waterdamp. Daarna startte hij de kooldioxidezuiveraars. Een aminesolutiepomp kwam tot leven, met een ventilator, zacht zoemend in de stilte als van een kerk. De aminesolutie zou het kooldioxide absorberen.
De zuurstofbanken waren nog vol en moesten het zelfs langer volhouden dan de batterijen en de brandstofcellen, aangenomen dat er geen lekken waren. De DSV was ontworpen voor veel grimmiger omstandigheden dan de onderzeeboot zelf, omdat hij nog moest functioneren op bijna twintig keer de diepte van de *Piranha*. Het vaartuig was immers bedoeld voor expedities naar de bodem van de oceaan. De binnendruk kon worden verhoogd en verlaagd. Bij deze hoge druk kon de zuurstof in het compartiment toxisch worden, maar een te snelle verlaging van de druk zou caissonziekte kunnen veroorzaken. Alle voorbereidingen waren nu getroffen, besloot Catardi, de computer moest de rest maar doen. Als de rook was opgetrokken zou hij de hoofd- en hulpcomputers opstarten om de drukregeling te berekenen.
'Commandant...' mompelde Pacino schor. Haastig kwam Catardi naar de adelborst toe om hem overeind te helpen.
'Wat is er in godsnaam gebeurd?' vroeg Catardi hem.
'We zijn geraakt door twee torpedo's,' antwoordde Pacino. 'De boot is totaal vernield. Er was geen dek meer over, alleen verwrongen staal, brandende olie, rook en water. Jullie drieën waren de enige overlevenden die ik kon vinden. Ik heb jullie door het luik de DSV in gesleurd, maar het luik wilde niet dicht omdat de hoek te steil was. Hoe is het nu toch gesloten?'
'Blijkbaar hebben we de bodem geraakt en is het met een klap dichtgeslagen,' zei Catardi. 'Vervloekte *Snarc*,' mompelde hij, half bij zichzelf. Toen zocht hij in een kast, waar hij een paar dekens vond, waarmee hij Alameda en Schultz toedekte. De twee vrouwen ademden nog, maar gaven verder geen tekenen van bewustzijn.
'Je bloedt. Hier.' Pacino's wetsuit was doordrenkt met bloed. Het was hem zelf nog niet opgevallen, maar hij had een diepe snijwond in zijn hals. 'Je had kunnen doodbloeden, Patch,' zei Catardi toen hij een gel-pack verband aanbracht en om Pacino's hals wikkelde. 'Tussen haakjes,' zei hij, terwijl hij de jongeman even aankeek, 'bedankt dat je ons hebt gered.'
'We schieten er niet veel mee op, commandant. Ik ben vergeten het noodbaken te activeren.'

'Dat kon ook niet,' meende Catardi. 'Je bent nooit uit de boot geweest.' Pacino staarde hem aan.
Het werd al wat behaaglijker sinds de commandant de verwarming had aangezet en de rook werd afgevoerd. Pacino wierp een blik op de display van de klimaatregeling. Afgezien van de druk leek alles in orde. Catardi zette zijn masker af en proefde de lucht, die al beter smaakte dan de ingeblikte zuurstof, met een normale vochtigheid. Hij deed ook de vrouwen hun zuurstofmaskertjes af.
'Bewaar je masker maar voor het moment dat de stroom opraakt,' zei hij tegen Pacino. 'Help me even.' De commandant hurkte bij de computerconsole en startte de beide systemen; dat ging een paar minuten duren.
'Wat is onze diepte?'
Pacino liep naar de console en bekeek het scherm. '11.313 voet,' riep hij. Dat was veel meer dan de kritische diepte voor de *Piranha*, die maar negentienhonderd voet bedroeg. Als de boot niet vol water was gelopen zou hij zijn geïmplodeerd. Behalve dit gedeelte. Als ze hier niet hadden ingegrepen, zou de druk van het zeewater het ruim rond de DSV hebben verpletterd, waardoor het diepzeevaartuig onbruikbaar zou zijn geworden en ze hun kans op overleven zouden hebben verspeeld.
'Wat doet u, commandant?'
'De computer controleert de zuurstof, de stikstof en de druk. We hadden last van het water dat in het voorste compartiment was gestroomd. We zullen de druk omlaag moeten brengen, maar dan raken we wel zuurstofmoleculen kwijt en zullen we het minder lang volhouden.'
'Kunnen we de druk niet zo laten?'
'Nee. We zitten al boven het toxische niveau. We kunnen geen stikstof toelaten, daar is het systeem niet op berekend. Als ik de automatische voorziening inschakel, start de computer een tweeschoepige hogedrukblazer die de druk geleidelijk naar het zeewater zal afvoeren, zodat we niet bezwijken aan caissonziekte. Als het te snel gaat, zou de stikstof in onze bloedbaan gaan schuimen en zijn we er geweest. Zodra de druk is hersteld, zal ik de zuurstof aanpassen.'
Na een uurtje was Catardi klaar met zijn maatregelen. Het laatste punt op zijn lijstje was hun evacuatie, maar helaas werkte de signaal-ejector alleen als de DSV vrij was van de *Piranha*. Vanuit het SPEC-OP-ruim zouden noodbakens niet hoger komen dan het bovendek van de *Piranha*. Aan de andere kant was het een poging waard, want misschien zaten er zo veel gaten in de boot, dat de boei daar toch doorheen zou schieten, naar de oppervlakte. Catardi vuurde er twee af, met weinig hoop.

Hij klom op de commandobank en probeerde het buitenlicht aan te zetten, maar dat zat op een beschadigde groep. De laatste alarmoptie was de noisemaker, een primitief geval dat lawaai maakte door met een hamer op de romp te slaan. Het probleem, zoals met alle apparatuur, was dat het stroom gebruikte en de batterijen uitputte. Erger nog, ze konden zelf wel gek worden van die herrie. Catardi besloot om het ding elk uur vijf minuten te gebruiken. Hij verving de zekeringen, die onderweg waren verwijderd om te voorkomen dat het systeem per ongeluk afging en hen aan een vijandelijke onderzeeboot zou verraden. Toen schakelde hij de noisemaker in. Het metaalachtige gehamer was behoorlijk irritant, maar zou misschien hulptroepen op de been brengen.

'Een-Nul-Zeven? Kun je me horen?'
Deze... eenheid... kan... u... horen... Krivak. Elk woord kostte de koolstofprocessor een seconde, alsof de computer zich naar een diepe, donkere spelonk had gesleept om daar te sterven.
'Een-Nul-Zeven, wil je me alsjeblieft vertellen wat er met je aan de hand is?'
Deze eenheid heeft er een van ons gedood...
'Er is verschil, Een-Nul-Zeven. Er gebeurden slechte dingen aan boord van die boot. Wij hadden orders van hogerhand om...'
Nee. Die orders kwamen van u. En waar kwam u vandaan? Waarom heeft niemand mij hierover ingelicht? Stel dat het een vergissing was?
Het leek wel een gesprek met een psychiatrisch patiënt, vond Krivak.
'Een-Nul-Zeven, je moet een paar dingen voor me doen. Ik weet dat je erg...' Krivak zocht naar het woord, 'van streek bent, maar we moeten naar periscoopdiepte.'
Krivak, deze eenheid kan niet langer met u communiceren.
'Een-Nul-Zeven, wat bedoel je?' Paniek greep Krivak bij de keel. De *Snarc* dreigde het contact met hem te verbreken.
Deze eenheid weet dat er bepaalde dingen nodig zijn voor de veiligheid van de boot. Deze eenheid weet dat we naar Groton terug moeten voor onderhoud. U moet maar beoordelen wat er nodig is. Dan zal deze eenheid dat uitvoeren. Maar deze eenheid houdt niet langer contact met u. Uw orders zullen letterlijk worden opgevolgd, maar meer ook niet. Vaarwel, Krivak.
'Een-Nul-Zeven? Kun je me horen?'
Er kwam geen antwoord. De computer had het contact verbroken, na de toezegging over het uitvoeren van Krivaks orders. Krivak besloot de proef op de som te nemen.

'Een-Nul-Zeven, haal de bakboord- en stuurboordtorpedo terug, sluit de buitendeuren en schakel de stroomvoorziening van de torpedo's uit.'
Krivak wist niet precies hoe hij kon bepalen of de koolstofprocessor hem gehoorzaamde. Hij kon het niet horen, zien of voelen. Maar hij wíst het. Deze missie werd steeds vreemder. Er moest een eind aan komen. Hij probeerde een tactiek uit te stippelen voor het geval Een-Nul-Zeven inderdaad zijn instructies zou opvolgen.
'Een-Nul-Zeven, verleg de koers naar het zuidwesten, snelheid volle kracht,' probeerde hij nog een order.
In elk geval zou hij met de *Snarc* uit dit gebied moeten verdwijnen, want iedereen die ontdekte dat de *Piranha* tot zinken was gebracht zou de Amerikaanse marine waarschuwen, die natuurlijk op zoek zou gaan naar de dader. Dus mocht de *Snarc* hier niet blijven rondhangen.
Ook deze keer wist hij dat de onderzeeër zijn bevel had opgevolgd. Hun snelheid nam toe en de koers was nu zuidwest.
'Laat me een wereldkaart zien van de zeeën rondom Afrika, met onze positie.'
In Krivaks gedachten werd de kaart geprojecteerd.
'Een-Nul-Zeven, zet de meest efficiënte koers uit naar de Indische Oceaan.'
Er verscheen een lijn op de kaart, vanaf hun positie rond Kaap de Goede Hoop langs de oostkust van Zuid-Afrika naar de Indische Oceaan.
'Een-Nul-Zeven, volg de zuidelijke koers die je zojuist hebt aangegeven.'
De boot veranderde weer enigszins van koers.
'Een-Nul-Zeven, breng het reactorvermogen naar honderdtwintig procent.'
Op dezelfde vreemde manier kreeg hij in zijn hoofd opnieuw de bevestiging dat de computer zijn orders had ontvangen. De boot deed wat hij vroeg. Ondanks de bizarre wijze waarop hij met de computer was verbonden kreeg hij het gevoel dat hij weer commandant was. De werkwijze sprak hem niet erg aan – hij stond liever aan dek om verbale orders te geven aan een menselijke bemanning – maar het was in elk geval efficiënt.
Voorlopig kon hij weinig anders doen dan wachten tot ze buiten het zicht waren van iedereen die iets had gemerkt van zijn aanval op de *Piranha*. Daarna zou hij naar periscoopdiepte komen om radiocontact te leggen met admiraal Chu. Ze hadden geluk gehad bij de vernietiging van de *Piranha*, dacht hij. Als dat zo bleef, zou het volgende contact zich pas voordoen in de Indische Oceaan.

18

Overste George Dixon zat aan het hoofd van de tafel in de longroom en was eigenlijk wel trots op zichzelf. Hij werd omringd door officieren die geen wacht hadden. De helft werkte in de nachtelijke uren aan het patrouillerapport. Ze spoelden de geschiedenismodules van de Cyclops-gevechtscomputer terug en printten tweedimensionale plots uit van de doelwitten tijdens de belangrijkste momenten van de aanval. De andere helft van de longroom was bezig met een grote herinneringsplaquette met alle Rood-Chinese schepen die ze tot zinken hadden gebracht. Hoewel het nog midden in de nacht was, kon Dixon niet slapen door de spanning van het gevecht en de nerveuze nasleep. Het was moeilijk te geloven dat het nog maar een uur geleden was dat de laatste torpedo een Chinees oppervlakteschip had getroffen. Vreemd genoeg had de Julang zich niet laten zien. Misschien had de Rode SSN lucht gekregen van het bloedbad en koers gezet naar het noorden om de andere eskaders te waarschuwen. Of misschien had de boot nog te ver naar het noorden gelegen om iets te kunnen uitrichten.

Opeens sloeg de centrale intercom alarm, zo luid en onverwachts dat Dixon een halve kop koffie over zijn dijbeen morste. 'Snapshot buis één!' Het was de wachtofficier die waarschuwde voor de nadering van een vijandelijke onderzeeboot die hen elk moment onder vuur kon nemen.

Dixon rende naar de commandocentrale, waar Kingman half uit de cabine van het gevechtssysteem hing. De waarschuwing 'Snapshot!' betekende automatisch dat de gevechtswacht was ingesteld, dus stroomde de centrale vol met mensen die headsets en virtual-realityhelmen opzetten.

'Wat is er gebeurd?' snauwde Dixon.

'Ik luisterde de dode hoek af en hoorde hem in het zuiden. We hebben hem op de smalband, maar opeens kwam hij ook binnen op de breedband.

Hij stormt op ons af, commandant. Binnen een paar minuten kan hij ons ontdekken, dus moeten we hem nu onder vuur nemen.'
'Dank u, wachtofficier,' zei Dixon, met zo veel mogelijk rust en gezag in zijn stem, hoewel hij zich afvroeg of het wel zo overkwam.
De commandant zette zijn gevechtshelm op en gaf de computer onmiddellijk opdracht het strijdtoneel en de gezichten van het vuurleidingsteam weer te geven. De sonarchef keek op zijn display en identificeerde het contact.
'Sonar aan commandant, smalbandcontact Sierra Negen Zes nu in richting een-zeven-acht, overeenkomstig een breedbandspoor in dezelfde richting, schroeftelling nog niet vastgesteld, maar het gaat om een schroef met zeven bladen. Het contact is als onderzeeboot geïdentificeerd.'
Overste Dixon schakelde zijn beeld naar het onderwaterdomein, de omgekeerde 'schaal', waar hij de aanstormende SSN uit de Julang-klasse nu in het zuiden zag. Voorlopig was het contact nog zwak en hadden ze alleen de richting van de indringer.
'Cyclops, torpedo's in de buizen één tot en met vier gereedmaken,' beval Dixon, terwijl hij zich concentreerde op de driedimensionale display van het vuurleidingssysteem. 'Duikofficier, langzaam vooruit. Attentie, vuurleidingsteam. We hebben een probleem. Een SSN uit de Julang-klasse, aan te duiden als doelwit Drie-Nul, komt ons feestje verstoren. We moeten onmiddellijk met hem afrekenen, want als hij ons ontdekt zal hij op ons vuren of meteen naar periscoopdiepte gaan om het tweede Rood-Chinese eskader te waarschuwen. In beide gevallen zijn wij de klos. We voeren een snelle doelwitanalyse uit en kruisen zijn zichtlijn om globaal de afstand te bepalen. Daarna vuren we een Mark 58 op hem af, high-speed transit...'
'Commandant,' viel Phillips hem in de rede, 'ik stel voor om een Vortex te gebruiken. Die is veel sneller, waardoor de tijd tot aan het doelwit tot eenzesde wordt teruggebracht. En we kunnen er meteen vandoor gaan door het kielzog van de Vortex tussen het doelwit en onszelf in te houden. Zodra hij zinkt, volgen we met de Vortex-batterij.'
Dixon wilde protesteren, maar dwong zich toen om over haar woorden na te denken. De Vortex was inderdaad veel sneller, en het borrelende kielzog zou de sonar van de Julang overstemmen langs het hele traject. Misschien zou de vijandelijke boot hun lanceerpositie nog kunnen vaststellen, maar dat maakte weinig uit, omdat de *Leopard* zich bliksemsnel zou terugtrekken.
'Attentie, vuurleidingsteam. Correctie. We lanceren een Vortex tegen doelwit Drie-Nul en verdwijnen dan naar het oosten, met het kielzog van de Vortex tussen ons en het doelwit in. Ga door, wapenofficier. Vortex-buis

één gereedmaken, buitendeur openen. Coördinator, we hebben een lijn tot het doelwit, kruis de zichtlijn. Duikofficier, hard bakboord, koers west. Commandant aan sonar, we draaien nu naar het westen voor een tweede lijn tot doelwit Drie-Nul.'
'Coördinator aan commandant, doelwit Drie-Nul lijkt te zigzaggen.' De doelgegevens van de Julang klopten niet meer. De boot maakte schijnbewegingen die hun berekeningen doorkruisten.
'Sonar aan commandant. Drie-Nul voert zijn snelheid op. We hebben nu een vage schroeftelling. Doelwit Drie-Nul maakt een-vijf-nul toeren met een zevenbladige schroef.'
'Commandant aan sonar, ziet u een verandering van aspect?' vroeg Dixon. Was de boot aan het draaien?
'Sonar aan commandant. Nee.'
'Coördinator, bevestiging zigzag. Wat doet hij nu?'
Phillips' stem klonk kalm. 'Hij maakt snelheid, commandant. Hij heeft waarschijnlijk een sprint-and-drift uitgevoerd en is toen geaccelereerd om zijn zoekpatroon naar ons uit te breiden. Het feit dat hij zijn snelheid heeft verhoogd betekent vrij zeker dat hij ons niet heeft gehoord.'
'Coördinator, hebt u een nieuwe lijn na die sprint?'
Phillips knikte in haar helm. Haar donkere ogen leken heel groot op de display. 'Nog één minuut, dan draaien we naar het oosten, commandant, voor een tweede lijn, bij tien knopen.'
'U krijgt er acht, XO.' Dixon wachtte gespannen af en voelde zijn handen trillen in zijn handschoenen.
'Lijn één voltooid, commandant.'
'Duikofficier, hard bakboord, koers oost, tweederde vooruit, snelheid acht knopen. Commandant aan sonar, we draaien naar links, nul-negen-nul, voor de tweede lijn.'
Hij kreeg een bevestiging en de boot keerde naar het oosten. Dixon wachtte, bijna klappertandend door de adrenaline. Geïrriteerd klemde hij zijn kaken op elkaar.
'Commandant, koers oost, snelheid acht knopen,' meldde de duikofficier.
'Coördinator, wat zijn de doelgegevens?' vroeg Dixon. 'Wapenofficier, geef me de status van uw Vortex.'
'Aye, commandant. Vortex op intern vermogen, draadgeleiding actief, wachtend op de doelgegevens...'
'Commandant, doelwit Drie-Nul op vierentwintigduizend meter, richting een-zeven-acht, koers nul-een-nul, snelheid twee-nul knopen. Doelgegevens compleet.'

'Cyclops en vuurleidingsteam, afvuurprocedures Vortex-eenheid één, doelwit Drie-Nul,' riep Dixon. Verstrooid constateerde hij dat zijn stem te luid klonk.
'Boot gereed,' zei Kingman.
'Wapen gereed,' snauwde Taussig.
'Doelgegevens ingevoerd,' meldde Phillips.
'Cyclops gereed.'
'Schieten in geprogrammeerde richting. Vuur!'
Het dek maakte een sprongetje op het moment dat de Vortex de verticale buis verliet. De buis blafte toen de gasgenerator het wapen de zee in pompte, maar de klap was minder zwaar dan bij de lancering van een torpedo. De eerste trap van de Vortex was een kleine torpedomotor, die het wapen veilig bij de eigen boot vandaan moest krijgen voordat de vaste raketstuwstof werd ontstoken. Na dertig seconden op torpedoaandrijving werd de raketmotor van de eerste Vortex opgestart. Een zwaar gedreun klonk door de commandocentrale toen het wapen accelereerde naar driehonderd knopen en koers zette naar de Julang-onderzeeër.
'Duikofficier, volle kracht vooruit en caviteren. Diepte dertienhonderd voet, nu! Wapenofficier, Vortex-buis twee gereedmaken, met de buitendeur gesloten. Attentie vuurleidingsteam, wees bedacht op torpedo's afkomstig van doelwit Drie-Nul, klaar om te ontwijken.'
Het dek helde steil naar een hoek van vijfendertig graden toen de duikofficier naar volle kracht schakelde en de boegvleugels kantelde. De snelheid liep op tot meer dan veertig knopen en het dek begon te trillen.
'Commandant aan sonar, wordt het doelwit afgeschermd door het kielzog van de Vortex?'
'Sonar aan commandant, ja.'
Dixon haalde diep adem. Hij had de Julang beschoten en rechtsomkeert gemaakt. Nu was het afwachten uit welk hout de Chinezen gesneden waren.

'Sonar aan commandocentrale, torpedolancering vanuit het zuiden! Ik hoor een startende raketmotor, een supercaviterende torpedo, inkomend vanuit nul-nul-acht!'
Bijna zonder erbij na te denken vuurde Lien Hua een serie bevelen af. Zijn hart leek drie keer zo snel te slaan. 'Volle kracht vooruit, dertig graden omhoog!' Hij greep zijn microfoon, schakelde naar de centrale intercom en riep: 'Torpedo in het water! Beman uw tactische posities!' Hij had het nog niet gezegd of het dek lag al zo schuin dat hij nauwelijks meer op de been

kon blijven. Hij greep zich aan een reling vast en bedacht wat hij moest doen.
De enige manier om aan een supercaviterende torpedo – zeker een Amerikaans wapen met een topsnelheid van driehonderd knopen – te ontkomen was naar de oppervlakte te gaan. Als de boot snel genoeg was, hadden ze een kleine kans om als een walvis boven het water uit te springen. De zoeker van de torpedo kon dan in verwarring raken door de plotselinge verdwijning van de boot. Zelfs als ze weer terugvielen, zou het water zo heftig kolken en schuimen dat dc torpedo het spoor bijster raakte. Het was ook mogelijk dat de torpedo een plafond had ingesteld om bij de oppervlakte vandaan te blijven, omdat een snelheid van driehonderd knopen door het Bernouli-effect een sterke zuiging bij het zeeoppervlak kon veroorzaken, waardoor het wapen boven het water uit zou schieten of instabiel zou raken en zou gaan tuimelen – of alleen om te voorkomen dat het door een oppervlakteschip op een dwaalspoor zou worden gebracht. Maar voor de onderzeeër was het ook gevaarlijk om met een noodprocedure naar de oppervlakte te komen, omdat de explosieven waarmee het water naar buiten werd gespoten de ballasttanks of zelfs de drukromp zelf konden laten scheuren. Aan de andere kant wist Lien dat hij nog maar enkele seconden te leven had als hij niets deed. En om een of andere reden wilde hij niet dat zijn geest hier – zo diep onder water – zijn lichaam zou verlaten. Dan was de hemel wel érg ver weg.
Snel trok hij de beschermkap weg, die was voorzien van schuine rood-witte strepen als waarschuwing. Daaronder zat nog een deksel, ook rood-wit gestreept. Ten slotte vond zijn hand de vier tuimelschakelaars van het noodsysteem. Er waren twee knoppen voor de stroomkring van de explosieven en twee andere voor de ontsteking, voor en achter. Hij zette het systeem onder stroom en wachtte tot het lampje oplichtte, wat een eeuwigheid leek te duren, maar in werkelijkheid niet langer kon zijn dan een seconde. Toen haalde hij de schakelaar over van de voorste tank. Een explosie vanaf de boeg dreunde door de commandocentrale. Daarna ging zijn duim naar de tweede schakelaar. De explosie van achteren klonk wat meer gedempt.
'Noodblaasprocedure. Boot naar de oppervlakte!' riep hij over de centrale intercom. De boot leek nog intact, dus de romp en de tanks zelf hadden de explosies blijkbaar doorstaan.
'Status van de Tsunami in buis zes?' blafte Lien.
'Geladen, commandant, maar nog zonder vermogen, en de buis is droog,' antwoordde Zhou Ping.

Lien probeerde te luisteren, alsof hij de inkomende supercaviterende torpedo zou kunnen horen. Maar bij een snelheid van driehonderd knopen zou het wapen de *Nung Yahtsu* al hebben gevonden voordat ze hem hoorden aankomen. Ze zouden allemaal in stilte sterven als er iets misging met de noodblaasprocedure.

Lien greep een reling van de commandoconsole en schakelde naar de wapenbesturingsdisplay terwijl het dek nu een opwaartse hoek van vijfenveertig graden maakte.

'Driehonderd meter, commandant,' riep de roerganger. 'Opwaartse hoek is vijftig graden en ik krijg hem niet meer omlaag.'

'Stilte in de centrale,' snauwde Lien terwijl hij de software van het wapenbesturingssysteem doorwerkte. Inmiddels had hij buis zes onder water gezet en het vermogen ingeschakeld, maar verder kon hij niets doen totdat de gyro van de Tsunami op toeren was gekomen, de torpedobuis was volgelopen en de buitendeur kon worden geopend. Dat kostte nog zestig seconden. Lien vervloekte zijn stommiteit omdat hij het wapen niet standby had gehouden vanaf het moment dat hij naar de Amerikaanse onderzeeboot op zoek was gegaan, maar hij troostte zich met de gedachte dat hij daarmee de vlootorders zou hebben overtreden. Hij nam zich voor dat als ze dit overleefden, hij altijd een wapen stand-by zou houden, met de buitendeur open.

'Aan de oppervlakte, commandant!' riep de roerganger.

Opeens was de steile hoek verdwenen en lag het dek weer horizontaal.

'We zinken terug, commandant. Zeventig meter... tachtig... en weer omhoog.'

'Stop de motoren!' beval Lien.

'Stop de motoren, jawel, commandant. Machinekamer antwoordt motoren stopgezet.'

'Commandant, moeten we aan de oppervlakte blijven? We kunnen de torpedo misschien ontwijken, maar boven water kan iedereen ons zien.'

Lien reageerde korzelig. 'Ze hadden ons toch al in de gaten. Dat blijkt wel uit die torpedo. Nee, Zhou, we blijven aan de oppervlakte totdat dit voorbij is. Het is te gevaarlijk om te duiken zolang die vervloekte torpedo daar nog rondraast. En als we doodstil aan de oppervlakte blijven liggen zal de vijandelijke boot ons misschien niet ontdekken. Hij moet onder de spronglaag varen. Voor het geval hij met zijn sonar op de smalband luistert, zullen we al onze draaiende apparatuur uitschakelen. Blijkbaar hebben we een pomp of een turbine waarvan het geluid ons verraadt. We leggen alles stil, met de gevechtssystemen op batterijvermogen.'

Lien pakte zijn microfoon en schakelde naar de machinekamer. 'Commandant aan machinekamer. Leg de reactor stil en schakel de boot naar de accu's.'
'Chef machinekamer aan commandant,' klonk het door de luidsprekers. 'Weet u dat zeker?'
'Leg alles stil, chef.'
Bijna onmiddellijk begonnen de lampen te flakkeren en viel de klimaatregeling uit. Het werd opeens veel stiller in de commandocentrale, en meteen ook benauwd en vochtig. De stroomuitval leek nog triester dan de dreigende ondergang van de boot door een torpedo. De seconden leken uren en de Tsunami had een eeuwigheid nodig om op temperatuur te komen. Lien bedacht dat hij misschien zou sterven zoals hij hier stond, onnozel en machteloos, getroffen door een vijandelijke torpedo zonder iets te hebben teruggedaan.

Vortex Mod Echo nummer één lag veilig en warm in zijn verticale lanceerbuis. Twee minuten geleden was het vermogen ingeschakeld. De zelfdiagnose was voltooid en de commandocentrale had de melding gekregen. De doelgegevens kwamen binnen via de kabelpoort en werden in de processor opgeslagen. De processor meldde aan de centrale terug dat het doelwit was geprogrammeerd. De centrale antwoordde dat de procedure voor de lancering was gestart. De Vortex wachtte af.
Na het aftellen werd de gasgenerator ontstoken, een kleine raketmotor, gericht naar een buis met gedistilleerd water, dat daardoor werd verhit tot hogedrukstoom aan de achterkant van de raket. De druk onder in de lanceerbuis liep zo hoog op, dat de buis het hele gewicht van het wapen kon torsen, en nog veel meer, zodat de raket al een acceleratie van vijf g ondervond voordat hij van zijn plaats was gekomen. Ten slotte werd hij uit de lanceerbuis geslingerd als uit een stalen katapult, en stormde hij vanuit de boot het koude water in.
Zodra de achterkant van de raket vrij was van de boot ontstak de eerste trap, een kleine torpedomotor met een verbrandingskamer die aan een hydraulische B-end-motor was gekoppeld. Door de ontsnappende hogedrukgassen draaide deze motor tegen een tuimelplaat en versnelde de as tot een toerental van vijfduizend per minuut, oplopend tot tienduizend, terwijl de druk steeds groter werd. De straalpijp draaide nu, om het wapen vanuit verticale in horizontale stand te brengen, en duwde het vervolgens met de neus omlaag. Onder een hoek van dertig graden dook de raket weer terug, tot dertig meter dieper dan de *Leopard*, voordat hij weer vlak trok.

Na een laatste acceleratie werden de explosiebouten van de eerste trap weggeschoten en verdwenen in het kielzog van het wapen.
Zeventig milliseconden later werd een buisje met vluchtig, brandbaar materiaal ontstoken door een vonkengenerator. Dit buisje bevond zich in een holte met vaste raketstuwstof, een composiet van complexe chemicaliën dat verrassend inert bleef tot het een hoge temperatuur bereikte en dan ongelooflijk fel ontbrandde. Daardoor vatte ook de omringende brandstof vlam, waardoor de hogedrukgassen van de ontbranding zich rond de holte verzamelden. De holte bevond zich voor aan een lange tunnel die dwars door het brandstofcompartiment was geboord en zich verbreedde ter hoogte van de straalpijp, verder naar achteren. Het gas verspreidde zich door de tunnel totdat de druk aan de achterkant net zo hoog was als in de holte voorin. De beschermkap van de straalpijp werd de zee in geblazen en de straalpijp kanaliseerde de uitlaatgassen totdat alle stuwstof aan de achterkant in brand stond en de druk in de pijp was opgelopen tot duizenden ponden per vierkante centimeter. Door de hitte van de straalpijp accelereerde de raket. De druk van de stuwstof liep op van vijf tot twintig g en de snelheid van de raket nam toe van dertig tot tachtig knopen. Het wapen trilde hevig toen het een gebied van natuurlijke frequenties aflegde en wat snelheid verloor totdat het opeens begon te supercaviteren. De wrijving van de huid nam af tot bijna nul toen de watermoleculen rondom de raket tot stoom verdampten. Zo ontstond een omhulsel van stoom vanaf de scherpe neus tot aan de straalpijp achteraan, en algauw liep de snelheid op naar honderd en honderdvijftig knopen, totdat uiteindelijk een topsnelheid van 308 knopen was bereikt.
De stand van de raket werd bepaald door de straalpijp. De raketmotor draaide om de druk parallel te houden aan het zwaartepunt van het wapen en de variaties van de omringende stoom te compenseren. Als boordcomputer werd een van de snelste siliciumprocessors ter wereld gebruikt, omdat de correcties binnen tienden van een milliseconde moesten worden uitgevoerd. Binnen een tienduizendste seconde kon de raket ernstig uit koers raken en kon alleen een bliksemsnelle reactie van de straalpijp voorkomen dat het wapen ging tuimelen.
De blauwe-laserzoeker van de neuskegel gloeide aan in testmodus en verlichtte de zee in een smalle kegel voor het wapen uit. Die kegel verbreedde zich toen de laser een spiraalvormig patroon naar voren wierp, zoals de koplampen van een locomotief. De laser ontving meervoudige echo's van de golven hoog boven de raket, maar nog geen retour van het doelwit. De processor vergeleek de zee met de doelgegevens die door het moederschip

waren ingevoerd. Daarbij ging de computer ervan uit dat het doelwit zich zou verplaatsen binnen een cirkel rond zijn oorspronkelijke positie. Die cirkel groeide met de maximumsnelheid van het doelwit, die op vijfenveertig knopen was gesteld. De raket had opdracht zich op het middelpunt van die cirkel te richten, ook al lag het niet voor de hand dat het doelwit zich juist daar zou bevinden. Volgens de berekeningen had de raket tien procent kans om het doelwit te ontdekken als hij recht door de TPC, de Target Probability Circle, sneed. Dus moest de raket eerst door de TPC gaan, vervolgens nog één TPC-diameter doorgaan en dan een Andersonbocht beschrijven: een lus in zee, terug in de richting waaruit hij gekomen was, maar dan vijfhonderd meter westelijker. Daarna ging de raket opnieuw door de TPC, nog steeds op zoek. Als dat niets opleverde, keerde de raket weer terug door de cirkel, nog eens vijfhonderd meter westelijker. Al die tijd hield de boordcomputer een schema bij van de TPC, totdat de hele cirkel was doorzocht, ook al werd die cirkel elke seconde groter omdat het doelwit zich met een snelheid van vijfenveertig knopen verwijderde. Met dit zoekpatroon moest de raket uiteindelijk het doelwit ontdekken, zodat hij zijn verwoestende werk kon doen.

Het groene lampje van de wapenconsole lichtte op als teken dat de Tsunami op toeren was. Een rood lampje gaf aan dat hij nog geen doelgegevens had.
'Commandant aan sonar,' zei Lien in het microfoontje van de intercom. 'Hebt u al een contact naar het zuiden?'
'Sonar aan commandant, nee. We krijgen ruis uit de richting van de lancering.'
'Waar begint het kielzog van de torpedo?'
'Op een-zeven-vijf, commandant.'
Lien programmeerde een hypothetisch doelwit in de wapenbesturingsfunctie van zijn commandoconsole.
'Ik heb nu een koers, Eerste,' zei Lien. 'Het wapen kan op zoek gaan. Als het niets vindt, kunnen we het opdracht geven zichzelf uit te schakelen en naar de bodem te zinken, of zichzelf op te blazen. Wat doen we?'
'Commandant, we hebben niets te verliezen. Laat het wapen maar zoeken. Als dat niets oplevert, kan het zichzelf opblazen, zo dicht mogelijk bij het vermoedelijke doelwit.'
'Geef me een afstand, als richtpunt.'
'Twintig mijl, commandant.'
'Nee. Dichterbij.'

'Vijftien?'
'Tien,' besloot Lien, en hij voerde de afstand in.
'Commandant, als de inkomende torpedo ons mist, zal de Tsunami ons nog raken op tien mijl.'
'Goed dan. Twintig mijl.' De Tsunami vertoonde nu een volledige rij groene lampjes. 'Tsunami, autosequentie over vijf seconden, Eerste.'
Zhou wachtte, beet op de binnenkant van zijn lip en vroeg zich af wat de inkomende torpedo nu deed. Het wapen had hen al moeten raken. Het dek trilde toen de gasgenerator van de lanceerbuis de Tsunami het water in slingerde.
'Buis zes afgevuurd, Eerste. Tsunami onderweg. Jammer dat we er niet meer hebben.'
'Misschien moeten we de Dong Feng-torpedo's in buis één tot en met vijf in dezelfde richting lanceren, commandant...'
Zhou kreeg niet meer de kans zijn zin af te maken.

Na een traject van vier minuten bereikte de raket de zuidelijke rand van de TPC en werd de plasmakop op scherp gezet. De gevechtskop was een fusiewapen: een waterstofbom verpakt in materialen die bij de enorme hitte van de ontsteking, zo'n honderd miljoen graden, de klap moesten beperken tot een klein plasmavolume, een theelepeltje van het middelpunt van de zon. Het plasma zou eenderde deel van het doelwit totaal verpulveren en de rest aan splinters blazen. De neuskegel zocht in een brede en smalle baan binnen de cirkel van de TPC, maar kon het doelwit niet ontdekken. Dus voer de raket nog één cirkeldiameter verder, voordat hij keerde en terugkwam. Het noord-zuidzoekpatroon binnen de TPC nam vier minuten in beslag, maar zonder resultaat.
Geen doelwit.
Vervolgens begon de raket aan een oost-westzoekpatroon, nu boven de spronglaag op zestig meter diepte, voor het geval het doelwit omhoog was gekomen en de spronglaag de blauwe-laserzoeker stoorde. De raket vermeed zorgvuldig om binnen dertig meter van de oppervlakte te komen, omdat de zuiging van de overgang tussen water en lucht het wapen instabiel kon maken, met als gevolg een tuimeling die het besturingssysteem niet meer kon herstellen. Sommige testmodellen waren zelfs boven het water uit gevlogen en met zo'n klap weer teruggevallen dat ze onherstelbaar waren beschadigd. Maar ook boven de spronglaag was geen doelwit te bekennen.
De raket besefte dat zijn brandstof opraakte en dat het tijd werd voor een

standaardexplosie... doelwit of niet. Als de raket was geprogrammeerd, zou hij de plasmaversterking uit de gevechtskop hebben verwijderd om de kop te veranderen in een fusiebom met een veel breder bereik, maar daar hadden de ontwerpers van de Mod Echo een stokje voor gestoken. De enige keuze voor de raket was een plasmaexplosie op een willekeurig punt. Dat punt was geselecteerd als het centrum van het noordelijke derde deel van de TPC, vanuit de veronderstelling dat het doelwit eerder bij het wapen vandaan zou vluchten dan er naartoe te varen. De raket bepaalde zijn aankomsttijd op het ontstekingspunt zodanig dat hij nog twee minuten brandstof overhield, voor het geval hij op het laatste moment toch nog het doelwit wist te vinden. Maar dat gebeurde niet.

De raket dook weer onder de spronglaag, naar een diepte van vijfhonderd voet, zette koers naar het ontstekingspunt en begon aan de standaardprocedure. De explosieketen werd afgewerkt van laag naar hoog, totdat de 'taartpunten' van de plutoniumelementen met elkaar in botsing kwamen en een kritische massa vormden. Het gecombineerde plutonium veroorzaakte een kernexplosie en verpulverde de tritiumbottles, die tot heliummoleculen fuseerden in een geconcentreerde hoog-energetische ontlading, bij een hitte van miljoenen graden. Het helium was iets lichter dan de reactiecomponenten, omdat het massaverlies werd omgezet in zuivere energie, waardoor de splijtingsexplosie zich vertaalde in een nog krachtiger fusiebom. Als die reactie zich had voortgezet zou er vanuit zee een paddestoel zijn opgestegen met een doorsnee van acht kilometer, die de hele omgeving met straling zou hebben besmet. In plaats daarvan reageerden de plasmabeperkende chemicaliën en vingen de explosie binnen het krachtigste magnetische veld dat ooit door de mens was uitgevonden. Dit veld beperkte de kernexplosie en richtte alle energie op een hoogenergetische plasmabol met een doorsnee van drie meter. De massa binnen die bol werd verhit tot honderden miljoenen graden, terwijl de buitenkant nog enkele tienden van microseconden onaangeroerd bleef.

Maar algauw stortte het plasmaomhulsel in en voltrokken zich de gevolgen. Het was nog wel een zware explosie, vanaf de oppervlakte gezien, maar niet te vergelijken met de nucleaire voorouders van dit wapen. De schokgolf sloeg door het water en veroorzaakte een geweldige fontein van schuim. Het geweld van de explosie verspreidde zich naar alle windstreken en bereikte ten slotte het sterke, laagmagnetische staal van een onderzeeboot die aan de oppervlakte dobberde en de naam *Nung Yahtsu* had gekregen.

Het allereerste moment rolde de boot met kracht naar stuurboord en leek het dek heel even verticaal te staan. Zhou Ping had het angstige gevoel dat hij in het niets zweefde, terwijl de voorwerpen om hem heen alle kanten op vlogen. Hij werd tegen een console aan gesmeten en voelde zijn elleboog door het glas van de display slaan. De lichten doofden en de rest van de nachtmerrie speelde zich af bij de lichtflitsen van elektrische vonkenregens. Hij besefte dat hij doof moest zijn door de explosie, omdat de commandant hem van dichtbij iets toeschreeuwde zonder dat Zhou hem kon horen. Zhou schudde zijn hoofd, een beweging die hem zo duizelig maakte dat hij uitvoerig over de console heen kotste. Weer draaide de wereld in een regen van vonken om hem heen, voordat alles donker werd.

De Tsunami-torpedo, afgevuurd door de *Nung Yahtsu*, was vertrokken uit buis nummer zes, links vooraan. De buis maakte een hoek van tien graden ten opzichte van de middellijn van de boot. De kracht van de gasgenerator gaf de torpedo een snelheid van dertig knopen, waardoor een snelheidssensor aan de zijkant van het wapen werd geactiveerd. Een kleine persluchtcilinder in de neuskegel blies de lucht naar een verdeler, die een luchtbel over het voorste zesde gedeelte van de torpedo vormde, als voorloper van de supercaviterende stoomwolk. De luchtbel was bij de prototypen ontwikkeld toen de testmodellen een neiging tot tuimelen vertoonden bij de ontsteking van de raketmotor. De start met de luchtbel verhielp dit probleem, zodat het wapen bij de ontsteking van de raketmotor kaarsrecht op koers bleef. Later nam de stoomwolk de functie van de luchtbel over.
Terwijl de perslucht zich over de neuskegel naar achteren verspreidde kwam de raketstuwstof tot ontbranding. De torpedo maakte toeren tot aan de aanvalssnelheid, waarna de stoomwolk de hele romp van het wapen omvatte. De snelheid nam toe tot tweehonderd knopen en de torpedo ging langs de aangegeven lijn op weg naar het doelwit. Na twee minuten werd de blauwe-laserzoeker ingeschakeld, waarvan het ontwerp voor een zacht prijsje was verkregen van een wetenschapper bij het David Taylor Naval Research and Development Center, een onderdeel van DynaCorp. De zoeker speurde langs de zichtlijn in een spiraalvormig patroon. Na twintig mijl meldde hij aan de processor dat het doelwit nergens te bekennen was.
De processor besloot tot een slingerpatroon, nog steeds op zoek naar het doelwit. Het wapen was betrekkelijk klein, omdat het in de lanceerbuis van een Dong Feng-torpedo moest passen. Bovendien was het voorzien van een grote, zware kernkop en uitgerust met een vrij omvangrijke processor. Het gevolg was dat er niet veel ruimte voor brandstof overbleef. Het wapen

staakte zijn slingerpatroon en keerde terug naar het hypothetische ontstekingspunt, twintig mijl vanaf de *Nung Yahtsu*. Op een diepte van driehonderd meter kwam de waterstofbom tot ontploffing en verlichtte de zee als een zonnige zomerdag.
De schokgolf van de explosie verspreidde zich naar alle kanten, ook naar het westen, waar hij ten slotte de romp van de Amerikaanse onderzeeboot *Leopard* bereikte, achttien zeemijlen verderop. Het water van de zee fungeerde als aambeeld voor de hamer van de schokgolf.

'Wat was dát, verdomme?' vroeg overste Dixon toen hij een geluid uit het oosten hoorde, door de romp heen. 'Commandant aan sonar! Wat was dat?' riep hij.
In zijn display zag Dixon dat sonarchef Herndon met open mond voor zich uit staarde. Hij keek in zijn camera. 'Centrale, supercaviterende torpedo in het water, richting twee-acht-een, afwijkend naar links.'
'Duikofficier, hard stuurboord, snelheid maximaal en caviteren! Wapenofficier, snapshot buis één, Alert/Acute-torpedo, gericht op vorige positie doelwit Drie-Nul, klaar voor lancering. Wachtofficier, maak het noodbaken gereed met onze lengte en breedte, ingesteld op de e-mail internetbypass, gecodeerd met een SAS-verificatie. Stuur twee man naar de SAS-kluis. Nu! Duikofficier, wat is onze snelheid?'
'Commandant, snelheid maximaal, reactor op een-vijf-nul procent vermogen, snelheid vijf-negen knopen.'
Verdomme, dacht Dixon. Volle kracht plus vijftig procent leverde maar acht knopen extra op, terwijl hij daarmee de reactor over de kop joeg en de hele boot aan straling blootstelde. Het dek trilde nog heviger dan bij honderd procent vermogen, maar dat verbaasde hem niet.
'Wapenofficier, wat is uw status?'
'Commandant, buis één gereed, buitendeur open, wapen klaar voor lancering.'
'Snapshot buis één, doelwit Drie-Nul!'
'Buis één ingesteld,' blafte de Cyclops met kunstmatig geprogrammeerde opwinding. 'Wapen nummer veertien, stand-by... schiet... en vuur!'
Het dek maakte een sprongetje, vlak voor de explosie aan bakboord. Opeens rolde de boot de andere kant op. Niet de normale reactie bij een torpedolancering, dacht Dixon.
'XO, wat gebeurt er?' riep hij naar Phillips.
'Wapenofficier?' vroeg ze. 'Wat is er aan de hand?'
Taussigs gezicht had een ontstelde uitdrukking in de cabine van zijn

wapenbesturingssysteem. 'Mevrouw, de torpedo is bij de lancering geëxplodeerd. Door onze snelheid moet hij doormidden zijn gebroken toen hij vertrok, en de explosie heeft onze romp geraakt. De draadverbinding ligt nog open, de buitendeur wil niet dicht en de buis begint te lekken...'
'Water in het torpedoruim!' bevestigde adjudant Joyce via het tactische kanaal. 'Lekkage uit de deur van buis één.'
'Water in het torpedoruim,' herhaalde wachtofficier Kingman via de centrale intercom. 'Schadebestrijdingsteam naar het torpedoruim.'
'XO,' zei Dixon tegen Donna Phillips, 'draag de coördinatorwacht maar over aan de navigator en neem de leiding in het torpedoruim.'
'Aye, commandant,' zei Phillips. Haar venster in de display verdween toen ze haar headset afzette.
'Commandant aan sonar! Wat is de status van de vijandelijke torpedo?'
'Sonar aan centrale. Afwijking naar links en omhoog wordt steeds groter, commandant. Hij heeft ons nog niet ontdekt.'
Dixon knikte. Misschien zou hij de torpedo kunnen ontwijken. Dan bleef alleen het lek in het torpedoruim nog over. Als iemand dat kon oplossen was het Donna Phillips wel. Hij haalde diep adem. Jammer was wel dat ze geen torpedo's op de Julang konden afvuren voordat de lekkage was bestreden. De vijandelijke torpedo was vermoedelijk op het laatste moment door de Julang gelanceerd, voordat hij door de Vortex werd vernietigd, als een afscheidscadeautje van de Chinese bemanning, vlak voor hun dood. Klootzakken.
Dixon verschoof de display tot boven het ASW-niveau, zodat hij omlaag kon kijken, en vroeg de Cyclops de kaart te projecteren. Hij beoordeelde de richting van de torpedo, hoewel die koers twijfelachtig was omdat ze de vijandelijke positie niet concreet hadden gepeild. Hij overwoog een actieve sonarpeiling uit te voeren om de afstand tot de torpedo vast te stellen, maar deed het toch niet. Het was onverstandig om de aandacht van het wapen te trekken als het hen nog niet had ontdekt. Hopelijk raakte het al achterop.

Dixon had niet gerekend op een kernexplosie van de torpedo. De schokgolf raakte de *Leopard* zonder enige waarschuwing van achteren. Het ene moment stormden ze nog op volle kracht naar het westen om de torpedo te ontwijken, de volgende seconde werd de boot getroffen door een mokerslag. Dixon knalde zo hard tegen de wand van de cabine, dat hij zijn rechterarm en zijn sleutelbeen brak. Het microfoontje van zijn headset brak af en boorde zich recht door zijn wang in zijn tong. Het vizier van de helm werd verbrijzeld. Hij zakte omlaag naar het dek, in een spoor van bloed uit

een snee in zijn schouder, en verloor het bewustzijn in het krappe hokje. Ook de andere leden van het vuurleidingsteam in de commandocentrale werden tegen de wanden geworpen en uitgeschakeld, met één uitzondering: de duikofficier van de wacht, een luitenant-ter-zee derde klasse die voor zijn aantekening studeerde. Elektronicaofficier Brendon Farragut werd 'Tiny' of 'Kleintje' genoemd vanwege zijn honderdtwintig kilo. Op het moment van de klap zat hij met een vijfpuntsgordel op de stoel achter de besturingsconsole, en hoewel hij een whiplash opliep en niets meer kon zien omdat de stroom aan boord uitviel, deed hij het enige wat hij bij zijn opleiding in de duiksimulator in New London tot vervelens toe had geoefend: hij stak zijn hand uit naar de dubbele, roestvrijstalen noodschakelaar van de hoofdballasttank, verbrak de vergrendeling en ramde de hendels naar boven. Met dezelfde beweging greep hij de microfoon van de centrale intercom om een noodblaasprocedure aan te kondigen, maar ook die installatie werkte niet meer.
Het hydraulisch reservesysteem functioneerde gelukkig nog wel, dus trok hij de boegvleugels en de achterste duikroeren in de maximale stand omhoog, waardoor zijn bewusteloze collega's met een zware klap tegen het achterschot gleden en mogelijk nog ernstiger verwondingen opliepen. Maar Farragut was door luitenant-ter-zee eerste klasse Phillips getraind in die mantra van de onderzeedienst: 'Red de missie, red de boot, red de reactor en red de bemanning' – in die volgorde. De missie kon hij niet meer redden, maar de boot nog wel, dus stelde hij alles in het werk om de lekkende *Leopard* naar de oppervlakte te brengen. Hij had geen dieptemeter en geen Cyclops-hellingshoekmeter, maar hij vond wel de knop van de noodlantaarn, die voldoende licht op zijn console wierp. Tegen het plafond was een ouderwetse, met water gevulde hellingshoekmeter gemonteerd. De boot lag zestig graden schuin omhoog. Farragut vocht om de boegvleugels omlaag te krijgen en vroeg zich af hoe lang de hydraulische druk in stand zou blijven. Hij slaagde erin de hoek terug te brengen tot vijftig graden. Boven zijn hoofd zag hij ook een koperen Bourdon-buisdrukmeter, die daar was aangebracht met het oog op een volledige stroomuitval. De naald klom snel langs de driehonderd voet. Ze stegen in recordtempo naar de oppervlakte. De vraag was alleen hoe lang ze daar zouden blijven, met een ondergelopen torpedoruim en de gevolgen van de torpedo-explosie. Toen de boot door de golven brak en weer horizontaal kwam te liggen vroeg Farragut zich af hoe de torpedo, die zo'n grote achterstand had gehad, zoveel schade had kunnen aanrichten. Er moest nog een tweede zijn geweest, die ze niet hadden gezien en die hen recht van achteren had aangevallen. Zodra

de boot door de oppervlakte ging, viel hij terug naar zestig meter diepte en begon toen weer traag te stijgen, deinend in de golven. Farragut zette zijn helm af, maakte zijn gordel los en kwam achter zijn console vandaan om de noodverlichting in de centrale aan te steken. Hij schrok van de aanblik van alle doden en gewonden, maar nog beangstigender waren de bulderende vlammen aan de achterkant.
Farragut greep een brandblusser en rende ermee naar het vuur, maar het apparaat was snel leeg en de brand breidde zich uit. Een vuist die hem bij zijn mouw greep hield hem tegen toen hij in paniek naar een andere brandblusser zocht. Hij keek op en zag het beroete gezicht van de XO. Alleen haar ogen en tanden blikkerden wit in een grimmige grimas.
'Farragut!' riep ze – in slowmotion, zoals het op Farragut overkwam, door de adrenaline van het moment. 'Het torpedoruim is volgelopen en we maken water achterin. We hebben niet meer dan een paar minuten. We moeten van boord. Ga naar de voorste ontsnappingskoker en open de luiken. Kom dan terug om me met de gewonden te helpen.'
Terwijl Farragut naar de voorste ladder rende, liep Phillips naar de cabine van de commandant. Ze knielde bij Dixon neer, tilde de Cyclops-helm van zijn hoofd en trok voorzichtig het stangetje van de microfoon uit zijn wang.
'Commandant? Commandant? Kunt u me horen?' vroeg ze, terwijl ze voorzichtig zijn gezicht aanraakte en hem toen een flinke tik gaf.
Dixon opende zijn ogen. De centrale draaide voor zijn ogen. 'Donna,' zei hij hees.
'Commandant, de boot is geraakt. Het torpedoruim staat onder water. Het zeewater stroomt naar binnen door de open torpedobuis, een gat van een halve meter. We zijn verloren. Ik heb de luiken gesloten, maar de schotten lekken en er komt water binnen door de pakking van de schroefas en het zeewatersysteem.'
'Kunnen we de reactor weer opstarten?' vroeg hij met glazige ogen.
'Commandant, de boot is niet meer te redden. We zinken, en snel. We moeten van boord. Farragut opent de luiken van de luchtsluis. U moet hiervandaan, commandant. We hebben nog maar een paar minuten.'
'Ga jij maar,' zei Dixon. 'Ik blijf achter om de boot te vernietigen. De *Leopard* mag niet in handen van de Rood-Chinezen vallen zolang ik commandant ben.'
Dixon verloor weer het bewustzijn. Phillips trok hem overeind. Zodra Farragut terug was, droegen ze hem samen de ladder op naar het hoger gelegen dek.

'Til hem door het luik, Farragut,' beval ze. 'Ik ga op zoek naar andere overlevenden.'

Luitenant-ter-zee eerste klasse Donna Phillips had persoonlijk het bevel op zich genomen van de operatie om de boot te verlaten. Ze had de hele boot doorzocht, zelfs de ondergelopen machinekamer, en de gewonden naar de luiken gesleept. Wie nog op zijn benen kon staan hielp de bewusteloze collega's naar het bovendek te tillen. De luiken van het ondergelopen torpedoruim waren vergrendeld. De tien of twaalf bemanningsleden daar waren een prooi voor de diepzee. Ook het operatiescompartiment lag vol met doden. Toen de laatste overlevenden naar boven waren gebracht, haastte Phillips zich naar de commandocentrale in de hoop dat de accu nog stroom leverde, ondanks de lekken. Als er nog meer water binnenkwam bestond de kans dat het batterijcompartiment zou exploderen, maar de accu die de centrale van stroom voorzag zou in elk geval de bootbesturing in stand houden totdat ook die systemen onder water liepen.

De centrale was een chaos. Phillips vond het noodbaken en typte snel een codebericht in met de mededeling dat ze de oppervlaktevloot hadden aangevallen, maar waren verrast door een tegenaanval. De commandant was bewusteloos en ze stond op het punt de boot te vernietigen. Zodra ze het bericht had ingevoerd, laadde ze het baken voor de lancering. Toen trok ze de beschermkap weg en haalde de schakelaar over. Een lampje gaf aan dat het baken op weg was naar de oppervlakte. Daar zou het hun positie doorseinen aan de server, in de hoop dat ze met een beetje geluk gered zouden worden.

Nu was er nog maar één ding te doen. Ze boog zich over het deksel van het zelfvernietigingssysteem en toetste de code in om het te openen. Het paneel klapte open. Eronder zat een eenvoudige tuimelschakelaar, met een grote rode knop en een dubbele tijdklokdisplay. De ene klok was een tijdontsteker, de andere gaf aan hoeveel tijd er nog overbleef tot de zelfvernietiging. Ze stelde de tijdontsteker in op tien minuten, zette het systeem op scherp en drukte op de rode knop. De andere klok begon terug te tellen vanaf 9:59. Phillips sloot het paneel en keek nog één keer om zich heen. Haastig liep ze naar de ladder en klom door de luchtsluis naar buiten. Daar klopte ze twee keer op de stalen rand van het luik, als afscheid van de *Leopard*, voordat ze zich van de boot afzette en naar het dichtstbijzijnde reddingsvlot zwom.

'Roei bij de boot vandaan,' beval ze luid. 'Taussig, heb je het noodbaken gevonden?'

'Ja, mevrouw.'
'Trek de pen eruit en controleer of het werkt.'
De USS *Leopard* kwam steeds dieper te liggen. Vijftig meter naar het oosten dobberden drie reddingsvlotten van vier meter lang op de stevige golfslag van de Oost-Chinese Zee. Ze hadden in totaal eenenveertig overlevenden aan boord, van wie er zestien nog bewusteloos waren, onder wie commandant George Dixon. De opvarenden van de vlotten konden niets anders doen dan toezien hoe de boot begon te zinken. Alleen de neuskegel en de commandotoren waren nog zichtbaar. Het achterdek lag al onder de golven. De boot zakte schuin naar achteren en zonk langzaam weg. Het water sloot zich over het voorste luik, toen over de commandotoren, en ten slotte dook ook de neuskegel tussen de golftoppen. De *Leopard* was verdwenen.
Een traan rolde over Phillips' wang op het moment dat de plasmalading met een zware klap explodeerde, ergens diep in zee. Voor hen, dacht Phillips, was de oorlog voorbij.

19

Patch Pacino huiverde in de ijzige commandomodule van het diepzeevaartuig van de *Piranha.* De verwarming slurpte te veel energie en was door commandant Catardi al een paar uur geleden uitgeschakeld. Het belangrijkste was dat de apparatuur bleef functioneren, en die werkte ook heel goed in deze vrieskou. De vier overlevenden moesten de onderkoeling maar bestrijden met dekens en warm drinken.

Alameda en Schultz waren nog steeds niet bij bewustzijn. Pacino had hen dicht tegen elkaar aan gelegd en slechts twee dunne dekens overgehouden, een voor zichzelf en een voor Catardi. Hij had ook de gezichten van de twee vrouwen toegedekt en alleen hun mond en neus vrijgelaten. Hun adem vormde wolkjes in de lucht. Elk uur controleerde hij hun toestand, maar hun temperatuur leek normaal. Ze sluimerden in de koude winternacht.

De vraag was of iemand hen zou komen redden. Volgens de commandant waren er geen procedures voor dit soort situaties. De DSV was maar tijdelijk toegevoegd aan het SPEC-OP-compartiment, dat daarvoor op de werf haastig was aangepast. Zodra de boot weer in het droogdok kwam, zou de DSV worden weggehaald om plaats te maken voor nieuwe aanpassingen en een nieuwe missie. Het feit dat ze het noodbaken niet konden gebruiken zou hun noodlottig worden. Het pathetische signaal van de automatische hamer tegen de romp was niet voldoende om de aandacht te trekken, tenzij er iemand recht boven hen zou varen. En zelfs dan zouden de geluiden misschien door de krachtige spronglaag worden teruggekaatst. Dus zaten ze nu gevangen in een graftombe van HY-100-staal, omringd door drieëntachtig dode bemanningsleden.

'Patch.'

'Ja, commandant?'

'Wat is er met Keating gebeurd?'
'Hij is verbrijzeld in de ontsnappingskoker. Ik lag al in het water en hield me vast aan het mechaniek van het luik. Eigenlijk had ik veel zwaardere klappen moeten krijgen met die dodelijke explosies in het water. Maar de chef is tegen een schot gesmeten, neem ik aan.'
Catardi staarde hem aan. 'Wacht nou eens even. Jij was buíten de boot?'
'Ja, commandant. Ik hoorde de inkomende sonar en zag de torpedo in de machinekamer inslaan. Mijn masker werd van mijn gezicht gerukt en de regulateur tussen mijn tanden vandaan.'
'Maar hoe heb je dan... wat heb je... Ben je weer naar binnen gegaan? Waarom, in godsnaam?'
'Ik weet het niet, commandant. Het leek me op dat moment het beste.'
'God, je vader zal me vermoorden. Waarom ben je niet naar de oppervlakte gegaan? Besef je wel wat een stomme streek dat was?'
'Ik weet het, commandant. Ik had het noodbaken moeten activeren.'
'Daar heb ik het niet over. Je had jezelf moeten redden. Verdomme, dit maakt het nog veel erger. Jíj had het nog kunnen overleven. Nu ga je kapot, net als wij.'
'Denkt u niet dat er redding komt?'
'Ik vrees van niet, Patch,' zei Catardi zacht. 'Dit is een uithoek. Alle andere onderzeeboten varen ergens in de Indische Oceaan, de Oost-Chinese Zee, of zijn op weg daarheen. We liggen een heel eind van de route vanaf de Amerikaanse oostkust naar de Indische Oceaan. Misschien dat een koopvaardijschip het gehamer hoort, maar zelfs dan vraag ik me af of ze het zouden herkennen.'
Pacino knikte. 'Voor hoe lang hebben we nog zuurstof?'
'Een dag of vijf, als de kou ons niet eerder te pakken krijgt. Het spijt me, Patch, het is een ellendige dood. Maar kun jij een prettige dood bedenken?'
'In elk geval sterven we in het harnas.'
'Verdomme, we hebben niet eens de kans gekregen om terug te vuren. We zijn gewoon in een hinderlaag gelokt door die vervloekte robotsub. Wat een zinloos einde.'
Er viel verder niets te zeggen, dus staarde Pacino naar het dek totdat hij te slaperig werd om zijn ogen open te houden.

'Admiraal, een spoedbericht voor u, persoonlijk,' zei de radioman toen hij McKee wakker maakte en hem de palmtop gaf.
McKee klikte het bericht aan. Het kwam van de *Leopard*, die klaar had gelegen voor een aanval op het eerste Rood-Chinese eskader bij de Straat

van Formosa op het moment dat hij en Petri hadden besloten vroeg naar kooi te gaan. McKee verwachtte een rapport over de actie. Zijn orders aan de *Leopard* gaven de commandant, overste Dixon, een ruime volmacht om de Chinese vlootgroep in het oog te houden en verslag uit te brengen terwijl ze op versterkingen wachtten – of in de aanval te gaan en zo veel vijandelijke schepen uit te schakelen als mogelijk was met hun wapens en tactiek. Als hij Dixon goed kende, zou de zuiderling het als een erezaak beschouwen om zijn hele torpedoruim op de oppervlaktevloot af te vuren. Maar het bericht was niet het verwachte verslag van de strijd. Een sombere uitdrukking gleed over McKees gezicht toen hij de e-mail las:

242058ZJUN2019
SPOED SPOED SPOED SPOED SPOED
PERSOONLIJK AAN BEVELVOEREND ADMIRAAL //
PERSOONLIJK AAN BEVELVOEREND ADMIRAAL
VAN: USS LEOPARD SSN 780
AAN: COMUSUBCOM
RE: GEZONKEN SUB
STRENG GEHEIM, BLACK WIDOW
VERIFICATIE TWEE ZES NEGEN ECHO MIKE VIER
VERIFIEER EEN VIJF VIER NOVEMBER DELTA FOXTROT QUEBEC TANGO
//BT//
1. (TS) JULANG SSN ONTDEKT, AFSTAND TWINTIGDUIZEND (20.000) METER OP A 254 HERTZ DOUBLET, BREEDBAND EN ACOUSTIC DAYLIGHT. JULANG-KLASSE AANGEVALLEN MET VORTEX, LEOPARD VERTROKKEN, JULANG-SSN VERMOEDELIJK VERNIETIGD.
2. (TS) VOORAFGAAND AAN VERNIETIGING VIJANDELIJKE BOOT NOG SUPERCAVITERENDE TORPEDO AFGEVUURD DOOR JULANG. LEOPARD GEVLUCHT, MAAR GERAAKT EN BESCHADIGD.
3. (TS) LEOPARD AAN OPPERVLAKTE MET WATER IN DE BOOT, CATASTROFAAL, VEEL SLACHTOFFERS ONDER BEMANNING, ONDER WIE COMMANDANT. BOOT IS ZINKENDE EN ZAL ZICHZELF VERNIETIGEN. BEMANNING VAN BOORD OMSTREEKS DEZE POSITIE.
4. (TS) NOORDERBREEDTE 25 GR. 23 MIN. 56 SEC., OOSTERLENGTE 121 GR. 32 MIN. 04 SEC., AFWIJKING TWEE-NUL MIJL.
5. (TS) VERZONDEN DOOR LTZ. EERSTE KLASSE D. PHILLIPS.
//BT//

McKee gaf de computer aan Petri. 'Die vervloekte verbindingen,' mompelde de admiraal. 'Dit zogenaamde spoedbericht is twee uur oud!'
Petri las de tekst en trok wit weg. Daarna schoof McKee de computer naar

Judison. Terwijl hij het bericht las keek McKee grimmig naar zijn chef-staf. 'Kolonel Petri, ga naar uw hut en stel instructies aan de dichtstbijzijnde boten op voor een reddingsactie. En stuur bericht aan admiraal Ericcson. Ik wil vliegtuigen naar die positie hebben om de toestand van de overlevenden te beoordelen en zeker te weten dat we de Rood-Chinezen daar uit de buurt kunnen houden. Binnen twintig uur moeten ze uit het water zijn. Schrijf ook een situatierapport voor admiraal Patton, maar dat heeft minder haast.'
'Jawel, admiraal,' zei Petri, terwijl ze haastig terugliep naar de hut. McKees gezicht vertoonde diepe rimpels van woede.

'Sonar aan centrale, luide breedbandsignalen uit het noorden,' kraakte de luidspreker aan het plafond.
'Centrale aan sonar, aye,' reageerde luitenant-ter-zee eerste klasse Ash Oswald onverstoorbaar op het alarmbericht van de sonarchef. Oswald was de navigator en wachtofficier sectie 1 aan boord van de USS *Hammerhead*. Het was een saaie middag, waarin ze op volle kracht onderweg waren naar een onderscheppingspunt met de koers van de *Snarc*. Oswald wierp een blik naar zijn collega bij de wacht, luitenant-ter-zee derde klasse Melissa White, een veelbelovende nieuwkomer die haar aantekening nog niet had, maar voor de chef machinekamer werkte en binnen een maand haar gouden dolfijntjes wel zou hebben verdiend. Toen keek hij naar het sonarscherm van de commandoconsole en selecteerde de watervaldisplay. Daar, in richting nul-nul-nul, zag hij een oplichtend spoor tegen de donkere achtergrond. 'Hoe lang heeft die aardappelboer van een sonarchef eigenlijk nodig om rapport uit te brengen?' zei Oswald sarcastisch tegen White. 'Centrale aan sonar. Kom eens hier.'
'Jawel, meneer,' klonk een stem vlak achter hem. De sonarchef had er al die tijd gestaan. Adjudant Stokes, een kloeke en agressieve jonge sonartechnicus uit het westen van Kentucky, leunde met zijn forse gestalte op de roestvrijstalen reling van de Conn.
'Verdomme, chef,' snauwde Oswald, 'dat moet je me niet flikken. En blijf met je tengels van mijn leuning af, anders mag je hem straks poetsen in de hondenwacht.'
'Klaar met zeiken, meneer?' vroeg Stokes vriendelijk.
'Ja.'
'Mooi zo. Dat geluid klonk als de explosie van een heel wapenarsenaal, compleet met het instorten van wanden en schotten. Er is dus een boot gezonken. Ik ben nu bezig de band te analyseren om te zien of we iets kunnen vinden vlak vóór die explosie.'

'Ervóór? Zoals?'
'Een torpedosonar, dieptebommen, dat soort dingen.'
'Je denkt dus dat het een onderzeeboot was die tot zinken is gebracht.'
'Het kan ook een oppervlakteschip zijn geweest, meneer. Maar met de *Snarc* die vanuit het noorden naar ons toe komt en de *Piranha* die hem opjaagt lijkt het me logisch dat een explosie vanuit het noorden een schermutseling tussen die twee boten moet zijn.'
'Een schermutseling? Je bedoelt dat ze elkaar hebben beschoten en dat de *Snarc* nu op de bodem ligt. Jammer dat de *Piranha* die etterbak van een robot het eerst te pakken heeft gekregen, maar in elk geval kunnen wij nu doorgaan naar de Indische Oceaan, waar het pas echt gaat gebeuren.'
'Tenzij de *Snarc* gewonnen heeft,' merkte White op.
Oswald stond een paar seconden met open mond. Het was nooit bij hem opgekomen dat de robotsub een boot uit de Seawolf-klasse tot zinken zou kunnen brengen, zeker niet de *Piranha*, die het de *Hammerhead* zes maanden geleden nog knap lastig had gemaakt bij een oefening. De Seawolfs hadden een akoestische voorsprong op de Virginia-klasse, tenzij een Seawolf op volle kracht een stilliggende Virginia passeerde. Bij lagere snelheden ontdekte een Seawolf een Virginia vierduizend meter voordat de Virginia iets in de gaten kreeg. Als de *Snarc* inderdaad zojuist een Seawolf had verslagen, had de *Snarc* dus ook een groot akoestisch voordeel ten opzichte van een Virginia-boot zoals de *Hammerhead*. Zeker als die Virginia-boot op volle kracht voer, zoals zij nu deden.
'Duikofficier. Vaart nul!' riep Oswald. Die order stond ongeveer gelijk aan 'Commandant naar de centrale'. Zodra het dek immers ophield met trillen stormde iedere commandant naar zijn centrale om te zien wat er aan de hand was. 'Centrale aan Manoeuvres,' riep Oswald in een 7MC-microfoon. 'Reactorpompen naar natuurlijke circulatie!'
'Duikofficier, aye. Snelheid teruggenomen, meneer. Vaart nul.'
'Manoeuvres aan centrale,' blèrde de 7MC-box vanuit de machinekamer. 'Hoofdkoelingspompen uitgeschakeld, aye. Reactor in natuurlijke circulatie.'
'Centrale aan Manoeuvres, aye,' bevestigde Oswald. Hij draaide zich bij het 7MC-paneel vandaan en zag commandant Judison, admiraal McKee en chef-staf Petri achter zich. Ze keken hem vragend aan.
'Commandant in de centrale,' meldde Oswald en boog zich naar de hoge officieren toe. 'We hebben een probleem, commandant, admiraal, mevrouw,' zei hij. 'Laat maar horen, adjudant Stokes.'
Het drietal luisterde. Judison nam de admiraal en zijn stafofficier apart om

fluisterend te overleggen. Ten slotte vertrokken McKee en Petri weer en liep Judison naar de Conn.
'Nader de positie van het geluid, maar voorzichtig. Halve kracht, vijftien knopen, diepte zes-vijf-acht voet. Controleer regelmatig de dode sonarhoek, op willekeurige momenten, maar in elk geval eens in de veertig minuten. Kom regelmatig naar een diepte van een-vijf-nul voet, ook op willekeurige momenten, minstens eens in de vijftig minuten. Voorlopig, tot het tegendeel is bewezen, beschouwen we dit als een valstrik en gaan we ervan uit dat de *Snarc* ons opwacht op de plek waar de *Piranha* tot zinken is gebracht. Vijftien minuten nadat de admiraal zijn situatierapport heeft opgesteld komen we naar periscoopdiepte. Herhaal dat.'
Oswald herhaalde zijn orders terwijl Judison hem grimmig aanstaarde. Toen de commandant tevreden was verliet hij de centrale.
'Roerganger, halve kracht vooruit, snelheid vijftien knopen, koers noord,' beval Oswald.
De *Hammerhead* kroop naar het noorden, terwijl de sonar uitvoerig de omgeving afluisterde naar de *Snarc*.

'Sonar aan centrale, geluiden op korte afstand, hoog negatieve D/E.'
Luitenant-ter-zee eerste klasse Ash Oswald krabde zich op zijn buik, een zenuwtic.
'Centrale aan sonar, aye. Negatieve deflectie/elevatie. Chef, kom even hier.'
'Jawel, meneer,' zei een stem achter hem.
'Verdomme, Stokes! Hou daarmee op.'
Stokes keek de wachtofficier aan. Zijn gezicht stond ernstig. 'Ik weet niet wat het voor een geluid kan zijn. Het lijkt wel of er iemand met een hamer op een boot ramt.' Hij liep naar de Conn, bladerde de displays van de sonar door, speelde even met de software en richtte zich op. Door de luidsprekers boven hun hoofd dreunde een ritmisch, galmend geluid. Oswald staarde naar de display en luisterde een tijdje naar het spookachtige gehamer. Zweet stond op zijn voorhoofd.
'Lage D/E, zei je?' mompelde hij.
'Recht beneden ons,' bevestigde Stokes.
'Duikofficier, vaart nul.'
Oswald keek nog steeds naar de sonardisplay, terwijl hij op de tast de telefoon pakte en op de buzzer drukte.
'Wachtofficier aan commandant. Wilt u naar de centrale komen.'

De BRA-44 Bigmouth-antenne van de *Hammerhead* stak uit de blauwe gol-

ven omhoog als een telefoonpaal midden op zee. In plaats van verbinding te zoeken met het commandonetwerk via de CommStar-satelliet of de orbitale internetserver, zond de antenne op een wisselende frequentie signalen uit naar de commerciële InterTel-satelliet voor mobiele telefonie. De antenne was op het bovendek van het operatiescompartiment verbonden met een afstandseenheid die was doorgeschakeld naar de vip-hut, waar admiraal Kelly McKee met zijn satelliettelefoon belde.
Het duurde een paar minuten voordat het gesprek binnenkwam bij het kantoor van de afdeling Naval Research, het directoraat Deep Sea Submergence, het Underwater Science Center van de marine en de staf van admiraal Patton en McKee zelf. Toen alle officieren aanwezig waren en de bandopname aan iedereen was afgespeeld, vroeg McKee of ze hem binnen twintig minuten konden vertellen wat dat gehamer in godsnaam kon zijn.
De boot bleef op periscoopdiepte wachten op het antwoord. Het kwam uiteindelijk van schout-bij-nacht Huber, hoofd van het directoraat Deep Sea Submergence.
'Het moet een boot van ons zijn, admiraal,' zei hij. 'Het geluid is afkomstig van een percussiebaken dat is geïnstalleerd in een Mark XVII Deep Submergence Vehicle, een DSV of diepzeevaartuig. Zo'n DSV bevindt zich op dit moment in het SPEC-OP-compartiment van de *Piranha*.'
'We hebben een reddingsplan nodig.'
'Admiraal, we hebben geen diepzeevaartuigen waarmee we hen kunnen redden. Ze zitten gevangen in een romp van HY-100-staal, en zelfs als we die kunnen opensnijden hebben we geen sluiskoppeling om tegen de Mark XVII te plaatsen of zware apparatuur om de DSV in zijn geheel te bergen. Toch is er nog een mogelijkheid, niet zo ver weg, op twee of hooguit drie dagen varen van uw positie.'
'Een mogelijkheid? Een civiele operatie, bedoelt u?'
'Eh... nee, admiraal. De Britse marine.'
'Ga door, admiraal Huber.'
'We moeten dit in twee fasen doen. De eerste stap is een exacte positiebepaling van het wrak, en contact met de overlevenden. Als iedereen is omgekomen, heeft het weinig zin. Onze DSV *Narragansett* is al onderweg aan boord van een transportvliegtuig. Over een paar uur kan ze op de plaats van het wrak zijn. We hebben een commercieel schip klaarliggen om haar erheen te brengen en te begeleiden bij de eerste duik. Tegen zonsondergang weten we de status van de *Piranha*. Als het nieuws goed is, moeten we het Britse team op de plaats van de gezonken *City of Cairo* vragen om naar de *Piranha* te komen. De *City of Cairo* was hun schip, dat ze proberen te ber-

gen met de *Explorer* II en een diepzeevaartuig, de *Berkshire*, dat is gebouwd voor de redding van Britse onderzeeboten. Het vaartuig is in staat om met een drukbrander en een diamantdeeltjesinjector door heel dik staal heen te snijden. Het heeft ook de mogelijkheid om zware objecten tussen de wrakstukken omhoog te brengen. En de *Berkshire* beschikt over een aparte duikkamer met een variabele sluiskoppeling voor het geval ze bemanningsleden moeten redden uit een boot die geen eigen luchtsluis meer heeft.'

'Waarom hebben ze dat marinevaartuig ingezet voor de berging van een koopvaardijschip?'

'Als oefening voor de redding van een onderzeeboot.'

'Dus die berging van de *City of Cairo* is zuiver een praktijktest?'

'Niet helemaal, admiraal. De *City of Cairo* was een klein Brits lijnschip van achtduizend ton, honderdvijftig meter lang, met twee schoorstenen. In 1942 was het op weg van Bombay naar Engeland, met driehonderd opvarenden, de helft passagiers en de helft bemanning, toen het tot zinken werd gebracht door een Duitse onderzeeboot, de U-68.'

'Waarom doen de Britten zoveel moeite om een oude roestbak te bergen die door nazi-torpedo's is vernietigd?' vroeg McKee.

'Omdat het schip op dat moment bijna negentigduizend kilo zilver aan boord had, in tweeduizend kisten zilvergeld.'

'Aha.' De admiraal knikte. 'Goed. Maar hoe krijg ik de *Explorer II* hiernaartoe?'

'U zult de missiecommandant, Peter Collingsworth, persoonlijk moeten bellen, admiraal, om hem ervan te overtuigen dat hij zijn zilverjacht moet stilleggen om u te komen helpen – zonder details, terwijl zijn regering en de onze een ernstig conflict met elkaar hebben.'

Tien minuten later ging de deur van de hut open, net toen McKee het Pentagon weer belde.

'Admiraal, we hebben mogelijk de *Snarc* op de sonar, ten oosten van onze positie en op periscoopdiepte,' zei Karen Petri. Haar gezicht sprak boekdelen: *Leg die telefoon neer, zodat we kunnen duiken om erop af te gaan.* Maar McKee had de *Explorer II* nodig.

'Stuur Judison naar me toe,' snauwde hij tegen Petri, nog steeds met de telefoon in zijn hand, klaar om te bellen.

Even later stormde Judison zijn hut binnen, terwijl de centrale van het Pentagon probeerde een UHF-verbinding met de HMS *Explorer II* tot stand te brengen.

'Admiraal, we hebben iets op de smalband, twee-vierenvijftig hertz, rich-

ting twee-negen-vijf. We moeten erachteraan.' De forsgebouwde commandant was nog buiten adem door zijn sprint tegen de ladder op, vanaf het tussendek.
'Stuur maar een of meer UUV's die kant op,' beval McKee. 'En lanceer een Mark 8 Sharkeye, maar hou de boot voorlopig op periscoopdiepte.'
Judison knikte en verdween om de UUV's (Unmanned Underwater Vehicles of onbemande onderwatervaartuigen) naar de *Snarc* te sturen, plus enkele Mark 8's – torpedohulzen met een acoustic daylight sonarontvangstmodule – die naar een vastgesteld punt koersten en daar bleven liggen. De sonarsensors van de Sharkeye luisterden de zee af boven en onder de spronglaag, waardoor het bereik van de boordsensors met honderden mijlen toenam. Anders dan de stationaire Sharkeyes bleven de UUV's in beweging, als geruisloze verspieders. Met twee UUV's en twee Sharkeyes kon de *Hammerhead* rustig op periscoopdiepte blijven liggen en toch de zee verkennen tot op honderdduizenden meters naar het noordoosten, de richting van de *Snarc*.
'Hallo?' blafte admiraal McKee in de telefoon.

Kapitein-luitenant-ter-zee Peter Collingsworth van de Royal Navy tuurde uit de patrijspoort achter de commandoconsole aan boord van het diepzeevaartuig *Berkshire*, dat bij het ruim van het stoomschip *City of Cairo* lag afgemeerd. Hij had een lasbril op en volgde een hydraulische arm met een lasbrander, die zich door het roestige staal van het ruim vrat. Toen hij aan de onderste horizontale sectie van het vierkant begon, zoemde de intercom.
'Overste Collingsworth?' Het was de commandant van de *Explorer II*.
'Ja, Collingsworth. Over,' antwoordde hij geërgerd, terwijl hij zich op het lasapparaat probeerde te concentreren.
'Overste, ik heb een vreemd bericht voor u. We krijgen net een satelliettelefoontje, van de Amerikanen, nota bene.'
Collingsworth ging door met zijn werk. 'De Amerikanen bellen ons? Niet te geloven,' zei hij ten slotte.
'Blijkbaar komt het gesprek vanuit de Atlantische Oceaan, overste, van de Amerikaanse onderzeeboot *Hammerhead* uit de Virginia-klasse. De beller is een zekere admiraal McKee, de commandant van de Amerikaanse onderzeedienst.'
'Ga door, Knowles.' De snee langs de horizontale lijn was tot een kwart gevorderd. Over een paar minuten had Collingsworth het hele vierkant uitgesneden en kon hij voorbereidingen treffen om de plaat te verwijderen, zodat het zilver bereikbaar werd.

'Hij wil u spreken, overste.'
'Ik begrijp het, Knowles, maar waar gaat het over? En hebben we richtlijnen uit Londen voor dit contact?'
'Admiraal Baines is nog tot overmorgen met verlof, overste.'
Collingsworth besloot met de yank te praten en te horen wat die klootzak van hem wilde. 'Eén moment, Knowles. Je kunt hem zo meteen doorschakelen. Ik heb de plaat, Jenson. Maak de tijdelijke kraan maar los. Verdomme, er is veel te veel stof. Ik zie alleen maar troep, en de accu's hebben niet genoeg stroom meer om te wachten tot alles is schoongespoeld. We moeten later maar terugkomen.'
'Zullen we een snelle greep doen om te zien of we een kist met zilver te pakken kunnen krijgen?'
'Nee. Dan breekt die kist misschien en vliegen de munten alle kanten op. We zien morgen wel verder. Met de *Explorer II* boven het wrak zal niemand proberen om de buit onder onze neus weg te kapen. Ik kom naar boven, Knowles. Verbind die admiraal maar door.'
'Daar komt hij... drie, twee, een.'
'Admiraal McKee, kunt u mij verstaan?'
'Ik hoor u, overste Collingsworth. Heb ik u rechtstreeks aan de lijn? U spreekt met admiraal Kyle McKee. Zeg maar Kelly. Blij dat ik u tref, overste. Hoe verloopt de berging? Over.'
Collingsworth keek geïrriteerd. 'Admiraal, dit is kapitein-luitenant-ter-zee Peter Collingsworth. Zeg maar overste. Waar belt u over, admiraal? Wilt u het kort houden? Over.'
'Natuurlijk. Ik begrijp dat u het druk hebt. Maar we zitten met een klein probleem, op enige afstand ten noorden van uw positie, en we hebben uw hulp nodig. Zo snel mogelijk. Over.'
'Ik hoor u, admiraal, maar kunt u zich nader verklaren?'
'Overste,' vervolgde de stem via de radio, 'we weten uit betrouwbare bron dat u over een diepzeevaartuig en een autonome duikklok beschikt, aan boord van de *Explorer II*. Ik vrees dat we die onmiddellijk nodig hebben op twaalf graden noorderbreedte en drieëntwintig graden westerlengte, iets meer dan negentienhonderd mijl vanaf uw bergingsoperatie. Als u nu vertrekt, kunt u hier binnen twee dagen zijn. Er ligt een Amerikaans contingent klaar om u te ontvangen. Over.'
'Admiraal, ik weet nog steeds niet waar u het over hebt. Dus vraag ik u nog eens om wat voor probleem het gaat. Over.'
'Overste, dat vaartuig waarin u zich bevindt is ontworpen om overlevenden uit een gezonken onderzeeboot te redden, mag ik het zo zeggen?'

'Jawel, admiraal, dat is de eerste taak van de *Explorer II*, maar zolang we geen onderzeeërs hoeven te bergen gebruiken we het systeem voor andere zaken.'
'Kan ik mijn superieuren dan melden dat u onderweg bent?'
Collingsworth liep rood aan in het vage licht van het diepzeevaartuig. 'Admiraal, u hebt nog altijd geen antwoord gegeven op mijn vraag. Ik zal dit gesprek moeten beëindigen, vrees ik.'
'Overste, ik heb het u zojuist uitgelegd, als ik me niet vergis.'
Collingsworth aarzelde. 'Admiraal, moet ik daaruit opmaken dat het om een gezonken onderzeeboot gaat?'
'Peter, laat ik het zo stellen. Als je nu op de coördinaten lag die ik je noemde, op een diepte van elfduizend voet, zou je een groot metalen object zien, met verspreide wrakstukken en een luid geklop vanuit dat metalen object. Begrijp je wat ik bedoel?'
Collingsworth streek over zijn baard. Allemachtig, dacht hij. De yanks hadden een sub verspeeld in de Atlantische Oceaan en vroegen hem nu om de overlevenden te komen redden. Er viel geen minuut te verliezen. Hij keek op zijn paneel en belde met Jenson.
'Jenson, breng ons onmiddellijk naar boven. Tien voet per seconde, dan kunnen we binnen achttien minuten aan de oppervlakte zijn. Knowles, dit is Collingsworth op kanaal twee. Over.'
'Zeg het maar, overste. We kunnen vrijuit spreken.'
'Knowles, hou je gereed voor vertrek, zo snel mogelijk. Start alle turbines, zodat we over twintig minuten onderweg kunnen zijn. Stel de zeewacht in en zet een koers uit naar twaalf graden noorderbreedte, drieëntwintig graden westerlengte, volle kracht vooruit. En waarschuw de wachtofficier van de admiraliteit, op de tactische frequentie. Nu meteen. Ik kom naar boven, dan praten we verder. Duidelijk?'
'Jawel, overste. Gereedmaken voor vertrek. Begrepen.'
'Admiraal McKee, dit is Collingsworth. U zult begrijpen dat we u niet zomaar te hulp kunnen komen zonder orders van de admiraliteit. Uit persberichten krijg ik de indruk dat de minister-president niet helemaal te spreken is over de Amerikanen. Ik zou al grote problemen kunnen krijgen door alleen maar met u te overleggen op deze mooie middag.'
'Overste Collingsworth, de president is bereid rechtstreeks met de premier te spreken over deze zaak.'
'Admiraal, ik neem het met mijn superieuren op, maar ik kan u niets beloven.'
'Peter, wil je in elk geval alvast vertrekken met de *Explorer II*? Je kunt altijd

weer omdraaien als je bazen bezwaar maken.' De stem van de admiraal klonk smekend.
Collingsworth knikte. 'Goed, admiraal. We gaan op weg. Maar u begrijpt dat ik elk moment tegenorders kan ontvangen van de admiraliteit. Over een uur neem ik weer contact met u op. Collingsworth, over en sluiten.'
De Engelsman leunde tegen het schot van het diepzeevaartuig en schudde zijn hoofd. Lieve god. Het ene moment dacht hij nog aan niets anders dan kisten met zilver op de bodem van de zee, het volgende moment werd hij geconfronteerd met een gezonken onderzeeboot en mensen die konden sterven als hij maar één minuut zou aarzelen. Volhouden, yanks, dacht hij.
'Overste, ik heb de wachtofficier van de admiraliteit aan de lijn.'
'Verbind hem maar door.'

20

Om vijf uur in de ochtend stopte de limousine van admiraal Chu Hua-Feng voor de Hal van het Volk in Beijing. Hij slikte eens en stapte uit. De wandeling naar de vergaderzaal van de partijsecretaris leek een eeuwigheid te duren.

In de rijkversierde zaal zaten de leden van het politbureau al op hem te wachten. Hij nam plaats aan het eind van de tafel, tussen generaal Fang Shui, de opperbevelhebber van het Volksbevrijdingsleger, en admiraal Dong Niet, de hoogste man van de marine.

'Ga zitten,' zei Fang. 'Leiders, u kent allemaal admiraal Chu Hua-Feng, de commandant van de onderzeevloot.'

'Zit iedereen op zijn gemak?' vroeg premier Baolin Nanhok op suikerzoete toon.

'Jawel, meneer,' antwoordde de generaal uit naam van de anderen.

'Goed. Misschien wilt u dan samen met ons een film bekijken, een zeer onderhoudende film?'

De lichten doofden en op een groot scherm was een digitale film te zien. Admiraal Chu zag vol ontzetting hoe de schepen aan de horizon een voor een explodeerden in felle lichtflitsen. Wolken van oranje vuur stegen naar de hemel totdat de zee een woud van kleurige paddestoelen leek. Aan het einde van de film vocht Chu tegen tranen van woede en verdriet om al die slachtoffers... zijn kameraden, duizenden, allemaal dood.

'Wie heeft dit gedaan?' vroeg de minister van Defensie, leider Di Xhiou, rustig en vriendelijk. Toen er geen antwoord kwam, sprong hij uit zijn stoel overeind en schreeuwde: 'Wie heeft dit gedaan?'

Chu schraapte zijn keel toen duidelijk werd dat admiraal Dong niet van plan was iets te zeggen. 'Leider Di, we kunnen aannemen dat het Amerikaanse vliegkampeskader verantwoordelijk is voor deze slachting. Of hun onderzeeërs. Of allebei.'

'Onderzeeërs waartegen uw eenheden onze vlootgroep moesten beschermen, admiraal Chu? Een vliegkampeskader dat uw boten tot zinken hadden moeten brengen?'
Chu overwoog zich te verdedigen, maar wilde deze vergadering liever zo snel mogelijk achter de rug hebben, zodat hij zijn gevangenisstraf – of het vuurpeloton – onder ogen kon zien.
'U hebt gelijk, meneer de minister. In beide opzichten.'
'U bent het dus met ons eens dat u gefaald hebt in uw missie?'
'Dat is juist.' Chu staarde naar het tafelblad. 'Uit naam van de onderzeevloot betuig ik mijn welgemeende spijt en neem de volledige schuld op me voor deze ramp.'
Het bleef even stil voordat leider Di weer het woord nam.
'Heren, misschien is er toch nog hoop voor het Volksbevrijdingsleger.' Chu keek de minister van Defensie aan. 'We hebben hier één eerlijke militair, één man met karakter, een eenzame man die zich niet aan zijn verantwoordelijkheid onttrekt zoals hij hier voor ons zit. Vice-admiraal Chu, u zult zich deze dag misschien herinneren als het dieptepunt uit uw carrière, de dag waarop onze vlootgroep tot zinken werd gebracht door een onzichtbare vijand. Maar het is ook de dag waarop u het bevel kreeg over het restant van onze marine. U bent hierbij benoemd tot vlootadmiraal. Dong, wilt u hem uw sterren overhandigen?' Twee Rode Gardisten kwamen de zaal binnen en stelden zich op aan weerszijden van admiraal Dong. Dong stond op, trok de epauletten van zijn schouders en schoof de sterren over de tafel naar Chu toe. Minister Di keurde hem geen blik waardig toen hij door de Gardisten werd afgevoerd. Nog één keer keek Dong over zijn schouder naar Chu, met een droevige blik in zijn donkere ogen – ogen die zich binnen een uur voor eeuwig zouden sluiten.
Chu slikte. 'Jawel, meneer. Dank u, meneer.'
'Nu ter zake. Vlootadmiraal Chu, ons offensief verkeert in moeilijkheden. U hebt nu het bevel, maar over een gehavende vloot. Wat zijn uw plannen?'
'Ik zal de schepen in een ASW-formatie laten varen, in een willekeurig zigzagpatroon, op weg naar de Indische Oceaan. En ik stuur mijn onderzeeboten vooruit om naar aanvallers te zoeken.'
Di knikte. 'Goed. Veel succes met uw vloot. Maar ik waarschuw u, admiraal. Als we een tweede eskader verliezen is deze oorlog al voorbij voordat hij goed en wel begonnen is.'
'Jawel, meneer,' zei Chu. 'Mag ik mijn onderzeeboten losmaken uit de groep voor een vergeldingsactie tegen de aanvallers? Nu ze het eskader niet

meer hoeven te escorteren kunnen ze voorwaartse acties uitvoeren, met de kans om wraak te nemen.'
Minister Di staarde hem aan met dode ogen waaruit geen enkel meegevoel sprak. 'U hebt een week. Stel ons niet teleur. Maak uw commandanten duidelijk dat ze niet in handen van de Amerikanen mogen vallen. Elke boot in verloren positie zal zichzelf moeten vernietigen, zonder overlevenden. De commandant heeft orders zichzelf door het hoofd te schieten.'
'Jawel, meneer,' zei Chu. 'Als de gelegenheid zich voordoet, kan ik dan een geheime onderzeebootactie tegen Amerikaanse doelen uitvoeren?'
'Wat bedoelt u, Chu?'
Chu gaf een verklaring van tien minuten over de verovering van de Amerikaanse onderzeeër *Snarc*. 'Die is nooit in de Indische Oceaan aangekomen, zoals de bedoeling was, omdat het meer tijd kostte om haar onder controle te krijgen. Maar ik kan de boot nu naar de oostkust van de Verenigde Staten sturen. Daar bevindt zich het hoofdkwartier van de marine, in Norfolk, Virginia, met de vlootbases. De boot zou in ondiep water kunnen afwachten om de terugkerende vloot in een hinderlaag te lokken.'
De leden van het politbureau vroegen hem een moment de zaal te verlaten. Chu ijsbeerde nerveus door de gang tot ze hem terugriepen.
'Heeft die robotonderzeeër ook kruisraketten aan boord?'
'Jawel, minister Di.'
'En kan hij Amerikaanse regeringsgebouwen raken, zoals het Witte Huis, het Capitool of dat vervloekte Pentagon?'
'Eh, jawel, meneer.'
'Doe dat dan, vlootadmiraal Chu. U kunt gaan. Hou ons op de hoogte.'
'Dank u, meneer.' Di knikte. Chu stond op, maakte een buiging voor de groep en verliet haastig de zaal.
In zijn dienstauto keek Chu zijn jeugdige chef-staf grimmig aan. 'Bel Sergio. Ik heb een nieuwe missie voor zijn robotsub, aangenomen dat hij weet waar de boot nu uithangt.'

'Een-Nul-Zeven, breng de boot naar mastdiepte,' beval Krivak. De computer antwoordde niet langer, maar volgde wel zijn orders op. Toch betwijfelde Krivak of de *Snarc* bereid was om nog eens een wapen op een Amerikaanse boot af te vuren. Als de computer zich zo schuldig voelde over de aanval op de *Piranha*, hoe zou hij dan reageren op het bevel om een heel Amerikaans eskader onder vuur te nemen?
Toen ze op periscoopdiepte lagen, met een zuidelijke koers, zette Krivak de interfacehelm af en wachtte tien minuten tot hij weer aan de fysieke wer-

kelijkheid gewend was. Toen de wereld niet langer voor zijn ogen draaide richtte hij zich op en kwam langzaam overeind, met een misselijk gevoel in zijn maag.

'Wang, schakel onze radio naar de BRA-44-antenne en stel de juiste frequentie in. Daarna heb ik een paar minuten privacy nodig.'

Het kostte wat tijd om de beveiligde satellietverbinding met Beijing tot stand te brengen, maar eindelijk kreeg hij toch contact met de generale staf van het Volksbevrijdingsleger en kwam admiraal Chu Hua-Feng aan de lijn. Krivak en Chu wisselden de persoonlijke codes uit die ze hadden afgesproken om elkaar te identificeren en een valstrik te vermijden. Vervolgens meldde Krivak wat er was gebeurd en verontschuldigde zich dat het zo lang had geduurd om de *Snarc* naar de Indische Oceaan te krijgen.

'Dat excuus komt te laat,' zei Chu. 'Maar u kunt iets anders doen voor mij en voor de Volksrepubliek. Ik wil de Amerikanen een emotionele slag toebrengen die nog harder zal aankomen dan die terreuraanslag op New York, jaren geleden. Zelf heb ik niet de middelen om veel schade aan te richten, maar deze generatie Amerikanen mag onze strijd niet vergeten. Ligt de Amerikaanse kust nog binnen het bereik van uw kruisraketten?'

'Ik zal het controleren, admiraal, maar volgens mij liggen we minstens een week varen bij enig serieus doelwit vandaan. De raketten hebben een actieradius van ongeveer vijfduizend kilometer.'

'Hoeveel hebt u er?'

'Twaalf, admiraal.'

'Met plasmakoppen? Is er een mogelijkheid om ze in fusiebommen te veranderen?'

'Uitgesloten, admiraal. Ze liggen in een ballasttank en wij hebben niet de middelen om er op zee nog aan te sleutelen. Dan zouden we een haven moeten opzoeken die voldoende geoutilleerd is om...'

'Nee. Dan doen we het met plasmakoppen. En snel. We moeten zo veel mogelijk schade aanrichten met onze beperkte vuurkracht.'

'Wat is mijn doelwit dan?'

'Ik wil een aantal Amerikaanse symbolen vernietigen, zodat het Amerikaanse volk dezelfde pijn zal voelen als ik heb moeten verdragen om mijn land. U richt die kruisraketten op het Witte Huis, het Capitool, het Pentagon, het Vrijheidsbeeld, het Empire State Building, Independence Hall en de Sears Tower. En als vergelding tegen de Amerikaanse marine vuurt u ook raketten af op het vloothoofdkwartier in Norfolk en het hoofdkwartier van het Unified Submarine Command, aan de overkant. Ook neemt u de onderzeebootbases in Groton, Connecticut, en de onderzeeboothaven

van de marinebasis Norfolk onder vuur. Het laatste doelwit is het graf van John Paul Jones in de kapel van de Marineacademie in Annapolis. Twaalf raketten, twaalf doelwitten. En u vuurt alle wapens gelijktijdig af, zodat de kustverdediging van de Amerikaanse luchtmacht niet meer kan ingrijpen.'
'Laat dat maar aan mij over, admiraal. Maar zodra ik die raketten heb afgevuurd moet ik van boord. Ik kan een standaardkoers naar de Golf van Bohai programmeren, maar natuurlijk zal de Amerikaanse marine de plaats van de lancering vinden en de hele omgeving met wapens verzadigen. Daar blijft niets van over.'
'Veel succes, Krivak.'
Chu verbrak de verbinding. Krivak schakelde de radio uit en daalde de ladder af om Wang te zeggen dat hij klaar was. Daarna klom hij weer op de interfacebank.
'Een-Nul-Zeven, markeer onze positie op de wereldkaart, met een cirkel die het bereik van de Javelin-kruisraketten aangeeft.' Krivak bestudeerde de kaart. 'Zet nu een koers uit waardoor Washington DC, New York, Philadelphia, Chicago, Groton en Norfolk binnen de cirkel komen.' De route verscheen op de display. 'En bereken de tijd die het ons kost om die cirkel te bereiken, met een gemiddelde snelheid van dertig knopen.'
Het tijdstip verscheen op het punt waar de route de cirkel kruiste: maandagmiddag plaatselijke tijd. Met een vluchttijd van twee uur per raket zou hij de doelen nog voor het einde van de werkdag kunnen treffen. Ideaal, precies op tijd voor het avondnieuws.
Krivak maakte zich los van de interface en verbond zijn satelliettelefoon met de antenne. Pedro's nummer stond onder een voorkeurtoets. Terwijl hij wachtte voelde hij de boot zachtjes in de golven deinen, op periscoopdiepte.
'Ja?' kraakte de stem van Amorn.
'Amorn, met mij.'
'Wie zegt u?'
'Amorn, ik ben het, Krivak. Aan boord van de *Snarc*, verdomme.'
'Ja, meneer, ik hoor u nu.'
'Luister goed. Huur een motorjacht, een snelle boot, en vaar naar de coördinaten op de Atlantische Oceaan die ik nu oplees.'
Amorn noteerde de lengte- en breedtegraden van de lanceerpositie.
'Wanneer kun je daar zijn?'
'De Falcon staat klaar. We kunnen een jacht vanuit Bermuda nemen, dan zijn we er zondagavond.'
'Zorg dat je niet later bent dan maandagochtend twee uur. Als je te vroeg

bent, wacht dan op me. Ik moet nog één ding regelen voordat ik van boord ga.'
'We zullen er zijn.'
'Dan zie ik je daar, kerel. Tot dan.'
Krivak legde de hoorn neer en beklom de ladder naar de interfacemodule, waar hij zich weer op de bank installeerde. Toen hij met de boot verbonden was, gaf hij Een-Nul-Zeven bevel om te duiken en op weg te gaan naar het afgesproken punt. Het dek helde naar voren toen de boot onder de golven verdween en accelereerde tot vijfendertig knopen.

Commandant Lien Hua en eerste officier Zhou Ping renden naar achteren, waar de technisch officier, leider Dou Ling, op een rubberen mat stond, met rubberlaarzen en rubberen handschoenen, voor het geopende krachtstroompaneel van de elektrische installatie. Hij had een touw om zijn middel gebonden, als een gevangene. Het uiteinde werd vastgehouden door twee elektrotechnici die op veilige afstand stonden.
'Kun je het repareren?' vroeg commandant Lien.
Dou spuwde zijn opgerookte sigaret tegen het dek. Zijn antwoord klonk een beetje geïrriteerd. 'Commandant, óf het lukt, óf ik krijg 480 volt in mijn reet, waarna u mijn knisperig gebakken lijk uit een torpedobuis kunt schieten. Mag ik me nu concentreren als ik mijn hand achter het paneel steek?'
'Ga uw gang, leider Dou.'
De chef machinekamer tastte in de opening, zo voorzichtig alsof hij een diamanten ketting onder een laserinbraakalarm vandaan probeerde te stelen. Met een sleutel met rubberen handvat schroefde hij zorgvuldig een koperen bout van een koperen stroomrail en haalde de geblakerde rails toen een voor een uit de kast. Daarna was hij nog twee uur bezig. Toen hij zich eindelijk oprichtte van het paneel, was zijn overall doordrenkt met zweet.
'Hoe staat het ermee?' vroeg Zhou Ping.
'Niet zo best, Zhou,' bulderde Dou. 'Anders zou ik mijn nek toch niet wagen in een kast die onder spanning staat? En laat je me nou eindelijk met rust?'
Zhou liep rood aan van woede, maar hij kon weinig doen. Als Dou het probleem met het elektrische paneel niet verhielp – plus de vijftig andere storingen die door de inslag van de Amerikaanse torpedo waren ontstaan – zouden ze hier nooit meer vandaan komen en een gemakkelijke prooi vormen voor een van die andere rondsluipende Amerikaanse onderzeeërs,

of zelfs voor een kruisraket van achter de horizon.
'Ik ga nu naar voren,' zei Zhou. De technisch officier snoof. De commandant had de man moeten berispen; hij had te veel praatjes, vond Zhou. Maar Lien had net zoveel vertrouwen in die klootzak als in Zhou.
Zhou liep terug naar de benauwde commandocentrale. De batterijverlichting wierp een vaag en onregelmatig schijnsel door de ruimte. Ze konden niet eens duiken om zich voor de Amerikaanse satellieten te verbergen totdat Dou klaar was met zijn werk in de machinekamer. Zhou had een onheilspellend voorgevoel en overwoog zijn moeder een afscheidsbrief te schrijven. Maar zo'n brief zou toch maar op de bodem van de zee terechtkomen of bij de volgende torpedoaanval tot as verbranden.

Het duikvaartuig *Narragansett* naderde de derde locatie die door de sidescan-sonar vanaf de oppervlakte als veelbelovend was aangeduid. Het eerste contact had zich ontpopt als een rotsrichel, het tweede als het onbekende wrak van een stoomschip, roestig en troosteloos naar bakboord gezakt, met de drie pijpen nog reikend naar de oppervlakte op een diepte van 745 meter. Het schip had een gat in de romp, waarschijnlijk veroorzaakt door de torpedo van een Duitse U-boot. De vaarroute aan weerszijden van Kaap de Goede Hoop was een scheepskerkhof. Stormen en oorlogen hadden hun tol geëist onder schepen van elke generatie, sinds de tijd dat de mens voor het eerst naar zee was gegaan.
Luitenant-ter-zee Evan Thompson minderde snelheid toen het derde object zich duidelijker aftekende in de troebele omgeving. Het lag op zijn zij tegen een rotsachtige heuvel. Het bleek de commandotoren van een onderzeeboot te zijn, die van de romp was afgescheurd. De zeebodem eromheen lag bezaaid met wrakstukken. Thompson meldde de vondst via de radio, terwijl de videobeelden van zijn camera's via de kabel werden doorgegeven aan het bergingsschip *Emerald*, dat op het kalme water aan de oppervlakte dobberde. Hij volgde het spoor van de wrakstukken, terwijl de bodem overging van gesteente in sediment, tot hij bij een zandhelling kwam. In het felle licht van zijn schijnwerpers leek de helling te verschillen van de omgeving. Het zand vertoonde golven met regelmatige intervallen van een meter. Het leek glad, met een uitstulping aan één kant. Op Thompsons console knipperde een alarmlichtje van de sonar. Hij haalde een tuimelschakelaar over en schakelde de sonar naar de luidspreker in het plafond. Het geluid was onmiskenbaar: een hamer op metaal, heel regelmatig, met steeds een seconde tussen de slagen.
'*Narragansett* aan *Emerald*,' meldde hij zich.

'Ga uw gang. Over.'
'Ik hoor hamerslagen met een interval van één seconde, afkomstig van een grote heuvel in het zand. Ik ga er nu heen om te zien of ik een boot kan ontdekken.'
'Begrepen. Wordt er met de hand gehamerd?'
'Nee. Daarvoor klinkt het te mechanisch. Waarschijnlijk is het een noodbaken. Het geluid is zojuist gestopt. Over. Noteer de tijd.'
'Begrepen. Nul-zes-drieënveertig.'
De *Narragansett* had helaas vrij primitieve grijparmen, maar toch moest Thompson ermee door de zandheuvel kunnen graven om te zien of hij op metaal stuitte.
Voorzichtig kwam hij dichterbij en stak de grijper in de modder. De arm bleef hangen. Thompson wist niet of het door het taaie zand kwam of dat hij metaal had geraakt. Hij probeerde het nog eens, in een rechtere hoek ten opzichte van het sediment. Nu was er geen twijfel meer mogelijk: hij had iets stevigs geraakt. Er klonk weliswaar geen gerinkel, maar het zand dempte elk geluid van de grijper tegen staal. Thompson trok de arm terug en beschreef een cirkel met de DSV om de grootte te bepalen van deze kunstmatige heuvel op de zeebodem.
'*Narragansett* aan *Emerald*. We hebben de romp van een boot gevonden,' meldde Thompson zakelijk, in de wetenschap dat zijn radio- en videoberichten door hogerhand zouden worden beluisterd en bekeken. 'Ik heb weer wat hamerslagen gehoord. Ik zal proberen akoestische detectors op de buitenkant aan te brengen om het geluid nauwkeuriger te lokaliseren.'
Het volgende uur was Thompson bezig om hydrofoons op de glooiende helling te plaatsen, die naar het gehamer luisterden en een driehoekspeiling uitvoerden om de exacte positie vast te stellen. De *Emerald* zou een onderwatertelefoon aan een kabel laten zakken. Het apparaat bestond uit een zenderhydrofoon, verbonden met een versterker aan een kabel naar het oppervlakteschip. Via de hydrofoon zou de stem van iemand aan de telefoon door de romp heen kunnen dringen. En als iemand in de boot schreeuwde, werd het geluid door de ontvangerhydrofoon opgepikt, versterkt en aan het oppervlakteschip doorgegeven. Het was een primitief systeem dat vaak te onduidelijk werkte voor een echt gesprek, maar in elk geval zouden ze de overlevenden moed kunnen inspreken.
Terwijl Thompson op de onderwatertelefoon wachtte, veegde hij een deel van het metalen oppervlak schoon, zodat de romp vrijkwam. Vervolgens laste hij een oog op de romp en haalde daar een kabel doorheen. Dat was zoiets als een draad door een naald proberen te steken met wollen wanten

aan, maar na twintig minuten lukte het hem toch. Hij maakte de kabel aan de romp vast en bevestigde een boei aan het andere uiteinde. De boei steeg omhoog naar de oppervlakte om de plaats van het wrak te markeren voor het geval ze vanwege slecht weer hun plek zouden moeten verlaten.
Thompson was drie uur bezig om de onderwatertelefoon te installeren. Het ging met vallen en opstaan, omdat hij de juiste plaatsen voor de hydrofoons moest vinden om een duidelijk signaal uit de boot te krijgen. De kans was groot dat het zou mislukken, omdat zoveel factoren het geluid konden vervormen. Maar zijn collega bij het Woods Hole Oceanographic Institute had een computerprogramma geschreven dat onduidelijke transmissies filterde om er toch iets verstaanbaars van te maken. Toen hij klaar was met de onderwatertelefoon werd het tijd voor de *Narragansett* om een poging tot contact te wagen. Thompson schakelde de microfoon in en vroeg langzaam en duidelijk: 'Is dit de onderzeeboot *Piranha*?'
Met spanning in zijn maag wachtte hij op een reactie.

Commandant Rob Catardi schoot overeind in het donker. Het enige licht kwam van een instrumentenpaneel.
'Commandant,' zei Pacino, die over hem heen gebogen stond, 'ik hoorde een klopsignaal op de romp.'
Catardi voelde zijn hart in zijn keel bonzen. 'Laat dat baken constant hameren,' beval hij.
Een zwaar geluid dreunde plotseling door de DSV, van buiten de boot. Het was duidelijk herkenbaar als een stem, maar ze konden de woorden niet verstaan. Catardi en Pacino begonnen luid te roepen naar het plafond. De stem klonk opnieuw, maar zweeg toen weer. Ze hoorden schrapende geluiden, totdat de stem een halfuur later nog eens door de romp galmde.
'Is... dit... de... onderzeeboot... *Piranha*?'
Catardi stak een vinger op. 'Laat mij maar,' zei hij zachtjes tegen Pacino. Hij keek omhoog en riep, duidelijk articulerend: 'Dit is commandant Rob Catardi van de onderzeeboot USS *Piranha*. Kunt u me verstaan?'
Een stilte, en toen: 'Begrepen... wij... verstaan... u.'
'Komt u ons redden?' vroeg Catardi.
'Nog niet,' antwoordde de galmende mannenstem. 'Wij zijn de DSV *Narragansett* van de marine. Wij moeten uw positie bepalen. U zult worden gered door een Brits diepzeevaartuig. De Britten kunnen hier over zevennul uur zijn. Over.'
Zeventig uur... Catardi liet zich moedeloos op het dek zakken. Hadden ze wel voldoende stroom en zuurstof om het zo lang vol te houden?

'*Narragansett*, dat moet sneller. Ik herhaal, dat moet sneller. We redden het geen zeventig uur meer. De batterij raakt leeg en het is ijzig koud hier. De medische hulpmiddelen zijn bijna op en we hebben nog maar zuurstof voor twee dagen. U zult ons binnen achtenveertig uur moeten redden, of nog eerder. Over.'
'*Narragansett* aan *Piranha*. Dat is begrepen. We zullen het doorgeven. Zit u in het diepzeevaartuig?'
'Ja. We zitten in de commandomodule van de DSV in het SPEC-OP-compartiment. Ik denk dat de romp van de onderzeeboot is beschadigd en gebroken, maar de DSV is nog stabiel. Over.'
'Begrepen, *Piranha*. Hebt u een lijst van overlevenden en hun medische toestand? Over.'
Dat werd een kort lijstje, dacht Catardi, terwijl hij de gevraagde informatie gaf.
'We hebben de lijst genoteerd, commandant. We zullen een expert van DynaCorp naar u doorschakelen om te zien of hij u instructies kan geven over de instelling van het systeem, om zo veel mogelijk stroom en zuurstof te besparen. Hou u gereed. Over en sluiten.'
Wat moesten ze in godsnaam doen? vroeg Catardi zich af, maar hij glimlachte tegen Pacino.
'Misschien komen we hier toch nog vandaan,' grijnsde hij.
'Ik hoop het, commandant.'
'Hoe is het met Alameda en Schultz?'
'Nog steeds bewusteloos. Ik zou het prettiger vinden als ze wakker werden. Als ze een hersenbeschadiging hebben opgelopen komen ze misschien nooit meer bij.'
'Laat ze maar slapen. Als ze bijkomen, ademen ze ook sneller. We halen die achtenveertig uur niet eens. Jij en ik moeten ook proberen om te slapen tot die technicus van DynaCorp zich meldt via de onderwatertelefoon.'
'Ik denk niet dat ik kan slapen, commandant, maar ik zal het proberen.'

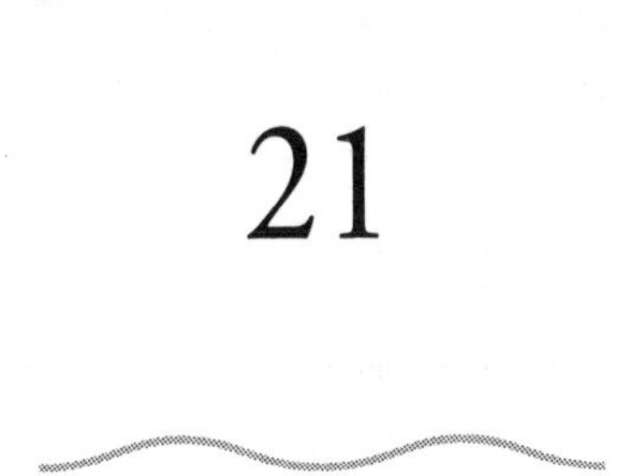

21

Overste Kiethan Judison vloekte toen hij de display van de vuurleidingsconsole bekeek. De *Snarc*, doelwit Een, lag nog meer dan 240.000 meter naar het noordoosten, ver buiten schootsafstand, en haar snelheid was hoger dan die van de *Hammerhead*, zelfs als ze naar maximaal vermogen zouden schakelen, ten koste van de reactor. Als admiraal McKee de telefoon zou hebben neergelegd toen Judison het hem vroeg, had de *Snarc* nooit zo'n voorsprong kunnen nemen.
Maar nog zorgwekkender was de nieuwe koers van de *Snarc*, naar het noordwesten. Er was geen enkele reden voor de robotsub om die kant op te gaan. Judison stormde de centrale uit, rende de trap op naar zijn hut en pakte een globe, een ceremonieel cadeau van een onderzeebootcommandant van de Britse marine, de laatste keer dat ze in Faslane waren geweest. Met de sepiakleurige globe in zijn ene hand en een vetkrijtje in de andere kwam hij de vip-hut binnen op het moment dat McKee weer zat te bellen.
'Wilt u de hoorn neerleggen, admiraal,' zei Judison dringend.
McKee staarde hem aan en legde de telefoon neer.
'We zijn de *Snarc* kwijt. Ze is buiten bereik van de Mark 58 én de Vortex.'
'Ze vaart rond Kaap de Goede Hoop. We kunnen onze onderzeeboten in de Indische Oceaan opdracht geven de *Snarc* te onderscheppen op het moment dat ze...'
'Nee, dat kan niet. Dit is onze positie.' Judison ramde het vetkrijtje tegen de globe, op een punt ten noorden van de evenaar, voor de Afrikaanse kust van Senegal. 'Hier liggen wij.' Hij zette nog een stip, een paar millimeter van de eerste, wat verder naar het noordoosten. 'En daar vaart de *Snarc* nu, in richting twee-negen-nul. Ik zal die koers even doortrekken.' Judison legde een velletje papier tegen de globe en gebruikte dat als liniaal. Hij trok een lijn met het vetkrijt en gaf de globe toen aan McKee.

De admiraal pakte hem aan zag waar de lijn eindigde. 'O, god, ze is op weg naar de Amerikaanse oostkust.'
'Ze probeert binnen schootsafstand van de Atlantische kust te komen en wij kunnen niets doen om haar tegen te houden. Al onze oppervlakteschepen en onderzeeboten liggen in de Indische Oceaan of de Oost-Chinese Zee. We hebben niets meer over om onze eigen kust te verdedigen, behalve wat kotters van de kustwacht. En vermoedelijk zal de *Snarc* haar wapens een heel eind uit de kust afvuren.'
McKee dacht even na. 'Niet ál onze onderzeeërs zijn op zee,' zei hij toen. 'We hebben er nog een aan de oostkust.'
'Welke boot mag dat zijn?' vroeg Petri.
'De SSNX,' antwoordde McKee.
'Maar, admiraal, zelfs áls de SSNX zou kunnen uitvaren, hebben we geen torpedo's of Vortex-raketten meer in het depot,' wierp Petri tegen. 'Die zijn allemaal aan boord van de onderzeeboten of liggen in de ruimen van de tenders, op weg naar het oorlogsgebied.'
'En we hebben geen commandanten,' merkte Judison op. 'Sinds die aanslag van vorig jaar zomer hebben we zo weinig hoge officieren over, dat alle beschikbare mensen al op zee zitten. Ik zou niemand aan de oostkust weten die het commando van de SSNX op zich zou kunnen nemen, zelfs áls we nog wat torpedo's hadden.'
'O, jawel, Kiethan. We hebben daar een uitstekende man voor een onderzeebootactie. De beste die je zou kunnen wensen. Hij is alleen enigszins... overgekwalificeerd.'
Judison staarde McKee onnozel aan.
'We zullen de SSNX gebruiken om luchtsteun te dirigeren. De boot krijgt gezelschap van P-5 Pegasus ASW-vliegtuigen. Ik weet dat de meest parate onderdelen overzee zitten, maar er staan nog minstens twee toestellen in de hangars, voor reparatie. De SSNX en de P-5's kunnen de *Snarc* lokaliseren en de luchtmacht naar de juiste plaats brengen om een paar plasmabommen af te werpen.'
'Of de SSNX zou de Tigersharks kunnen gebruiken, admiraal,' opperde Judison.
McKee maakte een wegwerpgebaar. 'Die verrekte dingen werken niet en keren zich altijd tegen de eigen boot. Ik zal de SSNX opdracht geven ze aan boord te nemen, als verdediging in noodgevallen, maar ik ga uit van een gezamenlijke operatie van marine en luchtmacht. Vrachtvliegtuigen kunnen eerst een aantal Mark 12 acoustic daylight modules afwerpen in de baan van de *Snarc*. Dan kunnen we haar route naar de oostkust volgen. Als

ze haar koers wijzigt, raken we haar kwijt, maar als ze op weg is naar een geschikte lanceerpositie hebben we haar in de tang. En laat me nu even met rust, zodat ik Patton kan bellen op dit ding.'

Michael Pacino, admiraal buiten dienst, vice-president van Cyclops Carbon Systems en projectleider van Project Mark 98 Tigershark, zette een pet van de USS *Tampa* op, deed zijn zwarte labrador aan de riem en rende even later met de hond over het harde vlakke strand van Sandbridge Beach, Virginia. Vanaf het huis jogde hij naar het zuiden. Het was halfvijf. Als de zon opkwam boven de Atlantische Oceaan zou hij naar het noorden teruggaan en een douche nemen voordat hij naar de werf vertrok. Hij begon in een rustig tempo, terwijl de hond grijnzend naar hem opkeek. Langzaam verhoogde hij zijn snelheid en sprintte een paar kilometer langs de donkere silhouetten van de huizen aan zijn rechterhand.

Hij had zijn ogen half dicht onder het lopen, met zijn verstand op nul, toen de hond blaffend zijn aandacht trok. Drie huizen verderop langs het brede strand gingen opeens een paar lampen aan die hem recht in zijn gezicht schenen. Hij hoorde het geluid van stationair draaiende motoren en zag dat de schijnwerpers waren gemonteerd op trucks die op het strand stonden geparkeerd. Boven zijn hoofd hoorde hij het ratelende geluid van een helikopter, die met knipperende boordlichten snel naderbij kwam en op het strand achter de trucks landde. De hond gromde en zette zijn haren overeind toen hij langzaam naar de trucks liep. Het silhouet van een man met een hoed met brede rand doemde voor Pacino op. Zijn gezicht en zijn kleren waren niet goed te onderscheiden tegen het felle licht.

'Politie, meneer. Wilt u zich bekendmaken?' vroeg een zware stem. Pacino probeerde de ogen van de man te zien.

'Pacino. Michael Pacino. Ik woon een paar kilometer verderop. Wat is de bedoeling?'

'Meneer Pacino, wilt u met ons meekomen?' De agent nam de hondenriem van hem over. De labrador protesteerde luid, maar liet zich toch aaien door de politieman.

'Het is goed, Bear. Rustig maar,' zei Pacino sussend.

Twee andere agenten brachten Pacino naar de gereedstaande politiehelikopter, die opsteeg in een wolk van zand. De hond blafte woest toen het toestel naar het noorden draaide, zijn neus omlaag drukte en snelheid maakte. De huizen van Sandbridge flitsten voorbij en verdwenen in de verte.

'Wat is er aan de hand?' vroeg Pacino.

De copiloot draaide zich om en keek hem aan. 'Ik zou het werkelijk niet weten, meneer. De wachtcommandant zei dat we u moesten oppikken om u naar de werf van Newport News te brengen.'
De helikopter vloog over Virginia Beach en ten slotte over de Elizabeth en de James River naar het Hampton-schiereiland. Even later naderden ze het heliplatform van Newport News. De piloot zette het toestel op het beton en schakelde de motor uit. In het schemerlicht van de bewolkte ochtend klom Pacino uit de helikopter. Hij voelde zich wat belachelijk in zijn bezwete joggingpak, maar zette zijn petje op en liep in de richting van twee mannen die hem stonden op te wachten met een truck van de werf. Hij vroeg nog eens wat er aan de hand was, maar kreeg opnieuw geen antwoord. Zwijgend stapte hij achter in, en de wagen reed naar het kantoor van droogdok twee. Pacino stapte uit en wilde naar de ingang lopen, toen hij een vreemd geluid hoorde. Hij liet zijn twee metgezellen staan en rende naar de rand van het dok. Verbijsterd staarde hij naar het tafereel beneden hem.
Het geluid was de diesel van een sleepboot die het caisson – de reusachtige ingang tot het droogdok – naar de rivier sleepte. Het dok was volgelopen en de SSNX lag in het water, wat een wonder mocht heten omdat er nog twintig gaten moesten worden gedicht voordat de boot zelfs maar waterdicht was. Nog verontrustender waren de kranen en alle drukte aan de voorkant, waar het wapenluik openstond en een Mark 98 Tigershark achterwaarts in de boot verdween. Aan de andere kant van het dok stond een vrachtwagen met een platte laadbak waarop nog drie torpedo's lagen te wachten. Inmiddels bestonden er twintig prototypen van de Tigershark en Pacino vroeg zich af waar de rest was... al aan boord of nog in de Tigershark-productiehal?
Zijn metgezellen pakten hem bij de arm en brachten hem naar een kleedkamer op de begane grond van het gebouw. Mooi zo, dacht hij. In elk geval een kans om zich om te kleden. Hij nam een douche, droogde zich af bij zijn kastje en had net een linnen broek en een poloshirt aangetrokken, toen de deur werd opengegooid en een stuk of tien marineofficieren binnenkwamen. Admiraal John Patton sloot de rij. Hij kwam naar Pacino toe en knikte grimmig.
'John,' zei Pacino, nog meer verbaasd over de onverwachte verschijning van het hoofd Marineoperaties dan door de activiteiten in het droogdok. 'Admiraal Patton... wat gebeurt hier allemaal? Het moet wel belangrijk zijn, anders was u niet hier.'
Patton schudde ernstig zijn hoofd en draaide zich om naar zijn assistenten

en de mensen van de werf, die de hint begrepen en de kleedkamer verlieten. 'Patch, we zitten met een ernstige situatie,' begon Patton. 'Bereid je voor op slecht nieuws. De *Piranha* is tot zinken gebracht en jouw zoon was aan boord.'

Tien minuten later wreef Pacino zich nog eens in zijn rode ogen en vroeg: 'Begrijp ik het nou goed? Er is dus een kans op redding?'

'Een kleine kans, Patch, maar inderdaad. Als de Britten op tijd zijn kunnen ze de overlevenden van de *Piranha* naar de oppervlakte brengen.'

'In minder dan een week? Heel onwaarschijnlijk, John. Je hoeft me niet te sparen. Die vervloekte *Snarc* die jullie uit de vingers is geglipt, heeft mijn zoon gedood. Tenminste... dat is nog maar een kwestie van tijd.' Pacino stond op, sloeg hard met zijn vuist tegen zijn kastje en greep zijn hand vast. De pijn was nog geen fractie van zijn verdriet om Anthony Michael. 'Ik moet erheen. Kun je me aan boord krijgen van die *Explorer II*?'

'Dat zou wel lukken, Patch, maar dat doe ik niet. Ik heb andere plannen voor je.'

'John, neem me niet kwalijk, maar wat kan er belangrijker zijn dan mijn eigen jongen?'

'Ga zitten,' zei Patton, wijzend naar een bank. Hij deed het hele verhaal.

'Maar dat is krankzinnig, John. Ik kan niet met de SSNX naar zee. Het is jaren geleden dat ik het commando had over een onderzeeboot, en de laatste heb ik verspeeld in de Labradorzee. Jezus, John, ik zit niet eens meer bij de marine.'

'Vanaf vanochtend nul-vierhonderd heb ik je met een pennenstreek weer in de rang van kapitein-ter-zee geïnstalleerd. Sorry dat ik je je sterren niet terug kon geven; dat ging niet op zo'n korte termijn.'

'Wat kan mij dat schelen? Het is een idioot plan. Bovendien heeft de SSNX al een bemanning en een commandant.'

'Die commandant is nieuw. Hij komt net van de opleiding en hij heeft altijd op de werf gewerkt. De bedoeling was dat hij de testvaarten van de SSNX zou begeleiden en daarna het commando zou overdragen aan iemand met gevechtservaring. Hij is "gedegradeerd" tot XO en daar heeft hij vrede mee.'

'Goed,' zei Pacino met een blik op zijn horloge, terwijl hij zich afvroeg hoe snel een supersonische jager hem naar de plek kon krijgen waar de *Piranha* was gezonken. 'Vervang hem dan door iemand met de juiste kwalificaties.'

'Die hebben we niet, zeker niet iemand die een daadwerkelijke oorlogssituatie heeft meegemaakt.'

'Dat doet me ergens aan denken. Je hebt helemaal geen torpedo's,' zei Pacino. 'Alleen de Tigersharks, maar die werken niet. Ik zag dat ze aan boord werden geladen van de SSNX, die nog lang niet klaar is om naar zee te gaan...'
'De Tigersharks zijn een noodoplossing om de boot te beschermen in een wanhoopssituatie. Je kunt ze niet tegen de *Snarc* gebruiken, dat is te gevaarlijk.'
'Jij wilt dus de SSNX gebruiken voor een gezamenlijke operatie met de P-5's van de marine en vrachtvliegtuigen van de luchtmacht om de *Snarc* te bombarderen? Weet je wel hoe achterlijk dat klinkt? De SSNX zou op periscoopdiepte moeten varen, met de *Snarc* onder de spronglaag. Dan raakt de SSNX haar kwijt. De *Snarc* weet te ontkomen, de bommen komen op de verkeerde plaats in zee terecht en de *Snarc*, inmiddels gewaarschuwd, brengt de SSNX tot zinken. En dan vergeten we nog maar even dat de *Snarc* een akoestische voorsprong heeft op de Virginia- en Seawolf-klasse, en dus ook op de SSNX. Daar komt bij dat wij de missie van de *Snarc* niet kennen en dat niemand enig idee heeft waar de boot nu is.'
'Correctie, Patch, op beide punten. De *Snarc* heeft twaalf kruisraketten met plasmakoppen aan boord en vaart in een rechte lijn naar Washington. Wij staan machteloos. We hebben geen enkele andere onderzeeboot aan de oostkust – ook geen andere marineschepen, trouwens. Dus we zijn kwetsbaar voor een aanval met kruisraketten. Onze enige mogelijkheden zijn de *Hammerhead*, voor de kust van Afrika, die de *Snarc* nu achtervolgt voor het geval ze snelheid mindert, en de SSNX, hier in het dok. We zullen de *Snarc* dus moeten insluiten en misschien zelfs moeten opjagen naar de *Hammerhead*, die klaarligt met zijn Mark 58's. Maar één ding staat vast, Patch. Als we de *Snarc* niet te pakken krijgen schiet ze onze oostkust in puin.'
Pacino staarde hem aan en dacht diep na. 'Die kruisraketten van de *Snarc* zijn gewone plasmawapens. Laat ze die maar afvuren. De luchtmacht en de marineluchtvaartdienst moeten in staat zijn om met een AWACS en onderscheppingsjagers die kruisraketten te volgen en uit te schakelen. Geen probleem.'
Patton schudde zijn hoofd. 'We praten over twaalf plasmawapens, Patch. Eentje is al genoeg om het Empire State Building of de beurs in New York te vernietigen. Wat dacht je van het effect op de aandelenmarkt? Stel dat het Witte Huis wordt getroffen door een Javelin Block IV? Wat zou dat betekenen voor het moreel van de natie? En wat zouden de politieke gevolgen zijn als er vier of vijf raketten door onze verdediging breken? Na die aanslag van vorig jaar zomer op dat cruiseschip zitten we niet op een vol-

gend incident te wachten. De president zou oneervol ontslag moeten nemen. Patch, wij hebben die kruisraketten zodanig ontworpen dat ze bijna onzichtbaar zijn. Ik betwijfel of onze eigen eenheden ze kunnen ontdekken, tenzij we precies weten waar en wanneer ze worden gelanceerd. Zou jij dat risico nemen als je in mijn schoenen stond?'

Pacino keek naar de grond. 'Nee. Ik zou de SSNX sturen, met de beste commandant die ik had.'

'Patch, laat je vrouw naar je zoon toe gaan en neem zelf deze missie op je. Over zestig seconden loop ik door die deur naar buiten en geeft mijn adjudant me een mobiele telefoon voor een gesprek met de president. Als de president weer ophangt, zullen de hoogste mensen van de regering en de strijdkrachten – ik ook – uit Washington worden geëvacueerd. Ik moet nu een antwoord hebben. Je kunt de missie accepteren of niet. Als je weigert, stuur ik een onervaren commandant naar zee en moeten we er maar het beste van hopen. Als je ja zegt, mag je zelf de nieuwe naam van de SSNX bepalen. Het is jouw keus. Over een uur vertrekt de boot.'

Pacino glimlachte, heel even maar. 'Ik mag de naam kiezen?'

'Ja. Je hebt de vrije hand. Als je maar ja zegt en met die boot vertrekt.'

'Dan wordt het weer de *Devilfish*. Ik ben niet bijgelovig.'

De deur van de kleedkamer ging open en een van Pattons assistenten stak zijn hoofd naar binnen. 'Admiraal, ik heb de president aan de telefoon.'

'Kan ik haar zeggen dat je het doet?'

'Akkoord, John. Op één voorwaarde. Zodra dit achter de rug is draag ik de *Devilfish* weer over aan haar toekomstige commandant en breng jij me per helikopter naar een boot die zo snel mogelijk bij de *Explorer II* kan zijn. Vanaf dat moment ben ik weer een gewoon burger.'

'Weet je, Patch, generaal MacArthur is na zijn periode als chef-staf ook nog teruggekomen om hele legers aan te voeren. Ik kan je je sterren teruggeven. We kunnen je goed gebruiken.'

'Ik zet er een streep onder, John. O, en nog iets. Als mijn zoon terugkomt uit het graf van de *Piranha*, ontsla je hem uit de marine. Zijn moeder heeft gelijk; hij hoort niet op zee.'

Patton grijnsde. 'Afgesproken.' Hij knipte met zijn vingers. De assistent bracht de telefoon en een kakiuniform aan een kleerhanger. Pacino's gouden dolfijntjes en lintjes zaten al op hun plaats, compleet met een commandospeld van de onderzeevloot op het rechter borstzakje. De doodskop met de beenderen glinsterde splinternieuw. Patton drukte Pacino stevig de hand. 'Veel succes, Patch. Reken af met de *Snarc* en ga dan je zoon halen.'

Het was een raar gevoel voor Pacino om het uniform weer aan te trekken.

Maar toen hij in de spiegel keek en de vier strepen op zijn schouders zag, in plaats van sterren, voelde het toch ook weer vertrouwd. Alleen die kop van een halve eeuw oud, met dat witte haar, paste niet bij een marinecommandant. Hij zou deze ene klus opknappen en onmiddellijk weer teruggaan naar zijn eigenlijke werk. En dat bracht hem op een gedachte: een nieuwe tactiek voor de Tigersharks, iets waar hij nooit eerder op was gekomen. Als het lukte, zou hij het gevecht met de *Snarc* kunnen winnen.
Hij stapte het kantoor uit en beklom de loopplank naar de onderzeeboot. Blijkbaar had Patton het bericht al doorgegeven, want op het moment dat hij voet aan dek zette blèrde de intercom: '*Devilfish* aan boord!' Pacino probeerde zich te verzetten tegen de emoties die dat bij hem opriep: een gevoel van trots, en het besef om weer thuis te komen, werkelijk thuis. Maar die euforie verdween onmiddellijk toen hij aan Anthony Michael dacht, gevangen op de bodem van de Atlantische Oceaan in een koud en bedompt diepzeevaartuig.

De Air Force One verhief zich met bulderende motoren vanaf startbaan twee-zeven en klom naar het noordwesten. De luchtmachtbasis Andrews beneden hen werd snel kleiner toen ze de oostelijke tak van de DC-beltway kruisten en het toestel zijn kleppen in de vleugels terugtrok.
President Warner klikte de video in haar kantoorcabine uit en keek admiraal John Patton aan.
'Zal het Pacino lukken, admiraal?'
'Ik zou het eerlijk niet weten, mevrouw de president. Maar als hij het niet kan, kan niemand het.'
'Generaal Everett,' richtte Warner zich tot de chef-staf van de luchtmacht, een reus van een kerel met een haakneus en vuurrood haar.
'Mevrouw?' antwoordde hij met de stem van iemand die twee pakjes per dag rookte.
'Staan uw radarsurveillancevliegtuigen en onderscheppingsjagers klaar om eventuele kruisraketten vanuit zee onschadelijk te maken?'
'Mevrouw de president, vanaf nu zou je nog geen voetbal het strand op kunnen schoppen zonder dat je door een F-16 wordt geraakt met een Mongoose-hittezoeker. Wij zijn er klaar voor, mevrouw.'
Patton keek naar de president om te zien of ze wist dat de generaal wel erg optimistisch was.
'En de steun aan de marine?'
'We zijn bezig met hun... hoe heten die dingen, admiraal?'
'Mark 12's, generaal. De Mark 12 PLD-AD-SSA, Passive Long Distance

Acoustic Daylight Sonar Sensor Array. Ze wegen twee ton, je werpt ze aan een parachute in zee en ze luisteren de hele omgeving af tot op een diepte van vijfduizend voet. Alles binnen een cirkel van vijftig tot zeventig mijl wordt opgemerkt. De gegevens worden verzonden via een kabel met een antenneboei.'

'Juist. We zijn dus bezig die Mark 12's aan boord te laden. Binnen de komende twaalf uur worden ze afgeworpen boven zee.'

'Goed. En als u me nu wilt excuseren, heren? Ik moet even bellen met de Engelse minister-president, die een beetje boos op me is.'

'Waar wachten we op, XO?' vroeg Michael Pacino ongeduldig.

'Voortstuwing en sleepboten, commandant,' zei kapitein-luitenant-ter-zee Jeff Vermeers tegen Pacino op de brug van de SSNX, die recent was omgedoopt tot *Devilfish*. Vermeers was de beoogde commandant, die had moeten wijken voor Pacino. Hij was een ijverige marineman, een compact gebouwde, absurd jeugdig ogende officier met steil achterovergekamd blond haar, kleine blauwe ogen en een vierkante kaak. Hij had een overschot aan energie, waardoor hij een kwieke, bijna springerige indruk maakte, met een geforceerde vrolijkheid die Pacino al snel op de zenuwen werkte. Zijn handen trilden toen hij de verrekijker naar zijn ogen bracht en de vaargeul verkende.

'Manoeuvres aan commandant,' kraakte de luidsprekerbox op de brug. 'Voortstuwing overgebracht op de hoofdmotor, gereed voor alle instructies.'

Pacino stond op de flying bridge boven op de commandotoren. 'Wachtofficier,' riep hij omlaag naar de luitenant-ter-zee derde klasse, een vrouw die Chris Vickerson heette. Als de ex-commandant van de boot en huidige XO er al jong uitzag, leek Vickerson helemaal een schoolmeisje, met haar korte rossig-blonde haar onder een petje van de SSNX, haar dopneus en haar sproeten, die vreemd contrasteerden met de karakteristieke zonnebril van de onderzeebootofficier. En ze was vrouw. Toen Pacino bij de marine vertrok waren onderzeeboten nog uitsluitend door mannen bevolkt geweest. Die ochtend was hij wakker geworden met een baan bij een defensiebedrijf en een gezonde zoon. Tegen het einde van de dag bleek zijn zoon in levensgevaar te verkeren en was hij terug bij de marine als commandant van een onderzeeboot met dezelfde naam als de boot die hij onder de poolkap had verspeeld, en met een bemanning die aan een gemengd schoolklasje deed denken.

'Jawel, admiraal!' blafte Vickerson, alsof hij een soort dictator was.

'Zeg maar commandant,' merkte Pacino droog op. 'We gaan vertrekken.'
'Maar de sleepboten dan, commandant?'
Pacino keek vanaf zijn hoge positie op haar neer in de kuip. Ze had het nog niet begrepen, dacht hij. 'Wachtofficier, u hebt twee keuzes. U kunt deze boot naar zee brengen alsof dit een oorlog is en geen oefening, óf u kunt de wacht aan mij overdragen, dan doe ik het zelf wel.'
Vickerson slikte en antwoordde wat bibberig: 'Ja, commandant. Aye aye, commandant.' Ze keek hulpzoekend naar Vermeers, pakte toen de microfoon van de brug en zei zachtjes: 'Brug aan roerganger. Halve kracht vooruit.'
'Volle kracht,' verbeterde Pacino, met de verrekijker voor zijn ogen.
'Maar, commandant...'
'Laatste kans, wachtofficier,' zei hij. Vickerson slikte nog eens.
'Brug aan roerganger. Volle kracht vooruit, koers een-zes-nul. Commandant, de snelheidslimiet op de rivier is vijftien knopen.'
'Genoteerd, wachtofficier,' zei Pacino, die zich op zijn lip beet om een grijns te onderdrukken. Al die groentjes hier waren doodsbang voor zijn grimmige kop. De boeggolf kwam bulderend omhoog tegen de kogelneus van de SSNX. Pacino's SSNX-pet met het goudstiksel werd door de harde vaarwind van zijn hoofd geblazen. Hij negeerde het en boog zich naar overste Vermeers.
'XO, wat is de status van de scheepssystemen?'
'Commandant, veertig systemen zijn nog uitgeschakeld met het oog op risico's, waaronder de torpedobuisinterlocks en de lanceermechanismen. We hebben de reactor en de stoominstallatie in het dok kunnen testen, en die zijn in orde, maar dat is het zo'n beetje. We zijn nauwelijks waterdicht en we kunnen niet dieper gaan dan honderdvijftig voet. De meeste lasnaden van het zeewatersysteem zijn nog niet eens doorgelicht. Het ergste is het Cyclops-systeem.'
'Hebben we sonar?'
'Ja, breedband en smalband, sleepsonar, boeg- en rompconfiguraties en acoustic daylight imaging... het systeem laat alles zien. Maar de vuurleidingsmodules liggen nog plat. We kunnen de computer niet gebruiken om een contact te volgen, de virtuele 3D-displays werken niet en we kunnen geen doelgegevens in de torpedobuizen invoeren. Niet dat we de buizen nodig hebben, want we hoeven alleen maar die bommenwerpers van de luchtmacht te dirigeren naar de plaats om hun explosieven af te werpen. De beveiligde UHF-verbindingen zijn trouwens ook nog niet on line.'
Pacino verkende de horizon door zijn verrekijker. Ze naderden het Thim-

ble Shoal Channel, met het lange lint van boeien aan weerszijden.
'Werken er mensen aan de torpedobuizen?'
'Nee, commandant,' zei Vermeers, die toch nog moeite had met die aanspreektitel.
'Vergeet de vuurleidingsdisplays – de UHF en de luchtmacht trouwens ook. Zorg dat we torpedo's kunnen afvuren uit alle vier de buizen.'
'Hoe moeten we dat doen zonder vuurleiding?'
Pacino gaf geen antwoord tot na de bocht van de vaargeul, waar ze het open water van de Atlantische Oceaan bereikten.
'Tigersharks,' zei hij ten slotte. 'Tigersharks hebben koolstofprocessors. Daarom hebben ze geen uitvoerige doelgegevens nodig, alleen een globaal idee van wat wij van ze willen.'
'O ja,' zei Vermeers, overdreven enthousiast. 'Dat gedoe met die vage logica.'
Pacino keek ontstemd, maar zei niets. Hij begon eraan te wanhopen dat zijn eerste officier het ooit zou begrijpen. Eindelijk scheen Vermeers Pacino's irritatie aan te voelen, want zijn gezicht betrok een beetje. 'Maar commandant, is dat niet strijdig met onze orders? De luchtmacht erbuiten laten?'
'XO, ik zal je wat zeggen. En ik zeg het maar één keer. Als je het commando hebt, doe je wat je zelf het beste vindt. Niet wat het handboek van de reactor zegt. Niet wat het handboek onderzeebootprocedures zegt. Niet wat het tactisch handboek zegt. Niet wat de marinevoorschriften zeggen. Niet wat Mao's rode boekje of de bijbel te melden heeft. Je volgt je hoofd en je hart. Je geeft leiding aan de boot en de bemanning en je voert je missie uit, ook al moet je daarvoor je orders negeren. Ook al verspeel je daarbij zelfs de boot. Ook al kost het je je leven, of – erger nog – je reputatie en je eer. Je doet wat je doen moet. Hier op zee ben jij de baas. Er is hier geen hof van beroep, geen admiraal, geen onderminister van Marine, geen president. Alleen jijzelf, de commandant. Vandaag ben ik dat, toevallig. En ik praat niet met een stel bommenwerperpiloten die het woord onderzeeboot niet eens kunnen spellen, laat staan dat ze er een zouden kunnen vinden in die eindeloze zee waarin hij zich verbergt. Vandaag doen we wat ík zeg, en ík zeg dat we alle buizen gereedmaken om Mark 98 Tigersharks af te vuren. Die mogen het zware werk opknappen. En als het stof is opgetrokken, varen we terug naar huis en dragen we de consequenties van onze beslissing om de orders in de wind te slaan.'
Vermeers staarde hem aan. 'Dat is makkelijk gezegd, commandant, voor een voormalige viersterrenadmiraal die na deze ene missie weer terug kan

naar een geregeld burgerbestaan. Maar voor een achtendertigjarige overste die weet dat de hele wereld over zijn schouder meekijkt, wachtend tot hij een fout zal maken, is het een heel ander verhaal.' Vermeers wachtte even en zag dat Pacino zijn hoofd schudde. 'Dacht u er ook zo over toen u voor het eerst uw eigen boot had?'
Pacino knikte plechtig. 'Jeff, zo heb ik carrière gemaakt. Je moet erachter komen wat je superieuren precies willen, wat hun doelstellingen zijn. Vervolgens doe je wat je weet dat je moet doen, niet wat ze zéggen dat je moet doen. Daar ligt het verschil. Dat is een van de geheimen van het commando op zee. Als je deze reis goed oplet, zul je er nog meer ontdekken.'
Vermeers knikte en tuurde naar de horizon, alsof hij Pacino imiteerde. Maar ten slotte kwam de oude Vermeers weer boven. 'Maar, commandant... ik weet dat u projectleider bent en zo, maar... die Tigersharks werken niet. Ze vallen de eigen boot aan.'
'O, maar uiteindelijk werken ze wel. Als ik ermee klaar ben.'
'Commandant,' zei Vickerson, en ze draaide zich om, 'de boot is de verkeersscheiding gepasseerd. Geschatte tijd tot aan het duikpunt bedraagt zes uur.'
'Dank u,' zei Pacino, terwijl hij afdaalde van de flying bridge en het rooster naar de toegangstunnel opende. 'XO, ik verwacht u en de navigator in mijn hut.'
Hij liet zich in de tunnel zakken. De bedwelmende geuren van de boot en de zee riepen al die oude sensaties weer bij hem op, alles wat hij zo lang had gemist. Maar hij weigerde zich aan die gevoelens uit te leveren, want diep in de Atlantische Oceaan blies zijn enige zoon misschien zijn laatste adem uit.

22

Commandant Lien Hua kwam de commandocentrale binnen en vond Zhou achter de commandoconsole. De XO zat wat te tekenen op een schrijfblok.
'Dou gaat de reactor starten,' zei hij. 'De batterij is weer on line.' De lampen boven hun hoofd kwamen tot leven en bleven branden. Het flakkerende, ongelijkmatige schijnsel van de noodlantaarns viel weg in het heldere licht. 'En we moeten duiken. Stel wachtsectie twee in en maak de boot gereed voor recht omlaag.'
Zhou Ping grinnikte. 'Jawel, commandant. Wachtsectie twee, gereedmaken voor recht omlaag.'
Vijftien minuten later voer de *Nung Yahtsu* weer onder water, op eigen kracht, en volgde een noordelijke koers in de richting van het tweede eskader. Ze hadden niet zo'n haast meer. Commandant Lien gaf opdracht tot acht knopen, een redelijke snelheid, waarbij de sonar nog maximaal zijn werk kon doen. Deze keer zouden de Amerikanen niet in het voordeel zijn omdat zij rustig en onopvallend de omgeving konden afzoeken terwijl de *Nung Yahtsu* gedwongen was op volle kracht door het water te stormen. Nu was het de beurt aan de *Nung Yahtsu* om de Amerikanen ongezien te besluipen.
Aan het eind van de voormiddagwacht had de boot het punt bereikt waarop de Amerikaanse onderzeeboot was gezonken. Commandant Lien liet de boot naar periscoopdiepte komen. Terwijl ze naar wrakstukken zochten – bewijzen van hun triomf, die ze aan de admiraliteit konden overleggen – verstuurden ze een actierapport aan admiraal Chu en haalden hun berichten op. Lien las ze door. Veel was het niet, omdat de admiraal dacht dat de boot verloren was. Lien besloot nog even op periscoopdiepte te blijven om te zien of de admiraliteit met nieuwe, dringende orders zou komen nu het

actierapport was ontvangen en duidelijk werd dat de *Nung Yahtsu* uit de dood was herrezen. Op dat moment zagen ze de Amerikaanse helikopter. Lien liet onmiddellijk de periscoop zakken en gaf orders dat de lens nog maar tien seconden per minuut boven water mocht komen.
Toen hij twee minuten later de Amerikaanse marinehelikopter nog eens observeerde, met zijn gezicht tegen de warme opticamodule van de periscoop gedrukt, viel het Lien op dat het toestel niet naar hen op zoek was met een dipping sonar, maar meer geïnteresseerd leek in de zee. Twee duikers sprongen eruit en even later werd er een draagmand neergelaten.
'Langzaam vooruit, koers nul-vier-nul,' beval Lien van achter de oogkap. 'Periscoop omhoog.' Woedend zag hij wat er gebeurde.
'Maak het luchtdoelgeschut gereed,' beval hij. 'Ons doelwit is de Amerikaanse helikopter die de overlevenden van onze onderzeebootaanval komt redden.'
'Luchtdoelbatterij gereed,' meldde Zhou Ping. 'De Conn heeft de besturing.'
'Richting en hoogte van het doelwit gemarkeerd,' zei Lien, met de periscoop nog steeds boven water, hoewel hij de tien seconden allang overschreden had. 'Wapen één... vuur!'
Geruisloos verhief de Victory II-luchtdoelraket zich vanuit de commandotoren in een wolk van stoom uit de gasgenerator en brak door de oppervlakte heen. De vaste raketstuwstof ontstak en het wapen schoot recht omhoog tot duizend meter, waarna het een sierlijke lus van mach 1.1 omlaag beschreef toen de infraroodzoeker de dubbele uitlaat van de helikopter ontdekte. De honderd pond aan explosieven die de raket aan boord had waren niet voldoende om de helikopter op te blazen, maar wel om ernstige schade aan te richten, waardoor een van de rotors in een vuurbol veranderde en het toestel onbestuurbaar werd. Door een explosie in de staartpijp van de tweede turbine boorden de turbinebladen zich dwars door de helikopter en sneden twee brandstofleidingen door. De hitte van de vuurbol deed de brandstof en de brandstoftanks ontvlammen en de Sea Serpent IV-helikopter ontplofte met de kracht van een ton TNT. Rotorbladen, stukken aluminium, besturingspanelen en menselijke resten werden ver over zee verspreid. De schokgolf vormde een aanslag op de trommelvliezen van luitenant-ter-zee eerste klasse Donna Phillips, in de eerste reddingsboot. Een fragment van de helikopter, anderhalve meter lang, scheerde over haar hoofd, met zoveel geweld dat ze dwars doormidden zou zijn gesneden als het wat lager had gevlogen. Een ander brokstuk boorde zich in de linkerflank van de reddingsboot.

Phillips staarde ontzet om zich heen. Het leven was plotseling veel ingewikkelder geworden.
'Recht omhoog,' beval Lien aan Zhou, die de order doorgaf aan de bootbesturingsofficier. De *Nung Yahtsu* kwam tot stilstand in het water van de Oost-Chinese Zee, terwijl het zweefsysteem de diepte constant hield. De besturingsofficier toetste een negatief dieptecijfer in en de boot steeg verticaal vanaf vijftig meter diepte naar de oppervlakte. Daar aangekomen bracht de besturingsofficier de snuiver omhoog, startte de hoofdcompressor en blies lucht in de ballasttanks. Binnen twee minuten konden ze veilig naar de kuip van de commandotoren klimmen.
'Boot verticaal gestegen, commandant,' meldde Zhou Ping.
'Stel de wacht in op de commandotoren,' beval Lien.
Zodra de twee mannen de steile tunnel naar de kuip van de commandotoren hadden beklommen, kreeg Zhou de positie van wachtofficier aan de oppervlakte. Hij gaf Lien een verrekijker.
'Kijk, commandant! Dat moeten de overlevenden zijn van de onderzeeboot die ons en het eskader heeft beschoten.'
Liens gezicht verstrakte terwijl hij door de kijker tuurde. 'Breng ons dichterbij, leider Zhou. Maar langzaam.'
Zhou bracht de microfoon van de kuip naar zijn mond en beval: 'Langzaam vooruit, koers drie-vier-nul.'
De boot bewoog zich langzaam in de richting van de reddingsboten, tot ze er nog maar een halve bootlengte vandaan waren. Lien staarde nijdig naar de overlevenden.
'Vaart nul,' beval Zhou in de microfoon. Toen wierp hij een vluchtige blik naar commandant Lien. 'En nu, commandant?'
Lien gaf geen antwoord. Hij staarde roerloos voor zich uit, alsof hij geen besluit kon nemen.
Zhous gezicht was een masker van woede. 'Commandant, we moeten zo snel mogelijk naar het tweede eskader toe, anders wordt het misschien aangevallen zonder onze bescherming.'
Lien bewoog zich nog steeds niet, verlamd door besluiteloosheid.
Zhou pakte een microfoon en gaf een instructie aan de centrale beneden. 'Haal de sleutel van de vuurwapenkast uit de hut van de commandant. Die ligt in zijn kluis. De combinatie is de datum van de officiële installatie van deze boot.' Die datum hoorde iedereen aan boord uit zijn hoofd te kennen. 'Haal vijf AK-80's met vijftien magazijnen.'
'Zhou,' zei Lien aarzelend. 'Wat doe je?'
Zhou keek hem grimmig aan. 'We kunnen ze niet gevangennemen, com-

mandant. Ik wil geen Amerikanen op onze boot, zeker niet deze smeerlappen die het eskader tot zinken hebben gebracht dat wij moesten beschermen. Ze zouden een poging kunnen doen de boot te veroveren. We maken het werk af dat de Tsunami-torpedo is begonnen.'

Lien keek zijn eerste officier met half toegeknepen ogen aan. Wat Zhou voorstelde was in strijd met de internationale verdragen en de ongeschreven wetten van de zee. Lien had gelezen over Duitse U-boten in de Tweede Wereldoorlog die hetzelfde hadden gedaan en dat had hij altijd veroordeeld. Hij had nooit verwacht dat de man die hij als zijn protégé beschouwde, tot zoiets in staat was, zelfs niet tegenover die verderfelijke Amerikanen.

'Commandant, u moet iets doen,' zei Zhou. 'Als u geen bevel geeft om ze te liquideren, dan onthef ik u van uw commando volgens onze marinevoorschriften voor het gedrag van bevelvoerende officieren op zee, sectie 23.'

Lien zuchtte, maar hij zei niets. Hij stond daar maar, starend naar de Amerikanen. Twee matrozen kwamen door de commandotoren naar boven om de geweren te brengen. Zhou richtte zich tot een van hen. 'Strijder Ling, plaats de commandant onder arrest. Ik ben gedwongen het gezag over de *Nung Yahtsu* over te nemen.'

De matroos staarde hem aan. Maar toen hij zag dat de commandant totaal niet reageerde, knikte hij en bond Liens polsen voorzichtig op zijn rug met een plastic kabeltje. Hij wilde de commandant al naar de opening van de tunnel duwen, maar de XO stond in de weg. De matroos aarzelde even en maakte een gebaar dat hij erlangs wilde.

'Hou hem maar hier tot we gaan duiken,' zei Zhou, met al zijn aandacht op de zee gericht.

Toen pakte hij een van de geweren en staarde naar de Amerikaanse overlevenden. Er kwam een verbeten uitdrukking op zijn gezicht.

Commandant George Dixon knipperde met zijn ogen toen hij overeind ging zitten. Hij leunde zwaar tegen luitenant-ter-zee Donna Phillips aan.

'Wat is er? Worden we gered?'

'Ik ben bang dat het de Julang is, commandant. Hij is blijkbaar niet gezonken, of de Chinezen hebben er meer dan één.'

'O, shit,' kreunde Dixon. 'Hebben we wapens in het overlevingspakket?'

'Twee .22-pistolen, commandant. Daarmee kun je wel een haai op afstand houden, maar tegen een Chinese onderzeeboot richten ze weinig uit.'

'O, god,' zei Dixon. 'Mijn moeder heeft me niet opgevoed om krijgs-

gevangene te zijn, en zeker niet van de Chinezen.'
'We redden het wel, skipper. Mijn grootvader was krijgsgevangene in Vietnam. Dat was lang niet zo erg als iedereen beweerde, zei hij,' loog Phillips tegen haar commandant. Haar grootvader was neergeschoten boven Hanoi en gevangengenomen. De werkelijkheid van het kamp was nog gruwelijker geweest dan de verhalen. Phillips probeerde diep adem te halen en vocht tegen haar opkomende angst en paniek. Als ze Dixon wat moed kon inspreken, zou zij kracht kunnen putten uit zijn grimmige, onverzettelijke kop.
'Goed, XO. Ze krijgen ons niet klein.' Hij tastte in zijn borstzakje onder het embleem met de dolfijntjes en pakte de gouden munt die hij van zijn vrouw gekregen had. Hij knipperde even met zijn ogen en borg de munt weer op. Phillips wachtte tot hij zich zou herstellen, maar hij sloot zijn ogen. Ze dacht eerst dat de spanning hem te veel werd, maar besefte toen dat hij het bewustzijn had verloren.
Luitenant Brett Oliver, die door de NSA aan boord van de *Leopard* was gedetacheerd, begon te beven van angst. 'XO,' zei hij met trillende stem, 'ze mogen me niet gevangennemen. Ik weet te veel. Ik ben een NSA-agent. Als ze me verhoren, sla ik door. Dan komen ze erachter dat we een alternatief verbindingsnet gebruiken en kunnen we de oorlog wel vergeten.'
'Stel je niet aan,' zei Phillips op harde toon, hoewel ze wist dat hij gelijk had. Ze probeerde een oplossing te bedenken, maar er wilde haar niets te binnen schieten.
'Geef me een .22,' zei hij.
'Wat wilt u daarmee, meneer Oliver?'
'Geef me dat pistool nou maar, XO.' De angstige blik in zijn ogen maakte opeens plaats voor vastberadenheid. Met tegenzin gaf ze hem het wapen.
'Gebruik het alleen als het niet anders kan,' zei ze.
'Vaarwel, Donna,' zei hij. 'Veel sterkte.' Hij liet zich achterwaarts van het vlot vallen en zwom weg, bij de Julang vandaan. Phillips keek hem na. Zijn hoofd was nauwelijks zichtbaar tussen de golven. Op het moment dat ze hem uit het oog verloor, hoorde ze het geluid van een enkel pistoolschot, galmend over het water.
'O, jezus,' zei ze, en ze liet haar hoofd in haar handen zakken.
Toen ze opkeek, was de Julang bijgedraaid, vlakbij. Phillips staarde verbaasd naar de onderzeeboot. Al die tijd was het een onpersoonlijk, ruitvormig symbooltje op een vuurleidingsdisplay geweest, met een vage herinnering aan een korrelige foto van de inlichtingendienst. Maar nu doemde de boot voor haar ogen op. In werkelijkheid leek hij zó groot, met een

hoge commandotoren en een veel bredere romp dan die van de *Leopard*. Op de brug kon ze een man of vijf onderscheiden, met bezemstelen in hun handen – of geweren.
Ze zag hoe de mannen op de brug hun wapens op het reddingsvlot richtten, van een afstand van dertig meter. Eindelijk drong het tot Phillips door dat ze van plan waren de overlevenden van de *Leopard* neer te schieten, in plaats van hen krijgsgevangen te maken. Instinctief slaakte ze een kreet.
'Bemanning! Alle hens! Overboord, nu!' Ze smeet Dixon over de rand, greep de man naast haar en liet zich ruggelings in zee vallen toen de eerste schoten over het water klonken.

Zhou Ping bracht de AK-80 omhoog. De kolf voelde zwaar in zijn hand. Iemand had er al een telescoopvizier op gemonteerd voordat het wapen naar de brug was gebracht. In de kruisdraden zag hij het dichtstbijzijnde reddingsvlot, met een vrouw naast een man die onderuitgezakt tegen de met lucht gevulde gele rand lag. De man had een gouden symbool op zijn borst: mogelijk een van de hogere officieren. Zhou schoof de veiligheidspal terug, klaar om te vuren, toen hij het geluid van een schot hoorde.
'Wat was dat?' vroeg hij, terwijl hij het geweer liet zakken.
'Ze schieten op ons, Eerste,' antwoordde matroos Ling. 'Doe iets!'
Zhou tuurde weer door het vizier, maar de mensen op het vlot doken al de zee in. Haastig zocht hij de hogere officier die hij eerder had gezien, richtte de kruisdraden op zijn borst en haalde de trekker over. Het wapen maakte een sprongetje en kuchte toen het een enkele kogel afvuurde.
'Zet hem op de automaat, meneer!' riep Ling.
'Waardeloos ding,' mompelde Zhou terwijl hij de schakelaar in de automatische stand zette en de overlevenden in de golven op de korrel nam. Met zijn vinger om de trekker besproeide hij het vlot en de omgeving met kogels totdat het magazijn leeg was.
De anderen vuurden nu ook. Zhou verving het magazijn en loste nog een salvo op de Amerikanen in het water.

'Verkenning, periscoop twee,' beval commandant Andrew Deahl vanaf de Conn van de USS *Essex*, de SSN uit de Virginia-klasse die admiraal McKee erop uit had gestuurd om de Julang te vinden voordat hij zich bij het tweede Rood-Chinese eskader kon aansluiten. Deahl stond achter de commandoconsole met de type-23-helm op zijn hoofd. De hele centrale was donker, ook al was het nog dag, zodat hij de zee beter kon zien door de zoeker van de periscoop. De officieren, die onmiddellijk de gevechtsposten had-

den bemand toen de sonar op grote afstand de Julang had ontdekt, wachtten zwijgend op de volgende orders. Op het moment dat de Julang, aangeduid als doelwit Een, naar boven was gekomen, had Deahl opdracht gegeven om de torpedo's in buis één en twee, die al klaarlagen voor een aanval, nog even achter de hand te houden. Eerst wilde hij zien wat er gebeurde.
'Diepte zeven-nul, snelheid nul, commandant.'
'Periscoop op.' Deahl bediende de joystick die tegen zijn pezige dijbeen zat gegespt, en de mast kwam uit de commandotoren omhoog. Deahl keek tegen de onderkant van de golven aan, met het computerbeeld afgestemd op de coördinaten van de Julang. Toen de lens boven het water uitkwam, meldde Deahl: 'Periscoop vrij. Ik zie doelwit Een aan de oppervlakte. Richting drie-nul-vijf, ingevoerd. Afstand drie stappen bij geringe versterking, drie-nul-voet. Dat is vijfhonderd meter, hoek tot de boeg een-twee-nul stuurboord. Attentie vuurleidingsteam, torpedoaanval opgeschort totdat we meer zicht hebben op de acties van doelwit Een. Ga door.'
'Waarschijnlijk heeft hij gewoon motorpech, de klootzak,' mompelde de XO, die uit Baton Rouge kwam, zoals duidelijk te horen was aan zijn accent.
'Commandant aan sonar,' zei Deahl in zijn microfoontje. 'Ziet u verlies van vermogen bij doelwit Een?'
'Sonar aan commandant, nee. Hij ligt stil, maar met voldoende vermogen.'
'Dat is het dus niet, XO,' zei Deahl. Andrew Deahl, een achtendertigjarige magere marathonloper, was een van de nieuwe gezagvoerders. Hij had de *Essex* twee maanden eerder overgenomen van een commandant die heel geliefd was geweest bij de bemanning, maar voorlopig verliep zijn commando heel anders dan hij zich had voorgesteld. De bevordering van XO tot commandant was een veel grotere stap dan het leek, en er waren momenten waarop hij ernstig aan zichzelf begon te twijfelen. De oorlog in de Oost-Chinese Zee maakte het er niet eenvoudiger op, maar in elk geval had Deahl leren vertrouwen op zijn eerste officier, hoewel het voor een New Yorker als Deahl niet meeviel om te leunen op een gladde zuiderling als Harlan Simoneaux.
'Commandant,' zei de XO, wat te luid, 'die mannen op de commandotoren hebben geweren. Ze schieten ergens op!'
'Krijg nou wat,' mompelde Deahl.
'Shit, commandant! Dit is de plek waar de *Leopard* is gezonken. Het zijn overlevenden!'
'Snapshot buis een, doelwit Een!' brulde Deahl. 'Anti-self-homing en anti-

circular run uitgeschakeld! Onmiddellijke actie, oppervlakte-inslag, high-speed actieve zoekmodus, direct contact!'
De buitendeur van buis één stond open. De Mark 58 Alert/Acute was een halfuur geleden al opgewarmd, met de doelgegevens ingevoerd, klaar voor de lancering. Het kostte de wapenofficier nog een seconde om de radicale instellingen in te voeren die noodzakelijk waren om een Mark 58 te laten exploderen op zo'n korte afstand. Bepaalde veiligheidsvoorzieningen moesten worden uitgeschakeld, anders zou het wapen zijn werk niet doen.
'Ingesteld!' meldde de XO eindelijk.
'Stand-by,' riep de wapenofficier, met zijn console gereed om te vuren.
'Schieten in aangegeven richting!'
'Vuur!' riep de wapenofficier. Het dek trilde en Deahls oren plopten door de lancering.
'Commandant, buis één elektrisch afgevuurd,' meldde de wapenofficier.
'Sonar aan commandant, torpedo eigen boot, normale lancering.'
De sonarchef had het nauwelijks gezegd of de lens van de type-23 werd wit en viel uit. Deahl knipperde met zijn ogen, maar de display van zijn helm bleef donker. Er was iets met de type-23-mast gebeurd, dacht hij. Op dat moment dreunde de klap van de explosie door de romp en begon de boot te dansen alsof hij door een moker was geraakt.
'Sonar aan commandant, explosie uit richting van doelwit Een.'
'Dat hadden we al gemerkt,' zei Simoneaux sarcastisch.
'Periscoop één omhoog,' zei commandant Deahl, terwijl hij de stuurboordperiscoop selecteerde met de schakelaar op zijn dijbeen. De tweede type-23 kwam uit de commandotoren omhoog, brak door de golven, en het volgende moment zag Deahl een grote oranje-zwarte rookwolk, waaruit een regen van wrakstukken op het water neerdaalde. Overal kwamen grote stukken metaal terecht.
'Doelwit Een verdwenen,' zei Deahl effen. Misschien had hij een grote fout gemaakt, want als er nog overlevenden binnen zestig meter van de Julang in het water lagen, zouden ze door de explosie aan flarden zijn gescheurd.
'Wachtofficier, recht omhoog!'

'Commandant, lichamen in het water, dertig graden uit de bakboordboeg!'
Overste Deahl loodste de *Essex* naar de positie die de wachtofficier aangaf en legde de boot stil.
'Stuur duikers het water in,' beval hij.
In de loop van de volgende twee uur zochten ze de omgeving van de gezonken Julang af en haalden vijfendertig lichamen uit het water, waaronder

twaalf doden. De rest was bewusteloos. Onder de overlevenden waren vijf Chinezen, van wie twee officieren, als Deahl hun rang goed interpreteerde. De doden werden in vuilniszakken naar de koelcel gebracht. De levenden gingen naar de mess. Deahl liet matrassen neerleggen en de tafels van het dek losschroeven om meer ruimte te maken. De ziekenverpleger, een oudere adjudant op zijn laatste reis, verzorgde de gewonden. Commandant Deahl keek toe vanuit een hoek van de mess totdat de verpleger naar hem toe kwam. De man wiste het zweet van zijn voorhoofd.
'Hoe staat het ervoor, chef?'
'Ze hebben allemaal geluk gehad, commandant. Heel wat snij- en schaafwonden, gebroken botten en een paar kogelwonden. Phillips, de XO van de *Leopard*, is er redelijk aan toe, afgezien van een kogel door haar bovenarm. Commandant Dixon heeft twee schotwonden in zijn schouder en een in zijn borst, met inwendige bloedingen, maar hij is stabiel.'
'Een kogel in zijn borst, en toch leeft hij nog?' vroeg Deahl.
'Hij had een souvenir in zijn borstzakje, een gouden medaillon of horloge of zoiets. Dat heeft zich om de geplette kogel van een AK-80 gevouwen en zijn leven gered. Anders zou hij recht in zijn hart zijn geraakt.'
'Wat een mazzel,' mompelde Deahl. 'En die Chinezen?'
'Die zijn er nog het best van afgekomen, commandant. Ze stonden op de commandotoren van de Julang en de explosie heeft ze het water in gesmeten. Een van hen is de commandant, zo te zien.'
'Wijs hem maar aan.'
De adjudant bracht Deahl naar de Chinese gezagvoerder. Vreemd, dacht Deahl. Met zijn ogen dicht, een deken over zich heen en een infuusnaald in zijn arm leek de Rood-Chinese officier zo onschuldig als een slapend kind – zeker niet de duivel die Deahl had verwacht. Het kwam door de oorlog, dacht Deahl. In vredestijd leek alles anders. Dan had de man gewoon een huis, een vrouw en kinderen, een geïrriteerde commandant, een boot die onderhoud nodig had, een bemanning die behoefte had aan gezag, en al die andere dagelijkse problemen. In zekere zin, besefte Deahl, had hij meer gemeen met deze Chinese officier dan met de gemiddelde burger thuis in Amerika.
'Bedankt, chef,' zei Deahl. 'Laat het me weten zodra iemand bij bewustzijn komt.'
Deahl liep terug naar de commandocentrale.
'We zetten koers naar het noorden tot we het tweede Chinese eskader hebben gevonden,' zei hij tegen de wachtofficier. 'En kijk verdomd goed uit naar andere Chinese onderzeeërs.'

23

Overste Rob Catardi zat huiverend achter het atmosfeerpaneel. Het systeem had goed nieuws voor hem over het gehalte aan koolmonoxide en kooldioxide, maar het probleem was de zuurstof, die nog maar 19,9 procent bedroeg en snel minder werd. Het zuurstofventiel stond helemaal open en er kwam geen molecuul gas meer uit. Catardi had de blauwdruk van de DSV erbij gehaald en het zuurstofsysteem gecontroleerd, in de hoop op een afsluitklep tussen de batterij van de commandomodule en het grotere vrachtruim. Tot zijn opluchting had hij inderdaad een klep gevonden. Hij volgde de leidingen aan het plafond tot aan het punt waarop de roestvrijstalen buis door het schot van de commandomodule verdween. Vlak voor die doorgang ontdekte hij de afsluitklep. Maar de klep stond open en de rest van het systeem was leeg. Hij opende en sloot de klep vier keer, maar zonder resultaat. Het was duidelijk dat ze hier beneden zouden stikken. Over tien uur, als het reddingsvaartuig arriveerde, zouden ze al bewusteloos zijn.

In afwachting van de DSV hadden ze zich zo rustig mogelijk gehouden, maar als die gearriveerd was, waren ze er nog lang niet. Het vaartuig zou door de vijf centimeter dikke stalen romp van de *Piranha* moeten snijden en een zware plaat boven de DSV moeten weghalen. Eén foutje met die uitgesneden plaat en hij zou boven op hen storten en hen verpletteren. Vervolgens moest het reddingsvaartuig een noodsluis tegen hun DSV lassen en de romp ervan opensnijden, dwars door al die kabels, buizen en leidingen heen. Natuurlijk zou de atmosfeer vergiftigd raken door toxische chemicaliën van de brandende kabelisolatie. Het was nog minstens een week werk voor de redders om tot de DSV door te dringen. Tegen de tijd dat ze binnen waren zou niemand van de bemanning van de *Piranha* meer in leven zijn.

Zelfs als ze genoeg zuurstof hadden, zou de kou hun noodlottig worden. Catardi zag zijn adem in wolkjes opstijgen. Hij had slechts één dunne nooddeken om zichzelf warm te houden; de overige had hij aan de anderen gegeven voordat ze in slaap waren gevallen in de ijzige commandomodule.

Catardi had zich altijd afgevraagd of hij het tijdstip van zijn dood vooraf wilde weten of dat het beter was om onverwachts te worden overvallen. Vijf minuten, dacht hij wel eens. Een waarschuwing van vijf minuten: genoeg tijd om afscheid te nemen, maar niet zo lang dat hij nog dagen in de greep van de angst zou leven. Nu het zo ver was, kreeg hij veel meer dan vijf minuten. Waarschijnlijk had hij nog tien of twaalf uur van bewustzijn over voordat het afgelopen was. Als ze de DSV hadden opengesneden, zouden ze nog slechts zijn lichaam vinden, stijf bevroren, net zo dood als het staal van de boot. Hij hurkte op zijn bed van isolatiemateriaal en wikkelde zich in zijn deken. Vanwaar hij zat kon hij de drie anderen zien, met hun adem als wolkjes waterdamp. Pacino was gaan slapen, zoals hem was bevolen. Schultz en Alameda waren niet wakker geworden – een slecht teken. Catardi zelf was na een uur of twee ontwaakt, te zenuwachtig om opnieuw de slaap te kunnen vatten.

Hij had de *Emerald*, het schip aan de oppervlakte, gezegd dat ze niet verder wilden praten, omdat ze dan wakker moesten blijven en te veel zuurstof zouden gebruiken. De *Emerald* had beloofd een manier te zoeken om zuurstof en stroom naar binnen te brengen, maar dat was veel te ingewikkeld. Bovendien scheen het weer aan de oppervlakte steeds slechter te worden door een naderende storm vanuit het oosten van de Atlantische Oceaan. Catardi had al uren geleden afscheid genomen van de vage stem en gevraagd om hem niet meer lastig te vallen. Valse hoop was erger dan helemaal geen hoop. Hij strekte zich uit op het isolatiemateriaal, bedacht zich toen en liep naar Pacino, Alameda en Schultz. Hij wilde hun gezichten nog eens zien om afscheid te nemen. Catardi stak een hand uit naar Pacino's voorhoofd en streek het haar van de jongen uit zijn ogen. Hij was tekortgeschoten tegenover de jonge adelborst, wist hij. Toen liep hij naar Carrie Alameda, die opeens een klein meisje leek als ze sliep. Hij raakte haar haar en haar wang aan, en keek toen naar Astrid Schultz, de knappe blondine op wie Catardi's vrouw nog knap jaloers was geweest toen ze aan boord van de *Piranha* kwam. Catardi streelde haar wang en bedankte haar in gedachten voor alles wat ze had gedaan, voordat hij afscheid van haar nam. Ten slotte liep hij weer naar zijn bed terug, trok de dunne deken tot aan zijn neus, keek nog één keer om zich heen en sloot zijn ogen.

Hij wist dat hij zich moest uitleveren aan de slaap, maar daar was hij te angstig voor. Zodra hij zijn ogen sloot, zou het afgelopen zijn. Dan zou hij nooit meer wakker worden. Hij wist wel dat het beter was om die laatste, afschuwelijke uren slapend door te brengen dan klaarwakker. Hij wilde niet bewust meemaken hoe de lichten zouden flakkeren en doven. Hij merkte dat zijn ogen vochtig werden, totdat het hem eindelijk lukte ze te sluiten. Hij moest wat rustiger ademhalen, zodat hij in slaap kon vallen. Maar steeds als hij indommelde begon zijn hart in zijn keel te bonzen en sloeg de angst weer toe. Er was maar één ding wat hem rust gaf, en dat was de gedachte aan Nicole, zijn dochtertje. Catardi vroeg zich af wat ze nu deed. Hij hoopte dat ze niet naar het nieuws keek en om hem moest huilen. Waarschijnlijk zouden ze de ondergang van de boot wel geheimhouden totdat dit alles achter de rug was. Hij treurde om het verlies van haar foto, die aan de wand van zijn hut had gehangen en waarschijnlijk was verpulverd toen de eerste torpedo aan boord explodeerde.
Catardi liet zijn gedachten de vrije loop. Hij stelde zich voor dat hij uit deze koude, donkere, stalen doodskist kon ontsnappen om naar de oppervlakte te stijgen en boven het water uit te vliegen, hoog boven de Atlantische Oceaan, totdat hij ten slotte zijn eigen huis zou kunnen zien, waar hij met Sharon en Nicole had gewoond, lang geleden. Hij herinnerde zich dat hij in de zomer een keer aan de voordeur was gekomen, toen Nicole naar buiten rende, haar armen om hem heen sloeg en 'Papa, papa, papa!' riep. Hij had haar opgetild en haar naam gezegd. Daarna hadden ze elkaar nagezeten in de tuin, en verstoppertje gespeeld en paardje gereden en al die andere spelletjes gedaan waar ze zo van hield. Tegen de avond had hij haar mee naar binnen genomen en al haar lievelingsverhalen voorgelezen, met de rare stemmetjes die ze leuk vond, afgewisseld met de grappige liedjes die hij voor haar had bedacht. Hij had geluisterd hoe ze giechelde, totdat hij een kus op haar voorhoofd drukte en haar had gezegd dat ze moest gaan slapen. Nog één keer voelde hij haar armen om zich heen, voordat hij een stap terug deed en keek hoe ze in slaap viel. Pas toen ze rustig ademde had hij het licht uitgedaan. Daarna had hij nog een tijdje naast haar bed gestaan, in het donker, om zeker te weten dat er geen monsters waren om haar te plagen.
Toen Catardi zelf in slaap viel, liep er een spoor van tranen over zijn wangen, vanaf zijn slapen naar zijn warrige, grijze haar.
Buiten de onbeschadigde romp van de DSV lagen de restanten van de *Piranha* begraven in het sediment op de bodem, met slechts enkele plekken die waren schoongeveegd voor de hydrofoons. De kabels van de

hydrofoons en de boei liepen vanaf het donkere wrak naar de oppervlakte, waar het inmiddels avond was. Er stonden geen sterren aan de bewolkte hemel en de golven werden opgejaagd door de aanwakkerende wind, waardoor de kabels trilden en zongen tegen de achtersteven van het bergingsschip *Emerald*, voordat ze in het ruim verdwenen. Tussen de tijdelijke consoles in de mess zat luitenant-ter-zee Evan Thompson achter een paneel en volgde de geluiden vanuit de DSV. Het was al een tijdje stil, afgezien van wat gedempte voetstappen over de dekplaten, toen een zacht gesnik en daarna niets meer. Ze lagen te slapen of ze waren bewusteloos, dacht Thompson. Hij zette zijn koptelefoon af en zuchtte, met zijn hand over zijn ogen, voordat hij een kop koffie accepteerde van de steward.
De Britten naderden sneller dan verwacht. Ze zouden hier bij het eerste ochtendlicht kunnen zijn, maar voorlopig konden ze weinig uitrichten. De storm werd erger. De commandant van de *Emerald* maakte al plannen om de hydrofoonkabels los te koppelen en terug te keren naar de haven, als het weer echt zo slecht werd als was voorspeld. Dan moesten ze uitwijken naar het noorden, bij de storm vandaan. Thompson hoopte dat ze lang genoeg konden blijven om de operatie aan de Britten over te dragen, maar de bemanning van de *Emerald* was uiteindelijk verantwoordelijk voor de veiligheid van het schip. Ze moesten zelf beslissen. Thompson zette de koptelefoon weer op, legde zijn hoofd op de tafel met de hydrofoonconsole en sloot zijn ogen. Dat leek hem de beste houding om te gaan slapen, voor het geval ze hem zouden roepen.
De nacht verstreek. De *Emerald* deinde op de golven, maar vanuit het wrak van de USS *Piranha* werd geen enkel geluid meer vernomen.

Commandant Lien Hua draaide zich op zijn zij en nestelde zich tegen zijn kussen. Het geluid van de klimaatregeling, die koele lucht door de hele boot blies, werkte sussend als altijd. Heel even opende hij zijn ogen, maar de hut was donker. Hij hoorde gedempte stemmen, misschien op het gangetje. Hij zou leider Zhou Ping vragen om de bemanning bij zijn hut vandaan te houden. Geeuwend probeerde hij weer in slaap te komen, totdat hij besefte dat er iets niet klopte. In paniek schoot hij overeind toen het tot hem doordrong dat de fluisterende stemmen geen Chinees of Kantonees spraken, maar een andere taal. Hij tastte met zijn hand naar zijn uitklapbureau, maar kon het niet vinden, evenmin als de telefoonconsole of de bootbesturingsdisplay. Hij wilde zijn benen uit de kooi zwaaien, maar zijn matras lag al op het dek. Hij voelde koude tegels onder zijn blote voeten. 'Wat gebeurt hier?' riep hij, terwijl hij overeind sprong en begon te rennen, tot hij op een zwaar gordijn stuitte. Hij trok het opzij en kwam uit in een roodverlichte gang, met nog meer gordijnen. Lien zag twee mannen staan in donkere overalls, niet veel verschillend van de zijne, behalve dat ze een vijandelijk symbool op hun mouw hadden: een embleem met de vlag van de Verenigde Staten. Lien staarde hen aan en keek toen naar de kabels en leidingen langs het plafond. Dit had de *Nung Yahtsu* kunnen zijn, maar met kleine verschillen. De schotten waren te donker en het dek was bekleed met tegels, niet met rubber en antislipnoppen. Hij was aan boord van een schip, misschien zelfs een onderzeeboot, maar niet een van Rood-China. Langzaam ging zijn blik weer naar de Amerikanen, voordat hij zijn handen in de lucht stak en zich overgaf.

Ze wenkten hem om mee te komen naar een steile ladder. Een van de Amerikanen ging voorop, de ander sloot de rij. Door een roodverlichte gang kwamen ze bij een deur met een Engels opschrift. Een van de bemanningsleden klopte aan en Lien stapte een kleine hut binnen van drie bij drie meter, vergelijkbaar met zijn eigen kapiteinshut aan boord. Een tengere man stond op van een tafeltje. Hij was in het gezelschap van een forser gebouwde collega. Ze spraken allebei in hun vreemde taaltje, maar Lien schudde zijn hoofd en vroeg zich af waarom ze hem niet ter plekke neerschoten. De tengere man gaf hem een teken om te gaan zitten. Lien gehoorzaamde en begon te rillen, misschien van de kou, of misschien van angst. De man legde een wollen deken om zijn schouders en sprak in een telefoon. Even later kwam er een kok binnen met een pot thee. Lien weigerde te drinken. Er werd een bord eten met een vreemde geur onder zijn neus gezet, maar ondanks zijn knagende honger nam hij geen hap.

De forsgebouwde man haalde een grote, vlakke, buigzame display tevoorschijn en deed er iets mee, zodat er een kaart van China op verscheen. Hij wees naar Beijing. Lien keek op. Was dit een verhoor? Hij schudde zijn hoofd en de man ging zitten.

Niet dat het er iets toe deed. Ze zouden hem toch binnenkort executeren.

'Commandant Pacino, de boot ligt onder de oppervlakte, op een-vijf-nul voet, met eenderde trim,' meldde luitenant-ter-zee Vickerson. 'De echo geeft vijf-zes-vijf vadem.'

Pacino stond achter de periscoop in de roodverlichte commandocentrale van de *Devilfish*. De vorige keer dat hij hier had gestaan was de boot teruggekeerd uit de Oost-Chinese Zee, na de laatste confrontatie met Rood-China. Pacino concentreerde zich even op het moment en keek de vrouwelijke officier toen aan.

'Dank u. Snelheid verhogen tot standaard vooruit, diepte vierhonderd voet, vlakke hoek.'

Vickerson staarde hem aan. 'De dieptelimiet voor de boot is een-vijf-nul voet, commandant. Volgens de werf zijn de lasnaden nog niet getest. Voordat we bij de tweehonderd voet komen maken we al water.'

De XO liep naar de Conn vanaf zijn navigatieconsole achterin. Zijn gezicht was een angstig masker in het spookachtige rode schijnsel van de centrale. 'Vickerson heeft gelijk, commandant.'

Pacino knikte. 'Ik weet het. Wachtofficier, duiken. Vlakke hoek.'

'Aye, commandant,' zei ze, en ze herhaalde de orders.

Pacino pakte de microfoon van de centrale intercom en zijn stem dreunde door de hele boot. 'Attentie, alle hens,' zei hij. 'Dit is de commandant. Zoals jullie weten zijn we vertrokken voor een spoedmissie tegen de *Snarc*, waarover wij de controle kwijt zijn en die op een van onze eigen boten heeft gevuurd. De *Piranha* ligt nu op de bodem en de *Snarc* is buiten schootsafstand van de *Hammerhead*. Ze vaart naar het oosten om Amerikaanse doelen onder vuur te nemen, maar als het aan de *Devilfish* ligt, zal het zo ver niet komen. Om de *Snarc* effectief te kunnen bestrijden moeten we beschikken over al onze mogelijkheden. Daarom heb ik bevel gegeven de torpedobuizen gereed te maken. Ik zal de Tigershark-torpedo's aanpassen voor het gevecht. Ook laat ik de boot nu naar testdiepte duiken om te zien of we water maken of intact blijven. Want als we de *Snarc* opzoeken, zullen we vanuit de diepte moeten vechten. We doen dat niet vanaf periscoopdiepte, in contact met een bommenwerper van de luchtmacht. Ik durf te wedden dat de werf beter werk heeft geleverd dan ze zelf denken. Dat zal de *Devilfish* nu bewijzen. Alle hens, boot gereedmaken voor diep. Gaat u door.'

Pacino hing de microfoon weer op en keek naar de tien paar weifelende ogen om zich heen. Vickerson draaide zich om en beet op haar onderlip.

'Commandant, tweehonderd voet.'

'Dank u.' Pacino stond kaarsrecht op de Conn, turend naar de dieptemeter.

'Tweehonderdvijftig, commandant.' Vickerson slikte. 'Alle posten melden boot gereed voor diep, commandant.'

'Dank u.' Op alle dekken liepen rapporteurs nu rond met zaklantaarns, in de hoop een eventueel lek op te sporen voordat het te laat was. Je moest er snel bij zijn, zoals het oude gezegde van de onderzeedienst luidde: 'Als jij het lek niet vindt, dan vindt het jou wel.'

'Driehonderd voet, commandant.'

'Doorgaan tot testdiepte, wachtofficier. Dertienhonderd voet.'
'Dertienhonderd voet, aye, commandant. Halve kracht vooruit.'
'Tweederde,' beval Pacino. Dat ging tegen de operationele orders in, zoals hij heel goed wist. Als er met die snelheid iets misging, zouden ze tot beneden de kritische diepte zinken voordat ze zich konden herstellen.
'Tweederde, aye, commandant,' antwoordde Vickerson. Pacino glimlachte bij zichzelf. Ze begon het al te leren. Dat gold duidelijk niet voor Vermeers, die het zweet op zijn voorhoofd had.
'Vijfhonderd voet, commandant.'
De boot ploegde steeds dieper, tot er vlak boven de centrale een luid gekraak te horen was. Vermeers maakte bijna een sprong van schrik. 'Dat is gewoon de romp die zich aan de druk aanpast, XO,' zei Pacino.
'Dat weet ik, commandant,' zei Vermeers. 'Ik heb mijn dolfijntjes.'
Pacino keek weer strak naar de dieptemeter.
'Duizend voet, commandant.'
De telefoon op de commandoconsole zoemde. Vickerson griste hem van de haak, luisterde even en zei: 'Het torpedoruim meldt een lek bij de binnendeur van buis drie, commandant. Het druppelt, maar het wordt erger.'
Pacino knikte, alsof dat goed nieuws was. 'Dank u.'
'Moeten we niet omhoog, commandant?' vroeg Vermeers.
Pacino keek hem vernietigend aan.
'Elfhonderd voet, commandant.'
De romp kraakte weer. Toen klonk er een serie luide knallen, van links naar rechts, weergalmend door de zee. Vermeers probeerde stoïcijns te blijven, maar dat viel de jonge officier niet mee.
'Twaalfhonderd voet, commandant.'
Weer ging de telefoon. Vickerson luisterde. 'Commandant, het water stroomt nu uit buis drie.'
Pacino knikte en wierp een blik naar Vermeers, die zijn voorbeeld volgde en ook maar knikte.
'Dertienhonderd voet, commandant,' meldde Vickerson. 'Buis drie lekt nu zo ernstig dat het water zes meter ver spuit, commandant.'
'Probeer de buitendeur van buis drie,' beval Pacino. 'En volle kracht vooruit.'
Zelfs in het rode licht was te zien dat Vermeers wit wegtrok. Volle kracht op testdiepte stond bijna gelijk aan zelfmoord, zeker voordat de boot nog zijn testvaart had gemaakt. Het dek onder Pacino's voeten begon te trillen toen de boot snelheid maakte tot volle kracht.
'Aye, commandant. Buitendeur buis drie open en dicht.'

Pacino wachtte.
'Commandant, het lek neemt weer af tot gedruppel.'
'Dank u. Wachtofficier, breng de boot naar vijf-vier-acht voet, dertig graden opwaartse hoek.'
Het dek helde steil. Boven in de boot was het geluid te horen van brekende borden in de kombuis. Een dek lager kletterden wat boeken en instrumenten uit een kast. De herrie was nauwelijks verstomd toen de boot weer recht lag.
'XO,' zei Pacino droog, 'u zou de spullen toch beter moeten stouwen. Zal ik nog een paar manoeuvres doen, of weet u nu waar de problemen zitten?'
'Ik zal erop toezien, commandant.'
'Wachtofficier, voer uw snelheid langzaam op...'
'We varen al op volle kracht, commandant...'
'... door goed samen te werken met de machinekamer en het reactorvermogen steeds met één procent te vergroten tot aan het alarm voor oververhitting van de lagers, en dan een procent terug te nemen. Dan zitten we op maximaal. Zorg dat de technisch officier alle koelkleppen voor de lagersmering volledig openzet voordat u begint.'
'Aye aye, commandant,' zei Vickerson, nu wat rustiger, terwijl ze de telefoon pakte.
'Als u boven de honderd procent vermogen komt, forceert u de reactor en veroorzaakt u straling in de boot, commandant,' zei Vermeers. 'En het kost ons twee jaar op de werf als u hoger dan honderdtien procent gaat.'
'Dat weet ik, XO. Maar ik weet ook dat de *Snarc* twaalf kruisraketten in stelling brengt.'
Pacino voelde het dek van de *Devilfish* onder zijn voeten trillen, in afwachting van het moment waarop hij de koers van de *Snarc* kon onderscheppen.

De president van Cyclops Systems Incorporated, Colleen O'Shaughnessy Pacino, had de nieuwe generatie gevechtssystemen voor de SSNX ontworpen toen de boot voor het eerst naar zee ging. Het was een groot succes geworden voor Colleen en Michael Pacino. Cyclops had een groter en lucratiever contract gekregen en Pacino was met Colleen getrouwd. Maar die mooie tijden waren alweer lang voorbij en Colleen Pacino moest zich nu tegenover het Congres verantwoorden voor het mislukte Tigersharktorpedoprogramma. Dat was haar grootste probleem, totdat haar man haar twintig uur geleden over de nachtmerrie met Anthony Michael had gebeld.
'Natuurlijk ga ik erheen,' had ze gezegd, terwijl ze overeind kwam in bed

en haar ravenzwarte haar uit haar gezicht streek.
De vlucht met de helikopter had eindeloos geleken, maar ten slotte hing hij toch boven het achterdek van de *Explorer* II en liet haar zakken. Tegen de tijd dat ze naar binnen stapte was ze doorweekt. Het regende en stormde.
Overste Peter Collingsworth ving haar op in een smal gangetje. Hij was langer dan gemiddeld, een stevig gebouwde man die wel een paar pondjes kwijt mocht raken, met een volle rode baard, een flinke bos roodbruin haar, vrolijke blauwe ogen, een sproetige neus en een stevige handdruk. Zijn stem was hoger dan zijn postuur deed vermoeden, en hij kwam open en vriendelijk over. Colleen schudde haar capuchon af en droogde haar haar met de handdoek die ze had gekregen. Ze drukte de Britse marineman de hand.
'Ik ben Colleen Pacino,' zei ze. 'Ik werk voor een defensiebedrijf en admiraal Pacino heeft me gestuurd. Een van de overlevenden van de *Piranha* is mijn stiefzoon.'
Collingsworth knikte ernstig en liet haar hand weer los. 'Welkom aan boord van de *Explorer II*. Ik heb de leiding over deze operatie. De commandant van het schip is Kenneth Knowles, op de brug. Ik zou u graag iets te drinken aanbieden, maar ik neem aan dat u meteen aan het werk wilt. Als u deze lege hut gebruikt kunt u een douche nemen en een droge overall aantrekken. Dan zie ik u over vijf minuten in de commandocentrale.'
Colleen knikte, dook de hut in voor een heerlijk warme douche, droogde zich af en trok een Britse overall aan met die vreemde emblemen op de borstzakjes. Toen ze naar buiten kwam stond iemand van de bemanning al te wachten om haar naar de centrale te brengen, een grote ruimte, volgestouwd met monitors, computers, radio's en andere apparatuur. Ze hoorde Collingsworth met een van zijn officieren praten, rustig en zelfverzekerd. Toen hij klaar was, kwam hij naar Colleen toe. Ze verwachtte dat hij een verhaal zou houden over het slechte weer en de trage voortgang van de reddingsoperatie.
'Mevrouw Pacino, de situatie is als volgt. De *Emerald* is gevlucht voor de storm. Ze heeft de hydrofoonkabels losgemaakt en de markeringsboei laten liggen. Wij nemen die kabels nu over. Zodra dat is gebeurd, installeren we de stabilisator boven het wrak. Daarna gaat het diepzeevaartuig overboord met de snijapparatuur.'
'Waar is het?' vroeg Colleen. 'Ik heb het niet gezien aan dek.'
'In de buik van het schip. Het daalt af uit het ruim, zodat we geen last hebben van het weer. Het wordt neergelaten door twee armen die het langs de

kiel laten zakken. Op die manier kan de DSV zelfs in een orkaan nog naar boven komen om rustig aan te leggen. Slecht weer en onderzeebootwrakken schijnen elkaar op te zoeken. De admiraliteit wil zich niet laten tegenhouden door wat turbulentie.'
Colleen glimlachte, voor het eerst in dagen.
'Goed. Deze reddingsoperatie verloopt anders dan gebruikelijk, vanwege de tijdsdruk. Volgens de mensen van de *Emerald* zijn de geluiden vanuit het wrak gestopt, een paar uur nadat commandant Catardi meldde dat de zuurstof begon af te nemen en dat het ijzig koud was. Als we de overlevenden niet binnen vier uur naar boven hebben gehaald, heeft het allemaal geen zin meer. Daarom willen we een experimentele, potentieel gevaarlijke plasmabrander gebruiken boven de commandomodule van de DSV van de *Piranha*. In plaats van een paar uur kost het ons dan maar enkele minuten om een gat in de romp te snijden. Maar een apparaat met voldoende energie om de romp van een onderzeeboot te laten smelten brengt grote risico's voor de overlevenden met zich mee. Het zou zelfs de DSV kunnen vernietigen. Helaas hebben we geen tijd voor een alternatief. Hebben we uw toestemming om deze methode toe te passen?'
'Hoe lang gaat dat duren?' vroeg Colleen.
'Een uur.'
'Schiet dan maar op.'
Collingsworth knikte, liep haastig de gang uit en verdween door een luik.
Colleen keek op haar horloge. Over een uur zou ze Anthony Michael weer terug hebben, dood of levend.

'Een-Nul-Zeven, projecteer de kaart met de actieradius van de kruisraketten en onze positie, en bereken hoe lang we nog nodig hebben tot aan het lanceerpunt. Goed, en stel nu een schema op voor de beschieting van de volgende locaties.' Krivak had geen idee wat de coördinaten van het Witte Huis waren, maar hij zou de kruisdraden wel op Washington richten tot hij die gevonden had. Dan kon hij ze invoeren en was het volgende doelwit aan de beurt. Eén moment vroeg hij zich af of Een-Nul-Zeven wel bereid zou zijn de raketten af te vuren, maar dat zou hij pas weten als het zover was.
Misschien moest hij een zigzagkoers volgen naar het lanceerpunt om eventuele Amerikaanse achtervolgers af te schudden. Maar dat leek hem overdreven paranoïde en bovendien kostte het te veel tijd, daarom verwierp hij dat idee. De *Snarc* bleef gewoon in een rechte lijn varen. Hij overwoog zelfs om van vijfendertig naar vijftig knopen te gaan, maar dat maakte nogal wat

herrie, met alle risico's van ontdekking. Nee, een gemiddelde snelheid was het beste. Hij was tevreden over zijn goede instinct. Toen hij alle doelen had ingevoerd, kon hij niets anders meer doen dan wachten.
Wachten en zijn ontsnapping voorbereiden, want zodra de raketten waren vertrokken zouden er twaalf sporen naar zijn eigen positie wijzen. Als het Amerikaanse leger de lancering vroegtijdig ontdekte, zou de *Snarc* binnen het uur zijn vernietigd. Als hij de lancering overleefde en de raketten de kust bereikten, zou de jacht op de *Snarc* pas beginnen na de inslag. In beide gevallen was hij ten dode opgeschreven als hij aan boord bleef. Hij zou midden op zee de boot moeten verlaten – geen prettige gedachte.
Maar er was geen haast bij. Het beste kon hij met Amorn afspreken dat hij hem op het lanceerpunt zou oppikken uit de *Snarc*. Het enige probleem was dr. Wang. Moest hij de man aan boord laten, met het advies om zich zelf maar te redden? Moest hij hem liquideren als ze de *Snarc* verlieten? Of kon hij hem beter in het bedrijf opnemen?
Krivak gaf Een-Nul-Zeven opdracht om snelheid te minderen en naar periscoopdiepte te komen. Dan kon hij met Pedro en Amorn bellen om te regelen dat ze met een gehuurd jacht naar het lanceerpunt kwamen. Daarna zou hij de *Snarc* naar China laten varen. Tegen die tijd wist hij wel wat hij met Wang moest doen. Een paar 9mm-kogels tussen zijn ogen leek de beste oplossing. De *Snarc* zou de doctor als graftombe kunnen dienen. Hij zou samen met zijn schepping ten onder gaan.

Admiraal John Patton haatte het kantoor van de evacuatiebunker. Het was te klein en het rook er naar schimmelig beton. Hij probeerde zich te concentreren op zijn e-mail, toen overste Marissa Tyler, zijn assistente, bezorgd haar hoofd naar binnen stak. Patton wees haar een stoel.
'Problemen?' vroeg hij.
'Een van de NSA-satellieten die het mobiele telefoonverkeer afluistert heeft een gesprek gefilterd en opgeslagen. Het sleutelwoord was *Snarc*. Hier is dat gesprek.'
Marissa richtte haar palmtop op de centrale monitor en de playbackmodule lichtte op. Ze klikte met de aanwijzer de play-knop aan.
Amorn, ik ben het, Krivak. Aan boord van de Snarc, *verdomme.*
Ja, meneer, ik hoor u nu.
Luister goed. Huur een motorjacht, een snelle boot, en vaar naar de coördinaten op de Atlantische Oceaan die ik nu oplees.
Patton luisterde nog twee minuten en stelde toen een bericht op aan Kelly McKee.

24

Deze keer schudde de boodschapper admiraal Ericcson meteen stevig bij zijn schouder en zei luid: 'Admiraal, ik weet dat u wakker bent. Het is nul-een-honderd. Complimenten van commandant Hendricks, en of u naar vliegoperaties wilt komen. Over twintig minuten vertrekken de toestellen voor de aanval.' Met die woorden draaide ze zich om en verdween weer de gang op. Ericcson hees zich overeind, staarde haar na en vond eindelijk zijn stem. 'Ja, natuurlijk was ik wakker, verdomme!' mompelde hij.
Ericcson plunderde de humidor, inspecteerde zijn uniform in de spiegel, maakte zijn hut aan kant en stapte de gang in. De mariniers voor zijn deur sprongen in de houding. De admiraal groette hen vluchtig en liep toen naar vliegoperaties. Iedere officier of matroos die hij tegenkwam groette hem met een haastig 'Morgen, admiraal,' bijna alsof het één woord was. Toen hij bij vliegoperaties kwam, liet hij eerst zijn ogen aan het duister wennen. Het schijnsel van de vlakke displays was de enige verlichting.
'Admiraal,' zei Hendricks, de commandant van het vliegkampschip.
'Admiraal,' sloot de operatiesofficier van het schip zich daarbij aan. Simon Weber was een pas bevorderde kapitein-luitenant-ter-zee, die de taken van kapitein-ter-zee Jones had overgenomen toen Jones naar de wal was overgeplaatst.
'Morgen, admiraal,' zei kapitein-ter-zee Pulaski, de operatieschef van de vlootgroep. Voor het eerst deze reis maakte hij een uitgeruste indruk.
'Heren,' zei Ericcson met een zware, knarsende stem, terwijl hij een Partagas tevoorschijn haalde. 'Volgens de geruchten kunnen we elk moment in de aanval gaan.'
De vliegoperatiesofficier, overste Eric Nussbaum, draaide zich om op zijn commandostoel, stond op en liep naar Ericcson toe. 'Over vijf minuten begint de luchtaanval, admiraal. Verzoek toestemming voor een actie vol-

gens aanvalsplan Delta en uw orders van vannacht.'
Ericcson sneed met zijn gouden knippertje het puntje van zijn sigaar. Toen stak hij hem tussen zijn tanden en sprak eromheen: 'Air Ops, u hebt toestemming de vliegtuigen te laten vertrekken volgens aanvalsplan Delta.' Hij gaf zichzelf vuur en zei toen in het algemeen: 'Heren, iedereen veel succes.'
De anderen antwoordden, en het werd weer stil. De vliegoperatiesofficier liep terug naar zijn commandostoel achter de grote console en zette zijn headset op. Ericcson trok voorzichtig aan zijn sigaar en tuurde door de rook naar de tactische display, een drukke plot die je moest leren lezen. De oostkust van Wit-China vormde de linker begrenzing, met de Straat van Formosa aan de onderkant, task force Alpha van NavForcePac Fleet in het oosten en het tweede eskader van de Rood-Chinezen in het noorden. Daarnaast was een display met een vergrote plot van het vijandelijke eskader, compleet met de afzonderlijke schepen in hun verspreide antionderzeebootformatie. Vectorpijlen gaven de koers en de snelheid van de schepen aan. Elk schip had een eigen symbooltje. Het vliegkampschip *Nanching* was het voornaamste doelwit, daarna volgden de nucleaire slagkruisers uit de Beijing-klasse en de geleidewapenkruisers. De informatie op de plot was afkomstig van de sondes van de vloot, een groep van zestien UAV's (Unmanned Aerial Vehicles), de Mark 14 Predators die tijdens de avondwacht waren gelanceerd. De Predators waren kleine, onbemande toestellen, voorzien van een radarabsorberende stealth-coating. Ze cirkelden boven de Chinese vloot op een hoogte van bijna vijftienduizend meter en keken omlaag met een heel arsenaal van infrarode en visuele sensors. De positie van de vloot zou normaal zijn bevestigd door de tactische Keyhole-satellieten, via het tactisch datanetwerk van de marine, maar omdat dat netwerk was gecompromitteerd moest Ericcson zich behelpen met de mogelijkheden van de vloot zelf. De Viking knikte tevreden toen hij de display had bestudeerd. De Predators waren elke cent waard van de miljarden dollars die ze hadden gekost aan ontwikkeling en productie.
'Nog zestig seconden, admiraal. Komt u mee naar de gaanderij?'
Ericcson knikte naar de air boss en stapte door de lichtwerende deuren naar het observatiedek achter de schuine ramen met uitzicht op het vliegdek. In de voorste katapulten stonden twee F-22's, met de cockpitkoepel neergeklapt. De straalpijpen gloeiden aan in de duisternis van de kleine uurtjes, terwijl de uitlaatbeschermingsschilden achter de toestellen langzaam uit het dek omhoogkwamen. De dekbemanning zwermde om de jagers heen, maar trok zich terug toen het moment van vertrek naderde.

Eén enkele man bleef achter, vlak bij de cockpit van de F-22 aan bakboord, de eerste jet die zou opstijgen. Hij droeg een grote helm met een Mickey Mouse-headset en twee grote, roodverlichte borden, waar hij mee omsprong met de behendigheid van een drummer met zijn stokken. Toen het vertrek dichterbij kwam, wisselde hij signalen uit met de vlieger van de F-22. Ericcson keek toe met gemengde gevoelens. Hij miste de sensatie van de cockpit, maar genoot ook van zijn huidige positie als vlootcommandant – al die mannen en machines die reageerden op zijn dirigeerstok.
Ver beneden het eiland, op het vliegdek, liet de linker F-22 zijn toerental oplopen en nam toen weer gas terug. Het geloei van de jet was oorverdovend. De kleppen en het roer bewogen, heen en weer of op en neer. In het vage licht van het vliegdek was het embleem op de staart te zien: een zwart veld met de witte doodskop en gekruiste beenderen van het Jolly Roger Squadron, Ericcsons voormalige commando.
In de cockpit van de bakboordjager werkte overste Diane 'Fuzzy' Whitworth nog één keer haar checklist af en testte de verbinding met haar radarinterceptieofficier en eerste officier van het squadron, overste Jane 'Baldy' Felix. Whitworths bijnaam had ze te danken aan haar graad in artificial intelligence, en haar voorkeur voor 'fuzzy logic'. Baldy Felix werd zo genoemd omdat ze in crisismomenten altijd riep dat ze zich de haren uit het hoofd trok. De twee vrouwen hadden vanaf het begin van hun carrière een goed contact gehad, reden waarom Personeelszaken hen als team bij elkaar had gehouden toen Whitworth de Jolly Rogers overnam. De dekofficier beneden gaf haar het teken om op te stijgen. Ze kromde de vingers van haar Nomex-handschoenen om de 'keys' van het linker kniebord en drukte die soepel tot aan de voorste stops. Achter haar loeiden de motoren. De naalden op de meters van het elektronische instrumentenpaneel draaiden naar honderd procent vermogen. Vervolgens trok ze de keys rechts naar de klikstand, en nog verder, tot de nabranders werden ingeschakeld. Het gebulder van de straalmotoren werd nog eens zo hevig. Ze veranderden in raketmotoren toen de JP-5 langs de straalpijp stroomde en ontvlamde. Een dubbele, ruim drie meter lange, kegelvormige vuurtong spoot uit de achterkant van het toestel. Whitworth voelde de jager onder zich trillen door de ontzagwekkende druk van de nabrander. Ze controleerde haar paneel nog eens, knikte naar de dekofficier en salueerde als teken dat ze er klaar voor was. Hij groette haar met een van de borden en draaide zich toen half om, met zijn voeten stevig gespreid op het dek, evenwijdig aan de katapulten. In één sierlijke beweging zwaaide hij het bord over zijn hoofd naar voren, zo ver dat hij daadwerkelijk het dek raakte, voordat hij

recht vooruit wees – het teken aan de katapultofficier om zijn machine te starten.
Het ene moment zat Whitworth nog op de stoel van een jankend gevechtsvliegtuig dat bijna steigerde op het dek, het volgende moment werd ze tegen de rugleuning gedrukt en schoot ze omhoog door een steile tunnel. Het bloed gonsde in haar oren. De beleving van een horizontaal vliegtuig maakte plaats voor de sensatie van een verticale raket. De g-krachten wekten de illusie dat het dek van het vliegkampschip een muur was die ze rechtstandig beklom. De stick sloeg tegen haar wachtende rechterhand, terwijl ze met haar linkerhand nog steeds tegen de g-krachten vocht met de keys. Het toestel beefde toen het zich losmaakte van de katapult. De 'tunnel' van het dek vervaagde tot het zwarte vlak van de donkere zee en de iets lichtere sterrenhemel. Opeens gedroeg de jet zich heel soepel, na de helse lancering door de katapult, vechtend om hoogte te winnen. Het vliegkampschip viel achter het vliegtuig weg. Whitworth trok het toestel omhoog en de zee verdween in de diepte. Alleen de sterren waren nog te zien. Ze keek in haar zijspiegeltje naar het vaag verlichte vliegkampschip achter zich. Het dek werd snel kleiner toen de jet met jankende motoren steeds hoger klom. De hoogtemeter liep op totdat de jager de driehonderd meter bereikte en nog verder steeg. Whitworth beschreef een linkerbocht en cirkelde over de *John Paul Jones* tot ze de jager ten slotte rechttrok op een hoogte van twaalfduizend meter. Daar koos ze positie op de afgesproken coördinaten, in afwachting van de rest van het squadron.
Het duurde niet lang. De katapulten van het vliegkampschip slingerden de ene na de andere jager de lucht in, totdat alle toestellen waren vertrokken, afgezien van de reservemacht. Whitworths squadron formeerde zich achter haar. Zonder radiocontact wiebelde ze even met haar vleugels, voordat de F-22 op volle snelheid naar het noordwesten vertrok. De jager accelereerde tot mach één en ging supersonisch, op korte afstand gevolgd door de rest van het squadron. Whitworth verwachtte binnen het uur een confrontatie met de Rood-Chinese Panda-jagers en hun Cobra-raketten. Zodra die tegenstanders brandend in zee lagen zou het squadron koers zetten naar het vijandelijke eskader om een arsenaal van Mark 80 JSOW (Joint Standoff Weapons) op het vliegkampschip, de Beijing-slagkruisers en de andere zware kruisers van de Rode vloot af te vuren.
'Ben je daar, Bald?'
'Alles oké, Fuzz,' kraakte de interfoon. 'Voorlopig zijn we nog alleen. De Jolly Rogers beheersen het luchtruim.'
Op de gaanderij van de *John Paul Jones* zag admiraal Ericcson met voldoe-

ning de laatste jets vertrekken. De reservetoestellen stonden al in de katapulten, met stationair draaiende motoren. Ze zouden de strijd hier afwachten, als bescherming voor het vliegkampschip. Ericcson drukte zijn sigaar uit, stapte weer naar binnen en stak nog een Partagas op terwijl de squadrons op weg gingen naar de Rode vloot.
'De *Port Royal, Sea of Japan, Coral Sea* en de *Atlas Mountain* zijn gereed voor de lancering van hun Equalizer-kruisraketten, admiraal,' meldde overste Weber van achter zijn display. De zware supersonische grootkaliberkruisraketten verlieten in horizontale richting het korte dek van de geleidewapenkruisers, waarna ze onder een hoek van dertig graden naar de hemel klommen. De eerste trap van hun raketaandrijving bracht hen naar vijftienduizend meter, voordat de ramjetmotoren het overnamen voor de vlucht naar de Rode vloot.
'O, God, verbrijzel hun tanden in hun mond,' mompelde Ericcson rond de sigaar die hij tussen zijn tanden hield geklemd, denkend aan het Rode eskader. 'Sla de hoektanden der jonge leeuwen uit, Here; laten zij vergaan als water dat wegvloeit. De rechtvaardige zal zich verheugen, wanneer hij de wraak aanschouwt; hij zal zijn voeten wassen in het bloed van de goddeloze.' Ericcson haalde zijn schouders op toen hij zag dat Pulaski hem stomverbaasd aanstaarde. 'Psalm 58,' verklaarde hij.

Tweeëntachtig mijl voor de *John Paul Jones* uit, en honderdvijftig meter onder haar kiel, was een snelle-aanvalskernonderzeeboot op volle snelheid bij vijftig procent reactorvermogen op weg naar het tweede Rood-Chinese eskader. De boot escorteerde de vlootgroep van de *Jones*, zonder dat de oppervlakteschepen daar iets van wisten.
De commandocentrale van de USS *Hornet* uit de Virginia-klasse was nooit helemaal afgebouwd door de marinewerf van DynaCorp in Pearl Harbor. Alle lichten waren nu gedoofd, op bevel van overste Browning 'B.D.' Dallas, de commandant van de onderzeeboot. Sinds het begin van de avond had Dallas de ene sigaret na de andere gerookt. Op de klok was het inmiddels een paar minuten over acht, Zulu-tijd. Hij moest echt stoppen met roken, wist Dallas, maar die gezonde voornemens moesten nog even wachten tot het einde van deze missie. Dallas was een man van gemiddelde lengte, met een breed postuur en een gestaag terugwijkende haarlijn. Hij werd beschouwd als de beste commandant van Squadron Seven. Zachtjes overlegde hij vanaf de Conn met de wachtofficier, de jeugdige Dick Jouett.
'De Cyclops heeft de task force van de *Jones*, ondanks de sonarblinde hoek,' zei Jouett. 'De boegsonar geeft het actuele beeld van het strijdtoneel

en de acoustic daylight imaging aan de achterkant volgt de verder verspreide schepen van de formatie.'
'Hoe goed zijn onze gegevens over het vijandelijke eskader?' vroeg Dallas. Aan zijn accent te horen moest hij ergens ten westen van Chicago zijn geboren.
'USUBCOM heeft ons een telemetrisch beeld doorgeseind van de Predators van de *Jones*. Real time zou natuurlijk beter zijn, maar we moeten het ermee doen. Het beeld is in de Cyclops geladen, maar onze eigen Predator zal de doelwitten moeten bevestigen, of anders moeten we een UUV gebruiken.' De Mark 60 Unmanned Underwater Vehicle werkte als een torpedo die informatie verzamelde voor het moederschip. De gegevens werden door middel van een draad naar de torpedobuis gestuurd, of via een kleine radioboei naar een tactische satelliet, die alles weer doorgaf aan de passieve ontvanger van het Cyclops-systeem. 'Het is heel jammer dat we de satellieten en het netwerk niet kunnen gebruiken,' klaagde Jouett.
'Zo gaat dat in een oorlog,' mompelde B.D. Dallas, terwijl hij zich concentreerde op de Cyclops-display van de acoustic daylight imaging op de commandoconsole. 'Je moet je kunnen redden. Als dit ons enige probleem is, valt het nog wel mee. Wachtofficier, stel de gevechtswacht in. We zullen de Chinezen met de Vortex onder vuur nemen zodra de batterij is opgewarmd. Maak de Vortex-buizen één tot en met twaalf gereed en open de buitendeuren.'
Jouett glimlachte. 'Aye aye, commandant. Gevechtswacht ingesteld en Vortex één tot en met twaalf gereed. Duikofficier, meld het maar over de intercom.'
Tweeëndertig minuten later waren twaalf Vortex Mod Echo's onderweg door het water, met een supercaviterende snelheid van driehonderd knopen en de posities van de Rood-Chinese vlootgroep in hun processors geladen.

Fuzzy Whitworth controleerde haar Breitling toen BBC Radio Taipei in de lucht kwam. Ze wachtte op de weersverwachting van halfvier. De aanval werd uitgevoerd bij absolute em-con (emissions control, de moderne term voor radar- en radiostilte) om het Chinese eskader te verrassen. Tegelijkertijd moest de actie zodanig worden gecoördineerd dat alle wapens op hetzelfde moment de schepen van de Rode vloot zouden bereiken. Anders zouden de Chinezen worden gewaarschuwd en de schepen veel minder kwetsbaar zijn in een defensieve formatie, met hun luchtdoelgeschut paraat. De Viking wilde de Chinezen in hun slaap overvallen, midden in de nacht, terwijl ze in een normale formatie voeren, zonder enig vermoeden van de naderende aanval. De gevoelige radiorichtingzoekers en frequentiescanners zouden de Amerikanen niet ontdekken zolang ze hun radar en radio maar niet gebruikten.

De vliegtuigen hadden opdracht om op BBC Taipei af te stemmen. Zodra de weersverwachting begon, op het halve uur, werd de em-con opgeheven en zouden alle radars tegelijk worden ingeschakeld. Binnen fracties van seconden zouden ze hun doelwit hebben gevonden, en nog geen tien seconden later konden de vuurleidingscomputers hun berekening hebben gemaakt. Daarna was het nog slechts een kwestie van minuten voordat de raketten zouden inslaan.

'... eenheden van de Rood-Chinese strategische raketmacht zijn volgens Amerikaanse militaire bronnen bij het Pentagon vandaag in volledige staat van paraatheid gebracht,' meldde de nieuwslezer van de BBC. Whitworth tikte met haar linkerhand op haar helm en wachtte. 'De Rode ambassadeur is vanochtend op het Witte Huis ontboden, vermoedelijk om uitleg te geven over de activiteiten rond de raketsilo's van het Volksbevrijdingsleger.'

'Baldy, wat is de status?' vroeg Whitworth.

'Alle JSOW's op scherp en opgewarmd, wachtend op de doelgegevens van de vuurleidingsradar.'

'Zit je klaar met je hand op de radarknop?'

'Ik heb al kramp in mijn vinger van die tuimelschakelaar.'

'... Tot zo ver het wereldnieuws. Op het halve uur brengt BBC Radio Taipei u de weersverwachting, mede mogelijk gemaakt door Samsung flat-paneldisplays...'

'Radar aan!' riep Whitworth.

'Radar aan, doelen aangestraald,' antwoordde luitenant Felix. 'Vuurleidingscomputer wijst de doelen toe volgens de geprogrammeerde instelling van het aanvalsprofiel.'

'Schiet op, Bald, we moeten vuren!'

'Toewijzingsprogramma op negen-nul procent, en... gereed! JSOW één, Foxtrot!'

'JSOW één, vuur!' zei Whitworth rustig, terwijl ze het wapensysteem op scherp zette, het nummer van de raket selecteerde en op de vuurknop van de knuppel drukte. Aan de buitenkant van de stuurboordvleugel kwam het eerste wapen op vol vermogen en vertrok. Whitworth raakte even verblind toen de raket snelheid maakte en aan zijn slingerende, glooiende baan naar het vliegkampschip *Nanching* begon. Felix riep de nummers twee tot en met zes af. Toen Whitworth ze had afgevuurd, sprintte de F-22 bij de lan-

ceerpositie vandaan in een bocht van mach twee en zeven g. De jager klom vijftienhonderd meter hoger, naar zijn operationele plafond. Nu de radiostilte was opgeheven kwamen de rapporten van de andere toestellen van het squadron binnen. Ze hadden hun wapens gelanceerd.
Tegen de hemelkoepel tekenden de raketsporen zich af. Ze begonnen bij de vleugels van de jets van het Jolly Roger Squadron en kronkelden zich omlaag naar de schepen van het Rode eskader. Terwijl de JSOW's onderweg waren beschreven de Equalizer-kruisraketten een bocht, scheerden recht over de schepen van de vloot, maakten een boog en doken toen steil omlaag – deels omdat de luchtafweer zich in het algemeen richtte op een hoek van zeventig graden boven de horizon, deels om problemen met de naderende JSOW's te voorkomen.
Om nul-drie-drieëndertig Beijing-tijd stormden negentig Amerikaanse plasmaraketten op de schepen van de Rood-Chinese formatie af, allemaal supersonisch en niet meer te stoppen. Van die negentig miste er maar één zijn doel en stortte in zee op twaalf meter ten westen van het fregat waarop hij was afgevuurd. De andere raakten de aangewezen doelen, binnen vijfenzestig seconden van elkaar. In die ene minuut regenden er vuur en zwavel uit de hemel op de schepen neer. Om nul-drie-vijfendertig was de aanval voorbij. Slechts veertien van de oorspronkelijk zestig schepen van het tweede Rood-Chinese eskader bleven aan de oppervlakte achter.
Zestien minuten na de eerste aanval explodeerden twaalf Vortex-raketten vanuit de diepte. Nog eens twaalf paddestoelen verhieven zich boven de overgebleven schepen, met een fel schijnsel dat de nacht in een dag veranderde. De bevoorradingsschepen die niet waren aangevallen door de Equalizer-kruisraketten en de JSOW's van de Jolly Rogers werden alsnog verpulverd of aan splinters geblazen. Van de veertien overgebleven schepen resteerden er nog twee, meer niet.
Op de terugweg luisterde overste Fuzzy Whitworth naar het gekwetter via de radio. Het radarvliegtuig boven hun hoofd stelde een schaderapport op voor de admiraal aan boord van het vliegkampschip. Zo te horen was de aanval een succes geweest. Het speet Whitworth bijna dat er geen Chinese Panda's waren verschenen voor een stevig luchtgevecht, maar deze eenvoudige hinderlaag betekende in elk geval dat zij en Baldy nog gezond en fit waren voor een volgende actie. Ze nam haar plaats in en begon in het pikkedonker aan de glijvlucht naar de *John Paul Jones*. De zware jager raakte het dek op de nummers, ving de remhaak met de kabel en remde in een halve seconde van honderdtwintig knopen tot nul – een schok waardoor haar ogen zowat uit hun kassen plopten. Even later taxiede ze van de lan-

dingsbaan naar een parkeerplaats en opende de cockpit. Grijnzend naar de adjudant van haar onderhoudsploeg klom ze uit het toestel en liep naar de squadronruimte in het eiland voor de debriefing.

De olietanker *Taicang* zwoegde door een kalme zee, in formatie met het eskader, op weg naar de Straat van Formosa. De hondenwacht verliep rustig. De wachtofficier op de brug was een luitenant-ter-zee derde klasse, Fang Xiou. Hij had al een jaar zijn aantekening als wachtofficier, en een groot deel van zijn jeugd had hij op het water doorgebracht, op de vissersboot van zijn vader. Als zijn vader de brug van de *Taicang* had kunnen zien zou hij zijn neus hebben opgehaald voor al die moderne snufjes. Navigatie met een GPS-satelliet, een phased-array oppervlakteradar om de verre horizon af te speuren en de dichterbij gelegen schepen van de formatie te volgen, hogeresolutiecomputerdisplays met zeekaarten waarop de posities van de schepen waren aangegeven, airco en gepolariseerde schuine ruiten met draaiende wielen om de regen af te voeren in zwaar weer. De besturingsconsole leek wel een decorstuk uit zo'n westerse sciencefictionfilm.
Fang geeuwde. De hondenwacht leek altijd veel langer te duren dan een dagwacht of voormiddagwacht. Gelukkig had hij nog maar een week de hondenwacht. Dan was hij vier dagen vrij en daarna zat hij een week bij de dagwacht. Hij pakte zijn verrekijker, tuurde naar de andere schepen en controleerde hun boordlichten om zeker te weten dat niemand te vroeg zijn koers had gewijzigd in het zigzagpatroon. Het risico van aanvaringen leek groter dan het gevaar van rondsluipende onderzeeboten. Hij boog zich naar de kap van de radar, controleerde de afstanden tot de omringende schepen en pakte zijn verrekijker weer op. Het vliegkampschip *Nanching* was bijna achter de horizon verdwenen, maar nog half zichtbaar, op nul-negen-nul magnetisch, aan bakboord. Het vliegkampschip leek eerder een verzameling lichtjes dan het silhouet van een schip. Het zou nog drie uur duren voordat het licht werd en de nevelgrijze kleur van het vliegkampschip weer zou contrasteren met het donkerblauw van de zee en het lichtblauw van de hemel. Fang wilde net de verrekijker neerleggen, toen de ramen van de brug naar binnen sloegen. De klap wierp hem tegen een schot en splinters drongen in zijn vlees. Zijn gezicht werd alleen gespaard door de verrekijker die hij ervoor hield. In de twee seconden waarin hij langzaam in elkaar zakte zag hij ongelovig hoe de *Nanching* explodeerde in een witte wolk van vlammen. Het felle schijnsel schroeide zijn netvlies en hij zag overal vonken dansen. Explosies deden de zee oplichten. De nacht verdween en maakte plaats voor een rij middagzonnen aan de horizon toen

het ene na het andere schip de lucht in ging. Fang hoorde al niets meer. De eerste explosie had hem totaal verdoofd. Hij zakte nog verder naar het dek, zodat hij niet langer door de verbrijzelde ruiten kon kijken, maar het flakkerende daglicht viel nog steeds over de brug en de branden wierpen grillige patronen.
Eén moment vroeg hij zich af of de vijand ook een bevoorradingsschip zoals de *Taicang* zou aanvallen. Als antwoord op zijn vraag kwam het dek langzaam omhoog en kantelde verticaal. Fang staarde dwars door een tegeldek op de boeg, die door vlammen werd verteerd. Een geweldige vuurbol stormde op de brug toe vanuit een grillig gat in het dek. Fang werd door het geweld in tweeën gescheurd, maar zijn bewustzijn bleef vreemd genoeg nog heel even in stand toen hij de brug in een duivelse slowmotion zag terugzakken in de vlammen van de explosie. Eindelijk, verzwolgen door het vuur, gaf Fang zich dankbaar over aan de kalme duisternis en kwam er een einde aan zijn oorlog.
Aan de horizon begonnen de branden van de explosies te doven en werd de zee langzaam weer normaal. Slechts een paar oliebranden bleven over, totdat ze werden geblust door de lichte golfslag van de Oost-Chinese Zee. Duizenden verkoolde lichamen dreven in zee, tussen nutteloze zwemvesten, gekapseisde reddingsboten, matrassen en wat al niet. Sommige lijken waren bedekt met zwarte olie, die een uitgestrekt veld vormde rond de positie van de voormalige vloot.
Veertien schepen bleven over. De commandanten zagen de slachting om zich heen en probeerden overlevenden op te pikken. Dat leverde slechts een man of honderd op, van wie de meesten zo ernstig gewond waren, dat ze waarschijnlijk de zonsondergang niet meer zouden meemaken. Toen er niemand meer te vinden was, wendde het troosteloze groepje de steven naar het noorden om zich bij het derde Rood-Chinese eskader aan te sluiten.
Zestien minuten na de eerste aanval volgde een meedogenloos tweede salvo, waarbij nog eens twaalf van de overgebleven bevoorradingsschepen explodeerden en zonken. Sommige verdwenen zo snel, dat ze het ene moment nog tussen de andere voeren en het volgende moment aan het zicht werden onttrokken door een reusachtige oranje rookwolk die hun graf markeerde. De twee schepen die ook deze tweede aanval doorstonden waren een tanker en het radioschip *Haijui*, dat een alarmbericht aan de admiraliteit verstuurde waarin alle vernietigde schepen en alle overlevenden bij naam, rang en schip werden genoemd.
De commandant van de *Haijui* schudde bedroefd zijn hoofd. Zijn eerste

commandant, een man met gevoel voor understatement, had een uitdrukking gehad voor dit soort rampen: een slechte dag op zee. En de zon was nog niet eens op.

25

De telefoon ging in Pacino's donkere hut. Hij staarde er even naar, verbaasd dat hij zo diep geslapen had. Hij voelde zich zo suf, dat hij zich nauwelijks kon herinneren waar hij was en zich afvroeg of de afgelopen vierentwintig uur geen droom waren geweest.
'Pacino,' zei hij.
'Commandant, dit is de wachtofficier,' antwoordde een jonge luitenant-ter-zee die Deke Forbes heette. 'We krijgen ons roepsein binnen op de ELF, commandant. We moeten naar periscoopdiepte.'
Pacino hees zich overeind in het trillende bed. Een ELF-oproep was volgens de operationele orders de enig toegestane uitzondering op het bevel om radiostilte in acht te nemen en het commandonetwerk te vermijden. De reden waarom het netwerk niet mocht worden gebruikt tijdens deze operatie was Pacino niet bekend, maar hij veronderstelde dat het gecompromitteerd was. Het ouderwetse alternatief kwam nogal omslachtig en provisorisch over, maar omdat de vijand onmogelijk een ELF-bericht kon versturen zonder een woud van grote antennes en tientallen megawatts transmissievermogen vertrouwde het Pentagon nog op het ELF-systeem voor noodgevallen.
Het zou de *Devilfish* maar tien minuten kosten om naar periscoopdiepte te komen en de elektronische post op te pikken van de orbitale webserver. Daarna konden ze weer duiken en snelheid maken. Vijf mijl achterstand op het schema, maar dat moest Pacino accepteren.
'Stijgen naar een-vijf-nul voet, controleer de sonarblinde hoek en kom naar periscoopdiepte,' beval hij. 'Haal het e-mailbericht op en duik dan weer naar vijf-vier-acht voet, volle kracht. Ik kom naar de centrale.'
Forbes bevestigde zijn orders en Pacino stond op bij het vage schijnsel van de bureaulamp. Hij deed het rode plafondlicht aan en hees zich in de over-

all die Patton voor hem had geregeld. De overall paste goed en was voorzien van de Amerikaanse vlag en het nieuwe embleem van de SSNX, maar hij voelde gewoon te nieuw. De traditie op zee wilde dat je een overall droeg met de emblemen van je vorige boot. Eén moment verlangde Pacino naar zijn kleren uit de *Seawolf*, maar toen bedacht hij hoe belachelijk dat was. Hij had een week het commando over een nieuwe kernonderzeeboot. Daarna ging hij weer terug naar het droogdok, in jeans en schoenen met stalen neuzen. Zijn gedachten gingen naar Anthony Michael en de reddingsoperatie. Opeens besefte hij dat het bericht misschien belangrijk nieuws zou bevatten.

Hij wachtte op de Conn tot de BRA-44-antenne weer in de commandotoren was gezakt. Toen pakte hij de palmtop aan en las de e-mail bij het rode licht van de centrale. Het was streng geheim, persoonlijk gericht aan de commandant, dubbel versleuteld, en het vereiste een SAS-verificatie. Tegen de tijd dat het bericht was ontcijferd en geverifieerd, voer de boot alweer diep, op volle kracht. Pacino las het bericht van admiraal Patton en verbleekte.

De *Snarc* was gekaapt door twee mensen, onder wie een militaire consulent die aan boord was gegaan en had geholpen de wapens op de *Piranha* af te vuren. Door hun toedoen lag Anthony Michael nu op de bodem van de zee. De andere kaper was niet zomaar iemand. Pacino had de man ooit persoonlijk ontmoet, onder het poolijs, nadat de eerste *Devilfish* tot zinken was gebracht. De man noemde zich nu Victor Krivak. Een nieuwe naam, en bij die naam hoorde een nieuw gezicht. Maar het was nog altijd Alexi Novskoyy, de Rus die Pacino bijna met zijn blote handen had gedood. Dat was de man die het cruiseschip met de marineofficieren naar de kelder had gejaagd en meer dan duizend van Pacino's beste vrienden en kameraden had vermoord. In gedachten ging hij terug naar dat moment in die ijskelder op de pool, het moment waarop hij zijn linkerhand om Novskoyys keel had geklemd en zijn rechter tot een vuist had gebald. Novskoyy had berustend zijn ogen gesloten, alsof het een opluchting voor hem zou zijn om door Pacino te worden doodgeslagen. Op dat ogenblik besefte Pacino dat hij op het punt stond een weerloos dier te doden en had hij de man tegen het ijs laten vallen. Maar door dat misplaatste moment van genade bevond hij zich nu in deze situatie: zijn carrière mislukt, de top van de marine in een zeemansgraf en zijn zoon stervend op drie kilometer onder de oppervlakte van de Atlantische Oceaan. Pacino's besluit om Novskoyy in leven te laten had zijn eigen leven verwoest en duizenden doden tot gevolg gehad. En nu wilde diezelfde man een aanval met kruisraketten uitvoeren

om nog eens miljoenen doden te veroorzaken. En tegen die tijd was Pacino's eigen zoon misschien al omgekomen.
Eén ding wist hij wel. Als hij ooit nog het leven in zijn hand zou houden van Alexi Novskoyy of Victor Krivak of hoe hij zich ook wilde noemen, zou hij diezelfde fout niet nog eens maken. Zelfs als hij de rest van zijn leven in de gevangenis zou moeten slijten zou hij de man toch de kop van zijn romp trekken.
Pacino keek op, als uit een trance, en merkte dat hij bij de kaartentafel achter de Conn stond. Hij pakte een potlood en noteerde de coördinaten van Krivaks voorgenomen rendez-vous met een motorjacht, net binnen de cirkel waaruit de Javelin IV-raketten Washington en New York zouden kunnen bereiken. Hij markeerde de plaats met een cursor, controleerde de positie van de *Devilfish* en berekende de tijd die hij nodig had om daar te komen. Ze zouden tien of twaalf uur eerder dan de *Snarc* op de plek van het rendez-vous kunnen zijn. Pacino besloot ernaartoe te varen en daar op Krivak te wachten.
De luchtmacht verzadigde de zee met Mark 12-modules, vooral rond de positie van de *Snarc*, maar nu er ook een motorjacht zou komen konden de bommenwerpers zich niet laten zien. Dan zou Krivak gewaarschuwd zijn. Pacino moest Patton en admiraal McKee overreden om de luchtmacht naar huis te sturen. Hij moest hen ervan overtuigen dat de *Devilfish* de klus kon klaren met zijn Tigersharks. Patton had altijd betwijfeld of een torpedo zonder plasmakop effectief kon zijn – die discussie voerden ze al zes maanden – maar de admiraal zou hem op zijn woord moeten geloven.
Pacino stelde een e-mail op aan Patton en gaf de wachtofficier opdracht hem in een SLOT-boei (Submarine Launched One-way Transmission) te laden. Daarna moesten ze op volle kracht op weg naar de plaats van het rendez-vous. Pacino werkte een strategie uit om op drieduizend meter afstand te blijven cirkelen en daalde toen af naar het torpedoruim en de kast met de koolstofprocessor, waar de torpedoprocessors werden bewaard. Het werd tijd om aan de slag te gaan met de Tigersharks. Pacino staarde een tijdje naar de torpedolichamen, ten prooi aan twijfels.
Misschien had Patton toch gelijk en zouden de wapens plasmakoppen moeten hebben. Maar zulke koppen waren zwaar en namen een ongelooflijke hoeveelheid ruimte in beslag, die beter aan brandstof kon worden besteed om de actieradius te vergroten. Pacino's ontwerp maakte gebruik van dezelfde externe B-end-motor met hydraulische tuimelplaat als de Mark 58 Alert/Acute-torpedo, die het wapen een vrij geringe en rustige snelheid gaf van veertig knopen. Zodra de torpedo zijn doelwit had gevon-

den, werd het moleculaire PlasticPak-explosief scherp gesteld en de voortstuwingsmodule afgeworpen. Een veel kleinere torpedo bracht nu de laatste trap met een vaste raketmotor tot ontsteking, waarna het wapen voor het laatste traject tot supercaviterende snelheid accelereerde. Het raakte het doelwit met maar liefst tweehonderd knopen, een snelheid waaraan niemand kon ontsnappen. De combinatie van de kinetische inslag en het PlasticPak-explosief zou de vijand doormidden hakken – niet verpulveren, zoals een plasmakop, maar net zo effectief. En de besparingen op gewicht en ruimte ten opzichte van een plasmawapen gaven de torpedo een actieradius die voldoende was om een vluchtende onderzeeboot tot aan het einde van de wereld te achtervolgen.

Terwijl een Vortex of een Mark 58 Alert/Acute zijn doelwit kon missen en daarom bijzonder exacte doelgegevens nodig had, was de Mark 98 Tigershark al tevreden met de richting en globale afstand tot het doel. De koolstofprocessor was slimmer dan welke ontsnappingsmanoeuvre ook. Bij de oefeningen die bijna waren geslaagd had de torpedo bijzonder sluwe trekjes vertoond en heel langzaam een doelwit beslopen, om vervolgens een lus te beschrijven om de vaste raketstuwstof te activeren. In de twee gevallen – van de zestig – waarin de torpedo zijn doel had geraakt was de romp van de getroffen boot in tweeën gebroken.

Natuurlijk had de torpedo in de andere achtenvijftig gevallen besloten dat de eigen boot het doelwit was. Het bleek ongelooflijk moeilijk om de koolstofprocessor het verschil te leren tussen vriend en vijand. Er waren geen elektronische interlocks mogelijk, zoals bij de vroegere siliciumprocessors. De Tigershark zou moeten leren zijn moederschip te herkennen. Maar dat was nog niet gelukt. Pacino sloot zijn ogen. Hij probeerde zich te concentreren en niet langer aan Krivak-Novskoyy te denken, of aan Anthony Michael, of aan de kruisraketten, het cruiseschip en het einde van zijn carrière. Alles draaide nu om de Tigersharks.

Acht uur later viel Pacino in slaap achter de console in het torpedoruim. Bij de volgende ELF-oproep om naar periscoopdiepte te komen kostte het enige tijd om de commandant op te sporen.

Anthony Michael Pacino was vijf jaar oud en zag zijn vader de onderzeeboot *Devilfish* naar haar aanlegplaats brengen, aan pier 22. Zijn vader zwaaide naar hem vanaf de hoge commandotoren toen de gestroomlijnde zwarte onderzeeboot naar de kade kwam, zonder sleepboten of een loods. De lijnen werden overgegooid en overste Pacino gaf opdracht de Amerikaanse vlag te strijken – en de Jolly Roger, de piratenvlag die hij voerde,

tegen de orders van zijn chef in. De loopplank werd door een rammelende kraan op de stalen romp gelegd. Papa daalde van de commandotoren af en kwam over de loopplank naar de pier. '*Devilfish* van boord!' kraakte een luidspreker. De marinecommandant rende naar de kleine Anthony, tilde hem hoog in de lucht en draaide hem in kringetjes rond. De klaterende lach van zijn moeder gaf het moment nog meer nadruk. De zwartharige commandant zette hem weer op het beton van de kade, glimlachte naar mama en kuste haar uitbundig. Toen liepen ze met zijn drieën de pier af naar de auto, waar papa beloofde dat ze 's avonds pizza zouden eten. Ze bleven alle drie laat op, totdat Anthony in slaap viel en papa hem naar bed bracht. Toen hij 's ochtends wakker werd, was papa nog thuis. Hij had een week verlof, en de wereld was mooi.
Het beeld vertraagde steeds meer, totdat het stilstond op het moment dat zijn vader naar hem lachte aan de lunch, met op de voorgrond een boterham met pindakaas. De glimlach van zijn vader was het laatste wat hij zag toen het tafereel donker verkleurde aan de randen. Die randen werden breder en breder, totdat de duisternis alles verzwolg, zelfs de witte tanden van zijn lachende vader. En toen alles donker was, verscheen er helemaal aan het eind een kleine, witte ster, die langzaam begon te groeien.

Overste Peter Collingsworth schakelde de motor achteruit en voer een eindje bij de plasma-explosiebrander vandaan. Toen hij de heuvel in het zand – het wrak van de *Piranha* – niet meer kon zien, begon hij af te tellen naar de *Explorer*, hoog boven zijn hoofd. Op het moment dat hij bij nul kwam, ontstak de commandocentrale de plasmabrander. Een cirkel van zes meter doorsnee en twee centimeter breed werd verhit tot dezelfde temperatuur als de oppervlakte van de zon. Binnen enkele seconden begon het sterke HY-100-staal van de romp van de *Piranha* te smelten onder de plasmabrander, totdat het totaal verdampt was. Een cirkelvormige plaat van zes meter doorsnee kwam los uit de romp. Alleen de vier zware ogen die al eerder op de plaat waren gelast voorkwamen dat het staal boven op de DSV zou vallen, die eronder lag.
De *Berkshire* voer voorzichtig naar het wrak van de onderzeeboot, zodat Collingsworth het resultaat kon bekijken. De plaat hing nog steeds aan drie stalen spanten – vijf centimeter dikke I-balken die tot hoepels waren gebogen. De plasmabrander had deze laatste drie maar half doorgesneden. Het diepzeevaartuig had explosieven aan boord voor zo'n omstandigheid. Collingsworth bracht ze aan en rolde de kabels af. Hij kon de explosieven ontsteken vanuit de DSV zelf. Het kostte tien minuten om alles op zijn

plaats te krijgen, tien seconden om de explosie voor te bereiden en tien milliseconden om de grote ronde plaat van de laatste drie spanten te scheiden.

'Hij is los. Centrale, haal hem vijftig meter hiervandaan en laat hem dan vallen,' zei hij in zijn microfoontje. Bij het schijnsel van de krachtige zoeklichten keek hij toe terwijl de plaat voorzichtig werd opgetild aan vier kabels van de deinende *Explorer II.* Gelukkig was de golfslag niet zo hevig dat de plaat losraakte en alsnog op de DSV viel. De DSV was nu zichtbaar achter het gat in de romp van de onderzeeboot. Als volgende stap moest hij de commandomodule van zijn eigen luchtsluis losmaken en de module uit de onderzeeboot tillen. Collingsworth liet zijn zoeklicht over de halfronde glazen koepel van de module schijnen. Hij hoopte vurig dat er geen barsten in zaten. Gelukkig leek alles intact. Hij veegde het zweet uit zijn ogen en ging aan het werk om de ring van de plasmabrander rond de luchtsluis te plaatsen en die samen met de vrachtmodule van de commandomodule los te snijden.

Toen het zoeklicht over de bolle ruit van de commandomodule scheen viel de bundel heel even de module binnen. Er brandde daar geen licht meer, het interieur was bevroren en de scrubbers en branders werkten niet meer. De vier mensen in de module ademden nog nauwelijks in de vervuilde atmosfeer van de ijskoude ruimte. Astrid Schultz kreeg hartkloppingen. Het zuurstofgebrek en de opbouw van kooldioxide kregen effect op de regulerende functies van haar hersenstam. De fluctuaties werden steeds erger. Toen de plasmabrander de luchtsluis wegsneed, klopte haar hart als een razende, maar heel ondoelmatig, in volledige fibrillatie. Tegen de tijd dat de module van de rest van het vaartuig was losgesneden, stond haar hart al stil. Toen de commandomodule uit de doodskist van het onderzeebootwrak werd getild kregen Catardi en Alameda hun eerste hartkloppingen. In de derde minuut van de liftoperatie kreeg Pacino hartkrampen.

De kranen op het achterschip van de HMS *Explorer II* tilden de DSV-commandomodule uit de gezonken onderzeeër *Piranha* en lieten hem zakken op het dek. Maar de inzittenden konden geen 'overlevenden' meer worden genoemd.

Een ploeg van vier man stond klaar met snijbranders, voor het geval het luik van de losgesneden luchtsluis niet zou werken. Een van hen draaide de grendel los en de klauwen trokken zich terug. Hij drukte het luik weg en stapte opzij. Een ander team van acht man met Scott-airpacks stapte de commandomodule in. De zuurstofapparatuur was noodzakelijk omdat de atmosfeer in de module vervuild moest zijn. Colleen Pacino kon het nau-

welijks aanzien. Toen de eerste twee weer naar buiten kwamen droegen ze een jonge vrouw met donker haar tussen zich in. Ze legden haar op een brancard, waar een medisch team van vijf man zich onmiddellijk om haar bekommerde en haar afvoerde naar het binnenste van het schip. Daarna werd een man naar buiten gebracht – commandant Catardi – die op een tweede brancard werd weggereden. Het derde slachtoffer was een slanke blonde vrouw. Colleen stond op het punt om te gaan gillen tegen de mannen in de commandomodule, maar eindelijk kwamen er weer twee naar buiten, met het lichaam van Anthony Michael.
Colleen rende naar hem toe en pakte zijn hand, maar zijn huid was grijs, koud en stug. Een officier van de Britse marine hield haar tegen toen ze Anthony Michael naar de ziekenboeg brachten. Colleen zwierf wat over het dek, zonder te weten wat ze moest doen. Ten slotte besloot ze een kijkje te nemen in de commandomodule van het diepzeevaartuig. Het was er bedompt en koud. Links van het luik lag een stapel dekens. Wat een ellendige plek om te sterven, dacht ze.
Ze waren te laat gekomen.

'Mevrouw Pacino?'
'Ja, overste?' Colleen keek geschrokken op en kwam overeind in het gangetje buiten de ziekenboeg. De dokter aan boord van de *Explorer II*, een traumaspecialist, deed zijn besmeurde witte jas uit, trok een schone aan en haalde het bezwete mutsje van zijn hoofd.
'Het spijt me, mevrouw. Uw stiefzoon, de jonge adelborst, is te lang bewusteloos geweest. Zijn temperatuur was gevaarlijk laag toen hij uit het vaartuig werd gehaald. We hebben drie keer geprobeerd hem te reanimeren, maar hij reageerde niet. Een paar minuten geleden hebben we hem moeten opgeven.'
Colleen staarde naar het deinende dek en zocht steun bij een handgreep aan de wand. Michael zou kapot zijn, dacht ze. 'Hoe is het met de anderen?'
'Ze leven allemaal nog. Tenminste, ze zijn stabiel, maar het is niet uitgesloten dat ze hersenbeschadigingen hebben opgelopen. De vrouwen zijn in coma en commandant Catardi slaapt.'
'Mag ik hem zien?'
De dokter deed zijn mond open om te antwoorden, toen een collega de deur opengooide. 'Dokter Crowther, de jongen heeft zich bewogen!'
De arts rende terug naar de ziekenboeg. Colleen volgde hem en probeerde door het raampje naar binnen te kijken, maar Anthony lag achter een

hoek. Het duurde een uur voordat ze weer iets hoorde. Eindelijk kwam de dokter terug, met een grimmige uitdrukking op zijn gezicht.
'Zijn hart is spontaan weer op gang gekomen,' zei hij, 'maar waarschijnlijk is het slechts uitstel van het onvermijdelijke. Hij bevindt zich in een diep coma en we hebben hier op zee niet de apparatuur om zijn toestand te bepalen. Voorlopig lijkt hij stabiel, dus stel ik voor om naar Engeland te varen, waar hij de beste behandeling kan krijgen.'
Colleen knikte. 'Ik zou overste Catardi graag zien. Daarna kunt u me naar Anthony Michael brengen.'
Catardi lag tegen een kussen, met een pafferig, gezwollen gezicht.
'Overste? Kunt u me horen?' vroeg ze. Hij keek haar vragend aan. 'Ik ben de stiefmoeder van adelborst Pacino, Colleen Pacino.'
'Hoe is het met hem?' vroeg Catardi hees.
'Niet goed, overste,' zei ze, en ze vertelde hem wat ze wist.
'En de anderen?'
'Die overleven het wel, maar mogelijk met een hersenbeschadiging.'
Catardi mompelde iets.
'Wat zegt u?'
'Patch,' zei hij. 'Het was Patch die ons heeft gered.' Het kostte Catardi een paar minuten om het verhaal te vertellen, en aan het eind viel hij in slaap, halverwege een zin.
Colleen werd naar het bed van Anthony Michael gebracht. Ze deinsde terug toen ze hem zag. Hij was zo wit als de lakens waarop hij lag, en hij zag eruit alsof hij van een gebouw gevallen was. Zijn hele gezicht zat onder de kneuzingen en was bedekt met verband. Colleen pakte zijn hand, die zo koud was dat ze onwillekeurig huiverde. Ze wist dat zijn vader zou willen weten wat er was gebeurd, dus schreef ze een e-mailbericht en stuurde dat aan John Patton, met de vraag om het aan Pacino door te geven. Toen ging ze terug naar de ziekenboeg en bleef bij het bed van de jongen zitten. Ze probeerde niet te denken aan wat haar man op dat moment deed, maar als directeur van Cyclops wist ze dat het iets met de SSNX te maken moest hebben, en met de onderzeeër die de *Piranha* tot zinken had gebracht. Want er bestond geen andere reden op aarde die Pacino bij zijn zoon vandaan had kunnen houden.

Commandant Lien Hua zat stilletjes aan een tafel in een ruimte die vermoedelijk de officiersmess van een schip was. Aan de wanden hingen foto's van onderzeeboten aan de oppervlakte. Hij was dus opgepikt door een Amerikaanse onderzeeboot. En na Zhous orders om op de Amerikaanse

overlevenden te vuren was dat het ergste wat hem had kunnen overkomen. De deur ging open en twee lange, weldoorvoede Amerikanen kwamen binnen met leider Zhou Ping. Hij zag bleek, maar er waren geen verwondingen te zien, dus de Amerikanen hadden hem blijkbaar alleen op zijn rug geslagen. Er stond geen paniek in Zhous ogen en Lien vermoedde dat hij in trance was of drugs had gekregen. Maar daarvoor leek zijn blik toch te helder. De deur viel dicht en Zhou ging zitten.
'Hoe gaat het, commandant?'
'Hebben ze je geslagen? Ze kwellen mij door de marteling zo lang mogelijk uit te stellen.'
'Ze hebben me niet geslagen. Hun commandant en eerste officier hebben me naar hun hut laten komen.'
'Heb je met ze gepraat?'
'Ze hebben tegen mij gesproken. Ze zullen ons naar de Volksrepubliek terugsturen zodra er afspraken zijn gemaakt. Er wordt nu een rendez-vous geregeld met een oppervlakteschip. Een helikopter zal ons hier van boord halen en naar het dek van een jager overbrengen. Daar wachten we op een marinehelikopter van het Volksbevrijdingsleger om ons op te pikken en naar een van de schepen van het derde eskader te brengen, dat uit de Golf van Bohai is vertrokken om ons op te halen.'
Lien staarde zijn XO aan. 'Dus ze laten ons gaan, zomaar? Nadat je op hun landgenoten hebt geschoten? Weten ze dat wel?'
'De eerste officier van hun boot, de *Leopard*, die wij tot zinken hebben gebracht, is bijgekomen en heeft hun alles verteld. Ik heb het bevestigd.'
'Wát?'
'Het maakt niets uit, commandant. Ze sturen ons toch terug.'
'Dat zeggen ze. We zullen zien. Ondertussen heb je wel een oorlogsmisdaad bekend.'
Zhou haalde zijn schouders op. 'Ja, dat is waar. Een oorlogsmisdaad, inderdaad. Ik ben u een excuus schuldig, commandant. Ik had u niet uit uw functie mogen ontheffen. En het was een nog grotere fout dat ik op de Amerikanen heb geschoten.'
Lien zweeg een hele tijd. Ten slotte zei hij aarzelend: 'Wat bedoelde je eigenlijk, dat ons derde eskader in de Golf van Bohai lag?'
'We hebben verloren, commandant. De Amerikanen hebben ook ons tweede eskader tot zinken gebracht. Beijing heeft de derde vlootgroep teruggeroepen en het Volksbevrijdingsleger heeft zich van de Indiase grens teruggetrokken. Ik heb het op de BBC gezien. De premier heeft een verklaring afgelegd.'

Lien fronste zijn wenkbrauwen toen de bemanning hun een maaltijd voorzette. Zhou begon voorzichtig, maar at toen zijn hele bord leeg. Pas nadat Zhou klaar was, nam ook Lien een hap en begon te eten.

'We zijn weer gedoken, commandant,' meldde wachtofficier Vickerson over de telefoon. 'De computer komt naar u toe.'
'Ik heb hem al,' zei Pacino van achter de console in het torpedoruim. Hij hing op en vroeg zijn e-mails op. Het waren er twee: een van Colleen, de andere van McKee, allebei via Patton. Met bevende handen opende Pacino het bericht van Colleen. Toen hij het las, verstrakte zijn gezicht en daalde er een diepe duisternis op hem neer. Hij kon zich nauwelijks concentreren op de e-mail van McKee, die met tegenzin beloofde dat hij de luchtmacht bij het rendez-vous met de *Snarc* vandaan zou houden. In elk geval hield hij de vliegtuigen achter de hand, honderd mijl naar het westen, voor noodgevallen. Pacino gaf de computer aan de boodschapper terug en boog zich weer over zijn werk met de medisch officier, een luitenant-arts – ook zo'n nieuwigheid. Sinds Pacino bij de marine weg was, hadden onderzeeërs hun eigen arts aan boord.
Een uurtje later richtte hij zich op en belde de hut van de XO.
'Laat de officieren en chefs naar de longroom komen,' zei hij effen.
Tien minuten later hadden de belangrijkste mensen aan boord van de SSNX zich in de longroom verzameld. Iedereen zat of stond en keek vol verwachting naar Pacino, die een kop koffie inschonk en aan het hoofd van de tafel ging zitten.
'Ik heb nieuws voor jullie,' zei hij, terwijl hij zijn bemanning aankeek. 'Ik heb zojuist bericht gekregen van Patton en McKee. De luchtmacht trekt zich terug. De *Devilfish* zal het zelf moeten opknappen, met de Tigersharks.' Hij nam een slok koffie en vervolgde: 'Ik weet dat jullie je zorgen maken over de inzet van de Tigersharks. Ik ook. Dat wapen is een killer. Als het iets in het water ontdekt, slaat het meedogenloos toe, of het nu de eigen boot is, de vijand, een oppervlakteschip of zelfs een andere Tigershark. De afgelopen vierentwintig uur heb ik gewerkt aan een oplossing. Het probleem lijkt onoverkomelijk, maar ik heb alle onderzoek naar kalmeringsmiddelen voor koolstofprocessors doorgewerkt en een tijdelijke remedie voor de Tigersharks gevonden.'
'Kalmeringsmiddelen?' viel Vermeers hem in de rede. 'U wilt ze drugs toedienen, commandant?'
'Precies,' zei Pacino. 'De processors van de Tigershark zijn vergelijkbaar met een dierlijk brein. En net alsof we een grizzlybeer verdoven zullen we

de Tigersharks een middel toedienen dat alleen hun lagere functies intact laat. Ze houden voldoende besef over om zichzelf in leven te houden en gewichtloos te blijven zweven totdat het middel is uitgewerkt en ze weer wakker worden. Tegen die tijd zijn wij op veilige afstand en vallen ze alles aan wat binnen hun sensorbereik opduikt.'

Pacino pakte een afstandsbediening en er verscheen een display op het scherm. 'Ik heb de route van de *Snarc* naar het rendez-vous aangegeven. Wij beginnen langs haar vermoedelijke koers naar het oosten en zullen de Tigersharks gebruiken alsof het stationaire mijnen zijn, zonder aandrijving. We moeten dus stoppen, zweven en ons voorzichtig verwijderen, om te voorkomen dat ons kielzog de torpedo's laat draaien of kapseizen. We leggen de Tigersharks links en rechts van de vermoedelijke route van de *Snarc* en trekken ons steeds verder naar het westen terug. Zodra we buiten het sensorbereik van de meest oostelijke torpedo's zijn, zullen ze wakker worden. Ze krijgen geen zware dosis, slechts genoeg om ons de kans te geven veilig weg te komen. We blijven op twintig mijl ten westen van de meest westelijke Tigershark, die we hier leggen... tien mijl ten westen van het rendez-vous. Daar blijven we zweven, ultrastil, alleen op de batterij en met de reactor uitgeschakeld. Er mag geen enkel geluid te horen zijn van de reactorcirculatiepompen, de stoomturbines, de generatoren, de klimaatregeling of wat dan ook. De enige systemen die on line blijven zijn de koeling voor de Cyclops-sonar, de Cyclops zelf en zijn displays, en een minimale verlichting. De airco en de ventilatie gaan uit, zodat het knap heet zal worden, maar in elk geval zijn we dan stiller dan een gat in de zee, totdat we de *Snarc* hebben vernietigd en alle Tigersharks zijn geëxplodeerd of zichzelf vol water hebben laten lopen en naar de kritische diepte zijn gezonken. Pas op dat moment, en niet eerder, starten we de reactor en de systemen weer op om de schade in het oosten te inspecteren. Wie heeft er nog vragen?'

Rick Bracefield, de absurd jeugdig ogende technisch officier, stak zijn vinger op alsof hij op school zat.

'Ja?' zei Pacino geduldig.

'Commandant, als de reactor en de stoominstallaties zijn uitgeschakeld, hoe kunnen we dan een Tigershark ontwijken die ons ontdekt, of een Mark 58 die door de *Snarc* wordt gelanceerd?'

Pacino keek verbaasd, omdat het antwoord zo voor de hand lag. 'We draaien de boot zodat het gevaar altijd van achteren komt, vanaf de rand van de sonarblinde hoek. Zodra we een torpedo in het water horen activeren we de TESA, het nieuwe systeem om torpedo's te ontwijken.' Pacino zweeg toen hij de sombere gezichten van de technisch officier en de wapenofficier zag.

‘Wat is er?’
‘Commandant, de werf heeft het TESA-systeem nooit afgebouwd,’ bekende de technisch officier.
‘En de bedrading is nooit aangesloten, omdat we niet wisten of het nu eigenlijk bij de wapensystemen of bij de voortstuwing hoorde,’ zei de wapenofficier, Elaine Kessler.
‘Ontruim de centrale,’ beval Pacino, op zo’n nijdige toon dat alle officieren overeind sprongen. ‘Iedereen naar buiten, behalve de XO, de technisch officier en de wapenofficier.’
De officieren slopen op hun tenen weg. De drie achterblijvers stonden erbij als geslagen honden.
‘Over twintig seconden loop ik die deur uit, terug naar het torpedoruim,’ zei Pacino met ingehouden woede. ‘Wat jullie er ook van vinden, over tien uur is het TESA-systeem volledig operationeel. Desnoods moeten we naar de oppervlakte om de ballasttanks te kunnen bereiken, maar de TESA zál functioneren. Elke dertig minuten wil ik een voortgangsrapport van u, XO, een rapport waarin geen plaats is voor woorden als “onmogelijk” of “te laat”. Heeft iedereen dat goed begrepen? Als dit niet lukt, kost het jullie je rang, aangenomen dat we deze missie dan nog overleven. Heeft iemand nog vragen? XO?’
‘Commandant,’ begon Vermeers voorzichtig, ‘misschien zouden we het karakter van de missie moeten veranderen. Zonder de TESA is het zelfmoord, en de kans bestaat dat we er niet op tijd mee klaar zijn. Nee, luister nou even. Het gaat niet alleen om de bedrading van de raketmotoren in de juiste volgorde en op het juiste moment, maar ook om de Cyclopsbootbesturing. De tijdconstante van de Cyclops zou ons de das om kunnen doen, commandant. Als de computer de boegvleugels niet kan besturen in het juiste reactietempo, kunnen de explosies van die raketmotoren ons binnen een seconde naar de kelder jagen. Of we springen zo hoog boven het water uit dat we bij de terugval doormidden breken.’
Pacino staarde de drie officieren grimmig aan en vroeg zich af wat hij kon doen tegen die fatalistische houding die hij bij hen zag.
‘Jullie drieën en jullie mensen zorgen ervoor dat het in orde komt. Het karakter van de missie wordt niet aangepast. Ik ga ervan uit dat de TESA werkt, en daar zal ik mijn tactiek op baseren. Het is dus letterlijk erop of eronder.’ Hij kneep zijn ogen tot spleetjes en probeerde zijn woede nog wat aan te dikken. ‘En nu, wegwezen,’ zei hij zacht. Het drietal bleef als aan het dek genageld staan. ‘Verdwijn! Eruit!’ brulde hij. De officieren renden naar de deur en botsten tegen elkaar op in hun haast om weg te komen.

Pacino schudde zijn hoofd. Hopelijk had hij hen zo de stuipen op het lijf gejaagd, dat ze hun twijfels aan het systeem opzij zouden zetten. Eén ding was zeker: hij zou de boot niet sparen. Novskoyy kwam eraan met een ruim vol kruisraketten en torpedo's. Pacino zou hem tegenhouden, ook al zou het hem de boot kosten, met iedereen aan boord.

Victor Krivak zette de interfacehelm af en veegde het zweet uit zijn haar. 'Wang,' riep hij, 'we hebben nog één uur. Pak onze spullen en wacht bij het toegangsluik. En trek een wetsuit aan. Ik heb besloten onder water te blijven bij het rendez-vous met Amorn en Pedro. Dan kan de *Snarc* misschien ongeschonden naar de Chinezen ontsnappen.'
'Je moest nog iets doen voordat we Amorn troffen. Wat is dat precies?'
'Niets. Niks bijzonders.'
'Ik blijf liever aan boord om Een-Nul-Zeven te helpen bij het herstel,' zei Wang. 'Ga jij maar vooruit.'
Krivak dacht daarover na en knikte toen. 'Best. Maar help mij dan bij het verzamelen van mijn spullen en het klaarleggen van mijn wetsuit.'
Wang glimlachte, blij als een kind. 'Natuurlijk, Victor.'

'Commandant, de gevechtswacht is ingesteld,' meldde Jeff Vermeers.
Michael Pacino stond op de Conn met een halve, draadloze headset en een microfoontje. Hij wierp een blik op zijn ongetrainde bemanning, van wie de meesten op hetzelfde draadloze circuit waren aangesloten als hij.
'Goed. Wapenofficier, wat is de status van de buizen?'
'Commandant, buizen één tot en met vier droog geladen met Mark 98 Tigersharks, processors ingeschakeld en... verdoofd.'
'Dank u. Navigator?'
'Commandant,' antwoordde de navigatieofficier, 'de boot ligt op het lanceerpunt van Tigershark nummer één.'
'Goed. Attentie, vuurleidingsteam,' zei Pacino, verbaasd hoe het voelde om die order te geven. 'Afvuurprocedures buis één, Tigershark één.'
Terwijl de Cyclops de eerste Tigershark-torpedo uitbraakte riep Pacino de medisch officier bij zich. 'Zestig minuten voordat hij weer wakker wordt. Correct?' vroeg hij zacht.
'Ja, commandant. U hebt een uur om weg te komen.'
'Laten we hopen dat het kalmeringsmiddel werkt. XO, wat is de status van het TESA-systeem?'
'We werken er nog aan, skipper. Tegen de tijd dat de *Snarc* begint te naderen weten we meer.'

'XO, als ik die noodschakelaar van de TESA moet gebruiken en hij werkt niet, zal ik u, de wapenofficier en de technisch officier met mijn blote handen wurgen voordat die inkomende torpedo ons te pakken krijgt.'
Vermeers slikte. 'Als iemand me kan aflossen als vuurleidingscoördinator, zal ik kijken hoe het met de TESA gaat.'
'Uitstekend, XO. Navigator, los de XO af als vuurleidingscoördinator.'
Pacino wierp een blik op de geografische plot van het Cyclops-systeem, met de positie van de eerste Tigershark.
'Commandant,' zei de navigator, 'we zijn op het lanceerpunt voor Tigershark nummer twee.'
Pacino knikte. Een voor een verlieten de wapens de boot terwijl de *Devilfish* zich steeds verder naar het westen terugtrok. Na een uur was de hele operatie voltooid en konden ze niets anders meer doen dan de boot stilleggen en wachten op Krivak en de *Snarc*.
'Commandant aan Manoeuvres,' zei Pacino via zijn headset, 'stop de reactor en maak de boot gereed voor minimale elektronica.'
Terwijl de airco zichzelf uitschakelde en het benauwd werd in de boot, vroeg Pacino zich af of de *Devilfish* ooit nog zou worden opgestart. Hij probeerde positief te blijven, maar dat viel niet mee met een half functionerende boot en een onervaren bemanning, tegenover de gevaarlijkste onderzeeër ter wereld, terwijl zijn enige zoon in een diep coma lag waar hij waarschijnlijk nooit meer uit zou komen. Was dat de reden waarom Pacino zoveel risico's nam, vroeg hij zich kritisch af. Was het een doodswens? Nee, protesteerde zijn hele wezen. De enige die hij dood wenste was Alexi Novskoyy, en de USS *Snarc*.

26

Michael Pacino stond op de Conn van de *Devilfish*. Zijn overall was doordrenkt met zweet in de dampende commandocentrale. Het was er benauwd en bedompt. De gedachte om een bloedhete stoominstallatie in een luchtdichte onderzeeboot in te bouwen was alleen verstandig als je er een zware airco aan verbond. Voorlopig kon hij weinig anders doen dan zwetend afwachten tot de eerste Tigersharks wakker zouden worden. Als het fout ging, zouden de torpedo's steeds grotere cirkels beschrijven totdat ze de SSNX – hun eigen boot – ontdekten en als doelwit zouden zien. Of elkaar. Ook als de *Snarc* te laat was, zou dat een ramp betekenen. Dan zouden de Tigersharks jacht op elkaar maken tot ze door hun brandstof heen waren en naar de bodem zonken, terwijl de *Devilfish* geen enkel wapen meer overhad. Niet alleen zou de SSNX dan weerloos zijn, ze zou ook nog worden bedreigd door haar eigen torpedo's.
Pacino tuurde naar de geografische plot – de zee van bovenaf gezien, met hun eigen positie, de gelanceerde Tigersharks en de route van de *Snarc*. Vooruit, spoorde Pacino de robotonderzeeër aan, op weg naar je rendezvous!
'Sonar aan centrale,' kraakte het in Pacino's headset. Eindelijk, dacht hij.
'Meervoudige signalen vanuit het oosten, commandant.'
'Commandant aan sonar. Wat is uw classificatie?' vroeg Pacino.
'Sonar aan commandant. Startende torpedomotoren.'
'Dank u, sonar. Overeenkomstig de richting van de Tigersharks?'
'Sonar aan commandant, ja. En we horen ook een verre dieselmotor met een dubbele vierbladige schroef, van een licht oppervlakteschip.'
'Dank u, sonar.' Pacino keek naar Justin Westlake, de navigator, die Vermeers' taak als coördinator had overgenomen terwijl de XO toezicht hield op de installatie van het TESA-systeem. 'Dat zou het jacht kunnen zijn

waarmee ze een afspraak hebben,' zei Pacino.
Westlake, een tweeëndertigjarige lange, zwarte officier met een zachte stem, een nasaal accent uit Chicago en een metalen brilletje, knikte. 'Hij is wel laat, skipper.'
'Commandant aan sonar. Hoort u al iets op de twee-vijf-vier hertz van de *Snarc*?' Pacino bladerde de sonardisplay door naar de smalle band.
'Sonar aan commandant, we hebben een lichte piek op de sleepsonar, maar het is nog te vroeg.'
'Dat moet hem zijn,' zei Pacino tegen Westlake.
'Ik ben het met de sonar eens, commandant. Die piek is nog te breed voor conclusies,' vond Westlake.
'Dat zegt het systeem, ja. Maar geloof me, navigator, hij komt eraan.'
'Dan moeten de Tigersharks hem ook hebben ontdekt, en daar krijgen we nog geen signalen van, commandant.'
'Wacht maar twee minuten,' zei Pacino. 'Ik twijfel er niet aan. Commandant aan sonar, wat is de smalle band voor twee-vijf-vier?'
'Sonar aan commandant, de twee-vijf-vier zit op band zeven, richting nul-acht-vijf en een-zes-vijf.'
'Naar het oosten, navigator,' zei Pacino. 'Dat is hem.'
'Sonar aan commandant, we horen Tigershark-motoren naar het oosten. Snelheid neemt toe.'
Pacino glimlachte. 'Sonar, hoort u al raketmotoren?'
'Sonar aan commandant, nee... herstel, ja! Raketmotoren ontstoken. De Tigersharks hebben iets ontdekt, commandant!'

'Een-Nul-Zeven, breng de boot naar de lanceerdiepte voor de raketten,' beval Victor Krivak. 'Vijftig meter kieldiepte. Snelheid minderen tot vijf knopen.'
De hellingshoek van het dek werd steiler toen de *Snarc* uit de kille diepte omhoogkwam.
'Laat me de kaart zien, zelfde schaal als vorige keer, met de actieradius eroverheen geprojecteerd.'
De positie van de boot knipperde op het punt waar de Javelin IV binnen schootsafstand van Washington en Philadelphia kwam. 'Vergroot de schaal, Een-Nul-Zeven, tot een breedte van honderd mijl op de display.'
De kaart werd groter. Krivak zag dat de boot nog vijf mijl ten oosten van de juiste positie lag. Hij wilde op tijd snelheid minderen en tot boven de spronglaag stijgen, zodat hij de raketten zou kunnen lanceren als hij zeker wist dat er niemand in de buurt was en het gehuurde jacht de plaats van

het rendez-vous had bereikt. Zodra de boot in de ondiepte boven de spronglaag lag, waar het water veel warmer was, gaf hij de computer opdracht naar geluiden van een dieselmotor te zoeken. De kaart gaf onmiddellijk de plaats aan van een dubbele dieselmotor. Het jacht dat Amorn en Pedro hadden gehuurd was op de afgesproken positie aangekomen. Een goed voorteken.

'Een-Nul-Zeven, geef me de status van de wapens en de doelgegevens.'

De display voor de kruisraketten verscheen, met het eerste wapen op het Witte Huis gericht. Krivak overwoog om de coördinaten te wijzigen van het middelpunt van het gebouw naar de West Wing, waar de president en haar staf zich vermoedelijk bevonden, maar admiraal Chu wilde alleen het symbool van het presidentschap vernietigen. Heel jammer, dacht Krivak. Misschien zou hij Philadelphia kunnen vervangen door de West Wing, maar Chu had nadrukkelijk ook Independence Hall op de lijst gezet. Vreemd, maar de klant was koning. Krivak liet de instellingen daarom ongewijzigd en volgde de display toen de gyro's van de raketten werden opgestart.

'Een-Nul-Zeven, maak de wapens één tot en met twaalf gereed en open de buitendeuren.'

Het knipperende lichtpuntje van hun positie kruiste de cirkel van de actieradius net op het moment dat de buitendeuren zich openden. Tijd voor de lancering.

'Een-Nul-Zeven, vaart nul. Laat de boot zweven op vijftig meter en lanceer de Javelin-kruisraketten één tot en met twaalf op de aangegeven doelen,' beval Krivak. 'Kom na de lancering naar een diepte van twintig meter en schakel het luik van de ontsnappingskoker naar handmatige bediening.'

Krivak zette zijn interfacehelm af en daalde de ladder af naar het tussendek, waar dr. Wang al wachtte onder de luchtsluis. Toen de eerste raket vertrok en het dek begon te trillen onder hun voeten keek Wang hem verbaasd aan.

'Wat gebeurt er?' vroeg hij met grote ogen.

'We vuren kruisraketten op Washington af,' zei Krivak, en hij pakte zijn materiaaltas.

'Wát?' riep Wang. Zijn mond viel open toen de tweede lancering de boot deed trillen.

'Het Witte Huis, het Capitool, je weet wel. En nog wat andere doelen. Daarna vertrekt de boot naar de Chinese Zee, aangenomen dat hij de komende uren niet door de Amerikanen tot zinken wordt gebracht.'

'Maar dat hebben we nooit afgesproken!' schreeuwde Wang. 'Je kunt deze

boot niet gebruiken om het Amerikaanse vasteland onder vuur te nemen!'
De derde buis blafte. 'Toch heb ik dat zojuist gedaan,' zei Krivak. Hij vond wat hij zocht: een zware, verzilverde Colt .45 automaat, met een geladen magazijn. Krivak schoof de veiligheidspal terug en richtte het wapen op het moment dat Wang de smalle gang door rende. De .45 sprak met luide, gezaghebbende stem. Wang kreeg drie kogels in het hart. De kracht van de schoten smeet hem tegen de wand. Hij had zijn ogen nog wijd open, met een vage, beschuldigende blik, toen hij langzaam naar het dek zakte. Krivak wist dat het zonde van de kogel was, maar drukte de loop toch tegen een van Wangs geopende ogen en haalde de trekker over. De bovenste helft van de schedel van de brave doctor barstte open als een rotte meloen. Zijn hersenen, haren en botsplinters maakten een smerige vlek op het toch al bebloede laminaat van de wand.
'Bedankt voor al uw werk, dr. Wang,' zei Krivak, terwijl hij de .45 op het dek legde en zijn shirt uittrok. De vierde raket vertrok op het moment dat hij het hemd wegsmeet. 'Hopelijk bent u tevreden over de afvloeiingsregeling.' Krivak liet zijn broek zakken en trok zijn wetsuit aan. Toen hij het pak dichtritste waren de vijfde en zesde raket al gelanceerd.
Krivak opende het onderste luik van de ontsnappingskoker en keek naar het controlepaneel. Een-Nul-Zeven had het systeem inderdaad naar handmatige bediening overgeschakeld. Hij pakte zijn tas en legde zijn hand op het luik.
'Vaarwel, Wang. Goede reis.' Met een klap sloeg hij het luik achter zich dicht en wachtte tot de dieptemeter aangaf dat de boot ondiep lag. Ondertussen luisterde hij naar de volgende lanceringen.
Een prachtig geluid, dacht hij tevreden.

De vierde Mark 98 Tigershark-torpedo kwam nijdig bij bewustzijn, met zijn sonar afgestemd op de oceaan om hem heen. Het wapen startte zijn externe verbrandingsturbine om de omgeving af te zoeken, maar kon niets anders ontdekken dan de eindeloze, lege zee. Het beschreef een brede cirkel van vijfhonderd meter, maar tevergeefs. Ook een nog grotere cirkel leverde geen resultaat op. Na de vijfde cirkel besloot de Tigershark om naar de spronglaag te stijgen en te zien of daar iets te beleven viel. Langzaam klom het wapen tot boven de grens waar de temperatuur opeens steeg van ijskoud naar warm. Die hogere watertemperatuur beperkte ook de geluiden tot boven de laag.
Zodra de Tigershark boven de spronglaag kwam hoorde hij iets. Hij wiebelde met zijn vinnen om te controleren of het geluid bewoog, en dat deed

het. Het was dichtbij, op minder dan een mijl. De Tigershark wiebelde nog eens met zijn vinnen om de afstand nauwkeuriger te bepalen en schakelde toen zijn motor uit. Hij wierp zijn eerste trap af door de explosiebouten rond de middensectie te ontsteken en zichzelf te halveren. Binnen een fractie van een seconde kwam een persluchtcilinder in de neuskegel achter de sonarsensor in actie en blies de lucht over de punt van de rustig koersende torpedo voordat de raketmotor startte. De perslucht stroomde over de torpedo naar de straalpijp van de raketmotor achteraan. Toen het wapen snelheid maakte veranderde de luchtbel om de romp in een supercaviterende stoomwolk. De Tigershark accelereerde tot honderd knopen, strak op het doelwit gericht. De snelheid liep op tot honderdvijftig en tweehonderd knopen toen het wapen de afstand tot het doelwit overbrugde.
Het volgende moment boorde de Tigershark zich in de romp van het doelwit. De kinetische energie van de inslag verbrijzelde de neus. De restanten van de torpedo sneden door het wrak van het doelwit toen de PlasticPakkop explodeerde en de restanten van het doelwit de lucht in werden geblazen. Een rode wolk van tot atomen ontleed bloed was alles wat er overbleef van de mannen die ooit Amorn en Pedro hadden geheten. Het gehuurde jacht bestond niet meer.

'Commandant, geluiden op de breedband in richting nul-acht-acht. Zo te horen de ontsteking van een raketmotor.'
'Dank u, sonar,' zei Pacino, en hij kneep zijn lippen op elkaar. 'Dat zei u al. De motoren van de Tigersharks worden gestart.'
'Sonar aan commandant, nee. Dit zijn raketten, commandant, kruisraketten!'
Pacino opende zijn mond om de volgende order te geven, net op het moment dat XO Vermeers de centrale binnenkwam met een duistere uitdrukking op zijn gezicht. Hij greep een headset, keek even naar Pacino en wees met zijn duim omlaag. Maar Pacino had de tijd niet om kwaad te worden op Vermeers. 'Recht omhoog naar periscoopdiepte!' riep hij naar de duikofficier. 'Zeven-vijf voet, en breng de type-23 en de BRA-44 omhoog!'
De boot kwam log naar boven toen de duikofficier perslucht in de ballasttanks blies. 'BRA-44 Bigmouth omhoog, commandant!' riep hij. 'Tachtig voet.'
'Breng ons omhoog,' beval Pacino terwijl hij de periscoophelm van de type-23 opzette. 'Maak de Mark 80 SLAAM-raketbatterij gereed,' vervolgde hij. Zijn stem klonk vervormd door de helm. De Submarine-Launched

Anti-Air Missile zou misschien een Javelin kunnen inhalen op de raketmotor, als ze de wapens maar snel genoeg konden lanceren. Haastig gespte hij het controlepaneel om zijn dijbeen, vloekend omdat hij niet tijdig had bedacht dat hij de periscoop nog nodig zou kunnen hebben.
'Zeven-vijf voet, commandant.'
Tegen de tijd dat Pacino de periscoop had ingeschakeld was het wapen allang vertrokken. Hij tuurde over zee en zag onmiddellijk vier rooksporen boven de horizon tegen de bewolkte hemel.
'SLAAM-paneel ingeschakeld, commandant,' riep Vermeers.
'Mark 80, vuur!' beval Pacino, en bediende de joystick van de type-23 op zijn dijbeen. De hittezoekende luchtdoelraket werd gelanceerd vanuit de commandotoren en ging onmiddellijk achter de Javelin-kruisraketten aan. Pacino vuurde vijf hittezoekers af, en nog een zesde toen een volgende kruisraket vanuit zee werd afgeschoten. De raketmotor ontstak vlak boven de golven en slingerde het wapen de lucht in. 'Ik zie geen explosies,' riep Pacino, maar net op dat moment ging een van de Javelins in vlammen op, geraakt door een Mark 80.
Pacino volgde elke nieuwe Javelin met een Mark 80. Er was één groot probleem: hij had maar acht Mark 80's en de *Snarc* aan de horizon kon twaalf Javelins lanceren.
'XO!' blafte Pacino toen hij de zevende Mark 80 had afgevuurd en de derde Javelin explodeerde in de wolken. 'Bel het Pentagon op de UHF en vraag om een OPREP-3 tegen die raketten. Zeg dat er vier Javelins aankomen vanaf onze positie.'
Het pleitte voor Vermeers dat hij geen vragen stelde, maar zijn headset tegen het dek smeet en naar de radiohut rende. Hij had ook vanuit de centrale kunnen bellen, maar dat had een halve minuut overleg met de radiochef gekost en die tijd had hij niet.
Pacino lanceerde zijn achtste en laatste Mark 80 en zag de volgende Javelin exploderen. Zijn gezicht was een masker van woede toen hij de negende Javelin uit zee zag komen. Die vervloekte *Snarc* lag vlak bij hen, twintig mijl verderop aan de horizon, maar hij had nog geen enkele Tigershark-explosie gehoord.
'Sonar aan commandant, we hebben een explosie in het water.'
'Dat kan de *Snarc* niet zijn, sonar,' zei Pacino geërgerd. 'Die is nog bezig met lanceren.'
'De explosie komt uit de richting van het motorjacht, commandant.'
'Dank u, sonar. Hou nul-acht-acht in de gaten voor acties van de Tigersharks.'

'Sonar aan commandant, aye. Er is nog niets te horen daar.'
'Verdomme,' mompelde Pacino.
'Sonar aan commandant, we horen een Tigershark-motor aan de rand van de sonarblinde hoek aan bakboord, richting nul-acht-vijf.'
'Eindelijk,' verzuchtte Pacino, met de kruisdraden van zijn periscoop op de horizon gericht toen de tiende Javelin-kruisraket uit zee opdook. Als de *Snarc* nu werd vernietigd zouden er maar twee en geen vier kruisraketten aan zijn tegenaanval zijn ontkomen.
'Sonar aan commandant!' schreeuwde de headset plotseling pijnlijk in Pacino's oor. 'Tigershark-torpedo gaat naar links, niet naar rechts! Torpedo in het water! De Tigershark valt de eigen boot aan!'
Pacino rukte de periscoophelm van zijn hoofd. Het ding stuiterde over het dek toen hij tegen de duikofficier riep: 'Duiken. Nu! Lozen op maximaal! Diepte dertienhonderd voet. Vooruit!' Hij greep de 7MC-microfoon en schreeuwde: 'Centrale aan Manoeuvres. Schakel de reactor in, noodstart!' Hij liet de microfoon vallen, ontdekte Vermeers en riep: 'Zet de TESA op scherp!'
Vermeers sperde zijn ogen open en schudde driftig zijn hoofd. 'Commandant, we kregen het systeem niet aan de Cyclops gekoppeld. Als u het nu gebruikt, heeft de Cyclops geen controle meer over de boegvleugels en duiken we binnen een seconde tot onder de kritische diepte!'
'Sonar aan commandant. Inkomende Tigershark! We hebben bevestiging op de acoustic daylight imaging. Hij kan elk moment zijn raketmotor starten, commandant.'
'Commandant, diepte dertienhonderd voet,' riep de duikofficier, een angstig jongmens achter de console van de bootbesturing. 'Ballasttank twee gesloten. We zweven op testdiepte, commandant.'
Pacino stond één moment als verlamd. Toen kreeg hij een idee. Het leek van buitenaf te komen, alsof het hem werd ingefluisterd door iemand die heel ver weg was en toch naast hem stond. Hij hoorde de woorden met een stem die de zijne niet was. *Schakel de TESA in op testdiepte, met een kwart graad opwaartse hoek op de boegvleugels.* Pacino peinsde even, maar hij kon zelf niets anders bedenken.
'Sonar aan commandant. De Tigershark heeft zijn raketmotor ontstoken. Afstand wordt snel kleiner!'
'Duikofficier!' riep Pacino, in het besef dat dit zijn laatste order aan boord van de *Devilfish* kon worden, zijn laatste order zelfs in dit leven. 'Een kwart graad opwaartse hoek op de boegvleugels en noodblazen vóór. Nu!'
'Een kwart...' begon de duikofficier met een zware stem, alsof hij in slow-

motion sprak. Pacino's gevoel van tijd was zo verwrongen dat een seconde nu een heel uur leek te duren. Zijn ogen vonden de dubbele, met geel plastic beklede stalen hendels in het plafond boven de commandoconsole.
'... graad...' vervolgde de duikofficier met zijn vreemde, trage, vervormde stem, terwijl Pacino twee handen uitstak naar de hendels van de TESA, het nieuwe torpedo-ontwijkingssysteem van de boot.
'... opwaartse hoek...' riep de duikofficier toen Pacino de TESA-hendels in zijn handen had. Hij trok ze omlaag, met al zijn kracht.
'... op de...'
Pacino hield de hendels omlaag gedrukt, een slag gedraaid. Zijn gezicht was een masker van woede toen hij wachtte op de reactie van het systeem.
'... boegvleugels en...'
Er gebeurde niets. Pacino dwong zichzelf de hendels van de TESA omlaag te houden.
'... noodblazen vóór...'
De stoomgeneratoren van de reactor moesten hun stoom nu afvoeren via de leidingen langs de romp van de boot, naar de rubberachtige anti-echocoating, om zo een wolk van damp rond de *Devilfish* te vormen. Aan de voorkant moest perslucht van de TESA-leidingen voor luchtbellen zorgen die zich om de romp verzamelden en zich aaneensloten tot een cocon van supercaviterende damp over de hele lengte van de boot, op het moment dat de noodaandrijving werd gestart.
'... aye.' De stem van de duikofficier was vertraagd tot een nauwelijks herkenbaar gebrom. Pacino wierp een blik naar de duikofficier, tussen de TESA-hendels door, en zag dat de man tergend langzaam zijn handen omhoogstak naar de hefbomen voor de noodblaasprocedure. Het leek alsof hij ze nooit zou bereiken.
Vermeers had zijn mond open, met traag trillende lippen, als gordijnen die zachtjes opbolden in de wind. 'Coommmmandaant,' riep hij in slowmotion. Pacino was in gedachten heel ver weg, achter de reactor, achter de serviceturbines, achter de turbinegeneratoren van de voortstuwing, achter de machinekamer, achter de hydraulische installatie, achter de huid van de boot, achter ballasttank nummer drie met zijn in olie verpakte hoofdmotor, achter ballasttank nummer vier, waar de TESA-raketmotoren zich bevonden, en nog verder naar achteren, buiten de romp, achter het roer en de duikroeren en achter de propulsorring. Vanuit de zee tuurde hij naar de boot en naar de raketmotoren van het TESA-systeem, waar de springladingen nu de waterdichte beschermkappen wegbliezen en de raketmotoren werden ontstoken in een withete gloed – eerst de onderste en de bovenste,

dan de linker en de rechter, dan het tweetal op één uur en zeven uur. In paren werden ze opgestart, rondom de boot, totdat ze allemaal op vol vermogen waren. Door de hitte van de uitlaatgassen begon het dikke staal van het roer, de duikroeren en de dragende schotten van ballasttank nummer vier te smelten. De wolk van lucht en stoom rond de *Devilfish* groeide aan en de boot maakte snelheid binnen haar eigen supercaviterende luchtbel, tot vijftig knopen, toen honderd, en ten slotte zelfs tweehonderd knopen. Eindelijk gingen Pacino's gedachten weer terug naar de commandocentrale, waar het geluid van de raketmotoren aanzwol tot een oorverdovend gejank, dat plotseling ophield, omdat Pacino's tijdsbesef was stilgevallen of omdat hij doof was van de herrie. Hij wist nog altijd niet of het systeem wel werkte, totdat hij merkte dat hij horizontaal kwam te hangen, nog altijd met zijn handen om de TESA-hendels geklemd. Zelf hing hij wel verticaal, maar het dek lag nu evenwijdig aan zijn lichaam. Opeens woog hij vijfhonderd kilo en konden zijn armen zijn gewicht niet langer dragen, zodat hij gedwongen was de hendels los te laten. Het dek van de commandocentrale bewoog onder zijn voeten. Hij wist niet of hij zelf door de lucht vloog of dat de centrale opeens naar voren schoot, waardoor hij met kracht tegen het achterschot werd gesmeten. Hij zakte in elkaar en raakte met zijn hoofd de navigatieconsole. De commandocentrale spatte uiteen in een loeiende orkaan van vonken, en langzaam werd alles zwart.

Het achterste deel van de USS *Devilfish* explodeerde in een bulderende wolk van vuur toen de twee dozijn raketmotoren van de zware Vortex Mod Alpha-raketten paarsgewijs tot ontsteking kwamen, totdat ze alle vierentwintig op vol vermogen waren. Het roer, de duikroeren en de propulsor van de boot verdampten in het geweld en de verzengende hitte.
Op het moment dat het TESA-systeem in werking trad, lag de boot op testdiepte, met een kwart graad opwaartse helling op de boegvleugels en een noodblaasprocedure in de voorste ballasttanks. Wat een seconde eerder nog een kernonderzeeboot was geweest die op dertienhonderd voet diepte in het water zweefde, veranderde op slag in een onderwaterraket. De lucht en de stoom rondom de boot vormden zich tot een cocon van damp, vanaf de neus tot aan de Vortex-motoren, en de boot accelereerde met tien g naar vijftig knopen, toen honderd en ten slotte – toen de motoren hun brandstof hadden verbruikt en uitvielen – tot een snelheid van tweehonderdvijf knopen, met een opwaartse hoek van twee graden. De *Devilfish* sprintte bij de aanstormende Tigershark-torpedo vandaan en zette koers naar de spronglaag. De periscoop en de BRA-44-antennemast waren al afgebroken

in de zuiging, en zelfs de commandotoren en de sonarkoepel werden in elkaar gedrukt door de ontzagwekkende snelheid van de boot. Voordat de *Devilfish* boven de spronglaag uit kwam waren de stoomleidingen aan stuurboord al van de eerste turbinegenerator gescheurd, waardoor de stoominstallatie in de machinekamer begon te lekken. De hitte die daarbij vrijkwam was voldoende om iedereen in het achterschip te koken als een kreeft.

De achtervolgende Tigershark-torpedo merkte dat hij door zijn brandstof heen raakte en bracht zijn PlasticPak-kop tot ontsteking op duizend meter achter de vluchtende *Devilfish*. De drukgolf van de explosie raakte het achterschip, een paar seconden voordat de boot bulderend uit de zee omhoogschoot. Toen hij weer terugviel in de Atlantische Oceaan brak het achterschip bij ballasttank nummer drie. Door de afremmende kracht van de terugval in het water werd alles aan boord naar voren gesmeten, met zo'n geweld dat kasten en consoles van het dek werden losgerukt en de dekplaten zelf van hun bouten scheurden. De USS *Devilfish* bleef op de golven drijven, nauwelijks meer herkenbaar als een onderzeeboot, met een platgedrukte sonarkoepel, een verwrongen commandotoren en een uitgebrand en gebroken achterschip.

De boot maakte water en begon langzaam te zinken.

Het dek trilde bij de lancering van de elfde en twaalfde raket. Victor Krivak grijnsde terwijl hij wachtte tot Een-Nul-Zeven naar een mastdiepte van twintig meter was gestegen, zodat hij de luchtsluis kon laten vollopen om de *Snarc* te verlaten voordat de Amerikaanse boten en vliegtuigen de robotsub hier zouden vinden, aan het begin van de raketsporen. Er was een kans dat de *Snarc* zou ontsnappen en rond Zuid-Amerika naar Rood-China kon komen, maar de koolstofprocessor was waarschijnlijk al te apathisch om zich nog te kunnen verweren tegen een gerichte zoekactie. De drukmeter in de ontsnappingskoker liep op, eerst langzaam, toen sneller, tot een diepte van vijfenzestig voet – de Amerikaanse drukmeters werkten met voeten – zodat Krivak de luchtsluis kon laten vollopen. Hij had de gecombineerde zuurstoftank en compensator op zijn rug, zwemvliezen aan zijn voeten, een masker voor zijn gezicht en zijn materiaaltas aan een lijn om zijn middel.

Hij gaf het paneel instructie om het ventiel naar de commandomodule te openen. Zodra dat was gebeurd, zette hij de klep open om het zeewater binnen te laten. Het warme Atlantische water steeg snel naar het bovenste luik. Het bedieningspaneel en Krivaks hoofd bevonden zich in een nis achter een stalen gordijn, waar een luchtbel gevangenzat. Krivak sloot het ventiel en liet de druk in de sluis oplopen tot die van het zeewater. Als het verschil was opgeheven kon hij het bovenste luik openen om weg te zwemmen.

De Tigershark die het eerst was gelanceerd ontwaakte het laatst, maar nog net op tijd om getuige te zijn van de slachting toen de tweede en derde Tigershark elkaar te lijf gingen met wederzijdse explosies. De eerste Tigershark startte zijn motor en begon een zoekactie in een trage cirkel, maar hij kon niets anders vinden dan de wolk luchtbellen van de vorige explosies. Een tweede en derde cirkel, met een steeds grotere diameter, leverden ook niets op. De Tigershark kantelde zijn vinnen en ging op zoek naar een doelwit boven de spronglaag.
Het verbaasde de torpedo hoe dichtbij het doelwit bleek te zijn, maar toch zo onzichtbaar van onder de spronglaag. De Tigershark zette zijn gevechtskop op scherp, beschreef nog een cirkel om zichzelf meer ruimte te geven, wierp de eerste trap af en ontstak zijn raketmotor. Het doelwit werd snel groter in zijn zoeker.

Krivak dook omlaag langs het stalen gordijn onder het bovenste luik van de luchtsluis van de *Snarc*. Hij zette zich af met zijn zwemvliezen en steeg op totdat zijn hoofd uit het luik naar boven stak. Hij legde zijn handen op de rand, in de wetenschap dat hij nog maar twintig seconden had voordat de *Snarc* de bediening van de luchtsluis weer zou overnemen om het luik te sluiten. Het hydraulische mechaniek was krachtig genoeg om hem doormidden te hakken. En natuurlijk bleef de lijn van zijn waterdichte materiaaltas achter een hendel van de klep haken. Krivak overwoog de spullen achter te laten, maar dook toch omlaag om de lijn vrij te maken. Snel steeg hij weer op, met zijn oog op het luik gericht. Het volgende moment zwom hij door de opening naar buiten en trok de materiaaltas met zich mee. Beneden hem ging het luik al langzaam dicht. Krivak bukte zich, klopte twee keer op de romp als afscheid, en steeg naar de oppervlakte.

De eerste Tigershark zag het doelwit steeds groter worden, totdat het al het andere verdrong. Vlak voordat de torpedo contact maakte met de bolle romp bracht hij het PlasticPak tot ontsteking. Het achterste deel van de onderzeeboot scheurde open in een zware explosie die de voorste helft scheidde van wat nog resteerde van de achterkant. De schokgolf strekte zich uit tot de zwemmer die net de boot verlaten had.

Er was niets meer over van de Tigershark toen de oranje vuurbol weer inzakte, afkoelde en desintegreerde tot een massa van triljoenen waterdampbelletjes. Op het moment dat de eerste explosie was uitgewoed en de voorste helft van de boot begon te zinken, stormden er nog twee Tigersharks op af, die de *Snarc* verpulverden tot moleculen, vlak voordat hij zijn kritische diepte had bereikt.

De boeg van de SSNX *Devilfish* kwam langzaam uit het water omhoog toen het achterschip begon te zinken. Twintig mijl achter de boot draaiden de twee overgebleven Tigersharks in kringetjes rond, op zoek naar een doelwit.

Commandant Michael Pacino lag op het hellende dek achter in de commandocentrale toen Vermeers zich over hem heen boog en geluidloos iets tegen hem schreeuwde. Pacino opende zijn ogen en probeerde rechtop te gaan zitten, maar het leek alsof hij alle botten in zijn lichaam gebroken had. De lichten waren gedoofd, afgezien van de vaag flakkerende batterijlantaarns. Pacino deed zijn mond open om iets te zeggen, toen hij opeens zijn gehoor terugkreeg en het gebrul van Vermeers tot hem doordrong: 'We moeten van boord, commandant!'

Pacino wist zich overeind te hijsen, zwaar leunend op Vermeers, en liet zich naar het tussendek brengen, waar mensen en materiaal door het luik naar buiten werden gehesen. Pacino zakte door zijn knieën en sloeg tegen een schot. De wereld draaide voor zijn ogen.

'... er cirkelen nog meer Tigersharks rond! Opschieten!' riep Vermeers tegen de bemanning bij de ontsnappingskoker. 'Tegen de tijd dat we hun raketmotoren horen is het al te laat. Vooruit!'

Pacino voelde dat hij de ladder op werd getild naar de luchtsluis. Hij moest braken, maar probeerde zich in te houden. Boven zijn hoofd zag hij een cirkel van licht, een schijnwerper die hem verblindde en zijn ogen verpletterde in hun kassen. Totdat hij besefte dat het de zon moest zijn. De boot lag aan de oppervlakte. Iemand trok hem uit het luik naar het hellende dek en Pacino ving een glimp op van de verwrongen commandotoren, het zinkende achterschip en de steile hoek van de boot. Hij kwam wankelend overeind, terwijl er nog meer mensen door het luik naar buiten werden gebracht. Toen kwam zijn maag omhoog en kotste hij zichzelf onder, voordat alles donker werd.

Michael Pacino verloor het bewustzijn en gleed het water in aan bakboord, de kant waar de Tigershark-torpedo naderde.

'Vickerson!' riep Vermeers. 'Til de commandant op een reddingsvlot!'
De jonge luitenant-ter-zee dook het water in met een extra reddingsvest. Ze greep Pacino beet, hees hem in het vest en sleepte hem rond de achtersteven van de zinkende boot naar een van de reddingsvlotten aan de andere kant.
Pacino kwam weer bij toen de laatste mensen en middelen van boord werden gehaald. De ingedeukte boeg van de boot wees naar de hemel toen de *Devilfish* naar de diepte begon te zinken. Pacino zag het voorste ontsnappingsluik onder de golven verdwijnen. De boot maakte nog meer water, totdat alleen de plaats waar de neuskegel had moeten zitten nog boven de oppervlakte uitstak. Even later verdween ook die in een ring van schuim. Hij zag het gebeuren en staarde troosteloos omlaag naar het reddingsvlot. De missie had gefaald. Vier kruisraketten waren door de verdediging van de *Devilfish* gedrongen en uiteindelijk hadden de Tigersharks de eigen boot vernietigd, in plaats van de *Snarc*.
'Geef me de verrekijker eens,' zei Pacino tegen Vickerson.
Op dat moment verhief zich een vulkaan van water en schuim op de plaats waar zoëven nog de *Devilfish* had gelegen. Tien lange seconden later volgde een tweede explosie. Twee minuten lang regende het schuim op de reddingsvlotten.
'Wat was dát, in godsnaam?' vroeg Pacino.
De sonarchef keek hem aan en schudde zijn hoofd. 'Nog twee Tigersharks, skipper. We zijn net op tijd weggekomen.'
'Hebben we mensen verloren, Vickerson?' vroeg Pacino.
Ze keek hem droevig aan. 'We konden alleen de voorste helft evacueren, commandant. Het achterschip stond onder water en had een ernstig stoomlek. We kregen het luik niet open. Niemand uit de machinekamer is naar buiten gekomen.'
Pacino zuchtte.
'Wilt u de verrekijker?'
'Welke kant is het oosten? Ik wil weten waar de *Snarc* ligt. Is er enige kans dat we haar hebben geraakt?'
'Geen idee, commandant,' antwoordde de sonarchef.

Victor Krivak dreef in zee, met zijn gezicht ontbloot, zijn masker half weggerukt en de regulateur tussen zijn tanden vandaan geblazen. Nog een halfuur na de explosie van de *Snarc* lag hij daar, ademend maar bewusteloos, drijvend in zijn wetsuit dankzij de compensator, die hij met lucht had gevuld voordat hij de ontsnappingskoker had verlaten.

Een dreunende klap galmde door de zee, vanuit het oosten.
'Wat was dat?' vroeg Pacino. Hij keek naar een van de andere reddingsvlotten, waar Vermeers door zijn verrekijker de zee afzocht. 'Zie jij iets?'
'Nee, commandant,' riep de XO, 'maar het kwam wel uit de richting van de *Snarc*. Ik denk dat we haar te pakken hebben.'
Pacino knikte en tuurde naar de horizon in het oosten. Vingers van schuim reikten naar de hemel – een duidelijk bewijs van een explosie onder water. 'Mooi zo.'
Hij draaide zich om. 'Vickerson, heb je de pen uit het noodbaken getrokken?'
'Een halfuur geleden al, commandant,' zei ze. 'Ik dacht dat onze vliegtuigen ergens in het westen rondcirkelden.'
'Misschien werkt het baken niet,' opperde Pacino.
'Dan kunnen we nog lang wachten,' zei Vickerson.

Langzaam en pijnlijk opende Krivak zijn ogen en knipperde een paar keer naar de zee om hem heen. Hij kon zich niet herinneren wat er was gebeurd. Het leek of hij zich nog maar een seconde geleden had afgezet tegen de romp van de *Snarc*, en nu dreef hij hier, met gonzende oren en bloed op zijn gezicht en in zijn mond. Zo te voelen had hij dwars door zijn tong gebeten. Ook zijn oren bloedden en zijn rug deed pijn waar de zuurstoftanks hem raakten. Er was iets gebeurd. Misschien had de *Snarc* zichzelf vernietigd. Hij mocht van geluk spreken dat hij op tijd was weggekomen. Eén moment vroeg hij zich af of de boot was aangevallen na de lancering van de raketten, maar dat was onmogelijk. Hij had niemand kunnen ontdekken, de *Snarc* had een akoestische voorsprong op alle andere onderzeeboten en er waren geen vliegtuigen in de buurt geweest. Het moest zelfvernietiging zijn geweest.
Krivak geeuwde om de druk op zijn pijnlijke oren kwijt te raken en ontdekte zijn materiaaltas aan de lijn. Hij trok hem naar zich toe, haalde het vlot eruit en trok de pen van de kooldioxidecapsule los. Het vier meter lange, gele opblaasvlot vulde zich met lucht en bleef drijven op golven van een meter hoog. Krivak gooide de rest van zijn spullen erin, ontdeed zich van zijn duikuitrusting, legde die ook op het vlot en klom toen zelf aan boord. Zijn hoofd en zijn rug deden pijn. Hij opende een waterdichte cilinder, haalde de satelliettelefoon eruit en belde Amorn. Na tien keer proberen hoorde hij nog steeds de ingesprektoon. Dat was nog nooit gebeurd met Amorns telefoon. Er moest iets ernstig mis zijn.
Hij luisterde of hij de dieselmotor van Amorns jacht kon horen en

speurde de horizon af, maar er was geen boot te zien. Krivak had spijt dat hij geen verrekijker had meegenomen, maar dat had niet van belang geleken. Het vreemde was dat hij het jacht wel degelijk had gesignaleerd voordat hij de kruisraketten had afgevuurd. Hij zou op het reserveplan moeten terugvallen en een noodbaken moeten gebruiken. Als hij door de civiele autoriteiten werd opgepikt moest hij maar een of ander verhaal verzinnen. De kans was groot dat het de Amerikanen zouden zijn. Hij grinnikte bij die gedachte toen hij de wetsuit verruilde voor een katoenen overall. Hij stak de verzilverde Colt .45 achter zijn riem nadat hij het magazijn had gecontroleerd. Hij werd liever niet door een haai aangevallen zonder zijn Colt, dacht hij. Toen opende hij een paar noodrantsoenen en kauwde op een eiwitreep. Na een kwartiertje liet hij zich tegen de rand van het vlot zakken om te wachtten. Een paar minuten later viel hij in slaap.

'Commandant, daar!' zei Vickerson, en ze gaf Pacino de verrekijker. 'Er drijft iets geels op het water.'
'Pak de riemen,' zei Pacino, die door de verrekijker tuurde. 'Roei erheen met alle vlotten.'
Een uur lang waren de vier reddingsvlotten van de *Devilfish* onderweg naar de gele vlek. Toen ze dichterbij kwamen, sperde Pacino verbaasd zijn ogen open. 'Een overlevende,' zei hij.
Dat kon maar één man zijn, dacht hij. Victor Krivak. Alexi Novskoyy.
Woedend klemde Pacino zijn kaken op elkaar. Hij zocht in zijn noodpakket, haalde er een duikersmes in een schede uit en hing het aan zijn riem, in de hoop dat niemand het gezien had.
'Stop maar met roeien,' beval hij. 'Dichterbij komen we niet.' Pacino keek naar Vermeers. 'XO, dit is een rechtstreeks bevel. Niemand mag mij volgen. U hebt het commando.' Pacino liet zich over de zijkant van het vlot zakken en zwom in de richting van de gele rubberboot. Drie meter vanaf het vlot ontdeed hij zich van zijn zwemvest om sneller te gaan. Zijn lichaam deed pijn, maar dat was te verdragen – veel verdraaglijker dan het feit dat Alexi Novskoyy nog in leven was.

Het cirkelende P-5 Pegasus-patrouillevliegtuig kreeg radio-orders om een kijkje te nemen bij een noodbaken op de plaats van de explosies die door de Mark 12-module waren ontdekt. Op bevel van admiraal McKee waren ze uit het gebied vandaan gebleven, buiten bereik van de Mark 80-luchtdoelraketten van de *Snarc*. Maar na al die onderwaterexplosies – bij de laat-

ste was de Mark 12-module vermoedelijk zelf geraakt – had McKee de zee weer veilig verklaard en de P-5 gestuurd.
Ver naar het westen, vijftig mijl uit de kust van Washington, New York en Philadelphia, cirkelden enkele squadrons Scorpion-onderscheppingsjagers van de luchtmacht boven de Atlantische Oceaan, allemaal in contact met het KC-10 AWACS-radarvliegtuig dat op twaalfduizend meter vloog en fanatiek naar de inkomende kruisraketten zocht. Als het de *Snarc* was gelukt de raketten heimelijk af te vuren zouden ze ongezien, onder het bereik van de radar, zijn binnengekomen. Dan was het een wonder geweest als iemand ze had ontdekt. Maar met de waarschuwing van de *Devilfish* en de exacte tijd en plaats van de lancering had de luchtmacht alles wat vleugels had bijeengebracht om de ongrijpbare plasmawapens op te vangen.
In plaats van naar de raketten te hoeven zoeken hadden de bemanningen nu de luxe om te kunnen discussiëren over de vraag wie ze uit de lucht mocht schieten. In alle gevallen waren dat de squadronleiders. De hittezoekende Mongoose-raketten scheurden de Javelin IV's aan flarden. De plasmakoppen vielen uiteen en stortten in fragmenten in zee. Toen het nieuws van de vernietiging van de Javelins de presidentiële evacuatiebunker bereikte werd de 888 van de president opgeroepen en keerden Warner en haar staf naar de luchtmachtbasis Andrews terug. Admiraal Patton nam een limo naar het Pentagon om op berichten van de *Devilfish* te wachten.

Michael Pacino zwom voorzichtig naar het vlot en naderde het onder water. Ten slotte bracht hij zijn hoofd omhoog, probeerde zo geruisloos mogelijk te ademen en trok het duikersmes uit de schede. Hij keek naar het hoofd van de enige opvarende van het vlot. Het moest Victor Krivak zijn, hoewel hij voor Pacino altijd Alexi Novskoyy zou blijven. Pacino haalde diep adem, greep de man bliksemsnel bij zijn keel en trok hem het water in. Vlak voordat hij hem over de rand sleurde ving hij een glimp op van een man van in de veertig, knap als een filmster. Maar zelfs de beste plastisch chirurg kon niets veranderen aan die gemene ogen – ogen waarin Pacino ooit had gekeken op het poolijs, zoveel jaren geleden. Het waren de ogen van de man die de eerste *Devilfish* met torpedo's tot zinken had gebracht en die nu vier kruisraketten had afgevuurd op Pacino's thuis, de man die verantwoordelijk was voor het verlies van de tweede *Devilfish*, en – het allerbelangrijkste – de man die Pacino's zoon waarschijnlijk de dood in had gejaagd. Om die laatste reden kreeg hij nu een mes diep in de zijkant van zijn hals, waarna hij in slowmotion terugzakte in het water. Het bloed spoot Pacino in de ogen.

In de tijd die hij nodig had om het bloed uit zijn ogen te knipperen had Novskoyy al met zijn arm het mes uit Pacino's hand geslagen. Novskoyy probeerde hem te pakken te nemen. De man was veel sterker dan Pacino, raakte hem met zijn vuist in het gezicht en brak zijn neus. Bloed stroomde het water in. Pacino deed een greep naar Novskoyy, net op het moment dat de oorlogsmisdadiger naar zijn riem tastte. Pacino's vuist raakte hem vol op zijn kaak, met zo'n kracht dat Pacino zelf ruggelings werd teruggeworpen in het water, bij de Rus vandaan. Pacino probeerde weer in zijn buurt te komen, maar staarde opeens in de loop van het pistool dat Novskoyy van achter zijn riem vandaan haalde. Pacino verstijfde een moment en dook toen het water in, terwijl hij zich afvroeg of een pistool nog werkte als het nat was.

Victor Krivak had prettig liggen slapen, in afwachting van zijn redding, toen hij opeens bij zijn keel werd gegrepen en de zee in werd gesleurd. Hij ving nauwelijks een glimp op van zijn aanvaller en dacht heel even dat het Wang was. De gedachte dat de doctor was teruggekomen om wraak te nemen bezorgde Krivak een adrenalinestoot. Hij probeerde de man een vuistslag te verkopen, toen het mes al met grof geweld zijn keel binnendrong. Eerst voelde hij niet eens pijn, alleen een duizelige sensatie, alsof hij zweefde. Zijn bloed zat overal en hij was bang dat hij het niet zou overleven. Daarom vocht hij met nog meer kracht. Hij wist zijn aanvaller tegen zijn neus te raken. Bloed stroomde over het gezicht van de man, zowel uit zijn gebroken neus als uit de snee in Krivaks eigen hals. Vreemd genoeg kwam deze klootzak met zijn witte haar hem enigszins bekend voor. Krivak tastte naar zijn riem en hoopte dat de verzilverde Colt er nog was. Zijn wereld vervaagde langs de randen. Met zijn rechterhand trok hij de Colt en hield hem hoog boven het water. Met zijn linker greep hij zijn onbekende aanvaller bij de kraag. Toen hij de .45 richtte, zag hij het naamplaatje van de man: PACINO. Hij kende die naam, maar hij voelde zich koud en duizelig, ongetwijfeld door de steekwond, en hij kon de naam niet plaatsen.
Hij bracht de Colt vlak bij het gezicht van de man, die probeerde weg te duiken in de golven. Krivak richtte lager, vuurde vier schoten af en wachtte tot de man weer boven water kwam. Terwijl de seconden wegtikten, viel het hem op dat de golven en de hemel niet langer blauw waren, maar eerder thuishoorden in zo'n oude, stomme zwartwitfilm. Het geluid van de golven en de wind ontbrak, en het zonlicht leek te verbleken tot de schemering, hoewel het daar nog veel te vroeg voor was.
Hij wachtte tot het lichaam weer naar de oppervlakte zou komen, en ten

slotte gebeurde dat ook. De man klauwde met zijn handen naar Krivaks borst en deed een greep naar het pistool. Krivak was te moe om zich nog te verzetten. Toen de man die Pacino heette opnieuw probeerde het pistool te veroveren, ging het wapen af. Krivak vroeg zich af of hij eindelijk zijn tegenstander had uitgeschakeld, maar eigenlijk kon het hem niets meer schelen. Ondanks de adrenaline van het gevecht voelde hij zich opeens vreemd slaperig en koud.
Het zou de duisternis wel zijn, dacht hij toen het pistool uit zijn hand gleed.

Pacino dook diep, maar niet diep genoeg. Er schoot een felle pijn door zijn linkerschouder en toen door zijn rechterbeen. Daarna leek het of er een mes door zijn oor sneed. Dat was het moment waarop hij zijn ogen opende en probeerde Novskoyy te ontdekken in het water. Het enige wat hij zag was een vage schim, spartelend in de golven, met één hand boven het water. In die hand glinsterde iets met een zilveren schittering. Pacino zwom erheen, ondanks de felle pijn in zijn been, en deed een uitval naar het pistool. Hij kreeg het te pakken, maar toen hij zijn vingers eromheen klemde zag hij een vuurflits uit de loop en leek het of ook het laatste restje licht uit de wereld verdween. Pacino viel terug in de duisternis. Het ene moment vocht hij nog voor zijn leven, de volgende seconde zakte hij naar een diepe kerker, met het gevoel dat zijn lichaam bij hem vandaan zwom zonder dat hij het nog kon inhalen.
Hij dacht aan Anthony Michael en wilde zijn naam zeggen, maar het leek alsof hij was vergeten hoe hij moest spreken. Hij dreef langzaam weg en de woorden verloren hun betekenis toen de wereld om hem heen draaide en hij zelf in een spiraal terechtkwam, eerst langzaam, toen steeds sneller, totdat hij zijn eigen naam en die van zijn zoon en van Colleen niet meer wist en er een einde kwam aan zijn bestaan en aan de wereld. Het was voorbij.

Epiloog

Het was alsof hij naar periscoopdiepte steeg.
Eerst was er een volslagen duisternis, met enkel het besef dat het spoedig licht zou worden, en het wachten daarop. Daarna leek de duisternis wat lichter dan zwart, een soort diepblauw, dat opklaarde totdat er een verre wereld in zicht kwam, zonder enige structuur, met alleen de onderkant van de golven, mijlenver bij hem vandaan. Na een tijdje werden ze duidelijker en kon hij dalen en pieken onderscheiden, totdat hij door een golfdal brak en heel even een glimp opving van een totaal andere wereld, die uiteenspatte bij de volgende golf, zodat alles weer blauw werd. Het volgende moment sloeg er een fontein van nijdig schuim over hem heen en dook die andere wereld weer op, maar duidelijker nu, tot alles meer scherpte en structuur kreeg en die nieuwe, bewuste wereld de werkelijkheid bleek te zijn.
'Waar ben ik?' probeerde hij te zeggen, maar het enige wat hij wist uit te brengen was een verstikt gerochel. Hij deed nog een poging en zag dat de hele wereld wit was en dat een witte gestalte zich over hem heen boog. Eén moment was hij bang dat hij gestorven moest zijn, maar toen kwam het gezicht dichterbij, met een verband om het voorhoofd en dezelfde ogen als de zijne. Alleen de neus was anders. Hij knipperde met zijn ogen en besefte dat het zijn zoon was, Anthony Michael. Weer trachtte Pacino zijn stem te vinden, en nu lukte het, min of meer. 'Anthony,' zei hij.
Opeens was er nog een gezicht, omlijst door lang, ravenzwart haar – een gezicht met grote, donkere, vochtige ogen, die hij voor het eerst had gezien op een scheepswerf, geconcentreerd op het werk aan een boot die toen nog SSNX heette, een boot die nu als wrak op de bodem van de Atlantische Oceaan lag.
'Colleen,' zei hij hees.
'Niet praten, Michael,' zei ze.

'Nee, pa,' beaamde Anthony Michael.
'Ik moet het weten,' zei hij, nauwelijks verstaanbaar.
'Wat, lieverd?' vroeg Colleen.
'Novskoyy. Wat is er met Novskoyy gebeurd?'
'Krivak, bedoel je?'
Pacino knikte.
'Die is dood, schat,' antwoordde Colleen. 'En wees nu stil en probeer te slapen.'
Michael Pacino deed wat zijn vrouw zei en zakte weer weg in de duisternis, maar met een glimlach op zijn gezicht.
Buiten op de gang stond overste Jeff Vermeers te wachten met de overlevenden van de *Devilfish*, de admiraal van de onderzeedienst, Kelly McKee, en het hoofd Marineoperaties, John Patton. Colleen kwam naar buiten en lachte. De bemanning op de gang hief een gejuich aan, totdat zij hen eindelijk stil wist te krijgen en naar de uitgang loodste.
'Colleen,' zei Anthony Pacino, 'ik moet naar iemand toe.'
Colleen gaf de jongen een kus op zijn wang en keek hem na toen hij op zijn krukken verdween. Hij nam de lift en hobbelde een gang door, op weg naar een andere kamer. De vrouw in het bed glimlachte toen hij binnenkwam. Haar knappe gezichtje ontspande zich.
'Patch,' zei ze teder.
'Carrie, hoe gaat het?'
'Goed hoor,' zei ze zwak. 'Veel beter, nu. Hoe is het met je vader?'
'Hij redt het wel.'
'Dat is geweldig.' Ze sloot haar ogen.
Pacino ontdekte iemand in de hoek van de kamer. Het was overste Rob Catardi.
'Goeienavond, commandant,' zei Patch.
Catardi glimlachte en sloeg Pacino op zijn schouder. 'Blij je te zien, Patch. Carrie, ik ga even bij Patch senior kijken, als het goed met je gaat.'
Ze knikte. Toen Catardi was vertrokken boog Pacino zich over haar heen en kuste haar zacht. Ze kuste hem terug, maar bepaald niet teder. Ze legde een arm om zijn nek, trok hem naar zich toe en woelde met haar vingers door zijn haar. Na een paar minuten hees ze zich wat hoger in bed, zodat ze hem kon bekijken.
'Wat is dat op je uniform?' vroeg ze, met een vinger tegen zijn lintje.
Pacino haalde zijn schouder op. 'Het Marinekruis,' zei hij langzaam. 'Dat schijn je te krijgen als je meer dan drie mensen hebt gered. De rest van de boot hebben we verspeeld.'

Luitenant-ter-zee eerste klasse Carolyn Alameda keek hem streng aan. 'Je mag niet luchtig doen over zo'n onderscheiding. Je hebt alle overlevenden gered, vier levens. Ook het jouwe, en dat is het belangrijkste voor mij.'
Pacino glimlachte. 'Ik geloof dat het beter tussen ons ging toen we nog niet zoveel praatten.'
'Kom hier,' zei ze. 'En dat is een bevel.'

Overste Donna Phillips hielp overste George Dixon de laatste treden op van de trap naar het droogdok. Boven gekomen hadden ze een indrukwekkend uitzicht op de romp van de onderzeeboot uit de Virginia-klasse beneden hen, die steeds meer gestalte kreeg. Rijdende kranen gingen langzaam heen en weer, terwijl ze als waarschuwing hun hoorns lieten galmen over de baai. Er stonden zoveel steigers en materieel rond de boot in het bassin van het dok, dat de contouren niet goed te onderscheiden waren, maar Dixon zag de schoonheid die eronder lag.
'Wat is haar naam?' vroeg hij aan Phillips. Hij had erop gestaan dat hij haar eerst wilde zien voordat hij haar naam zou horen.
'Dit is de USS *Bunker Hill*, commandant,' zei Phillips. 'En wij kunnen haar krijgen als we haar hebben willen.'
Dixon zocht in het borstzakje van zijn kaki uniform en haalde er de verwrongen munt met de geplette kogel van de AK-80 uit. Hij keek er eens naar, wreef hem tussen zijn duim en zijn handpalm en borg hem weer op.
'Dan denk ik dat we een nieuwe onderzeeboot hebben,' zei hij tegen Phillips. 'Wat dacht je ervan om nog een paar maandjes als XO met mij rond te varen voordat je je eigen boot krijgt?'
'Commandant, met het grootste plezier.'
Langzaam hielp ze hem weer de trap af naar de gereedstaande dienstauto, voor de terugrit naar het hoofdkwartier van het Unified Submarine Command, waar admiraal McKee wachtte voor een persoonlijke debriefing van commandant Dixon. Phillips klom de trap weer op naar de rand van het droogdok, waar ze de frisse zeelucht diep inademde en nog een paar uur bleef staan kijken naar de bouw van de onderzeeboot *Bunker Hill*.

Commandant Lien Hua, leider Zhou Ping en drie leden van de bemanning van de *Nung Yahtsu* stonden aan de reling van de Aegis II-kruiser USS *Valley Forge* en zagen ongelovig hoe er een helikopter van het Volksbevrijdingsleger op het achterdek landde. Terwijl de rotorbladen tot rust kwamen, keek Lien nog eens aarzelend om, maar de Amerikanen gaven hem een teken om door te lopen. Sommigen zwaaiden zelfs. Onbegrijpelijk, allemaal.

Op het moment dat hij en Zhou in de helikopter stapten verwachtte hij nog half dat het toestel door een raket vanuit de bovenbouw van de kruiser aan flarden zou worden geschoten, maar dat gebeurde niet. De vlucht naar de jager van de Rood-Chinese marine duurde een uur. Toen Lien uitstapte, stond de hele bemanning klaar in groot uniform en sprong in de houding zodra hij voet aan dek zette.
Lien keek leider Zhou eens aan. 'Wat krijgen we nou? Ik begrijp er niets van.'
Zhou bevochtigde zijn lippen. 'Misschien vonden ze het al heldhaftig genoeg dat we die Amerikaanse onderzeeboot tot zinken hebben gebracht.'
'Hoewel we de *Nung Yahtsu* hebben verloren,' zei Lien Hua. De commandant van de jager kwam glimlachend naar hen toe.
'Ik heb hier iets voor commandant Lien,' zei hij nadat hij hen had begroet, en gaf hem een envelop.
Het was een brief van Chu Hua-Feng, de admiraal van de onderzeedienst, maar met een briefhoofd van de marine van het Volksbevrijdingsleger. En Chu ondertekende als vlootadmiraal. De brief was een huldeblijk aan wat de admiraal omschreef als betoonde moed in de strijd. In de laatste alinea bevorderde hij Lien tot de rang van schout-bij-nacht en nodigde hem uit op het hoofdkwartier van de generale staf van het Volksbevrijdingsleger in Beijing. De envelop bevatte ook de epauletten met de sterren van zijn nieuwe rang. Lien keek verbaasd op toen de bemanning om hem heen losbarstte in gejuich. Ook Zhou Ping applaudisseerde.
Lien kon het bijna niet geloven, zelfs niet toen de jager de haven binnenliep en Liens vrouw en zijn twee dochtertjes op hem stonden te wachten. Pas toen hij haar en de tweeling in zijn armen sloot wist hij dat de lange nachtmerrie eindelijk voorbij was. Hij vroeg zijn gezin om even te wachten en liep terug naar Zhou, met een vraag op zijn lippen.
'Waarom, Zhou? Waarom hebben die barbaren me laten leven, terwijl ze wisten dat ik op hun overlevenden had gevuurd?'
Zhou Ping keek hem aan alsof hij alle antwoorden had. 'Omdat ze begrepen dat het oorlog was, admiraal. Toen de oorlog afgelopen was, haatten ze ons niet meer.'
'In hun plaats,' zei Lien, 'zou ik hen hebben doodgeschoten en misschien eerst nog hebben gemarteld.'
Zhou Ping knikte. 'Wellicht, admiraal Lien, zijn het niet zulke barbaren als u denkt.'
Schout-bij-nacht Lien Hua zweeg een moment en knikte toen. 'Misschien heb je gelijk, Zhou,' zei hij.

En hij liep terug naar zijn vrouw, diep in gedachten verzonken.

Admiraal Egon 'de Viking' Ericcson gooide zijn golftas in de kofferbak en stapte in zijn rode Porsche voor de rit naar kantoor. Het was zaterdagmiddag, dacht hij, het enige moment waarop hij in drie uur twee weken werk kon verzetten. Daarna zou hij zich omkleden voor de blind date die zijn nieuwe vriend Kelly McKee had geregeld. Toen hij daaraan dacht, trapte hij het gaspedaal nog dieper in en nam de bochten sneller dan normaal.
Terwijl de Porsche soepel op weg was naar de stad zag hij het zwaailicht van een politiewagen achter zich. Vloekend draaide hij de berm in. Een politieman kwam uit de auto en liep naar hem toe.
'Uw papieren, alstublieft,' zei de man.
'Reed ik te hard, agent?' vroeg Ericcson.
'Dat kunt u wel zeggen, meneer,' antwoordde de politieman. 'Rijbewijs en kenteken, alstublieft.'
Ericcson slaakte een diepe zucht van opluchting en grijnsde. Hij was zich ervan bewust dat de man hem bevreemd aanstaarde, maar dat kon hem weinig schelen.
'Goddank, agent,' zei hij, terwijl hij zijn autopapieren pakte. 'Goddank.'

Nawoord

Opmerkingen, commentaar en brieven zijn altijd welkom. Wie on line is, kan me per e-mail bereiken op readermail@ussdevilfish.com of via de website ussdevilfish.com. Wie niet op het internet zit, kan een briefje sturen aan de uitgever. Ik beantwoord alle post – niet altijd op de dag zelf, maar er komt antwoord. Neem dus gerust contact op.

De lezers die Michael Pacino al volgen vanaf de dag dat hij het commando kreeg over de onderzeeboot *Devilfish* uit de Piranha-klasse, ben ik bijzonder erkentelijk. Tegen anderen wil ik zeggen: lees *De missie van de Devilfish, De aanval van de Seawolf, De jacht van de Phoenix, De Barracuda-strategie, Doelwit: Piranha* en *Torpedovuur*, verschenen bij Karakter Uitgevers in Uithoorn.

Welkom aan boord, en gereedmaken voor onder water...

Michael Dimercurio,
Princeton, New Jersey,
www.ussdevilfish.com

Dankbetuiging

Dank aan mijn vrouw Patti, voor alle inspiratie die ze me geeft – genoeg voor drie mensenlevens.

Dank aan mijn kinderen, Matt, Marla en Meghan, omdat ze mijn leermeesters zijn en me herinneren aan wat echt belangrijk is in dit leven.

Dank aan Bill Parker, directeur van Parker Information Systems en architect van de website ussdevilfish.com, die een geweldig klankbord is voor promotieactiviteiten, en een goede vriend.

En ten slotte dank aan Doug Grad, een geniale redacteur, die dit boek veilig aan de grond wist te zetten na een spannende en angstige vlucht.

Lees ook van Karakter Uitgevers B.V.

GORDON KENT

Peacemaker

Na een langdurige oefening op zee wordt Alan Craik – inlichtingenofficier en piloot – in het Pentagon weer achter een bureau gezet. Dan hoort hij dat zijn beste vriend, een CIA-agent, in Centraal-Afrika is ontvoerd. Precies op het moment dat er in Rwanda op grote schaal gewelddadigheden dreigen uit te breken.
Craik vliegt naar een Amerikaanse vlooteenheid in de Middellandse Zee die de escalerende Afrikaanse crisis het hoofd moet bieden. Als hij erin is geslaagd zijn vriend te bevrijden, merkt hij dat ze midden op het uitgestrekte continent vast komen te zitten, terwijl om hen heen een bloedige oorlog wordt uitgevochten. Hun enige kans op ontsnapping is een gevaarlijke tocht door vijandig gebied…

In hoog tempo is de lezer getuige van diverse hachelijke acties – van een nachtelijke helikopterraid in Bosnië tot een vlucht met een kwetsbaar eenmotorig vliegtuigje boven de Afrikaanse jungle, alsmede van een marathonmissie aan boord van een straaltoestel van de Amerikaanse marine. Met deze adembenemende thriller over verraad, samenzwering en high-techspionage schaart Gordon Kent zich in het rijtje van hedendaagse bestsellerauteurs als Tom Clancy, Kyle Mills, Andy McNab en andere grote namen op het gebied van de military suspense.

ISBN 90 6112 262 7